Verraad

Van dezelfde auteurs

Misbruik
Wraak

Lotte & Søren Hammer

Verraad

AWB

A.W. Bruna Fictie

Oorspronkelijke titel
Ensomme hjerters klub

Published by agreement with the Gyldendal Group Agency.
Vertaling
Geri de Boer en Nanny Roed Lauridsen
Omslagbeeld
© Richard Nixon/Arcangel Images
Omslagontwerp
Studio Jan de Boer

ISBN 978 90 229 9925 7
NUR 305

Songs van:
p. 51: *Dona Dona*, © Arthur Kevess & Teddi Schwartz, 1955
p. 204: *I Dreamed I Saw Joe Hill Last Night*, © Alfred Hayes, 1925
p. 316: *You'll Never Walk Alone*, © Richard Rodgers & Oscar Hammerstein, 1945

Dit boek is gedrukt op papier dat het keurmerk van de Forest Stewardship Council (FSC®) mag dragen. Bij dit papier is het zeker dat de productie niet tot bosvernietiging heeft geleid. Een flink deel van de grondstof is afkomstig uit bossen en plantages die worden beheerd volgens de regels van FSC. Van het andere deel van de grondstof is vastgesteld dat hiervoor geen houtkap in de laatste resten waardevol bos heeft plaatsgevonden. Daarom mag dit papier het FSC Mixed Sources label dragen. Voor dit boek is het FSC-gecertificeerde Munkenprint gebruikt. Dit papier is 100% chloor- en zwavelvrij gebleekt en wordt geleverd door Arctic Paper Munkedals AB, Zweden.

Voor Merete Borre
... een fijn mens en een geweldige redacteur

1

De datum was 13 augustus, de plaats was Polititorvet in Kopenhagen, het weer was grijs en winderig. De nacht was in de binnenstad redelijk rustig verlopen: een paar caféruzies, een steekpartij met lichte verwondingen, een handvol dronkenlappen die hun roes moesten uitslapen in de cel, een heroïnehoer die door een overdosis was overleden – niets ernstigs of ongewoons. Het ergste was een dronken automobilist die in de vroege ochtend met een race bezig was om aan twee achtervolgende politieauto's te ontsnappen. Dat was hen uiteindelijk gelukt. Met gierende banden en meer dan honderd kilometer per uur was hij van de Sydhavnsgade Sluseholmen op gereden en daarna rechtsaf bij Ved Stigborderne, waar hij het gaspedaal intrapte en triomfantelijk in de achteruitkijkspiegel kijkend de haven in reed. Nu waren de duikers hem aan het zoeken, maar de stroom was daar zo sterk dat het een tijdje zou kunnen duren voordat hij gevonden werd. Iedereen hoopte dat het hem was gelukt om op tijd uit de auto en aan wal te komen, maar dat was onwaarschijnlijk.

De jongen die Polititorvet overstak, was veel te zwaarlijvig. Bij het zebrapad voor het Hoofdbureau van Politie keek hij zorgvuldig naar beide kanten voordat hij het waagde om moeizaam en traag de straat over te steken. Toen hij de andere kant had bereikt, stopte hij, depte zijn wangen en voorhoofd met een zakdoek die hij uit zijn broekzak haalde en liep verder over de Niels Brocks Gade. Zijn voeten deden zeer en het was nog een heel eind tot hij bij zijn school was. Een paar mensen die hem voorbijliepen keken hem bezorgd en misschien zelfs een beetje medelijdend aan voordat ze zich verder haastten. De meesten negeerden hem.

De kleding die de jongen aanhad, was net zo treurig als hijzelf. Niet dat zijn ouders geen geld hadden, maar dit was zijn manier om te protesteren. Eén daarvan. Hij droeg witte, afgetrapte gympen, die vorig jaar in de aanbieding waren geweest in de lokale supermarkt, een verwassen spijkerbroek die onder zijn buik hing en een beige windjack, half dichtgeritst zodat zijn ene pols op de rits kon rusten alsof hij zijn arm had gebroken. Door het windjack transpireerde hij nog erger, en dankzij zijn natuurlijke beschermlaag had hij

de jas best kunnen missen, zo koud was het nu ook weer niet. Maar hij had hem nodig. Met de hand in zijn jas hield hij een machinepistool vast.
Het was woensdag, 8.16 uur.

*

Als hoofdinspecteur Konrad Simonsen was gaan staan en op het juiste moment uit het raam had gekeken, had hij de jongen langs kunnen zien lopen. Maar dat deed hij niet. Want hij keek al naar de hoofdcommissaris, die zat te bellen. Ze stond bekend om haar smakeloze, vaak excentrieke kleding en vandaag was geen uitzondering; dat was zelfs voor hem duidelijk. Ze droeg een getailleerd jasje met een blauw-groen ruitjespatroon en daarbij een gestreepte broek in bijna, maar toch nét niet dezelfde kleuren. Hij bedacht dat ze nu alleen nog een dood dier om haar nek nodig had, een vos bijvoorbeeld, dan had ze de ultieme lelijkheid bereikt.

Het was zijn eerste werkdag sinds acht weken en hij was zenuwachtig geweest vanmorgen toen hij aankwam, merkwaardig genoeg. Nu waren de zenuwen weg. Hij keek rusteloos naar de afbeelding van de koningin aan de muur achter de hoofdcommissaris en probeerde zijn irritatie te bedwingen. Vervolgens trok hij een gek gezicht naar de koningin, alsof ze met hem samenspande en daarna keek hij weer naar het dossier op het bureau voor hem. Het leek dun.

Eindelijk maakte de hoofdcommissaris een eind aan haar telefoongesprek. Ze lachte hem warm toe, een lach die óf zorgvuldig was ingestudeerd óf echt uit haar hart kwam, en vertelde hem omstandig over alle mensen die contact met haar hadden opgenomen toen hij ziek was, om te horen hoe het met hem was.

'Sommigen hebben me zelfs privé gebeld.'

'O, echt? Wat een toestand, zeg.'

'Ja, dat kun je wel zeggen, en jij moet nou niet meer doen alsof het je niets uitmaakt, maar blij zijn dat je collega's hebt die belangstelling voor je tonen.'

Ze had gelijk; hij zei dat hij daar blij mee was en ze ging door: 'Ik heb ervoor gekozen je formele status niet te veranderen. Je bent nog steeds chef Moordzaken, maar in de praktijk laat je Arne Petersen...'

'Arne Pedersen. Het is Pedersen, niet Petersen.'

Arne Pedersen was een van Konrad Simonsens naaste medewerkers, een man van eind dertig, competent en snel van begrip. Iedereen was er altijd van uitgegaan dat hij Konrad Simonsen vroeg of laat zou opvolgen als chef Moordzaken als het zover was, en hij had hem vanzelfsprekend de afgelopen twee maanden vervangen.

De hoofdcommissaris zei: 'Sorry, ik zal het onthouden. Maar goed, hij blijft de facto de baas, totdat ik van mening ben dat je gezond genoeg bent om het weer over te nemen. En in het begin mag je drie, maximaal vier uur per dag werken. Begrepen?'

Hij begreep het. Ze herhaalde langzaam, elk woord proevend, 'drie, maximaal vier uur per dag,' waarna ze hem liet weten dat iedereen om hem heen het bevel had gekregen om het aan haar te melden als hij die tijdslimieten niet respecteerde.

'En als je je moe voelt, blijf je thuis. Denk erom, het kerkhof ligt vol onmisbare mensen.'

'Natuurlijk. Mag ik zelf bepalen wanneer ik mijn uren invul of doe jij dat ook?'

De ironie was niet aan haar besteed en ze antwoordde ernstig: 'Begin maar met het zelf te bepalen, en dan kijken we wel hoe het gaat.'

'Dank je. Krijg ik nu mijn zaak?'

Ze negeerde hem.

'We hebben je kantoor verbouwd toen je ziek was. Je hebt een extra kamer met een bank gekregen. Voor als je het nodig hebt om even te rusten.'

Ze had zich er duidelijk op verheugd hem dit te vertellen. Hij bedankte haar weer, onhandig, en voelde zich oud. Toen opende ze eindelijk de map die voor haar lag. Ze keek hem niet echt aan toen ze zei: 'Het is geen echte zaak. Het is meer dat ik vind dat hij op een nette manier moet worden afgesloten.'

Ze sloeg met haar hand op de stukken in de map en nam de inhoud met hem door. Hij luisterde met stijgende verbazing en constateerde dat ze gelijk had: het was zeker geen echte zaak. Hij vroeg verontwaardigd: 'Komt de vicevoorzitter van de parlementaire commissie van justitie rechtstreeks bij jou om zich met het politiewerk te bemoeien? Dat is toch niet te geloven?'

'Ik weet dat het vreemd is, Simon. Maar kun je niet gewoon een paar getuigen horen, en... ja gewoon een beetje in die zaak duiken? En daarna een rapport schrijven, dat...'

Ze aarzelde en hij maakte haar zin af: '... dat je de vicevoorzitter kunt laten zien.'

De hoofdcommissaris knikte en voegde eraan toe: 'Je mag het ook delegeren. Ik ga me niet bemoeien met wat je precies doet; ik wil er alleen voor zorgen dat je niet te hard van stapel loopt. Maar ik dacht dat het misschien een leuke zaak voor je was om mee te beginnen. Ik bedoel om weer een beetje op gang te komen.'

Konrad Simonsen trok de map naar zich toe en zei: 'Het ís geen zaak.'

Toen hoorde hij plotseling muziek. Dezelfde vage tonen als die bij hem waren binnengedrongen toen hij wakker werd in het ziekenhuis, nu bijna zeven weken geleden. De angst greep hem bij de keel, zoog zich aan hem vast, verlamde hem – zoals hij inmiddels vaak had meegemaakt sinds de operatie.

Zijn chef vroeg bezorgd: 'Is er iets? Voel je je wel goed?'
Met een uiterste krachtsinspanning antwoordde hij: 'Hoor jij ook muziek?'
Ze schoot hartelijk in de lach en gedurende een paar eindeloze seconden wist hij niet of ze hetzelfde hoorde als hij of alleen maar tolerant was tegenover waanvoorstellingen van anderen. Toen stond ze op en bonkte een paar keer met haar vuist op de muur. De muziek hield op.
'Het is resonantie. We hebben een nieuwe medewerkster in opleiding bij het secretariaat en die heeft zo'n kleine, platte taperecorder met oordoppen – een iPod heet dat, geloof ik – en als ze met haar hoofd tegen de muur leunt, werken haar schedel en de hele muur als luidspreker.'
Hij ontspande en voelde zich opeens moe. Dat was het bekende patroon: eerst doodsangst, dan moeheid.
'Waarom verbied je haar dan niet om naar muziek te luisteren?'
'Dat heb ik ook gedaan, maar helaas is haar relatie met autoriteiten... hoe zal ik het zeggen... nogal relaxed, en...'
Konrad Simonsen luisterde al niet meer.

*

De jongen met het machinepistool had zijn school bereikt. Die lag in de Marmorgade, een kort straatje tussen de H.C. Andersens Boulevard en de Vester Voldgade. Het was een rood bakstenen gebouw met drie vleugels van vier etages, gebouwd in het begin van de twintigste eeuw. Het schoolplein lag aan de straat en was slechts door een hek van het trottoir gescheiden. De hoofdingang was in het achterste gebouw en had de vorm van een pompeuze granieten trap die naar een veel te grote, groene dubbele deur leidde. Die paste slecht bij de rest van de architectuur en wekte daardoor een weinig harmonieuze indruk. De jongen bewoog zich langzaam in de richting van die deur.

Zijn mentor kreeg hem door een raam in de noordelijke vleugel in het vizier. Ze moest hem sowieso aanspreken op zijn te laat komen; het ging al voor de zomervakantie niet goed en het nieuwe schooljaar was net zo slecht begonnen als het vorige was geëindigd. Bovendien had ze een stapel papieren voor zijn klas en dacht dat ze, als ze nu met hem ging praten, ook niet naar de derde verdieping hoefde te lopen. Ze kon als het ware twee pedagogische vliegen in één klap slaan, dus ze deed het raam open en riep hem. Tot haar verbazing reageerde hij echter niet, hoewel hij minder dan vijf meter van haar vandaan was. Ze zuchtte. Zo was hij normaal gesproken niet, maar hij had het waarschijnlijk ook niet altijd makkelijk, die arme jongen.

Toen de jongen zich eindelijk de trappen op had gehesen en door de gang naar zijn klaslokaal was gelopen, ging hij op een bank zitten om weer op adem te komen. Deze pauze viel wat langer uit dan hij eigenlijk had gewild, maar hij was moe en zenuwachtig, en had de tijd hard nodig om zichzelf weer onder controle te krijgen. Pas toen hij een paar minuten later zijn mentor met een doelbewust glimlachje en met de papieren onder haar arm op zich af zag komen, ging hij het lokaal binnen.

Binnen merkten zijn klasgenoten zijn komst nauwelijks op, ook niet toen hij door hun gezichtsveld naar zijn plaats liep. De jongen blies weer uit maar ging niet zitten. Hij ging tegen de muur naast zijn tafel staan. Ook de vaste invaller, die bij het schoolbord stond en bezig was met de vervoeging van de Engelse onregelmatige werkwoorden, liet zich niet door zijn binnenkomst storen. De jongen keek hem vijf lange seconden aan en voelde hoe de haat in hem opborrelde en hem moed gaf.

De vaste invaller was een blonde, vlot geklede man van begin dertig, innemend van aard en met een mooi klassiek profiel, populair bij de jongens én de meisjes – en bovendien een prima leerkracht. Alsof hij een voorgevoel had, keek de vaste invaller over zijn schouder. Toen zag hij het wapen, waarvan de korte, zwarte loop recht op hem gericht was. Geen gedachten meer, wel een enorme adrenalinestoot. Hij reageerde met indrukwekkende snelheid: in drie lenige sprongen was hij bij de deur en hij kon nog net de deurkruk vastgrijpen voordat het machinepistool zijn kogels uitbraakte.

Zevenendertig schoten in minder dan een halve seconde.

Later werden alle schoten nauwkeurig gerubriceerd: elf hadden het slachtoffer in zijn rug geraakt, drie in zijn hoofd en één in zijn linkerbovenarm. De vaste invaller was dood voordat hij de grond had geraakt. De overige tweeëntwintig schoten waren allemaal door de deur heen gegaan, de meeste meer dan tweeënhalve meter boven de vloer, waarschijnlijk omdat de jongen niet gewend was met wapens om te gaan en niet had gecorrigeerd voor het omhooggaan van de loop terwijl hij schoot. Drie kogels hadden de deur op ongeveer anderhalve meter hoogte doorboord en één daarvan had de mentor van de jongen geraakt, die net op dat moment aan de andere kant van de deur stond. Het schot was door haar hand gegaan. Een ander schot had een houtsplinter van de deur getrokken, en die was in haar rechteroog gevlogen, waar hij tussen haar oogappel en jukbeen vast bleef zitten, maar dat was slechts oppervlakkig letsel.

Toen de mentor werd geraakt, voelde ze geen pijn, alleen verbazing. In een reflex greep ze naar haar oog en trok de houtsplinter eruit. Vervolgens keek ze verbaasd naar haar hand en viel flauw. Ze leed aan hematofobie, oftewel ziekelijke vrees voor bloed.

In het klaslokaal brak paniek uit. De meeste leerlingen schreeuwden het uit en kropen bij elkaar, zo ver mogelijk weg van de jongen. Een leerling sprong resoluut door het open raam achter in de klas. Hij had ontzettend veel geluk, want hij kwam niet op het schoolplein terecht, maar op het dak van een vrachtwagen die aan het uitladen was voor de huishoudkundelessen. Hij kwam ervan af met een gebroken pols en een lelijke schaafwond op zijn wang. Een meisje kroop in een kast en slaagde erin de deur van binnenuit dicht te trekken. Daar lag ze in foetushouding te trillen, zo stil en geluidloos als ze maar kon. De andere leerlingen gingen zo dicht mogelijk bij elkaar staan in de hoek het verst weg van de lessenaar, sommigen gingen liggen of zitten en anderen drukten zich tegen de muur alsof dat zou helpen als er op hen werd geschoten. Het geschreeuw stierf langzaam weg en maakte plaats voor gesnik hier en daar. Iedereen keek angstig naar de schutter en volgde met bange ogen elke kleine beweging van zijn wapen. De jongen ging op een stoel zitten, volkomen in de war. Ook hij huilde.

*

Na zijn gesprek met de hoofdcommissaris ging Konrad Simonsen naar zijn kantoor met de dossiermap onder zijn arm. Onderweg overtuigde hij zichzelf ervan dat het hem eigenlijk best beviel dat hij zo rustig kon beginnen met een nutteloze opdracht, een gedachte die hem tegelijk verwonderde en geruststelde.

Zoals zijn chef hem had verteld was zijn kantoor tijdens zijn afwezigheid uitgebreid door annexatie van de kamer ernaast. Die was voorheen een opslagruimte geweest met hoofdzakelijk kantoorbenodigdheden aan de ene kant en verouderde computers met bijbehorende beeldschermen aan de andere kant. Nu deed het dus dienst als een soort informeel extra kantoor voor hem. De kamer was pas geschilderd, voorzien van vloerbedekking en verder ingericht met een ietwat versleten leren bank, een koelkast, een koffiezetapparaat en een 50-inch televisie, die hij waarschijnlijk had geërfd van Poul Troulsen, zijn voormalige naaste medewerker, die nu met pensioen was. Op een rechthoekige tafel voor de bank stonden koffie, broodjes én een enorme bos bloemen, en langs de muren stond een handvol collega's op hem te wachten, onder andere de Freule, een van zijn naaste medewerkers en bovendien zijn vriendin. Ze woonden nu al ruim een jaar samen in haar huis in Søllerød, hoewel hij zijn appartement in Valby had aangehouden en bij de Freule in zijn eigen kamer op de eerste etage sliep, vanwege zijn hartproblemen, zeiden ze. Ze ontving hem met een zoen, wat zelden gebeurde tijdens werktijd.

Hij keek rond en zei: 'Dat heb je goed geheim weten te houden.'

'Ja, het moest een verrassing zijn. Arne komt zo, hij kreeg net een telefoontje.'

Hij begroette iedereen en zag ook Pauline Berg, een vrouw van achter in de twintig en een van zijn naaste medewerkers – vroeger in elk geval. Hij zag haar na bijna een jaar nu weer voor het eerst. In september vorig jaar was ze ontvoerd tijdens een zaak waar de afdeling Moordzaken toen aan werkte. Een gestoorde man had haar en een andere jonge vrouw ontvoerd en gevangengehouden in een bunker in Hareskoven. De andere vrouw was door de man voor de ogen van Pauline Berg vermoord, waarna hij haar in gevangenschap had achtergelaten om weg te rotten. Ze hadden haar op het laatste moment gevonden. Sindsdien had hij maar zo nu en dan iets over haar gehoord. Ze had haar huis in Reerslev verkocht en een appartement op de zesde etage van een pand in Rødovre gekocht, waar ze alleen woonde. Na haar verblijf in het ziekenhuis was ze lange tijd bang geweest om haar huis te verlaten, nog afgezien van allerlei andere dingen die angst bij haar opriepen, van katten tot kelders. Daarbij kwamen hevige stemmingswisselingen en problemen in de omgang met mensen die ze eerder nooit gehad had, vooral mannen. Tenzij ze zelf contact met hen zocht. Ze was blijkbaar weer begonnen met werken toen hij ziek was. Op het moment dat hij haar zag, kreeg hij last van zijn geweten. Als chef had hij zich er bewuster mee bezig moeten houden hoe het met haar ging. Maar dat soort dingen was niet zijn sterkste kant en de laatste tijd had hij ook zijn eigen sores gehad.

Hij begroette haar vriendelijk; hij zag dat haar haar kortgeknipt was en dat ze informeel, zelfs een beetje slordig gekleed was. Ze ging rechtop zitten op de bank en schonk hem een trieste, bijna ironische glimlach. Toen haalde ze haar schouders op, een gebaar dat, beter dan woorden, aangaf dat ze het graag anders had gehad.

Dat gold voor hen allebei, dacht hij, en hij zei tegen iedereen: 'Bedankt voor de ontvangst en voor de mooie bloemen.'

Meer kon hij niet bedenken, en hij voegde er onhandig aan toe: 'Misschien moeten we maar beginnen met de broodjes. Die zien er lekker uit.'

Op dat moment werd de deur naar zijn kantoor opengegooid. Arne Pedersen kwam met een wilde uitdrukking in zijn ogen binnen. Hij greep Konrad Simonsen bij de arm en riep: 'Jullie moeten allemaal meteen komen. Er is een schietpartij op een school, hier op de Marmorgadeschool.'

Hij gebaarde met zijn vrije arm en wees in een brede waaier van zestig graden in de tegenovergestelde richting van waar de school was.

'Een leerling heeft huisgehouden met een automatisch wapen. Het is een bloedbad.'

*

Toen Konrad Simonsen op het schoolplein van de Marmorgadeschool aankwam, was het daar een grote chaos. Niemand leek de situatie te kunnen overzien en het was moeilijk erachter te komen wat er nu precies was gebeurd. Nog erger, de evacuatie van de school vond chaotisch en ongecoördineerd plaats met als gevolg dat kinderen en volwassenen in totale paniek door elkaar heen liepen. Iemand had het brandalarm van de school geactiveerd. Daardoor dachten veel leerkrachten dat er sprake was van een brandoefening en ze stuurden hun leerlingen – zoals het rampenplan voorschreef – naar de wirwar op het schoolplein, waar ze hen vervolgens probeerden te tellen. Buiten op straat hadden de gebeurtenissen een oploop van nieuwsgierigen veroorzaakt en in het pand tegenover de school hing iedereen uit het raam om er iets van mee te krijgen. De politie was massaal aanwezig, maar ook de inbreng van de agenten was zonder enig plan; de meesten stonden te wachten en naar de klaslokalen op de tweede verdieping te kijken.

Nadat hij een aantal willekeurige leerkrachten had aangesproken – zij wisten niets concreets – had Konrad Simonsen geluk. Een secretaresse van de school had een leerling gesproken die uit het raam was gesprongen om het lokaal uit te komen. De leerling was naar het ziekenhuis gebracht, toch kwam zijn verhaal voor Konrad Simonsen het dichtst in de buurt van concrete informatie. Er kon dus met redelijke zekerheid worden vastgesteld dat een leerling van de tiende klas, Robert Steen Hertz, twee leerkrachten had doodgeschoten en dat hij een automatisch wapen in zijn bezit had. Op dit moment bevond de jongen zich in een lokaal waar hij zijn klasgenoten gegijzeld hield, als hij hen niet al had neergeschoten. Dat lokaal had vier ramen die op het schoolplein uitkeken. De secretaresse wees ze aan. Ze zaten ongeveer in het midden van het gebouw.

Konrad Simonsens kennis van schietpartijen op scholen was beperkt, maar één ding wist hij wel, namelijk dat de moordenaars in alle gevallen waarvan hij wist, totaal buiten zinnen waren geweest, in een *rush of blood* hadden verkeerd en grote moeite hadden gedaan om zo veel mogelijk mensen te doden, alleen om het doden zelf. Hij keek rond over het schoolplein en huiverde. Een automatisch wapen afgevuurd door een raam op de tweede verdieping zou tientallen slachtoffers kunnen maken.

Zijn prioriteiten waren dan ook duidelijk. Het was zaak het schoolplein zo snel mogelijk te laten ontruimen, daarna de toeschouwers van de straat te halen, de straat te laten blokkeren en er ten slotte voor te zorgen dat de bewoners van het woonblok tegenover de school bij de ramen wegbleven. Hij gaf Arne Pedersen opdracht om de straat voor zijn rekening te nemen.

Hij schreeuwde zijn bevel in het oor van Arne Pedersen: 'Laat de straat ontruimen en daarna aan beide kanten blokkeren.'

Daarna haalde hij de agenten die in zijn onmiddellijke omgeving stonden bij zich, vulde de groep aan met een paar willekeurige leerkrachten en legde gejaagd uit dat iedereen naar de straat en vervolgens weg moest gaan. In snelle looppas, maar niet rennen en vooral niet tegen het hek dringen. Hij herhaalde zijn bevel, liep naar het midden van het schoolplein en vond daar een nieuwe groep die hij dezelfde opdracht gaf. Een agent reikte hem een megafoon aan.

Zijn stem galmde tussen de gebouwen: 'Ga naar de straat en ga weg, nu!

Loop snel, maar ren niet. De groten passen op de kleintjes. Laat de uitgang vrij. Niet rennen, niet dringen. Gebruik de wapenstok of pepperspray, de uitgang moet vrij blijven.'

Dat laatste was natuurlijk bedoeld voor de aanwezige agenten en ook al zou hij er geen prijs voor nauwkeurige communicatie mee krijgen, iedereen begreep hem. Hij herhaalde: 'Ga naar de straat en ga weg. Niet rennen. Niet dringen. De groten passen op de kleintjes. Laat de uitgang vrij. De uitgang moet vrij blijven.'

Zijn woorden misten hun uitwerking niet en het werd rustig. Verbazingwekkend snel werd het schoolplein ontruimd en kort daarna ook de straat voor het gebouw. Konrad Simonsen liet de megafoon vallen. Die landde op het asfalt en rolde in een halve cirkel heen en weer. Hij stond midden op het schoolplein en dacht toen pas aan zijn eigen veiligheid.

'We moeten weg, Simon.'

De Freule stond achter hem. Ze droeg een kogelvrij vest en had er nog een in haar hand. Ze keek onafgebroken naar de ramen op de tweede verdieping terwijl ze tegen hem sprak.

Hij vroeg: 'Waar blijft die speciale eenheid nou toch? Weet jij daar iets van? Het hoeft toch geen eeuwen te duren voordat ze op de been komen? Het is in dit soort situaties verdomme toch...'

Ze onderbrak hem door een hand op zijn schouder te leggen.

'Ze zijn er binnen vijf minuten.'

Hij keek op zijn horloge en stelde vast dat hij pas tien minuten hier was. Het voelde als een uur.

'Er zijn nog leerlingen in het gebouw.'

'Ze worden naar andere uitgangen gestuurd. Kom nou maar.'

Ze trok hem mee, op een holletje.

Hij vroeg intussen: 'Weet je wat er precies is gebeurd?'

'Het lijkt erop dat er minstens twee doden zijn, allebei leerkrachten. De gang op de tweede verdieping is gezekerd, maar wij gaan niet naar binnen; dat laten we aan de professionals over. Het lijk van de mentor van de leerlingen ligt voor de deur naar het klaslokaal. Ze is in haar hoofd geraakt en hoogstwaarschijnlijk dood. We laten haar daar voorlopig liggen.'

'Hoe zit het met de kinderen in de klas?'

'Dat weet niemand.'

'Hoeveel zijn het er?'

'Ongeveer vijfentwintig.'

Ze vonden een veilige plek achter een politieauto die op de straat voor de school was geparkeerd. De Freule gaf het kogelvrije vest dat ze in haar hand had aan Konrad Simonsen. Hij trok het aan en merkte tot zijn verbazing dat het perfect paste.

Om hen heen heerste nog altijd chaos. De speciale eenheid was in twee auto's aangekomen, maar had moeite om langs de wegversperring bij de Vester Voldgade te komen. Twee slecht geparkeerde ambulances en een grote menigte nieuwsgierigen blokkeerden de toegang.

Konrad Simonsen keek verbaasd om. Achter hem stond een journaliste van *Danmark News* opgewonden via haar microfoon te praten over kogels die gauw weer in alle richtingen zouden kunnen vliegen; niemand was veilig zolang de massamoordenaar in de school vrij rondliep, zei ze. Ook zij verschool zich achter de auto, terwijl haar cameraman onverschrokken achter haar stond te filmen. Konrad Simonsen gaf een agent bevel om hen weg te sturen.

Toen vroeg hij de Freule: 'Weten we zeker dat hij een automatisch wapen heeft?'

'Nee, maar alles duidt erop.'

'Godverdomme, wat een shit.'

*

De jongen huilde. Sinds hij de vaste invaller had doodgeschoten had hij apathisch op diens stoel achter de lessenaar gezeten, zonder te weten wat hij moest doen. Zo ver had hij simpelweg niet doorgedacht. Hij was twee keer gaan staan, een keer om door het raam naar het schoolplein te kijken waar iedereen in wilde paniek door elkaar heen liep, een andere keer om zijn tafel omver te gooien – een handeling zonder logica. Het had echter wel als gevolg dat zijn klasgenoten nog dichter bij elkaar gingen staan achter in het lokaal, alsof ze op deze manier hun angst konden delen. De meesten hielden een hand van een ander vast en iedereen volgde zijn minste bewegingen met grote, bange ogen. Hij ging staan, liep door het lokaal en ging een paar meter voor hen staan. Velen verborgen hun gezicht en een paar begonnen jammerlijk te gillen.

Hij wees met zijn wapen naar een meisje en beval: 'Ga weg, Maja.'

Het meisje dat hij had aangewezen begreep in eerste instantie niet wat hij zei, en hij herhaalde zijn bevel, deze keer schreeuwend, wanhopig: 'Wegwezen, Maja. Je kunt... je kunt naar de hel lopen.'

Hij waggelde terug naar zijn plek bij het schoolbord en zag hoe het meisje langzaam, met een smekende blik in haar ogen, langs de muren naar de uitgang sloop. Ze moest hard aan de deur trekken voordat het lichaam van de vaste invaller zo ver verschoven was dat ze er net langs kon. Daarbij gleed ze uit in het bloed, en ze kroop als het ware over de mentor heen die op de gang lag. Buiten begon ze als een gek te gillen. Meteen daarna probeerden drie andere meisjes haar te volgen, maar de jongen schoot in het plafond boven hen. Waarom hij hen niet liet gaan wist hij niet. Misschien omdat hun vlucht een verandering was waarvoor hij geen toestemming had gegeven, een soort gebrek aan controle, misschien omdat hij hen niet mocht. Hij loste weer een paar schoten op de dode voor de deur, maar voelde daar geen vreugde bij. Daarna begon hij weer te huilen. Hij wilde dat het allemaal maar gauw achter de rug was.

*

Konrad Simonsen en de Freule vingen het meisje op toen ze kwam aanrennen. Ze had een schoen verloren en was van top tot teen met bloed besmeurd. Haar witte bloesje, haar strakke spijkerbroek, haar gezicht, haar blonde haar, alles was bebloed. Het duurde even voordat de twee rechercheurs erachter kwamen dat ze niet gewond was. De Freule legde een deken om haar schouders. Het meisje beefde en het leed geen twijfel dat ze naar het ziekenhuis moest.

Ze stonden nu achter het busje van de speciale eenheid dat iedereen altijd 'de Golf' noemde, ook al was het in dit geval een Mercedes Vito. Het was een gepantserde wagen, maar er was geen risico meer dat er vanuit de ramen zou worden geschoten. Niet lang meer in elk geval. De interventieleider had net gehoord dat zijn scherpschutter klaarzat in het appartementengebouw achter hen.

De Freule vroeg voorzichtig aan het meisje: 'Wat is er gebeurd? Hoe ben je ontsnapt?'

Het antwoord kwam met horten en stoten, en de Freule dacht dat meer dan drie of vier vragen stellen niet verantwoord zou zijn.

'Hij liet mij gaan, maar de anderen, die na mij kwamen, heeft hij beschoten.'

'Heeft hij op klasgenoten van je geschoten?'

Ze hield haar bloederige handen voor haar oren en boog haar nek.

'Hij heeft ze in koelen bloede neergeschoten, die gestoorde psychopaat. Ze hadden geen kans. Alleen maar omdat zij ook weg wilden. In koelen bloede.'

De Freule legde liefdevol een arm om haar heen. De interventieleider en Konrad Simonsen, die naast haar stonden, keken elkaar veelzeggend aan.

'Hoeveel van je klasgenoten leven nog?'

'Sommigen leven nog, anderen zijn dood. Het is niet te tellen en hij gaat zo dadelijk de rest neerschieten. Als konijnen.'

'Zegt hij dat?'

Ze begreep de vraag blijkbaar niet en de Freule herhaalde: 'Zegt Robert Steen Hertz dat hij je klasgenoten gaat neerschieten?'

'Hij zegt niks, hij schiet gewoon op ons als hij het in z'n kop krijgt. Die vuile vetzak. Waarom doet niemand wat? Kunnen jullie zijn kop er niet af schieten?'

De Freule fronste haar wenkbrauwen. Arne Pedersen, die er net bij was gekomen, mompelde: 'Aan haar hebben we niks.'

Konrad Simonsen vroeg: 'Zou je haar naar een ambulance willen brengen, Freule?'

De interventieleider keek met samengeknepen ogen naar de ramen van het klaslokaal, alsof hij op die manier een indruk van de werkelijke situatie binnen kon krijgen. Het was aan hem om te beslissen wat er moest gebeuren. Moesten zijn mannen naar binnen gaan om de moordenaar uit te schakelen of moest hij proberen te onderhandelen, hoe dat dan ook zou moeten, of kreeg de scherpschutter bevel om te schieten zodra hij daar kans toe zag? Hij was niet overtuigd door de verklaring van het meisje; ze was duidelijk in shock en haar taalgebruik was ongeloofwaardig. Alsof het uit een Amerikaanse film kwam. Hij voelde er niet veel voor om de schutter op basis daarvan opdracht te geven om in actie te komen. Aan de andere kant zouden er nog meer doden kunnen vallen als ze het lokaal binnendrongen. Weer keek hij naar de ramen en toen nam hij een besluit.

'We gaan naar binnen na een schokgranaat. Ik hoop echt dat er tijd voor is.'

Op dat moment ging de hoofddeur van de school open. Langzaam kwam er een vrouw tevoorschijn. Zelfs van afstand was te zien dat ze doorweekt was van het bloed. Ze strompelde de paar traptreden af, zo te zien zwaargewond. Een onmiddellijke bevestiging van wat het meisje had gezegd. Na een paar stappen op het schoolplein zakte de mentor weer in elkaar, en ze viel levenloos op de grond. De interventieleider wees naar twee van zijn mannen en daarna naar de vrouw op het plein, van wie hij dacht dat het een leerling was. De mannen renden erheen om haar weg te halen.

Intussen vouwde de interventieleider de revers van zijn jas open en beval in de kleine microfoon op de achterkant daarvan: 'Lima hier. Als je vrij schootsveld hebt, Palle, schiet hem dan dood.'

Daarna riep hij luidkeels: 'Laat een ambulance komen.'

*

De scherpschutter had geluk gehad. Toen hij met zijn team bij de school aankwam, zag hij al snel wat de beste plek zou zijn om vrij uitzicht te hebben op de ramen op de tweede verdieping van het hoofdgebouw van de school waar het drama zich ontvouwde. Dat was zonder enige twijfel op de derde verdieping van het appartementengebouw aan de overkant. Hij pakte zijn geweer uit de Golf, rende snel naar het bewuste trappenhuis en holde de trappen op. Hij kon kiezen tussen twee appartementen, maar de deur naar het ene stond halfopen, dus koos hij dat. Binnen was een agent de bewoner aan het uitleggen dat hij bij de ramen aan de straatkant weg moest blijven. Met de bewoner had hij geluk. De eigenaar van het appartement bleek een gepensioneerde kolonel te zijn, die ondanks zijn bijna tachtig jaar snel de situatie doorzag en begreep wat de scherpschutter nodig had. De agent maakte een van de ramen open, tilde het voorzichtig uit zijn scharnieren en zette het binnen neer. De scherpschutter verwijderde intussen alles uit de vensterbank. Samen zetten ze daarna de zware mahoniehouten eettafel van de kolonel voor het raam. Die was op een paar centimeter na net zo hoog als de vensterbank. De scherpschutter ging op de tafel liggen en maakte zijn geweer klaar. Het was een Heckler & Koch PSG1A1, een van de meest nauwkeurige geweren ter wereld, en als ervaren schutter kon hij een doel tot op achthonderd meter afstand raken. Dat was in dit geval niet noodzakelijk: de afstand naar de school was slechts zo'n honderdvijftig meter. Beter kon hij het niet wensen. Hij liet aan zijn interventieleider weten dat hij er klaar voor was.

Drie keer zag hij zijn doelwit in het lokaal aan de overkant door het telescoopvizier, elke keer maar even. De eerste keer gooide de jongen een tafel om, de tweede en derde keer liep hij langs de ramen, eerst heen en dan weer terug. Helaas was hij niet lang genoeg in zicht geweest om te kunnen bepalen welk wapen hij bij zich had. Vervolgens kreeg de scherpschutter het bevel waarvan hij had gehoopt dat het niet zou komen. Hij vroeg bevestiging en kreeg die onmiddellijk.

*

In het klaslokaal had de jongen met het machinepistool eindelijk besloten dat hij maar het beste zijn klasgenoten kon vrijlaten en zich overgeven. Hij was moe, hij was bang, hij had honger en hij wilde weg. Het maakte niet uit waar naartoe, gewoon weg. Toen hoorde hij de ambulance, ging bij het raam het dichtst bij het schoolbord staan en terwijl hij zijn ogen met zijn hand tegen het licht beschermde, tuurde hij naar de straat om te kunnen zien wat er aan de hand was.

Het projectiel raakte de jongen in zijn voorhoofd boven het linkeroog, kwam er weer uit aan de onderkant van de schedel, streek langs de poot van een omgevallen tafel, ricocheerde in een hoek naar beneden, ging door de deur van de kast en de knie van het meisje dat daar lag, door haar hals, er weer uit door haar ruggengraat en bleef toen steken in de muur. Beide kinderen waren op slag dood.

Op straat echode het schot tussen de gebouwen, Konrad Simonsen keek onwillekeurig in de richting van het geluid en daarna naar de Freule, ernstig, zonder woorden. De interventieleider kwam naar hen toe.

Hij zei: 'Het is voorbij.'

*

Het was twaalf uur en de situatie op de Marmorgadeschool was onder controle. De speciale eenheid had de plaats van het misdrijf verlaten, de technische recherche was aan het werk in het klaslokaal en de crisispsychologen waren gewaarschuwd. Iedereen was terneergeslagen en de gesprekken tussen de agenten bleven beperkt tot het puur zakelijke.

Konrad Simonsens werkdag zat erop. Arne Pedersen stond erop hem naar huis te brengen. De Freule moest zolang maar zijn taak als leider van het opsporingsonderzoek waarnemen; hij zou met een uurtje terug zijn. Dat vond ze goed.

In de auto vroeg Konrad Simonsen: 'Heb je niets anders te doen dan chauffeur te spelen voor mij?'

'Jazeker, maar ik wil graag even mijn plannen met je doornemen.'

'Dat ligt toch voor de hand. De precieze toedracht wordt in de loop van de dag opgehelderd, dus je mist nog een motief en uiteraard moet je ook weten hoe Robert Steen Hertz aan een machinepistool kon komen. Je moet misschien een persconferentie houden, maar als ik jou was zou ik allereerst proberen vast te stellen of de jongen in zijn eentje handelde. Want als hij vrienden heeft met soortgelijke wapens en intenties moet je dat zo snel mogelijk weten. En dan nog één ding: als je problemen hebt met je budget, is dit het moment om wat extra middelen te vragen.'

Zo praatten ze een tijdje door. Arne Pedersen had een aantal vragen en Konrad Simonsen gaf antwoord. Toen ze bij Søllerød waren, hadden ze het onderwerp wel uitputtend besproken, en Arne Pedersen vroeg: 'En hoe is het met jou? Heb je een zaak gekregen? Ik bedoel, hoe was het bij de hoofdcommissaris?'

Het was duidelijk een vraag uit beleefdheid. Zijn gedachten waren nog steeds bij het schietincident op de school. 'Ik heb een soortement van zaak gekregen, ja.'

Arne Pedersen gaf geen antwoord en Konrad Simonsen voegde eraan toe: 'En toen hoorde ik muziek.'

'Muziek? Wat voor muziek?'

'Iets waar je gegarandeerd vrolijk van wordt.' Hij vertelde over de resonantie.

Arne Pedersen vroeg verbaasd: 'Is dit belangrijk?'

Hij schudde zijn hoofd. Nee, het was niet belangrijk.

Toen hij wakker was geworden na zijn collaps betekende het alles.

De blije, meeslepende ouverture, als een welkom op een marktplein. De hoorns die de oude wereld verscheurden en het fantastische publiek meenamen naar de toekomst. De voorzanger die Konrad Simonsens ziel had geraakt met zijn vreugdevolle stem en die de pijn op zijn borst heel even had verzacht. Het was alsof hij een extra kans had gekregen, een mogelijkheid om opnieuw te kiezen, zijn leven te veranderen, ja misschien zelfs zijn leven te begrijpen. Toen drong het licht aan, zijn lichaam drukte hem naar beneden en alles deed pijn. Toen de laatste tonen wegstierven, reikte hij tevergeefs naar de muziek, en van die beweging moest hij kreunen. Iemand pakte zijn hand en hij deed zijn ogen open.

*

Konrad Simonsen was vroeg op zijn werk, veel te vroeg naar zijn mening. Maar hij was samen met de Freule gegaan en zij had haar handen meer dan vol aan het onderzoek naar de schietpartij op de Marmorgadeschool. Als ze samen wilden gaan, moest hij dus zijn begintijd aanpassen aan de hare. Ze glimlachte en had een stralend humeur. *Dan ben je ook eerder thuis, Simon, denk daar maar aan.* Daar had ze natuurlijk gelijk in, maar het was nou niet direct leuk om eerder thuis te komen. De tijd dat hij alleen was in Søllerød, leek soms eindeloos lang, en de Freule zou misschien pas tegen de avond thuiskomen. Hij voelde zich miserabel en ergerde zich aan zichzelf. Het was hem nog niet gelukt zijn leven opnieuw in te richten na zijn hartaanval, dacht hij, en hij probeerde aan iets anders te denken.

Op kantoor zag hij dat Pauline Berg er ook al was. Ze zat op de bank in zijn 'dependance', zoals de ruimte algauw was gedoopt, en keek naar het ochtendprogramma op tv. Hij zette zijn tas op het bureau neer en liep naar haar toe. Ze deed de televisie uit en ze groetten elkaar zonder echte hartelijkheid. Hij bekeek haar een tijdje, nog steeds staand, en zo lang dat ze wegkeek. Hij ging aan de andere kant van de bank zitten.

'Je ziet eruit als een zwerver.'

Hij had gelijk. Ze droeg een oude spijkerbroek en een grijsblauw herenoverhemd dat bij de mouwen en de kraag behoorlijk versleten was. Haar sandalen waren afgetrapt en het leer was gescheurd.

'Als je met mij wilt samenwerken moet je je wat netter kleden.'

'Volgens mij heb ik nog *ufo pants* achter in de kast liggen. Die wil ik morgen wel aantrekken.'

Toen ze zag dat haar dreigement geen effect op hem had, snauwde ze: 'Ik kleed me zoals ik wil.'

'Nee, vanaf morgen kleed je je zoals ík het wil. Anders kun je gaan. De keuze is aan jou.'

Ze keek hem boos aan, maar bleef zitten. Hij gaf haar de dossiermap die hij van de hoofdcommissaris had gekregen.

'Jørgen Kramer Nielsen, geboren in 1951 in Kopenhagen, burgerlijke staat: ongehuwd, beroep: postbode. Woonachtig te Hvidovre en rond 20 februari, ongeveer een halfjaar geleden dus, overleden na een val van de trap in zijn huis. Het exacte tijdstip van overlijden is niet bekend, omdat hij er wat dagen heeft gelegen voordat hij werd gevonden.'

Ze onderbrak hem zonder emotie met een: 'Tja, shit happens.'

Hij keek haar een beetje geïrriteerd aan en ging door: 'In de middag van vrijdag 29 februari vindt zijn benedenbuurman Jørgen Kramer Nielsen dood op hun gemeenschappelijke trap. De man is dan al een tijdje dood en het lichaam stinkt al. De benedenbuurman belt een ambulance en wij worden er uit routine ook bij geroepen. Een surveillancewagen met twee agenten komt bij de plaats van het ongeluk aan en kort daarna ook de districtsarts. Hij laat de agenten weer gaan, onderzoekt de omstandigheden en verstrekt een overlijdensakte, waaruit blijkt dat Jørgen Kramer Nielsen zijn nek heeft gebroken door een ongelukkige val van de trap. Dus: geen recherche, geen technische recherche, geen forensisch onderzoek, hup, de koeling en de kist in.'

'Godsamme, wat een idioot.'

'Ja, nou en of, maar dat heeft een reden. De arts kwam rechtstreeks van een copieuze herenlunch, stonk als een jeneverstokerij en kon nauwelijks recht lopen.'

'Was hij dronken?'

'Als een gieter, daar is iedereen het over eens. Goed, tot zover gaat het nog, maar het wordt erger. Een van de agenten, Hans Ulrik Gormsen...' Hij keek haar vragend aan om te zien of ze die kende. Ze schudde haar hoofd en hij ging verder: '... had, naar hij zelf zegt, "al bij zijn aankomst het vermoeden dat de postbode was vermoord". Ja, dat is helaas een citaat. Zijn vermoeden was gebaseerd op de manier waarop de dode lag en op het feit dat de trap waar Jørgen Kramer Nielsen vanaf viel, slechts zeven treden telde. Gormsen maakte met zijn mobiele telefoon een paar foto's van de dode en de trap, mat de trap zo goed mogelijk op en ondervroeg de benedenbuurman, die hij onder meer met aanhouding bedreigde. De benedenbuurman is trouwens priester. Hij kreeg ook ruzie met de arts en dat heeft er wellicht toe bijgedragen dat de zaak op deze ongebruikelijke wijze werd gesloten. Een soort van recalcitrantie in combinatie met een behoorlijke hoeveelheid alcohol, dus.'

'Ik kan je helemaal volgen, maar wanneer komen wij in beeld? Hoewel het allemaal natuurlijk niet netjes is gegaan, zijn mensen die met een gebroken nek onder aan een trap worden gevonden toch maar zelden vermoord.'

'Dat klopt, en er is ook helemaal niets wat erop duidt dat Jørgen Kramer Nielsen is vermoord. Dat kreeg Hans Ulrik Gormsen tot zijn grote ergernis ook duidelijk te horen toen hij zijn foto's aan de officier van justitie liet zien. Daarna gebeurde er niets meer, totdat Hans Ulrik Gormsen een nieuwe baan kreeg als beveiligingschef bij een particulier bedrijf. Daar begon hij weer over de "postbodezaak", zoals hij hem noemt – maar deze keer tegenover zijn schoonmoeder. En zij was er een stuk makkelijker van te overtuigen dat het om een misdrijf ging. Die schoonmoeder is helaas namelijk vicevoorzitter van de parlementaire commissie van justitie.'

'Allemachtig.'

'Ja, zeg dat wel, maar hoe je het ook wendt of keert, er wordt van ons verwacht dat we een dag of vijf onderzoek doen naar de dood van Jørgen Kramer Nielsen, waarna we een rapport schrijven waarin staat dat de man van de trap is gevallen.'

Pauline Berg raadde: 'Een rapport dat de hoofdcommissaris aan schoonmoeder kan laten zien?'

'Exact, ja. Ben je nog geïnteresseerd? Of moet ik tegen Arne zeggen dat je liever aan die schietpartij op school wilt werken, net als de anderen?'

Ze maakte een geërgerd gebaar.

'Die dikzak? Nee, dank je, die zaak is zo deprimerend.'

Ze negeerde het *spreek netjes* van Konrad Simonsen en keek een tijdje voor zich uit. Hij wachtte geduldig af.

Ten slotte zei ze: 'Wat weten we eigenlijk over die postbode? Strafblad?'

Konrad Simonsen schudde zijn hoofd.

'We weten bijna niets. Dit is het enige.'

Hij gaf haar een papiertje uit de map.

Op 5 maart 1996 was Jørgen Kramer Nielsen op zijn postroute overvallen en in elkaar geslagen. De dader was een veertig jaar oude smid uit Rødovre, die daarvóór nooit met de politie in aanraking was geweest. Jørgen Kramer Nielsen werd flink afgetuigd, totdat er een surveillancewagen kwam die een eind maakte aan het geweld. Hij werd naar het Hvidovre Ziekenhuis gebracht, maar achteraf wilde geen van beide mannen er iets over zeggen en de postbode wilde ook geen aangifte doen. Er werd een aanklacht ingediend tegen de smid, maar die is later weer ingetrokken.

Pauline Berg las het rapport twee keer. Dat was zo gebeurd. Ze gaf het terug en zei ernstig: 'Voor de anderen ben ik een soort taboe, zelfs de Freule heeft moeite met me, en ze weten geen van allen hoe ze met me om moeten gaan. Ze behandelen me als een haatcadeau, iets wat je niet leuk vindt, maar ook niet weg kunt gooien. Ik zou ook heel graag mijn eigen zaak willen hebben, maar die wil Arne me niet geven.'

'O.'

'Elke ochtend als ik opsta, heb ik het gevoel dat het de laatste dag van mijn leven is. En dat met die kleding... Het zit zo: ik kan niet meer tegen mijn oude kleren, wat ik vroeger had, voordat... het gebeurde. Ze maken me bang.'

'Doe dan je uniform aan. Ik kan je in deze outfit nergens mee naartoe nemen.'

Plotseling lachte ze naar hem, warm, bijna optimistisch.

'Oké, vertel me maar waar ik moet beginnen.'

*

Arne Pedersen had veel middelen en mankracht ingezet om de achtergrond van de schietpartij op de Marmorgadeschool te achterhalen en dat had snel resultaat opgeleverd.

De vermoorde leerkracht bleek, zoals Arne Pedersen het uitdrukte, een klootzak te zijn geweest. Zijn naam was Tobias Juul, hij was tweeëndertig jaar en had een bijbaan als drugsdealer, voornamelijk voor jonge tienermeisjes, onder wie een paar uit de tiende klas, die hij lesgaf. Thuis had hij een groot assortiment aan drugs: ecstasy, amfetamine, methamfetamine en cocaine, maar hij hield zich ook bezig met andere duistere zaakjes. Wanneer zijn meisjes, zoals hij ze noemde, genoeg aan de drugs verslaafd waren geraakt en een aanzienlijke schuld aan hem hadden opgebouwd, ging hij ze seksueel uitbuiten. Eerst voor zichzelf, later te koop.

Arne Pedersen stelde Konrad Simonsen hiervan op de hoogte. Niet omdat Konrad Simonsen met het onderzoek naar de schietpartij op school bezig was, en al helemaal niet als leider, maar meer om een sparringpartner te hebben, iemand om op te steunen.

Hij vertelde verder over Tobias Juul: 'Maar dit was allemaal niet op grote schaal. Hij was maar een klein visje.'

'En wat heeft die schietpartij ermee te maken?'

'We denken dat het drama te maken had met ordinaire jaloezie. Robert Steen Hertz, de schutter dus, heeft waarschijnlijk een van de meisjes willen helpen, Maja Nørgaard. Ze was vermoedelijk een van de meisjes van Tobias Juul, om zijn eigen jargon te gebruiken. Misschien was de moordenaar verliefd op haar, maar met dat lichaam van hem had hij geen kans. Misschien heeft hij haar willen redden of hoe je het ook noemen wilt.'

'Het klinkt alsof je het motief wel al ongeveer helder hebt. Hoe zit het met het wapen, waar kwam dat vandaan?'

'Goeie vraag. Hoe komt een Deense jongen van zestien aan een 9 millimeter ArmyTacx SA-5 machinepistool? Ik weet het niet, nog niet. En wat je optimisme over het motief betreft, dat is helaas misschien overhaast. Die twee meisjes, van wie Maja Nørgaard dus de ene is, helpen ons namelijk totaal niet. Allebei ontkennen ze dat ze iets weten van... nou ja, van alles waar we ze over ondervragen. Dus dat schiet niet op. En de ouders steunen ze, vooral de moeder van Maja Nørgaard. Die heeft zelfs een advocaat ingehuurd. Dat is me een mens, zeg, even arrogant als ze groot is. Haar dochter is verschrikkelijk bang voor haar en dat is begrijpelijk. Eigenlijk hindert de moeder het onderzoek, maar daar kan ik niet veel aan doen. Dus als alternatief schrapen we onze kennis via allerlei omwegen bij elkaar en moeten we ons baseren op informatie uit de tweede hand.'

'Waarom gedraagt de moeder zich zo?'

'Dat is niet duidelijk, maar ik denk dat ze het niet aankan als de buitenwereld zou weten dat haar lieve schat foute dingen doet. Hoe het echt met het kind gaat, kan haar kennelijk niet schelen. Maar vertel eens, hoe is het met je postbodezaak?'

Arne Pedersen vroeg het een beetje grijnzend.

'Het gaat zijn gangetje.'

'En Pauline? Heb je problemen met haar?'

'Totaal niet.'

*

Konrad Simonsen was begonnen bij de priester, de benedenbuurman van wijlen postbode Jørgen Kramer Nielsen. Hij wilde niet alleen de villa bekijken waar het sterfgeval had plaatsgevonden, maar ook met de getuige praten die wellicht het meeste kon vertellen. Op die manier zou hij iets krijgen om in zijn rapport te zetten.

De priester bleek een vriendelijke man van achter in de dertig te zijn. Hij kon Konrad Simonsens gedachten raden toen hij diens wat verbaasde blik op zijn witte priesterboord zag.

'Ja, dat klopt, ik ben katholiek. Het maakt mensen blijkbaar meestal een beetje onzeker als ze dat niet van tevoren weten, dus laat ik maar beginnen met vast te stellen dat ik niet bijt.'

Hij lachte hartelijk, Konrad Simonsen lachte mee en ze gaven elkaar een hand.

Wat de man op 29 februari had meegemaakt, was snel doorgenomen. Hij was van vakantie teruggekomen en had zijn overleden bovenbuurman ontdekt.

Ze kwamen algauw op de centrale vraag: 'Heb je het lichaam op welke manier dan ook verplaatst of anders neergelegd voordat de ambulance arriveerde?'

'Waarom zou ik dat in hemelsnaam doen? Jørgen was toch duidelijk overleden, dus ik kon niets voor hem betekenen.'

'Nee, dat begrijp ik. En de politiemensen? Heeft een van hen hem anders neergelegd dan hij lag toen jij hem vond?'

'Je bedoelt voordat de ambulancebroeders hem wegdroegen?'

'Ja, natuurlijk.'

De priester dacht na en antwoordde toen een beetje onzeker: 'De jonge rechercheur zette een luciferdoosje naast Jørgens gezicht neer voor hij foto's ging maken met zijn mobiele telefoon. Om een referentiekader te hebben voor de grootte, neem ik aan. En ik weet nog dat het me verbaasde dat hij lucifers bij zich had. Ik bedoel, wie heeft dat nou nog tegenwoordig? Maar hij raakte hem niet aan.'

'Dat weet je zeker?'

'Ja... ja, dat weet ik zeker.'

'Hij is overigens geen rechercheur.'
'Dat stelt me gerust.'
'Mij ook. Is de voordeur altijd op slot?'
'Altijd.'
'Wie heeft er sleutels van?'
'Ik natuurlijk, en mijn nieuwe huurders boven. Jørgen had uiteraard ook sleutels, twee sets volgens mij, maar dat weet ik niet zeker.'
'Verder niemand? Geen schoonmakers of zoiets?'
'Nee, niet dat ik weet.'
'Nu we het toch over schoonmaken hebben – hoe vaak wordt de trap schoongemaakt?'
'Eens in de twee weken, is de afspraak. We doen het om en om, maar... Ja, het spijt me heel erg. Als je aan technische sporen denkt of hoe jullie dat ook noemen, dan is er sinds februari helaas twee keer grondig schoongemaakt. Ten eerste was ik na het gebeurde zelf erg zorgvuldig met zowel stofzuiger als tapijtreiniger, het lichaam had er immers al een tijdje gelegen.'
Hij zweeg, een beetje ongemakkelijk, en Konrad Simonsen spoorde hem aan: 'En ten tweede?'
'Nou ja, mijn nieuwe huurders vonden dat het stonk. Nee, dat is niet fair, de vrouw vond dat, en dat was pas nadat ze had gehoord hoe Jørgen om het leven was gekomen. Haar man en ik hebben de kosten gedeeld voor een professioneel schoonmaakbedrijf, en dat heeft het trappenhuis een grote beurt gegeven. Voor de lieve vrede, als je begrijpt wat ik bedoel.'
Konrad Simonsen zuchtte.
'Daar is niets aan te doen. Vind je het goed als ik daar een beetje alleen rondloop?'
De priester had geen bezwaar.
De ingang was zoals de meeste ingangen. De voordeur gaf toegang tot een kleine, betegelde entree; vandaar voerden drie kleine treetjes naar de eerste overloop waar de deur naar het appartement op de begane grond zich bevond en de trap verder doorliep naar de volgende overloop. Daar had Jørgen Kramer Nielsen gelegen. Ten slotte een korte trap naar de bovenste overloop, waar een grote kledingkast en de voordeur van het appartement op de eerste verdieping waren. Op alle vloeren lag vloerbedekking, de leuningen waren pas geschilderd en straalden van zwarte hoogglansverf, de muren zagen er wit en schoon uit met een paar onbeduidende reproducties van een kunstenaar die hij niet kende. Een grote, witte, glazen hanglamp die aan het plafond van de eerste etage hing, moest nodig afgestoft worden en het rookkleurige glas-in-loodraam op vloerhoogte op de bovenste overloop detoneerde met de veilige, kleinburgerlijke indruk van de rest. Konrad Simonsen liep een paar keer op en neer en nam alles goed in zich op, met als enige resultaat zere benen.

*

Pauline Berg had Jørgen Kramer Nielsens nagelaten papieren doorgenomen, een onderzoek dat niet probleemloos was verlopen.

Ze deed verslag aan Konrad Simonsen: 'Zijn spullen staan in de opslagruimte van Express Verhuizingen in Hvidovre. Maar toen ik daar aankwam, was er net een opkoper om de spullen op te halen. Dus ik moest dreigen met van alles en nog wat en daarna als een gek naar de boedelrechter in Glostrup racen en de griffier zover zien te krijgen dat hij alles weer vastzette, hoewel het al was vrijgegeven. Dat veroorzaakte natuurlijk een hoop bureaucratische rompslomp en het is goed mogelijk dat je een paar klachten over me krijgt, want ik moest de boedelrechter en nog een paar instanties even goed de waarheid zeggen voordat ik mijn zin kreeg. Maar dat is de schuld van de hoofdcommissaris, want zij had dat natuurlijk allang moeten regelen.'

'Dus zij was een van de instanties die je de waarheid moest vertellen?'

'Ja, onder andere, hoewel zij niet de ergste was. Maar die slome confectiepakken bij de boedelrechter, die vielen nog niet mee. Stel je voor, ik vond zijn testament, of om precies te zijn, een gele envelop met daarop "testament". Ik weet niet wat erin zit – ik heb hem niet opengemaakt – maar ik belde natuurlijk de griffier weer en vertelde wat ik had gevonden. Denk je dat hij blij was of zich misschien een beetje schaamde over zijn eigen slordigheid? Niet dus. Integendeel, hij had het lef te eisen dat ik met die envelop langs Glostrup zou rijden. Ik zei natuurlijk dat hij de pot op kon.'

'Natuurlijk.'

Ze glimlachte, alsof ze zich voor haar gedrag wilde verontschuldigen.

'Ik had een kwaaie dag, dat zie ik nu ook wel in, maar wat zou jij hebben gedaan?'

'Ik was langs Glostrup gereden, maar dat doet er verder niet toe. Ik regel het wel als er problemen komen. Omdat je voor de verandering zo netjes gekleed bent.'

Pauline Berg droeg een fatsoenlijke, knielange rok en een simpele coltrui, allebei grijs en zeer geschikt als ze een bibliothecaresse van in de vijftig was geweest. Het was echter beslist een verbetering vergeleken met wat ze vorige week aanhad.

Ze lachte als een boer met kiespijn en hij vroeg: 'Heb je verder nog iets interessants gevonden?'

'Nou, er waren veel te veel papieren om het allemaal minutieus door te nemen, dus ik heb het vrij oppervlakkig gehouden. Hij had onder andere een miljoen schriftjes met wiskundige berekeningen; ik vermoed dat dat zijn hobby was. Hij bewaarde ook de bonnetjes van de plaatselijke supermarkt, netjes per jaar gebundeld, tot elf jaar terug, met twee cijfers op de achterkant. Een ervan is het totaalbedrag van de bonnetjes en het andere kan ik niet uitvogelen. Maar iets echt interessants... Nee, eigenlijk niet, maar dat was toch ook niet de bedoeling?'

Hij gaf haar gelijk; nee, dat was niet de bedoeling. Ze vervolgde aarzelend: 'Er is natuurlijk altijd iets raars. Dat zal bij iedereen wel zo zijn.'

Zo bezat de postbode een oud fototoestel en een vergrootapparaat met bijbehorende accessoires, maar ze had geen ontwikkelde foto's gevonden. Bovendien kon ze uit de bonnetjes opmaken dat hij regelmatig beltegoed kocht, en ze had ook een oplader gevonden maar geen mobiele telefoon. Haar conclusie was dat de begrafenisondernemer de telefoon had gescoord. Konrad Simonsen twijfelde daaraan, maar zei dat niet.

'Nog meer?'

'Hij was verslaafd aan glasspray; dat blijkt ook uit de supermarktbonnetjes. Ik heb geen idee waarom, je zou denken dat hij een broeikas had, maar dat was dus niet zo. En verder was hij rijk. Toen hij overleed, stond er een mooi bedrag op zijn bankrekening: bijna 1,7 miljoen kronen, geld dat hij had ontvangen toen hij in 1999 zijn huis aan de priester verkocht en zelf als huurder op de eerste verdieping ging wonen. Maar er zijn de laatste vijf jaar geen bijzondere transacties op zijn bankrekening te zien, behalve dat hij elke maand 440 kronen overmaakte aan zijn katholieke gemeente.'

'Dus hij was katholiek?'

Ze knikte; ja, hij was katholiek. Toen keek ze op haar horloge.

'Het spijt me, maar ik moet over een halfuur bij de psychiater zijn en jij wordt zo dadelijk ook gehaald. Wat moet ik maandag doen?'

Hij had geen idee en beloofde te bellen. Ze vertrok. Hij keek op zijn eigen horloge en zag dat ze gelijk had: hij zou zo dadelijk worden opgehaald. Ze brachten hem om de beurt naar huis, misschien hadden ze een schema gemaakt; hij wist het niet en had het ook niet gevraagd, maar hij hoopte dat de Freule vandaag aan de beurt was. Ze zagen elkaar bijna niet. Ze kwam laat thuis en was meestal al weg als hij opstond. Nu was het weekend, maar ze moest waarschijnlijk toch werken aan de schietpartij op die school. Hij zuchtte en verheugde zich op het moment dat hij weer mocht rijden. Toen werd er op de deur geklopt, precies op tijd; ja, ze hielden hem echt in de gaten. Het was een jonge agent die hij niet kende.

*

Maandagochtend verspilde Konrad Simonsen zijn tijd met het ondervragen van de twee ambulancebroeders die eind februari het lijk van Jørgen Kramer Nielsen uit diens trappenhuis hadden gehaald. Het had heel wat moeite gekost om ze op te sporen, maar aan hun getuigenverklaring had hij niets. Een telefoontje met de arts die de overlijdensakte had geschreven leverde ook al niets op. Hij kon zich helaas niets meer herinneren van de zaak, wat Konrad Simonsen zonder meer geloofde. Hans Ulrik Gormsen kreeg hij niet te pakken, en dat was alles wat hij die dag voor elkaar kreeg. Ongelooflijk hoe snel vier uur voorbij waren.

De volgende dag, een mooie dinsdag met zon en een helder blauwe lucht, begon met een gesprek met de collega van Hans Ulrik Gormsen. Het was een vrouwelijke agente, keurig in uniform, met haar politiepet wat al te correct onder haar linkerarm. Zo strak als een tinnen soldaat hield ze midden in zijn kantoor halt en bleef daar zenuwachtig staan totdat hij haar vroeg om te gaan zitten. Vervolgens slaagde ze erin net zo stijf en correct te blijven zitten als ze net had gestaan.

Konrad Simonsen hoorde haar uit over de gebeurtenissen zonder andere informatie te verwachten dan wat hij al had. Maar ze bleek zich een detail te kunnen herinneren dat hijzelf over het hoofd had gezien. Het ging over bloed, of liever over het gebrek aan bloed.

'Ja, hij lag daar zo dood te wezen, ik bedoel zonder echt bloed of zoiets, hij was gewoon dood.'

'Hij had niet gebloed?'

'Nee, niet echt, ik zag geen onmiskenbaar bloed.'

'Onmiskenbaar bloed?'

'Inderdaad.'

Hij kreeg zin om haar door elkaar te schudden, zodat ze er wat meer ontspannen bij zou gaan zitten, maar dat leek hem toch iets te ver gaan.

'Heb je dan wel iets gezien wat op bloed leek maar het niet was?'

Dat was een domme vraag, maar hij kon geen betere bedenken.

'Nee, niets.'

'Doe je ogen eens dicht, stel je voor dat je terug bent in het trappenhuis en vertel me dan wat je op dat moment aan het twijfelen bracht of er bloed was of niet.'

Ze deed haar ogen dicht en zei: 'Omdat hij een wond had op zijn hand. Een grote schram of zo, maar die had niet gebloed; het was een schaafwond van na de val. Het is misschien te zien op de foto's die Hans Ulrik met zijn mobiele telefoon heeft genomen. Dat kan ik me zo voorstellen.'

Konrad Simonsen pakte een ringband uit zijn boekenkast, zocht de foto's op en zag dat ze gelijk had. De schram op de rechterhand van Jørgen Kramer Nielsen was duidelijk zichtbaar op bijna de helft van de foto's. Vrij duidelijk zelfs, als je wist dat hij er zat.

'Mag ik mijn ogen weer opendoen?'

'Ja, natuurlijk mag dat, en dank voor je hulp.'

'Ben ik klaar dan?'

Hij zag hoe ze haast trilde van de zenuwen terwijl ze angstig naar de grond keek. Zo gespannen had hij nooit eerder een collega gezien. Hij vouwde zijn handen voor de kin, keek haar een paar seconden aan en zei toen: 'Ja, je bent klaar.'

Ze was uit zijn kantoor voordat hij 'vrij' had kunnen zeggen. Vervolgens belde hij Pauline Berg en vertelde over de schaafwond.

Pauline Berg kende de vrouwelijke agent heel goed, ze had met haar samengewerkt voordat ze naar de afdeling Moordzaken ging. Toen Konrad Simonsen en zij de volgende dag bij elkaar kwamen, zei ze: 'Het klinkt volstrekt krankzinnig. Zo heb ik haar nooit meegemaakt, eerder het tegendeel.'

'Jammer dan dat je er niet was, want ik heb nog nooit eerder zoiets gezien. Maar wat zei Melsing?'

Hij had haar gevraagd naar de technische recherche te gaan om de chef, Kurt Melsing, te laten kijken naar de foto's van de overleden postbode. Alleen om zijn onmiddellijke reactie te horen. Pauline Berg zei: 'Hij bromde wat, bladerde door de foto's en zei toen dat iemand op allerlei manieren van een trap kan vallen.'

'Dat was alles?'

'Zo ongeveer. Als we het echt willen uitzoeken, moet hij het trappenhuis opmeten, het liefst de originele foto's hebben en dan moeten we nog een halfjaar wachten. Ze hebben een Amerikaans programma gekocht dat ons misschien kan helpen, maar er is nog niemand die heeft geleerd hoe je daarmee moet werken. Jij of Arne kan hem bellen als we een officieel onderzoek willen.'

Konrad Simonsen schudde zijn hoofd.

'Nee, laat maar zitten.'

'Dat zei ik ook al, dat we dat waarschijnlijk niet wilden. Het is overigens mijn beurt om je vandaag naar huis te brengen, en we moeten zo gaan.'

In de auto praatten ze niet veel, op een enkele opmerking na.

'Ze weten hoe dat dikkerdje aan dat machinepistool kwam. Arne belt je later.'

'Praat netjes over die jongen. Hoe vaak moet ik dat nog zeggen?'

En even later: 'Weet je zeker dat ze zat te trillen? Dat is echt niks voor haar.'

'Als ik zeg dat ze trilde, dan trilde ze.'

'Vind je het goed als ik nog eens met haar ga praten?'

Hij keek haar aan.

'Over de mobiele telefoon van Jørgen Kramer Nielsen?'

'Ja!'

*

Zoals Pauline Berg al had aangekondigd, belde Arne Pedersen Konrad Simonsen die middag. Hij lag half te slapen en half te dagdromen, en klonk verward toen hij opnam.

'Wat doe je? Sliep je?'

'Ik zat te denken aan een meisje dat ik lang geleden heb gekend.'

Arne Pedersen excuseerde zich voor de onderbreking, een beetje gegeneerd vanwege het directe antwoord. Dat soort dingen hield Konrad Simonsen vroeger meestal voor zich. Hij vertelde over het machinepistool.

Robert Steen Hertz, de jongen die de leraar Tobias Juul op de Marmorgadeschool had doodgeschoten, had een goede vriend in de Verenigde Staten. Die heette Russ Andrews en kwam uit Burlington, Vermont. Robert Steen Hertz had hem ongeveer een jaar geleden ontmoet toen hij met zijn klas een reis door de Verenigde Staten had gemaakt. Het bleek dat de jongens allebei belangstelling hadden voor wapens, of eigenlijk bezeten waren van wapens. Toen Robert Steen Hertz weer terug was in Denemarken, hielden de twee jongens regelmatig contact via internet, vooral over wapens. In maart was Russ Andrews achttien geworden, dus hij kon nu in Vermont legaal aan wapens komen, aangezien die staat samen met Arizona en Alaska de meest liberale wapenwetten van de VS heeft. Dus hij kocht wapens. Zoveel wapens als zijn portemonnee toeliet, waaronder een machinepistool voor zijn vriend.

Om problemen bij de verzending van het wapen naar Denemarken te voorkomen, stuurde Robert Steen Hertz eerst een pakket naar een niet-bestaand adres in Burlington, dat ongeveer evenveel woog als een ArmyTacx SA-5 en vier dozen munitie. Een kleine maand later bracht de postbode dit pakket retour met de mededeling dat de geadresseerde helaas onbekend was. Nog dezelfde dag verstuurde Robert Steen Hertz een ander pakket, nu geadresseerd aan Russ Andrews en per expresse, zo snel als het met postzegels maar kon. Daarin zat de verpakking met alle stempels en retourmerken van het eerste pakket. Russ Andrews stopte op zijn beurt het wapen en de munitie in de emballage van het eerste pakket, dat vervolgens voor de tweede keer retour naar Denemarken ging met een beetje hulp van de grote broer van Russ Andrews, die bij het particuliere bedrijf werkte waarmee het stadsbestuur van Burlington afspraken had voor de bezorging van pakketpost. Zoals de jongens hadden verwacht, omzeilde het retourpakket alle veiligheidssystemen, omdat het al een keer eerder gescand was, en na nog een maand wachten ontving Robert Steen Hertz zijn machinepistool, deze keer met een vermaning van de postbode om beter op de adressering te letten als hij iets naar Amerika stuurde.

Arne Pedersen maakte het verhaal af: 'De rest was *a piece of cake* voor Robert Steen Hertz. Met behulp van een inbussleutel, een metaalvijl en een gebruiksaanwijzing op internet bouwde hij het machinepistool om van halfautomatisch tot volautomatisch, met een schietsnelheid van ongeveer tien schoten per seconde.'

Konrad Simonsen bromde: 'Hier zullen een paar douane-instanties het wel een beetje benauwd van krijgen.'

'Ik geloof dat ze de procedures voor retourzendingen al aan het veranderen zijn, hier en in Amerika ook.'

'En het geld? Of was het pistool zomaar een cadeautje van zijn vriend?'

'Nee, hij betaalde met de creditcard van zijn vader. Dat is een ietwat dubieuze effectenhandelaar, maar zijn zaken zijn blijkbaar nogal winstgevend, want hij heeft niet gemerkt dat er plotseling vierduizend kronen van zijn bankrekening af waren. Met dat soort bedragen hield hij zich niet bezig. Ja, dat zei hij echt.'

Konrad Simonsen bedankte voor de informatie, die hij uiteraard net zo goed de volgende dag had kunnen horen, en wachtte geduldig af tot Arne Pedersen begon over waar hij eigenlijk voor belde. Het duurde even voordat het zover was, en het ging, zoals hij al vermoedde, over Maja Nørgaard. Haar gebrek aan samenwerking was langzamerhand een enorm probleem aan het worden en zonder haar medewerking was het waarschijnlijk niet mogelijk om het motief van Robert Steen Hertz definitief vast te stellen. De goede ideeën waren op bij Arne Pedersen. Konrad Simonsen zegde toe de volgende dag mee te zullen vergaderen, hoewel hij niet goed zag hoe hij iets kon bijdragen.

*

Een kleine week nadat Konrad Simonsen na zijn ziekte weer was begonnen, maakte hij het rapport voor de hoofdcommissaris over de dood van Jørgen Kramer Nielsen af. Dat stelde vast dat de postbode aan zijn eind was gekomen door een ongelukkige val van een trap, en niet ten gevolge van een misdrijf. Konrad Simonsen printte het rapport, las het een laatste keer door, corrigeerde een paar kleine dingetjes, printte het weer uit en nam het mee naar de vergadering met Arne Pedersen.

Toen hij het rapport overhandigde vroeg hij: 'Wil jij het doorsturen, jij runt toch de zaken op het moment?'

Arne Pedersen weigerde: 'Nee, dank je. Hoe minder ik met haar te maken heb, hoe beter.' Hij bedoelde de hoofdcommissaris. Konrad Simonsen fronste zijn wenkbrauwen maar zei verder niets.

Even later kwamen de deelnemers aan de vergadering binnen: vier rechercheurs, onder wie de Freule, die zich allemaal bezighielden met de schietpartij op de Marmorgadeschool. Arne Pedersen opende de bespreking; het onderwerp was Maja Nørgaard en zijn informatie was voornamelijk bedoeld voor Konrad Simonsen.

'Zoals je weet hebben we het vermoeden dat het motief van Robert Steen Hertz domweg jaloezie was. Hij was ongelukkig verliefd op Maja Nørgaard, die hij al sinds de kleuterklas kende. Zij was de reden dat hij had besloten om naar de tiende klas te gaan, hoewel hij makkelijk naar het vwo had gekund. Want dom was hij zeker niet. Hij wist heel goed dat hij geen kans maakte bij haar, dus nam hij genoegen met liefde op afstand, zogezegd. Maar toen ze in de klauwen van Tobias Juul belandde – dat is tenminste ons sterke vermoeden – sloegen de stoppen bij hem door. Hoewel het wel even duurde voordat hij wist wat er aan de hand was. Hij moest de informatie beetje bij beetje verzamelen, door hier en daar wat op te vangen.'

Verder kwam Arne Pedersen niet. Pauline Berg kwam binnenstormen en onderbrak hem. Ze had een mobiele telefoon in haar hand die ze Konrad Simonsen voor de neus hield zonder zich iets aan te trekken van de boze blikken van de anderen.

'Hij is van Jørgen Kramer Nielsen.'

Konrad Simonsen beheerste zich.

'Kan het niet wachten, Pauline?'

Ze gaf geen antwoord, maar drukte op een paar knopjes, zodat er een foto van een jonge vrouw, blond en lachend, op het display verscheen. Ze drukte nog een keer en het beeld wisselde. Hetzelfde meisje stond rechtop in een woonkamer, er waren een televisie en een kroonluchter achter haar zichtbaar; ze was naakt. Deze keer lachte ze niet.

Konrad Simonsen riep verbaasd uit: 'Maja Nørgaard!?' Het was half een vraag, half een vaststelling.

Pauline Berg bevestigde: 'Op de mobiel van Jørgen Kramer Nielsen!'

Het was niet de eerste keer dat de afdeling Moordzaken meemaakte dat twee op het oog onafhankelijke zaken elkaar raakten. Dat gebeurde zo nu en dan. De mobiel ging rond en Pauline Berg voegde eraan toe: 'Tobias Juul heeft de foto's op 23 januari van dit jaar als mms verstuurd met de tekst: *Zondag 10.00.* Verder niks. Maar ik weet niet waar ze zijn genomen.'

Dat wist de Freule wel: 'In de woonkamer van Tobias Juul. Ik herken de kroonluchter. Maar hoe kenden Tobias Juul en Jørgen Kramer Nielsen elkaar?'

Arne Pedersen glimlachte van oor tot oor.

'Dat weet ik niet, maar ik weet wel dat Maja Nørgaard gegarandeerd alles zal doen om te voorkomen dat haar moeder deze foto's ziet. Maar dan moet ik haar wel alleen te spreken zien te krijgen, zonder moeder en zonder advocaat. Hoe krijg ik dat voor elkaar, Freule? Ken jij haar gewoontes?'

De Freule zei zonder aarzelen: 'Vrijdag tussen zes en acht in café Het Ganzenoog, Balle Allé 4, pal tegenover station Enghave. Daar drinken zij en een paar vriendinnetjes altijd in voordat ze naar de disco gaan, in de stad.'

Konrad Simonsen liet zijn rapport discreet in de prullenbak verdwijnen. Toen zei hij: 'Ik ga zelf.'

Niemand protesteerde.

*

Het Ganzenoog was een stamcafeetje van de ouderwetse soort. Het etablissement bestond uit slechts één ruimte met een bar aan de ene kant en een reeks knipperende gokautomaten aan de andere kant. De acht tafels met bijbehorende stoelen waren zwaar en donker gebeitst, en pasten perfect bij de hoge mahoniehouten lambrisering. Voor elke zitplaats lag een ellipsvormige placemat, allemaal met zwarte brandvlekken van sigaretten in het rode plastic, en in het plafond draaide een vrij oude koperen ventilator. De muziek, Deense hits uit de lichte categorie, stond zacht.

Het café was halfleeg. De gasten waren oudere mannen, 55-plus, op drie tienermeisjes na, die aan de tafel het verst van de bar zaten, duidelijk niet van zins om zich met de andere aanwezigen te bemoeien.

Konrad Simonsen ging wat moeizaam op een barkruk zitten en bestelde een flesje bier toen de barkeeper zich een moment kon losmaken van het dobbelen met twee licht beschonken klanten. Hij schonk het biertje in en nam voorzichtig een slokje. Als hij tegen zijn kuur wilde zondigen, was dit in elk geval niet de plek.

Kort daarna was de barkeeper beschikbaar. Hij was een man van in de veertig, energiek, met een open lach, attent en nuchter. Konrad Simonsen wenkte hem naar zich toe en liet hem discreet zijn politiekaart zien. Vervolgens boog hij over de toog en zei zacht: ‘Ik ben van de afdeling Moordzaken en ik ben er niet op uit om jou of het café in de problemen te brengen. En al helemaal niet als je meewerkt.’

De barkeeper aarzelde niet: ‘Ik werk mee.’

Konrad Simonsen wees naar de meisjes aan de andere kant van het lokaal en zei: ‘Die passen hier toch niet echt?’

Het was meer als vraag bedoeld dan als constatering. De barkeeper legde uit: de oom van het meisje met het rode haar was mede-eigenaar van het etablissement en daardoor kregen de meisjes krediet en korting.

Konrad Simonsen vroeg: ‘Als ik daar zo dadelijk ga zitten, kun jij er dan voor zorgen dat de twee die met de rug hiernaartoe zitten, weggaan?’

‘Ja, als je dat wilt.’

‘Dat wil ik, en ze moeten helemaal weg. Ik wil niet dat ze buiten blijven rondhangen.’

De barkeeper aarzelde.

‘Volgens mij zijn ze alle drie minderjarig. Jullie vergunning zou...’

Hij liet de woorden in de lucht hangen en de man gaf het grijnzend op: ‘Helemaal weg, niet buiten rondhangen.’

De meisjes protesteerden luid toen Konrad Simonsen op de vrije stoel bij hun tafel ging zitten, wat wel te begrijpen was. Zonder zich iets aan te trekken van de beledigingen die hij naar zijn hoofd geslingerd kreeg, keek hij zwijgend naar Maja Nørgaard. Hij was blij dat zij het dichtst bij de muur zat. Als ze eruit wilde, moest ze onder de tafel door kruipen. De andere gasten volgden het incident, vooral toen de barkeeper zijn belofte nakwam en de twee vriendinnen van het meisje zonder veel ophef naar buiten werkte en in een taxi zette.

Maja Nørgaard zei als eerste iets: 'Ben je een stille?'

Dom was ze niet; hij liet zijn legitimatie zien.

'Ik praat alleen met je als mijn advocaat erbij is.'

Hij had van tevoren de mobiel van Jørgen Kramer Nielsen klaargelegd in zijn binnenzak en hoefde nu alleen maar op een toets te drukken om het display te activeren. Hij schoof het apparaat naar haar toe en wachtte af.

Na een tijdje siste ze: 'Heb je thuis over mij liggen kwijlen, vuile viezerik? Zoek een leven, man.'

'Je mag gaan als je wilt, Maja, maar ik denk niet dat je moeder het leuk zal vinden als ze hoort dat er een naaktfoto van jou rondgaat bij ouwe...'

'Dat doe je niet!'

Konrad Simonsen zei rustig: 'Misschien wel, misschien niet. Dat hangt helemaal van jouw gedrag af.'

Hij zag dat ze gebroken was; ze wist het alleen zelf nog niet. Haar hand trilde toen ze een slokje uit haar glas nam. Ze dronk een breezer, Smirnoff Red Ice. Hij gaf de barkeeper een seintje. Die stond meteen aan hun tafel.

'We willen deze twee graag inruilen voor een cola en een spa rood.'

Hij wees naar hun glazen, die weg werden gehaald. Maja Nørgaard protesteerde niet, maar zei met een klein stemmetje: 'Wat moet ik doen?'

'Eerst moet je met mij praten, daarna met Arne Pedersen en de Fr... en Nathalie von Rosen, die ken je allebei al, en ten slotte moet je met een maatschappelijk werker praten. In alle drie de gevallen moet je de waarheid vertellen, de héle waarheid.'

'En dan laat je die foto niet aan mijn moeder zien?'

'En dan laat ik die foto niet aan je moeder zien.'

'En als je liegt en het toch doet?'

'Ja, dan doe ik dat. Je moet me vertrouwen.'

Ze dacht na en accepteerde de logica.

'Waarom moet ik met die maatschappelijke dinges praten?'

'Omdat je te veel drinkt en je volgens mij ook weleens een lijntje snuift als je er het geld voor hebt. Bovendien prostitueer je jezelf als je geld nodig hebt en ten slotte verkeer je in een totaal verkeerde omgeving. Daarom. En ook nog omdat je zeventien jaar bent en hulp nodig hebt voordat het echt misgaat met je.'

Er glinsterden een paar tranen in haar ooghoek.

'Krijg ik straf?'

'Dat hangt ervan af wat je hebt uitgespookt, áls je iets hebt uitgespookt natuurlijk. Maar je lijkt me, zoals ik al zei, een meisje dat eerder hulp nodig heeft dan straf. Goed, wat is je antwoord? Ja of nee?'

'Ja.'

Hij ging naar de wc, maar zei daarvóór tegen haar dat ze mocht gaan als ze wilde. Dat had een tweeledig doel: hij wilde er later niet van worden beschuldigd dat hij haar tegen haar wil had vastgehouden en het was goed als ze even kon nadenken. Hij hoefde niet te plassen, dus hij deed wat water op zijn gezicht, droogde zich met een paar servetten af en telde tot dertig. Toen hij weer binnenkwam, zat ze nog precies zoals hij haar had achtergelaten, triest uit het raam starend.

Hij ging zitten en stak meteen van wal: 'Jørgen Kramer Nielsen, Johannes Lindevej 21 in Hvidovre, zondag 27 januari om 10.00 uur?'

Ze antwoordde bijna onhoorbaar: 'Het was de eerste keer dat ik er alleen op uit was, ik bedoel zonder Tobias, en ik was bloednerveus.'

'Zonder Tobias Juul?'

'Ja. Tot dan toe had ik het altijd alleen... bij hem thuis gedaan. Hij nodigde een vriend uit...' – ze maakte aanhalingstekens met haar vingers – '... of soms twee, maar dan waren we altijd met twee meisjes. En dan was het de bedoeling dat ik een ervan scoorde, dat snapte ik wel. Daarna kreeg ik de helft van het geld en Tobias de andere helft. Meestal een paar duizend; als we geluk hadden, drie. Soms betaalde hij me uit in coke of ice, maar hij was altijd lief tegen me en hij sjoemelde niet.'

Konrad Simonsen dacht dat het er maar net van afhing hoe je het bekeek. Hij zei op dezelfde rustige toon: 'Maar met Jørgen Kramer Nielsen was het anders?'

Ze knikte.

'Hij wilde zesduizend betalen, en het enige wat ik hoefde te doen was bij hem thuis zijn, ik bedoel televisiekijken, babbelen, eten... allemaal gewone dingen, maar dan... zonder kleren aan. En 's avonds kon ik weer naar huis. Dat was alles.'

'En deed je dat?'

'Eerst wou ik niet. Ik vond het creepy klinken en hij was ook oud. Maar Tobias haalde me over en beloofde dat er verder niks zou gebeuren. Jørgen zou me absoluut niet aanraken en hij had zelf de hele tijd kleren aan, dat garandeerde Tobias. Nou ja, en toen ging ik erheen.'

'Zondag 27 januari, 's morgens?'

'Ja, dat kan kloppen.'

'Vertel.'

'Er is niet zoveel te vertellen, want het mislukte. Toen Jørgen een beetje met me had gepraat, stuurde hij me weer weg. Volgens mij ben ik er minder dan een halfuur geweest.'

'Vond hij je niet leuk?'

'Eigenlijk was het niet zijn schuld. Hij had geëist dat ik minimaal achttien was, maar ik was toen nog maar zestien. Tobias zei dat ik moest liegen als hij ernaar vroeg, en dat deed ik ook. Ik zei dat ik achttien was en in het eindexamenjaar zat, maar dat had hij meteen door. Hij vroeg wat voor vakken ik had en zo, en ik had natuurlijk geen idee wat ik moest zeggen. Toen stuurde hij me naar huis. Maar niet op een nare manier, eigenlijk was hij best aardig. Hij gaf me tweeduizend voor de moeite en ook nog geld voor de taxi voordat ik wegging.'

'Zei hij nog waarom je zonder kleren moest rondlopen?'

'Nee, zo ver zijn we niet eens gekomen.'

'Heb je de indruk dat Tobias Juul Jørgen Kramer Nielsen vaker meisjes had bezorgd?'

'Dat vermoed ik wel. Anders kon hij niet alles weten wat hij wist. Maar ik weet het niet zeker.'

'Hoe kenden Tobias Juul en Jørgen Kramer Nielsen elkaar, weet je dat?'

'Tobias had als student ooit een baantje op het postkantoor waar Jørgen werkt. Volgens mij in Rødovre, maar het is lang geleden.'

Dat klopte, waarschijnlijk sprak het meisje de waarheid.

Hij keek haar doordringend aan en zei: 'Jørgen Kramer Nielsen is eergisteren gearresteerd. Wij verdenken hem van minimaal zeven ernstige aanrandingen van jonge meisjes.'

Het bloed verdween uit haar gezicht en ze werd bleek. Dat kun je niet simuleren, wist hij. Toen ze een beetje van de schrik was bekomen, zei ze: 'Ik ga niet zeggen dat hij mij iets heeft gedaan, want dat is niet zo.'

Konrad Simonsen vertelde haar het werkelijke verhaal en bood zijn excuses aan voor zijn leugen. Daarna stelde hij nog een twintigtal vragen die hem niet verder hielpen.

Ze waren aan het einde gekomen en hij prees haar: 'Dit heb je goed gedaan, Maja. Nu nog maar twee gesprekken te gaan. Als je in die gesprekken net zo eerlijk bent, is er niets aan de hand.'

'Ik zal het proberen, maar... zou je er alsjeblieft bij willen blijven als die anderen komen?'

'Die komen niet hier; je gaat met mij mee naar het hoofdbureau, maar daar hoef je je niet druk om te maken. Dat gaat er allemaal heel rustig aan toe. Misschien moeten we onderweg even zorgen dat je wat te eten krijgt. En ja, ik blijf er wel bij, als je dat wilt.'

Onderweg naar het hoofdbureau zweeg ze bijna de hele tijd. Slechts twee keer zei ze iets. De eerste keer toen ze met hun McDonald's-zakjes naar de auto terugliepen: 'Ik beleefde echt dat hij mijn klasgenoten neerschoot. Ik zag met mijn eigen ogen hoe ze met kogels doorboord werden en doodgingen. En dat is in het echt helemaal niet gebeurd. Daar kan ik maar niet bij.'

Konrad Simonsen geloofde haar. Ze was er waarschijnlijk van overtuigd dat ze had gezien wat ze vertelde, kort nadat ze uit het klaslokaal van de Marmorgadeschool was ontsnapt. In stresssituaties creëerden de hersenen vaak hun eigen beelden. Hij probeerde het haar uit te leggen, maar dat lukte niet.

'Hebben jullie Robert daarom doodgeschoten? Om wat ik zei?'

'Helemaal niet. We hebben hem doodgeschoten omdat er geen andere uitweg was. Dat had niets met jou te maken.'

Hij keek haar aan en zag dat ze hem niet geloofde.

Toen veranderde ze van onderwerp en zei: 'Sorry voor hoe ik je net in het café noemde.'

Hij wuifde het weg; ach, hij had wel erger meegemaakt.

Toen ze weer in de auto zaten, zei ze: 'Eén ding ben ik net vergeten te zeggen.'

'En dat is?'

'Het is een beetje... ik weet het niet. Misschien kan ik beter wachten.'

Ze bloosde een beetje en hij raadde: 'Totdat je met een vrouw praat?'

'Ja, nee... nou ja, het maakt ook niet uit. Toen ik naar Jørgen moest, toen die foto ook is genomen, was het erg belangrijk dat ik *hairy* was. Ik mocht niet intiem geschoren zijn als je begrijpt wat ik bedoel. We moesten wachten tot... nou ja, tot het zover was.'

'Interessant', zei Konrad Simonsen, en hij meende het.

*

Niemand bij de afdeling Moordzaken twijfelde eraan dat Maja Nørgaard niet het enige meisje was dat Tobias Juul aan Jørgen Kramer Nielsen of aan anderen had verhuurd. En in dat licht gezien was de ongemotiveerde overval op de postbode in 1996 misschien toch niet zo ongemotiveerd.

Konrad Simonsen vond de vrouw die hij zocht op een bank in het uiterste hoekje van de speeltuin, waar ze in een tijdschrift zat te lezen, terwijl ze met haar vrije hand een kinderwagen heen en weer schommelde. Zo nu en dan keek ze op en lachte ze naar een meisje dat niet ver daarvandaan energiek op haar buik in een zandbak lag te graven.

Konrad Simonsen ging naast haar op de bank zitten. Ze keek hem even aan en las toen weer verder. Hij voelde in zijn binnenzak, maar merkte geërgerd dat hij zijn ID was vergeten. Toen stelde hij zich voor en legde uit: 'Jammer genoeg ben ik mijn legitimatie vergeten.'

De vrouw deed haar tijdschrift dicht en legde het onder op de kinderwagen. Toen zette ze haar bril af, borg hem zorgvuldig op in een etui in haar tas, en antwoordde na diep zuchten: 'Ik herken je van de televisie. Het gaat over Tobias Juul, neem ik aan?'

'Gedeeltelijk, ja.'

'Tobias is de afschuwelijkste man die ik ooit ben tegengekomen. Het heeft me jaren gekost om daaroverheen te komen. En toch deed het me verdriet toen ik op televisie zag dat hij dood was. Dat was raar, want ik heb hem toch zó gehaat!'

'Wanneer had je met hem te maken?'

'Dat is lang geleden, meer dan tien jaar. Ik was zeventien toen ik met hem ging samenwonen en ik ben nu negenentwintig, dus dat kun je zelf uitrekenen. Moet mijn man daar iets over weten... over die tijd? Dat wil ik liever niet.'

'Ik ben de discretie zelve, dus daar hoef je niet bang voor te zijn. Jullie woonden samen, Tobias en jij?'

'Twee jaar lang, ja. Maar niet officieel. Ik stond nog steeds bij mijn ouders ingeschreven. Mag ik weten hoe je me hebt gevonden?'

'Ik heb het geraden. Je vader heeft op 5 maart 1996 een postbode aangevallen.'

'Ja, Jørgen Nielsen heette die arme man. Het was verschrikkelijk en het was mijn schuld. Hij is overigens een halfjaar geleden overleden. Ik denk weleens aan hem.'

Konrad Simonsen lichtte haar kort in over de situatie en liet haar toen haar verhaal in eigen woorden vertellen. Het leek in veel opzichten op dat van Maja Nørgaard, behalve dan dat Jørgen Kramer Nielsen haar niet had afgewezen. Twee jaar lang kwam ze bij hem op de laatste zondag van de oneven maanden. Ze kreeg vierduizend kronen per bezoek totdat haar vader bij toeval over het arrangement hoorde.

Konrad Simonsen vroeg: 'Van wie?'

'Van de buurvrouw, een oude roddeltante die overal haar neus in stak. Zij is ook overleden, weet ik.'

'En je hoefde niks anders te doen dan daar te zijn zonder kleren aan?'

'Nee, niks. Ik kon als het ware doen wat ik wilde zolang ik er was. Meestal was het zelfs gezellig en ik raakte er snel aan gewend om naakt te zijn. Tobias liet me op andere plekken veel ergere dingen doen. Soms was het een beetje koud, dat was het enige onaangename.'

'Hij zocht nooit seksueel contact?'

'Nooit. Hij deed ook niet obsceen of zo. Maar natuurlijk was het op de een of andere manier wel prikkelend voor hem, neem ik aan.'

'Heb je hem ooit gevraagd waarom? Ik bedoel, jullie moeten elkaar langzamerhand toch vrij goed hebben gekend.'

'Ja, dat was ook zo. Hij gaf me verjaardags- en kerstcadeautjes. Dat was erg vertederend. En nee, ik heb hem nooit gevraagd wat hij eraan had dat ik bij hem was. Maar hij liet me de zolder zien, een van de laatste keren dat ik bij hem was, en toen kon ik het wel een beetje bedenken. Ik denk dat ik stand-in was voor het meisje daar, hoewel hij me niets over haar vertelde. Maar de zolder was zijn grote geheim. Ik moest beloven dat ik het nooit aan iemand zou vertellen, en dat heb ik tot nu toe ook nooit gedaan, maar je bent misschien zelf al boven geweest?'

*

Hij belde de priester zodra hij de speelplaats had verlaten, en daarna een taxi.

Drie kwartier later was hij bij de villa waar Jørgen Kramer Nielsen had gewoond. De priester ging hem voor de trap op en het appartement op de eerste verdieping in, terwijl hij uitlegde: 'Het heeft heel wat tijd gekost om het luik te vinden. De man die hier woont, heeft me geholpen, maar hij moest naar zijn werk voordat jij kwam. Eerst dachten we dat er helemaal geen luik was, maar uiteindelijk hebben we het ontdekt. Jørgen had het als een natuurlijke plafondplaat in de badkamer ingebouwd. Ik ben als eerste naar boven gegaan, maar toen ik het licht aan had gekregen en zag hoe hij het had ingericht, dacht ik dat het maar beter was om weer naar beneden te gaan en te wachten tot jij er was.'

De zolder was een overweldigende ervaring. Konrad Simonsen had nog nooit zoiets gezien en hij kreeg een heel eigenaardig gevoel toen hij voorzichtig de ruimte binnenstapte. Na een paar passen stopte hij. Hij overwoog een beetje dwaas of hij zijn schoenen zou uittrekken en besefte bedremmeld dat hij een indringer was, een niet-ingewijde, een voyeur die zich met geweld toegang had verschaft tot de ziel van een dode.

De ruimte was bekleed met spiegels. Vierkante, facetgeslepen spiegeltjes, allemaal handbreed, waren zeer nauwkeurig vastgemaakt, zodat ze alle oppervlakken bedekten: de grote schuine wanden tot aan het dak, de twee zijwanden en niet in het minst de vloer. Boven in de nok straalden een paar neonbuizen hard licht uit in een oneindige reflectie, die gretig iedereen liet zien die zich naar binnen waagde. Er waren geen ramen of meubels.

Maar het meest fascinerend waren de foto's. Hij telde ze in een poging om afstand te scheppen. Het waren er in totaal achttien, allemaal op posterformaat en allemaal ingelijst, zodanig op maat gesneden dat ze een aantal spiegels tot op de millimeter bedekten. De motieven waren steeds hetzelfde, maar toch was elke afbeelding uniek. Een eindeloze variatie op hetzelfde thema: rondom in de nok schitterende bergen onder een ijsblauwe hemel, met eeuwig ronddraaiend zonlicht dat overal vandaan fonkelde. En dan het meisje. Overal het meisje. Het was haar ruimte. Haar mooie gezicht was op elke poster in technische perfectie samengesmolten met de hemel, waar ze naar believen verstoppertje kon spelen met haar toeschouwer. Het ene moment was ze lachend zichtbaar, het volgende – als hij zijn hoofd een klein beetje draaide – verdween ze in de wolken om meteen weer tevoorschijn te komen in een van de talloze spiegels.

Als hij er dichtbij ging staan kon hij zien dat elke poster uit verschillende foto's was samengesteld, maar de overgangen waren zo meesterlijk gemaakt dat hij zelfs op een paar centimeter afstand zijn best moest doen om het te kunnen zien. Zo werd ook het geheim onthuld achter de ogen van het meisje. Die keken hem vanuit de ene hoek met een vreemde aantrekkingskracht aan en vanuit de andere als koude zonnestralen. Er waren tientallen kleine gaatjes geprikt naar de achterliggende spiegel, alsof er met caleidoscopische onvoorspelbaarheid diamantstof in haar pupillen glinsterde.

Konrad Simonsen sloot zijn ogen en voelde zich even teruggeworpen naar een tijd die allang voorbij was. Toen hij weer bij zijn positieven kwam, zei hij zachtjes voor zich uit: 'En wie mag jij wel zijn?'

2

De vondst van het meisje op zolder was natuurlijk van belang voor Konrad Simonsen in zijn rol als onderzoeksleider in de zaak die hij in zijn gedachten langzamerhand 'de postbodezaak' begon te noemen. Maar het beeld van het meisje had voor hem persoonlijk ook een positief neveneffect. Ze verdrong een ander beeld, dat hem sinds zijn operatie had achtervolgd en meer dwarszat dan hij had willen toegeven.

Zijn dochter Anna Mia en de Freule waren bij hem terwijl hij op een beeldscherm volgde hoe assistent-arts dokter Shear met een slangetje zijn ernstig verkalkte kransslagader verwijdde. Dat was een film die hij niet nog een keer hoefde te zien: een binnengedrongen fremdkörper die in zijn hart aan het rommelen was, aangestuurd door twee vreemde handen, het ultieme verlies van controle. Hij hoopte uit de grond van zijn hart dat zijn volgende hartaanval snel en zonder voortekenen zou komen. Boem, klaar, dood. Veel liever dat dan ooit weer de instrumenten van dokter Shear in zich te voelen.

Een paar dagen later hield dezelfde dokter Konrad Simonsens leven weer in zijn welgemanicuurde handen, deze keer figuurlijk. Hij nam de tijd om alle facetten van diens ellende door te nemen, terwijl de Freule en Anna Mia hem energiek met trefwoorden aanvulden. De samenhang verdween, maar de lange, akelige woorden bleven plakken: *beschadigde hartachterwand, hartslagadercollaps, ballondilatatie, bloedcirculatieprobleem, rokerslongen, diabetesdiagnose, medicijndosering, reconvalescentieperiode.* Hij had gehoopt afstandelijke Latijnse woorden te horen, maar die kwamen niet. Anna Mia schreef het horrorverhaal op. De Freule discussieerde met de arts, knikte ernstig en stelde alsmaar nieuwe, o zo relevante vragen. Zelf zei hij niets. Hij zat in een belachelijke rolstoel in een badjas. Wie kan nou rationeel zijn in een badjas? Bovendien had hij tijd nodig om de boodschap te laten bezinken. Als er meer tijd was, welteverstaan.

Als afscheidscadeau kreeg hij een uitermate illustratieve kleurenprint van zijn voorheen fataal beschadigde slagaders, met behulpzame uitleg door de arts, die met een balpen wees op wat levend weefsel was en wat dood. De afbeelding: een slecht geknoopte lappendeken in rood-zwarte tinten met een hoop kleine, blauwe foutjes in de vorm van verraderlijke calciumkristallen, die zichzelf laag voor laag opbouwden tot ze op een dag het leven blokkeerden.

Sindsdien had deze lappendeken hem vaak geplaagd en somber gestemd. Het was het ergst voordat hij in slaap viel, en hij zichzelf moest bedwingen om naar beneden te gaan om er met de Freule over te praten. Maar hij hield zijn lippen op elkaar – het laatste wat hij wilde was zielig overkomen – en hoe zou praten ook kunnen helpen? Nu had het probleem zichzelf dus opgelost: hij viel niet meer in slaap met de lappendeken op zijn netvlies, maar met de beelden van het meisje uit de spiegelgalerij van de postbode, terwijl hij erover piekerde wie ze was en wat ze van hem wilde. Een duidelijke verbetering.

Wat betreft het onderzoek bevond zijn postbodezaak zich in een impasse.

Het feit dat Jørgen Kramer Nielsen jonge meisjes betaalde om naakt rond te lopen in zijn appartement en dat hij een bijzondere spiegelgalerij op zijn zolder had ingericht, was op zich genoeg om het voorspelbare rapport aan de hoofdcommissaris te kunnen uitstellen, en misschien moest hij dat ook wel doen. Maar het was bij lange na niet genoeg om meer middelen in te kunnen zetten voor een onderzoek met meer menskracht dan hijzelf en Pauline Berg. Er was nog steeds niets wat erop wees dat het overlijden van de postbode het gevolg was van een misdrijf. Hij moest wachten op het onderzoek van de technische recherche en de mening van Kurt Melsing over de foto's van de positie van de dode onder aan de trap, en het leek nog lang te kunnen duren voordat deze mening was gevormd. Zijn zaak had niet echt de hoogste prioriteit, een ongewone situatie voor hem. En hoewel hij zichzelf bleef voorhouden dat het heel gezond was, vond hij het toch ook hoogst irritant. Eén keer had hij geprobeerd wat druk uit te oefenen: hij was toevallig het kantoor van Arne Pedersen binnengelopen, had een paar minuten over koetjes en kalfjes gepraat en vervolgens tussen neus en lippen door gezegd: 'Trouwens, zou je Melsing niet even willen bellen en vragen zich ietsje meer te concentreren op mijn postbode? Ik kan niet echt verder voordat ik antwoord heb.'

Arne Pedersen had hem uitgelachen en gewoon nee gezegd.

'Wat zou je zelf hebben gedaan als je in mijn schoenen stond?'

Hij was weggelopen, een beetje verontwaardigd en rusteloos. En om het nog erger te maken was hij toen de Freule tegengekomen op de gang. Hij mopperde wat zonder het eigenlijk te willen. Zij raadde hem aan een paar vakantiedagen op te nemen, en liep snel verder.

Later die dag sprak hij met Hans Ulrik Gormsen. Dat duurde een kwartier en leverde niets op omdat de mobiele telefoon van de agent de wc-dood was gestorven nadat hij in februari de dode postbode had gefotografeerd. De technische recherche moest het dus met de afdrukken doen die ze al hadden. Verder kwam de verklaring van de man overeen met de andere getuigenverklaringen die Konrad Simonsen had verzameld. Bovendien was Hans Ulrik

Gormsen vreselijk irritant, een betweter van de ergste soort wat Konrad Simonsen betrof. Dus toen het duidelijk was dat de man niets nieuws kon vertellen, bedankte hij hem halfhartig en hoopte hem nooit meer te zien.

Daarna belde hij Pauline Berg. Hij had haar gevraagd een algemeen beeld van Jørgen Kramer Nielsen samen te stellen en de details aan haar overgelaten – dan had ze tenminste wat te doen – maar ze was nog lang niet klaar met haar onderzoek. Toch was ze blij dat hij belde. Dat was een opluchting: hij had het tegenovergestelde gevreesd. Hij keek op zijn horloge en zag dat het nog meer dan twee uur duurde voordat hij werd opgehaald.

*

Op zaterdag maakte hij zijn dagelijkse ommetje, vandaag met zijn dochter. Anna Mia was in een stralend humeur. Allebei droegen ze joggingkleding met bijbehorende sportschoenen. De septemberregen viel mild en miezerig, maar de villawijk om hen heen leek al in winterslaap te verkeren. Een afgedankte Chevrolet met vier jongeren erin haalde hen langzaam in en doorbrak de stilte met getoeter en gejoel. Anna Mia wuifde vrolijk naar hen, en de jongeren groetten haar terug en versnelden toen, met als gevolg dat het gieren van de banden de ingeslapen wijk even wakker schudde.

'Wat is het toch heerlijk om samen met jou te lopen. Daar heb ik me lang op verheugd.'

Haar humeur werkte aanstekelijk en Konrad Simonsen glimlachte. Ook hij was zijn wandelingen fijn gaan vinden, al was het alleen maar omdat dat het enige moment van de dag was dat hij het roken niet miste. Zelfs wanneer hij sliep, had hij zin in roken. Zo ervoer hij dat in elk geval.

'Dit stelt voor jou toch niks voor; jij bent nog jong, fit en verstandig.'

'Iets is beter dan niets. Heb je al gemerkt dat het je steeds makkelijker afgaat?'

'Nee, eigenlijk niet.'

'Toen je begon, kon je niet tegelijk praten, en nu proest je niet meer als een varken.'

Ze had gelijk. Daar had hij niet aan gedacht.

'Varkens proesten niet, paarden proesten, als het nodig is doen koeien en herten het ook, maar varkens niet.'

'En chefs Moordzaken.'

'Deze chef Moordzaken niet.'

'Wacht maar tot we gaan rennen, maar wat in het vat zit, verzuurt niet. Vertel eens hoe het op je werk gaat. Was het fijn om weer te beginnen? Zijn ze lief voor je? Heeft onze ijskoude chef je een zaak gegeven?'

Hij vroeg haar, zoals gewoonlijk, netjes over de hoofdcommissaris te praten en vertelde zonder veel enthousiasme over zijn postbodezaak.

'Een moord, wat vertel je me nou, ik dacht dat je rustig aan moest beginnen? Heeft het in de kranten gestaan?'

'Het is al meer dan een halfjaar geleden gebeurd, en hij is hoogstwaarschijnlijk niet vermoord, maar dat is nou net wat ik uit moet zoeken, als ik kan.'

'En nu ben je bewijsstukken aan het verzamelen zodat hij weer opgegraven mag worden?'

'Zo gaat het niet echt. En bovendien is hij gecremeerd.'

'Dat klinkt echt onmogelijk. Wat doe je dan?'

'Ik probeer overzicht te krijgen.'

'Papa, wie is Rita?'

Typisch voor haar om zonder overgang van onderwerp te veranderen. Haar moeder had dezelfde gewoonte gehad, wat hij toen hoogst irritant vond, maar bij zijn dochter had hij daar geen last van.

'Waarom vraag je dat, meisje?'

'Zou je willen ophouden met mij "meisje" te noemen? Als je me zo nodig iets moet noemen, gebruik dan mijn naam.'

Ze had gelijk. Ze was geen meisje meer. Derdejaars politieacademie en tegelijk had ze al ettelijke vakken gevolgd aan de rechtenfaculteit, hoeveel wist hij niet meer. Hij wist alleen nog dat ze meedeed aan een proefregeling waarbij ze tijd en ondersteuning kreeg voor haar rechtenstudie tijdens haar opleiding tot agent. Bovendien ging ze verstandig om met haar leven. Veel te verstandig, vond hij vaak.

'Sorry. Waarom vraag je dat, Anna Schatteboutje Mia?'

Ze negeerde zijn plagerijtje.

'Nathalie zegt dat je haar Rita noemde toen je bijkwam.'

Anna Mia noemde de Freule consequent bij haar naam. Niemand anders die hij kende deed dat. Hij probeerde van het onderwerp af te komen met een onduidelijk gegrom.

'Nathalie gaat het je vast zelf vragen.'

'Ja, dat zal best.'

Even later begon ze weer te vissen.

'Waarom wil je nooit iets over jezelf vertellen? Ik bedoel echt over jezelf. Over wat je voelt.'

'Ik voel dat ik zin heb in roken en verder voel ik afkeer tegen alles wat vetarm, vrij uitlopend en biologisch is.'

'Leuk, hoor, wat ben je gemeen.'

'Nonsens. Je vertelt me toch ook niet over jouw vriendjes.'

Hij had zijn tong wel af kunnen bijten, maar de schade was al aangericht. Het was onmogelijk tegelijkertijd te trimmen en na te denken. Anna Mia reageerde als een springveer: 'Heb je twee vriendinnen? Wow, dat had ik niet achter je gezocht.'

'Hou toch op, joh. Ik weet niet eens of ik één vriendin heb. Veertig jaar geleden kende ik iemand die Rita heette, en meer is er niet. Ik weet er helemaal niks meer van en het heeft niks te betekenen.'

Dat was een leugen. Elke dag als hij wakker werd dacht hij aan haar. Het was alsof er een deur in zijn hersenen was opengegaan die een eeuwigheid dicht was geweest. In het begin had hij gedacht dat ze weer zou verdwijnen, maar het was eerder andersom gegaan. En na de vondst van het meisje op de zolder van de postbode was ze zich echt gaan opdringen. Alsof de twee vrouwenfiguren elkaar aanvulden. Haar gezicht was opgedoken: haar sproeten, haar levendige ogen, haar wipneus, haar enigszins scheef staande tanden – en als hij geluk had, was hij in zijn dromen bij haar.

Zijn dochter was even stil, maar ging toen betweterig door: 'Als je haar naam nog weet, kun je je vast ook nog meer herinneren. Ze moet grote indruk op je hebben gemaakt als je veertig jaar later als je bijkomt naar haar verlangt.'

Hij wimpelde haar vragen effectief af door categorisch naar zijn falende geheugen te verwijzen, en uiteindelijk gaf ze het bozig op. Hij verdedigde zich met hetzelfde argument als daarvoor: 'Jij praat ook nooit over je vriendjes.'

Ze liepen een stukje door zonder te praten. Toen zei ze plotseling: 'Op wintersportvakantie heb ik een student pedagogiek ontmoet, Kim. Lang, mooi figuur, strakke billen en een muzikale manier van bewegen. We skieden samen van een...'

Hij hield zijn handen voor zijn oren: 'Hou op. Ik wil niets van hem weten.'

Ze verhief haar stem.

'Wie heeft gezegd dat het een man was?'

'Ik wil er niets over horen al was het een staande lamp.'

Ze waren klaar met trimmen, en Anna Mia begon weer over zijn werk.

'Je zaak klinkt saai, maar hoe was het met je mensen? Waren ze blij je weer te zien?'

'Het spijt me dat mijn werk je niet kan boeien. Als ik de postbode in het hiernamaals tegenkom, zal ik zeker vertellen dat hij een saaie dood is gestorven.'

'Papa, hier mag je geen grapjes over maken.'

Ze stopte. Hij ook, en hij ergerde zich aan zichzelf.

'Ik word echt verdrietig als je zoiets zegt.'

'Sorry, het is niet om vervelend te zijn, het is meer een soort verdediging. Soms heb ik het een beetje moeilijk. Het is alsof er helemaal geen overgang is geweest tussen toen ik daar lag te vechten om weer wakker te worden en nu ben ik afhankelijk van hulp overal vandaan en is alles tegelijk nieuw en anders... Ik weet niet hoe ik het moet zeggen... Ik had een soort pauze verwacht, maar die kwam maar niet.'

'Ben je niet blij dat je een beetje hulp krijgt van je vrienden?'
'Ja, dat wel. Ik was er zonder hen niet doorheen gekomen, en vaak doet het me ook wel wat, het probleem is alleen dat ik niet weet hoe ik het moet laten merken. Dat heb ik nooit geleerd.'
'Ik heb anders wel het gevoel dat je het langzaam aan het leren bent.'
'Dat kun jij makkelijk zeggen. Toen ik zo oud was als jij had ik nooit behoefte aan hulp van anderen, op welke manier dan ook.'
'Nu geloof ik dat je dingen door elkaar haalt. Je hebt gewoon iemand nodig om van te houden.'
'Ik heb toch iemand om van te houden.'
'Ja, dat weet ik, maar twee dan.'
Ze liepen hand in hand over het tuinpad naar de villa van de Freule. Het pad was daarvoor eigenlijk te smal, maar het was verboden om op het gras te lopen. Daar was geen echte reden voor; het mocht gewoon niet. Ze stoeiden een beetje als spelende kinderen, en uiteindelijk ging zij een stap voor hem lopen, maar zonder zijn hand los te laten.

*

Op dinsdag presenteerde Pauline Berg wat ze over Jørgen Kramer Nielsen te weten was gekomen. Het was niet veel en waarschijnlijk verspilde energie. Het kostte Konrad Simonsen dan ook moeite geïnteresseerd te blijven in haar presentatie, die bovendien ook niet erg gestructureerd was. Op zijn zachtst gezegd. Ze ging bij het whiteboard staan en schreef zorgvuldig twee woorden op in haar onpersoonlijke blokletters. Dat waren de woorden 'wiskunde' en 'fotografie'. Ze zette om allebei een cirkeltje en zei: 'Ik ga niet weer naar die opslaghal. Het is daar niet fijn, ik word er bang.'
'Dat hoeft ook niet meer.'
Ze stond een tijdje met een lege blik in de lucht te staren. Konrad Simonsen vroeg zich af of hij iets moest zeggen, haar vertellen dat hij haar begreep, haar troosten of iets dergelijks. Maar het lukte haar toch om zonder hulp verder te komen.
Veel van de boeken die Jørgen Kramer Nielsen had nagelaten gingen over wiskunde of aanverwante onderwerpen. En in zijn vele schriftjes maakte hij wiskundeopdrachten, netjes en op de ouderwetse manier geschreven, met vulpen en vloeipapier. Het waren vooral differentiaalvergelijkingen, kansberekeningen en integraalrekeningen. De schriftjes kocht hij bij de boekhandel in het winkelcentrum op de Hvidovrevej, waarvan de eigenaar nog heel goed wist wie hij was. De kaften ervan veranderden zo nu en dan om verkoopbevorderende redenen, in die zin dat het design een afspiegeling was van de tijd. Hoewel de boekhandelaar er zijn hand niet voor in het vuur durfde te steken, dacht hij beslist dat de eerste schriftjes uit de verzameling van Jørgen

Kramer Nielsen dateerden van begin jaren zeventig, als ze niet nog ouder waren. Hij had Pauline Berg doorverwezen naar de producent.

Ze was bovendien naar de Universiteit van Kopenhagen geweest en had een paar van de schriftjes laten zien aan een docent wiskunde, die de postbode aanduidde als een begaafd gymnasiumleerling. Hij had dus geen intellectuele drive gehad om zijn wiskundig inzicht te vergroten, en de afgelopen veertig jaar had hij nagenoeg stilgestaan. Zijn berekeningen konden het best worden gezien als een vorm van tijdverdrijf van dezelfde soort als kruiswoordpuzzels of legpuzzels.

Ze vinkte het kringetje om 'wiskunde' op het whiteboard af; dat punt was klaar. Konrad Simonsen onderdrukte een geeuw. Pauline Berg zei: 'O, dat was ik bijna vergeten. Die bonnetjes met dat ene getal achterop, waarvan ik niet kon bedenken wat het was – weet je nog?'

'Ja natuurlijk, ik ben niet dement.'

Ze lachte, en dat werkte bevrijdend.

'Zeg jij. Maar goed, het getal was gewoon de lengte van de bon in centimeters. Eens per jaar maakte hij dan een regressieanalyse van de totale som van de prijs van de waren op de bon en...'

Ze hield ermee op toen ze zijn gezichtsuitdrukking zag.

'Dat is niet interessant, hè?'

'Nee.'

Ze ging door met het volgende punt. De postbode ontwikkelde zijn eigen foto's, hij had een doka gehad en ze had gesproken met de loodgieter die die had geïnstalleerd.

'Ongeveer zes jaar geleden, toen hij van de begane grond naar de eerste verdieping verhuisde. Voor zover ik weet, dan. Nou goed, hij kwam vaak bij de fotohandel in het winkelcentrum op de Hvidovrevej, ja, die ligt feitelijk naast de boekhandel. De eigenaar noemt zich Papa Foto.'

Ze vertelde dat Papa Foto en de postbode vaak over fotograferen en ontwikkelen voor fijnproevers praatten, achter in de winkel. Ze had bovendien een lijst gemaakt met bedragen en data van de fotospullen die Jørgen Kramer Nielsen de laatste jaren in de winkel had gekocht. Ze zette haar tweede vinkje bij 'fotograferen', maar zei vervolgens half vragend, half constaterend: 'Het was niet echt goed, dat weet ik zelf ook wel.'

'Nee, dat klopt.'

'Het is moeilijk in je eentje.'

Hij gaf haar gelijk. Overigens was het zijn verantwoordelijkheid, hij had de zaken voor haar moeten indelen. Hij had gewoon gedacht dat het niet nodig was, maar dat vertelde hij haar niet. Toen keek hij naar het whiteboard om te zien of hij wat relevante informatie uit haar rommelige werk kon halen. Dat viel niet mee. Hij vroeg of de informatie over de fotografie nog nieuw licht had geworpen op het meisje en de landschappen op zolder, maar daar had

Pauline Berg geen antwoord op. Dus begon hij wat aarzelend over haar andere punt.

'Weet je wanneer hij eindexamen heeft gedaan?'

'Nee, maar dat moet eind jaren zestig zijn geweest.'

'Wat had hij bij zijn examen voor wiskunde? Kun je je dat nog herinneren?'

'Nee, want ik heb zijn diploma niet gevonden tussen zijn papieren. Ik denk dat hij het heeft verbrand.'

'Verbrand, waarom zou hij dat hebben gedaan?'

'Ooit keken we bij maatschappijleer naar een film, ja, dat was ook op de middelbare school, maar die van mijzelf, en toen ging het over de jaren zestig en de jongerenprotesten of zoiets. Er was een jaar dat alle eindexamenstudenten hun diploma's op de Kongens Nytorv verbrandden uit protest tegen iets – het onderwijssysteem, de Vietnamoorlog of misschien uit solidariteit met de arbeiders, weet ik veel. Ik weet niet wat ze in hun hoofd hadden. Maar ze waren waarschijnlijk allemaal stoned, ze wilden ook het studentenpetje niet dragen.'

Tot zijn eigen verbazing ergerde Konrad Simonsen zich een beetje aan haar negatieve uitleg. Wat wist zij nou van die tijd? Ze was nog niet eens geboren.

'Kijk of je zijn diploma kunt vinden bij het ministerie van Onderwijs of bij het Rijksarchief. En op welke school zat hij? Daar moet je achter kunnen komen. Ik wil ook graag een kopie van zijn testament.'

Ze schreef het op, toen vroeg ze: 'Is dat gewoon om me bezig te houden?'

'Nee, ik heb een gevoel...'

Hij liet zijn woorden in de lucht hangen, maar het was niet waar. Hij had geen gevoel, en het wás zo dat ze dan iets te doen had, hoewel het eigenlijk niet zijn verantwoordelijkheid was. Ze gaf verder geen commentaar, maar bood verrassend aan: 'Zal ik je vandaag naar huis brengen?'

Hij nam het aanbod aan.

Toen ze ongeveer een uur later op weg waren naar de auto, klaagde ze: 'Ik zou zo graag mijn eigen zaak willen hebben. Net zoals jij, zoals alle anderen.'

Hij liet het bij knikken en brommen hoewel hij heel veel andere dingen had kunnen zeggen. Bijvoorbeeld dat de zaken van de afdeling Moordzaken niet werden uitgedeeld om de werknemers een plezier te doen, of dat ze zojuist een schrijnend gebrek aan overzicht had vertoond, wat haar niet direct boven aan de lijst van kandidaat-leiders van een opsporingsonderzoek zette. In plaats daarvan zei hij terloops: 'Wat zou je ervan vinden als we een klein omweggetje maken en een stukje gaan wandelen? Er is iets wat ik graag wil zien.'

Ze aarzelde: 'Dat wil ik wel, natuurlijk wel, maar ik weet niet...'

'Ik verheug me heel erg op het moment dat ik weer de voet op het eigen gaspedaal heb.'

'Ja, dat begrijp ik, het is alleen...'

Ze twijfelde, wilde graag doen wat hij wilde, maar was duidelijk bang voor de consequenties.

'Je bent op het moment anders niet erg gehoorzaam, voor zover ik heb begrepen?'

'Dit is wat anders.'

'Ben je bang dat ik in elkaar zak en doodga?'

'Ja.'

Hij kon zich niet beklagen over haar eerlijkheid.

'Luister, Pauline – dat gaat niet gebeuren. Kijk naar me. Ik ben de afgelopen jaren nog nooit zo gezond geweest.'

Ze wisten allebei dat hij overdreef.

'Het mag niet langer duren dan een kwartier en je mag het aan niemand vertellen. Ook niet aan de Freule, of eigenlijk vooràl niet aan de Freule.'

'Op mijn erewoord als padvinder.'

Ze reed volgens zijn aanwijzingen en ze hadden geluk met een parkeerplek. Toen ze de Gothersgade overstaken, gaf ze hem een arm en ze liet hem niet los toen ze de overkant hadden bereikt. Hij liet het zonder commentaar toe. Ze kletsten wat terwijl ze langs het gietijzeren hekwerk bij Kongens Have liepen.

'Dat is Rosenborg, toch?'

Ze wees met haar vrije hand terug over haar schouder, alsof er ook andere gebouwen waren waar ze het over kon hebben.

'Jazeker, nou en of.'

Toen zei ze ineens: 'Je weet toch dat ik zo nu en dan angstaanvallen heb?'

'Ja, en ik kan me voorstellen dat dat niet prettig is.'

'Niemand die het niet zelf heeft meegemaakt kan zich dat ook maar enigszins voorstellen. Het is verschrikkelijk, maar ik heb altijd een pilletje bij me, Truxal, 30 milligram. Als ik er daar eentje van neem, duurt het twintig minuten, dan kan ik staand slapen. Het probleem is: als ik hem niet bij me heb, dan ben ik bang voor de angst, dus ik kijk minstens vijftig keer per dag of ik hem wel bij me heb. Letterlijk.'

Hij raadde wat ze wilde en hielp haar.

'Wil je dat ik ook een van je pilletjes bij me hou? Voor als je het nodig zou hebben?'

'Zou je dat willen doen?'

'Natuurlijk, ik stop hem in mijn portefeuille; die heb ik altijd bij me.'

Ze gaf hem een klein balletje van zilverfolie.

'Zullen we even kijken voordat je hem in je portefeuille stopt?'

Hij maakte het pakketje voorzichtig open terwijl ze keek. Het pilletje was zwart, en het was er.

Het volgende stukje praatten ze niet. Ze wisten geen van beiden goed hoe ze het gesprek voort moesten zetten.

Pauline Berg vroeg: 'Waar gaan we eigenlijk heen?'
Ze waren net linksaf de Kronprinsessegade op gegaan en hadden Kongens Have daardoor nog steeds aan hun linkerhand.
'Nergens, we zijn waar we moeten zijn. Zou je me even een paar minuten alleen willen laten?'
Een beetje verbaasd, maar zonder iets te vragen liet ze zijn arm los, en Konrad Simonsen ging dicht bij het stevige hek van de tuin staan. Voorzichtig pakte hij met elke hand een spijl, en hij liet zijn gedachten de vrije loop.
Hier had Rita gitaar gespeeld en voor hem gezongen op een zomeravond waarop zij tweeën de enigen waren in de hele stad. Zij had broodjes en een kleed meegenomen en hij had vier biertjes gekocht. Haar stem was mooi, gitaarspelen kon ze niet, en hij was helemaal weg van haar, vooral die avond. Haar liedjes waren eenvoudig, melodieus en altijd in het Engels.

Stop complaining, said the farmer,
who told you a calf to be?
Why don't you have wings to fly with,
like the swallow so proud and free?

Hij probeerde mee te neuriën, ze zong zacht, zodat hij ook te horen was. Achteraf vroeg hij voorzichtig: *complaining*, wat betekende dat? Ze vertaalde, maar haar hooghartige glimlachje deed hem pijn. Zij zou eindexamen gymnasium doen, net als haar vrienden, als ze niet al klaar waren en aan de universiteit studeerden. Ze waren allemaal beter opgeleid dan hij, allemaal met betere toekomstmogelijkheden, dus waarom studeerden ze niet gewoon netjes? Hij begreep het niet.
En hier hadden Rita en hij elkaar ook voor het laatst gesproken. Sindsdien had hij haar niet meer gezien. Ze hadden elkaar door het hekwerk heen gezoend. Hij droeg een uniform en mensen keken – een agent en een hippie die elkaar in het openbaar zoenden, dat was toen geen alledaags gezicht. Haar oude vrienden zaten aan de andere kant in een klein groepje en riepen naar hen. Ze waren stoned, ja, zij misschien ook, hoewel ze niet meer bij hen hoorde. Ze had een andere weg gekozen, die van de politiek, en ze was er om afscheid van hen te nemen. De groep was op het gras gaan zitten, slechts een paar meter van het bord dat verbood het gras te betreden. De hasjpijp ging openlijk rond. Het was hopeloos.

Hij maakte zich los van zijn gedachten en liep terug naar Pauline Berg, die zijn arm weer pakte. Hij vond dat hij het moest uitleggen.
'Het is iets waarover ik de laatste tijd heb gedroomd, iets van vroeger. Het klinkt misschien een beetje raar, maar voor mij slaat het ergens op.'
'Ik vind het niet raar. Helemaal niet.'

'Dank je wel. Het is fijn om te horen dat ik normaal ben.'
'Soms droom ik stripverhalen, of zelfs in zwart-wit.'
'Dat is raar, je zou eens naar een psycholoog moeten.'
'Ik heb twee psychiaters, dat moet genoeg zijn.'
Ze gaf hem een duw met haar heup. Ze lachten, en boven hen was de hemel precies zo onbewolkt en clichéblauw als het hoort op een nazomerdag in Kongens Have.

*

Twee dagen later had de technische recherche in Vanløse eindelijk tijd voor de zaak van Konrad Simonsen.

De wond op de hand van Jørgen Kramer Nielsen stond centraal in Konrad Simonsens gesprek met Kurt Melsing op diens kantoor. Dat was op zichzelf geen bijzondere ruimte – het had net zo goed het kantoor van Konrad Simonsen kunnen zijn – maar de grote glazen wand naar de technische ruimte toonde een inrichting die je eerder zou verwachten bij een chemisch laboratorium dan in een respectabele afdeling van de Nationale Recherche. Moderne opsporingstechniek was geavanceerde technologie en vereiste speciale kennis en doorlopende bijscholing. Het was bij de medewerkers dan ook een vaste grap dat ze tegenwoordig geen vingerafdrukexperts meer heetten maar dactyloscopisten. Deze grap liet echter onverlet dat de hulp die de technici in een onderzoek konden bieden het afgelopen decennium was verveelvoudigd.

Kurt Melsing liet zijn gast plaatsnemen voor een beeldscherm van enorme afmetingen en begon zonder veel te zeggen iets in te toetsen. Hij stond bekend om de betrouwbaarheid van de conclusies die zijn afdeling doorstuurde, maar ook om zijn gebrek aan communicatieve vaardigheden. Zo ook nu. Hij liet de foto's uit de mobiele telefoon van Hans Ulrik Gormsen een voor een zien, en noemde daarbij alleen het nummer als er een nieuwe foto op de monitor verscheen. Als een spelleider bij bingo in een buurthuis, maar dan systematischer. Geregeld wierp hij een lange, hulpeloze blik op de glazen wand. Pas toen hij eindelijk klaar was en Konrad Simonsen tien minuten had geluisterd en gekeken naar iets wat hem in tien seconden verteld had kunnen worden, namelijk het niet-verrassende feit dat de foto's van papier naar de computer waren overgebracht, onthulde Kurt Melsing de reden van zijn rusteloosheid.

'Er komt een medewerker om het uit te leggen.'
Konrad Simonsen liet het bij knikken.
'Ik ben blij dat je niet dood bent.'
Ze keken allebei naar de glazen wand.

Thuis in Søllerød nam hij het gebrek aan communicatieve vaardigheden van Kurt Melsing door met de Freule. Ze lagen op het gazon, zij liet haar hoofd op zijn arm rusten. De arm sliep, maar hij negeerde de irritatie en vertelde hoe hij samen met Kurt Melsing op diens kantoor had zitten wachten.

'Daar zaten we dus gewoon dom voor ons uit te staren tot er eindelijk hulp kwam. Het kan niet veel meer dan vijf minuten hebben geduurd, maar ik kan je vertellen dat het voelde als een eeuwigheid.'

'Mee eens, het kan een beetje lastig zijn.'

'Ik mag hem heel graag, maar hij is echt onhandig in de omgang. Het is me een raadsel hoe hij leiding kan geven aan honderden mensen, en dan nog medewerkers die ongelooflijk efficiënt zijn, hoe dat ook maar wordt gemeten, terwijl hij zich niet eens behoorlijk aan iemand kan voorstellen.'

'Je overdrijft.'

'Waarom lach je?'

'Dat kan ik je nog niet vertellen, want je wilt er nog niet over praten.'

'Was Kurt er toen ik ziek werd?'

'Ja.'

'Echt waar?'

'Natuurlijk is dat waar. Weet je dan helemaal niks meer?'

'Ik weet nog dat ik 's morgens ging werken en dat ik vier dagen later in het ziekenhuis wakker werd. De rest is een zwart gat.'

'Maar je sliep ook de meeste tijd. Zal ik het je vertellen of wil je liever wachten?'

'Misschien wordt het nu wel tijd.'

'We waren naar de afscheidsreceptie van Poul Troulsen en je stond met een glas wijn en een sandwich in je handen. Eerst klaagde je over pijn op de borst en kort daarna ook in de rug. Toen begon je plotseling naar lucht te happen en vlak daarna liet je je glas vallen en zakte je door je knieën. De arts noemde je aanval later een acuut myocardinfarct, wij leken noemen dat een acute hartaanval. En dat zorgde voor nogal wat paniek in het gezelschap, helaas ook bij mij. Malte en ik begonnen te huilen, Poul Troulsen maakte je stropdas los en niemand wist verder wat hij moest doen. Behalve Kurt Melsing. Hij keerde mijn tas om, pakte mijn mobiele telefoon, sprong op een tafel en riep 'Koppen dicht!' dat het door het hele HS heen galmde. Daarna belde hij 112, bestelde een spoedambulance en beschreef je symptomen heel nauwkeurig en vlot. Hij stond erbij als een echte leider. Intussen gaf een EHBO'er eerstehulp.'

HS stond voor Head Square, het interne jargon van de afdeling Moordzaken voor het hoofdbureau, dus natuurlijk overdreef ze. Maar haar punt was duidelijk.

'Wil dat zeggen dat Kurt Melsing mijn leven heeft gered?'

'Dat weet niemand, maar je kreeg al in de ambulance bloedverdunnende

medicijnen en iets kalmerends toegediend, zodat je toestand stabiliseerde.'
'Dankzij Kurt Melsing?'
'... wiens gebrek aan taalvaardigheid duidelijk geen constant fenomeen is, en dat bedoel ik eigenlijk. Ik heb hem ook zeer welbespraakt meegemaakt bij andere, minder dramatische gelegenheden.'
Konrad Simonsen trok zijn arm terug en ging zitten. Het hoofd van de Freule bonkte tegen het gras.
'Au, had je me niet even kunnen waarschuwen?'
'Sorry, het is omdat ik me schaam. Ik heb hem niet eens bedankt. Nu denkt hij vast dat ik de ondankbaarste man van Kopenhagen ben.'
'Nee, want hij weet heel goed dat je je er niets meer van herinnert en dat je een tijd wilde wachten voordat je er iets over wilde horen.'
'Ik ben blij dat te horen. En hoe weet hij dat?'
Konrad Simonsen ging weer liggen.
'Hij belt regelmatig om te vragen hoe het met je gaat.'
'Dat heb je me niet verteld.'
'Je kunt toch niet tegelijk worden geïnformeerd en niet geïnformeerd? Kom maar weer met die arm. Hoe ging het verder bij hem, had hij iets wat je kon gebruiken?'
'Ja, dat had hij, en er komt later nog meer.'

Toen de spreekbuis van Kurt Melsing eindelijk kwam, gebeurde er eindelijk wat. De chef bestuurde de computer, de jonge medewerker presenteerde en Konrad Simonsen luisterde. Dat werkte uitstekend.
'We hebben veel met de afdruk gewerkt die boven op de rechterhand van de dode zat.'
Het beeldscherm liet de hand uitvergroot zien.
'Dat was een goede observatie van je, waarvan we in het begin dachten dat die niet relevant zou zijn. Dat hadden we mis. Maar zoals je ziet, is de kwaliteit van de foto's van een mobiele telefoon beperkt, en al helemaal omdat we ze moesten scannen van papier. We kunnen daardoor niet scherpstellen op de bovenkant van de hand, dat wil zeggen: we kunnen het stuk van de hand met die belangrijke afdruk niet uitvergroten.'
'Ik begrijp het. De informatie komt niet tot stand bij de uitvergroting; een uitvergroting kan alleen iets opleveren als de informatie al aanwezig is.'
'Precies. Maar we hebben iets anders gedaan, wat bijna net zo goed is. Door de luciferdoos als referentiekader te gebruiken kunnen we de objecten roteren en verschuiven in alle drie de ruimtelijke dimensies. Dat heet een "affiene transf..."'
Kurt Melsing viel hem vriendelijk in de rede.
'Alle handen zijn verdraaid en op elkaar gelegd.'
Hij liet het resultaat zien.

Konrad Simonsen was onder de indruk.
'Verdomd, zeg.'
De afdruk op de rug van Jørgen Kramer Nielsens hand was zo scherp alsof hij op vijf centimeter afstand was vereeuwigd. Ernaast was een close-up ingezet van een licht verwrongen versie van de trapbekleding. Die was gemaakt van platgeweven sisal, met een makkelijk herkenbaar, bobbelig patroon. Het patroon van de trapbekleding en de afdruk op de hand kwamen overeen, en de spreekbuis concludeerde: 'Hieruit blijkt onomstotelijk dat de man van de trap is gevallen. Wij zijn er bovendien van overtuigd dat zijn lichaamsgewicht grotendeels op zijn hand rustte toen hij zich bezeerde, anders zou de afruk niet zo duidelijk zijn geweest.'
Kurt Melsing onderbrak hem weer.
'Maar toch klopt het niet.'
Zijn medewerker vertaalde: 'Helaas weten we hier niet zo goed raad mee. Sowieso vinden we de plek waar het lichaam zich bevindt onder aan de trap, of nauwkeuriger geformuleerd: op grond van onze ervaring gaan er alarmsignalen af...'
Deze keer onderbrak Konrad Simonsen hém: 'Dat is niet nauwkeuriger geformuleerd.'
Kurt Melsing glimlachte, maar de spreekbuis liet zich niet uit het veld slaan.
'Nee, dat is zo. Wat ik bedoel is dat het ons, gezien onze ervaring, verbaast dat het lichaam van Jørgen Kramer Nielsen in de positie is beland waarin het gevonden werd, na een val van slechts ongeveer twee meter van een trap met een helling van dertig graden. Vooral omdat hij dan ook nog onderweg zijn nek moet breken, zijn rechterarm onder zich moet krijgen en zijn hand moet schaven aan een van de traptreden. En ook nog van de arm naar de hand toe en niet andersom. Als we wisten aan welke tree hij zich geschaafd had, zou het een stuk makkelijker zijn, maar dat was niet te achterhalen, omdat de huidcellen die hij moet hebben achtergelaten, verdwenen zijn. Bovendien is het ook de natuurlijke reactie van een levende mens om een val met zijn handpalm op te vangen, niet met de rug van zijn hand.'
'Dus Jørgen Kramer Nielsen zou dood geweest kunnen zijn toen hij de trap raakte?'
'Misschien, maar onthou nu dat ik onze ervaring als uitgangspunt heb genomen, en als puntje bij paaltje komt is dat geen wetenschappelijke grondslag. Vallende lichamen reageren op veel verschillende manieren, en misschien is dit geval een van de meer extreme, die we niet eerder hebben meegemaakt en daarom niet herkennen.'
'Met andere woorden: jullie kunnen geen definitieve conclusie trekken?'
Beide technici schoten in de lach.
Kurt Melsing gaf het antwoord: 'Jawel, dat kunnen we misschien wel.'

'Hoe dan?'
'Jouw student helpt ons en dus ook jou.'
'Kun je dat wat nader uitleggen?'
Kurt Melsing toverde een applicatie tevoorschijn op zijn beeldscherm, toetste een paar woorden in en wees vervolgens naar de glazen ruit. Konrad Simonsen draaide zich om en zag tot zijn grote verbazing Malte Borup achter in de kamer opstaan en naar hen toe komen. Malte Borup was de werkstudent van de afdeling Moordzaken. Hij had op dat moment eigenlijk met vakantie moeten zijn, maar had blijkbaar besloten die hier door te brengen.

Toen Malte Borup de kamer binnenkwam, zei de spreekbuis: 'Als jij je programma wilt starten en klaarzetten voor een demonstratie, dan leg ik intussen uit wat je aan het doen bent.'

Hij draaide zich naar Konrad Simonsen toe en begon al voordat de student 'Ja' had kunnen zeggen.

'Een paar maanden geleden hebben we een nieuw computerprogramma van de FBI aangeschaft, *Human Object Movement Simulator*. Een kromme naam voor een uiterst geavanceerd en complex instrument, dat met verbazingwekkende precisie menselijke reacties op fysieke impulsen kan simuleren. Het is het resultaat van een jarenlang ontwikkelingstraject met inbreng van diverse wetenschappen, met name klassieke fysica en fysiologie, en dat is precies wat we in dit geval nodig hebben.'

Hij pauzeerde even, wellicht om adem te halen en Konrad Simonsen bracht in: 'Maar?'

'Juist, er zit een "maar" aan, en dat heeft met tijd te maken. Er zitten maar liefst elf handleidingen bij de HOMS-applicatie, en we hebben gewoonweg geen tijd en geen middelen gehad om het programma te leren kennen. Ik ga zelf in oktober naar Washington voor een cursus, maar daar heb jij nu in september niets aan. Toen bood Malte aan om te helpen, en ik moet zeggen dat hij in een zeer korte tijd erg ver is gekomen.'

'Ja, hij is goed.'

Malte Borup had het programma opgestart en op het scherm kwam een enigszins gestileerd decor van het trappenhuis in de villa van wijlen Jørgen Kramer Nielsen tevoorschijn. Een muisklik, en er verscheen een poppetje boven aan de trap.

De spreekbuis gaf weer commentaar: 'Het lijkt misschien niet veel, maar dat zowel de ruimte als de pop de juiste afmetingen heeft, heeft heel wat tijd gekost. Het programma kan de man nu vanuit alle denkbare posities laten vallen, en met of zonder menselijke reacties tijdens het proces. Bovendien kunnen we verschillende externe krachtimpulsen tegen het lichaam simuleren, voor en tijdens de val. Wil je hem eens voorover laten struikelen, Malte?'

Malte Borup deed niet wat hem werd gevraagd.

'Eh, ik moet nog een paar manuals doornemen.'
Kurt Melsing vatte samen: 'Nog even, Simon. Het duurt nog even, dan zijn we klaar en dan roepen we je er weer bij.'

'Even' was veel sneller dan Konrad Simonsen had gevreesd – iemand moest overuren hebben gemaakt – want al drie dagen later was hij terug bij de technische recherche, en dat met zijn eigen auto, omdat de arts hem eindelijk toestemming had gegeven om weer zelf te rijden. Bovendien had hij een kleine persoonlijke overwinning geboekt, waar alleen hij van wist: hij had hardgelopen. Die ochtend had hij het wandelen vervangen door hardlopen, twintig, misschien dertig meter – tussen twee gebroken tegels, die hij met zorg had gekozen als start en finish. Langzaam en met slechte coördinatie, maar hij had werkelijk fantastisch hardgelopen.
De technisch rechercheur van de vorige keer voerde ook nu het woord. Malte Borup en Kurt Melsing waren er niet. Konrad Simonsen had vooraf gehoopt dat hij een heldere conclusie te horen zou krijgen en zijn wens werd vervuld, maar helaas niet in de richting waarop hij had gehoopt.
De technisch rechercheur vertelde: 'We hebben heel veel verschillende mogelijkheden uitgeprobeerd, maar de enige die klopt is deze.'
Hij startte het programma. Het uitgangspunt was nog steeds de pop boven aan de trap, maar deze keer was die niet alleen. Een andere pop greep hem van achteren, legde een arm om zijn hoofd en brak hem de nek. Het zag er verbazingwekkend echt uit. De dode pop werd daarna achterover van de trap geduwd, waarbij hij slap ronddraaide. Onderweg naar beneden schaafde de pop zijn hand in een korte, ingevoegde slowmotionsequentie voordat hij zeven treden verder in de positie belandde die Konrad Simonsen zo goed kende van de foto's van Hans Ulrik Gormsen.
Ze keken drie keer naar de animatie. Toen vroeg Konrad Simonsen ernstig: 'Zijn jullie hier absoluut zeker van?'
'Nee, maar wel voor 99 procent.'
'Want?'
'Het slachtoffer werd in de versie die jij hebt gezien vrij hard van de trap geduwd, en we begrijpen niet waarom hij niet gewoon is losgelaten, omdat hij toch al dood was. Maar wat we ook proberen, hij moet én levenloos zijn, én zijn nek gebroken hebben én achteruit de val beginnen om te kunnen eindigen zoals hij lag, én bovendien dus ook een harde duw hebben gekregen nadat zijn nek gebroken was. Helaas kunnen deze vier factoren alleen maar een hogere eenheid vormen als...'
Hij liet de woorden in de lucht hangen, en Konrad Simonsen maakte de zin af.
'... als Jørgen Kramer Nielsen voor zijn deur is vermoord.'

3

De dood van Jørgen Kramer Nielsen werd geüpgraded naar moord. Konrad Simonsen informeerde de hoofdcommissaris, die niet echt enthousiast werd, maar niet veel anders kon doen dan hopen op een snelle opheldering. Ze was echter verstandig genoeg om dat niet hardop te zeggen. Zaken werden niet sneller opgehelderd als ze de onderzoeksleiders opjutte; die les had ze allang geleerd. Toch was Konrad Simonsen geraffineerd genoeg om het tegenovergestelde te suggereren toen hij extra middelen eiste van Arne Pedersen.

'Ik heb drie dagen lang minstens vijf man nodig, onder wie de Freule of jou. Het leven van de postbode moet in kaart worden gebracht, in eerste instantie niet gedetailleerd, gewoon de grote lijnen, maar dat kunnen Pauline en ik niet alleen, dat kost veel te veel tijd. En daarna moet ik een paar man ter beschikking hebben wanneer het nodig is.'

Arne Pedersen zweette en zag er gestrest uit.

Konrad Simonsen voegde eraan toe: 'Ja, want ze heeft de parlementaire commissie van justitie hijgend achter zich aan, maar misschien moet ik háár vragen jou te bellen in plaats van er zelf tussen te zitten.'

Het noemen van de hoofdcommissaris hielp: Konrad Simonsen kreeg wat hij vroeg.

De vergrote inzet bewees zijn meerwaarde algauw, en er begon langzaam een beeld te ontstaan van de vermoorde postbode.

Jørgen Kramer Nielsen ging na de basisschool naar het Brøndbyøster Gymnasium, beide in Hvidovre. Na zijn eindexamen in de zomer van 1969 kreeg hij een baan bij het postkantoor in de Julius Framlev Allé, tegenwoordig het Framlev-postkantoor, waar zijn vader directeur was. In het voorjaar van 1972 kwamen zijn ouders en zijn zusje, zijn enige familie, om het leven bij een vliegtuigongeluk op Mallorca. Hij erfde het ouderlijk huis, waar hij tot zijn dood bleef wonen en zodoende zijn hele leven heeft gewoond. Zijn bestaan kan worden omschreven als uiterst rustig: vrienden had hij schijnbaar niet en zijn collega's bij het postkantoor kenden hem ook al niet echt goed.

Konrad Simonsen stuurde agenten naar de buurt waar Jørgen Kramer

Nielsen had gewoond om de buren en de plaatselijke winkeliers te spreken, maar dat leidde niet echt tot grote resultaten. Zo ging Jørgen Kramer Nielsen elke zaterdag uit eten, altijd in hetzelfde restaurant; hij at zelfs altijd hetzelfde gerecht, namelijk boeuf bearnaise met frites, het duurste gerecht van het etablissement, wel 135 kronen. Konrad Simonsen zuchtte toen hij het hoorde, maar had verder geen zin om die informatie te noteren. Verder leende de postbode regelmatig boeken in de plaatselijke bibliotheek, en zijn boekkeuze was altijd hetzelfde: wiskundeboeken, reisbeschrijvingen, maar uitsluitend over Noorwegen, Zweden en Finland, en verder biografieën over wetenschappers.

De Freule had de bibliotheek bezocht en vulde aan: 'Ze noemden hem *99.4-Nielsen*.'

'Waarom?'

'99.4 is de classificatiecode van de bibliotheek voor biografieën. Het is bedoeld als een soort grapje.'

'Erg grappig! Nog meer?'

Meer was er niet.

Dan waren er de financiële omstandigheden van de man. Hier kon Pauline Berg iets over melden, maar ook niet veel. Jørgen Kramer Nielsen gebruikte zijn pinpasje en ging voor al zijn rekeningen naar de bank om ze met overschrijvingskaarten te betalen.

Konrad Simonsen zei teleurgesteld: 'Is dat alles?'

Ze bladerde verwoed door haar notities.

'Toen hij zich tot het katholicisme bekeerde, is hij een contract aangegaan om twee procent van zijn inkomen af te staan. Dat is normaal en bovendien aftrekbaar, maar een formele belasting is het niet omdat de kerkgenootschappen in Denemarken zoals bekend geen gelijke rechten hebben.'

'Wanneer heeft hij zich bekeerd?'

'Geen idee.'

'Hoe zit het met zijn testament, heb je iets gevonden?'

'Ja. Hij heeft zijn testament al in 1989 laten opstellen, en hij wilde de winst op de verkoop van zijn huis, dat was anderhalf miljoen kronen, doneren aan een Engelse hulporganisatie, *Missing Children*. Het hoofdkantoor daarvan ligt in Londen, en er zijn filialen in de grotere Engelse steden. Je kunt hun website bekijken op internet. Er is geen begunstigde aangewezen voor zijn inboedel, dus die valt toe aan de staat.'

'Hoe is hij op het idee voor Missing Children gekomen?

'Dat is niet bekend. De notaris die het testament toentertijd opstelde, kan zich de zaak niet meer herinneren. Het was ook verrassender geweest als hij dat wel had gekund.'

Konrad Simonsen gaf haar een nieuwe taak.

'Zou je eens willen kijken naar zijn vakanties? Hij moet toch iets hebben gedaan behalve te werken en thuis te zitten. En dan die meisjes, probeer erachter te komen of er meer waren. De meisjes en zijn zolder zijn de enige dingen die hem iets van een karakter geven.'

'Een onaangenaam karakter, als je het mij vraagt.'

'Het zou het motief kunnen zijn voor zijn dood.'

Ze liep weg.

Eigenlijk had hij haar nog een paar vragen willen stellen.

*

De zomer hield aan, het was warm. Er lag een hogedrukgebied boven het land geparkeerd, en dat zou zich volgens de meteorologen de komende dagen niet verplaatsen.

Konrad Simonsen lag geveld in de woonkamer van de Freule. Het was al acht uur geweest maar de hitte van de dag was nog niet voorbij. Hij had zijn colbert en overhemd uit gedaan en had nu slechts een hemd en een dunne, katoenen broek aan. Bovendien draaide de airco op volle toeren. Toch zweette hij. Hij keek naar de klok, een antieke staande klok die tegen de achterste wand van de woonkamer stond en hem de eerste weken dat hij hier logeerde gek had gemaakt met zijn eeuwige getiktak. Nu was hij eraan gewend en hoorde hij het niet meer. Hij overwoog even een dutje te gaan doen op de bank, maar het was al laat en dan zou hij misschien vannacht niet kunnen slapen. Dus ging hij een sudoku achter op de krant maken, maar hij bleef in gedachten verzonken zitten toen dat niet lukte.

Hij voelde zich thuis bij de Freule, dat viel niet te ontkennen. Het was weken geleden dat hij in zijn eigen appartement in Valby was geweest, als je de twee keer per week dat hij zijn post haalde en meteen weer wegging niet meerekende. Of dat nou goed of slecht was, kon hij niet echt bepalen. De Freule en hij ontweken allebei behendig de kwestie van een hechtere constructie, bijvoorbeeld dat hij zijn postadres wijzigde. Per dag namen de beslissingen zichzelf. Vorige week had hij eigen sleutels gekregen. Voor die tijd gebruikte hij de sleutel van de achterdeur, die op een geheime plaats in het schuurtje hing. Dat was lastig. Hij moest meerdere keren heen en weer lopen voordat hij binnen was en de sleutel weer op zijn plek hing. Ze had hem 's morgens en passant een eigen set sleutels gegeven voordat ze naar hun werk gingen, met de opmerking dat dat handiger was. Alsof hij een klusjesman was of zo, en daarna hadden ze het er niet meer over gehad. Ze had hem ook de inlogcodes voor het internetbankieren gegeven, zodat zij niet de enige was die de rekeningen kon betalen. Ook dat was handiger.

Hij bekeek de woonkamer zonder iets te zien. Wanneer woonde je eigenlijk samen? Als je hetzelfde postadres had? Als je in hetzelfde bed sliep? Als je gemeenschappelijke financiën had? Of als je zoals zij... ja, gewoon samenwoonde?

De Freule was laat, het was bijna negen uur toen ze eindelijk thuiskwam. Hij probeerde de irritatie van zich af te zetten, wilde niet onredelijk zijn. Hij wist beter dan wie dan ook hoe vaak afspraken thuis voor het werk moesten wijken.

'Hallo Simon, sorry dat ik laat ben, de vergadering liep uit.'

'Dat is goed, maar je had toch wel even kunnen bellen.'

Ze gaven elkaar een zoen. Iets meer ritueel dan anders.

'Ja, mijn excuses ook daarvoor. Heb je gekookt?'

'Preiquiche, nu koude preiquiche.'

'Koude preiquiche is precies wat ik nodig heb.'

Het was moeilijk om boos op haar te zijn, en hij was blij haar te zien, hoewel de quiche hem meer dan twee uur in de keuken had gekost. Het kookboek was moeilijk te volgen en hij had twee keer zijn dochter gebeld, die overigens ook geen hulp kon bieden. Maar hij wist niemand anders aan wie hij advies kon vragen.

Ze aten, en het eten kreeg de lof die het verdiende. Tijdens het eten vertelde hij trots over zijn trimrondje van die dag.

'Ik heb meer dan honderd meter hardgelopen, dat weet ik zeker. Bijna tweehonderd, denk ik.'

'Knap, je wordt nog een echte atleet, en hoe gaat het met je postbode?'

Hij had gehoopt dat ze dat zou vragen, maar ook besloten er niet zelf over te beginnen. Dat was een van de nadelen van geen chef meer zijn. De Freule en Arne Pedersen kwamen niet meer vanzelfsprekend bij hem om zijn onderzoek te bespreken. Ze hadden andere, belangrijker dingen te doen, en hij moest er altijd zelf om vragen als hij wilde dat ze meededen. Ze kwamen maar zelden uit zichzelf. Meestal had hij alleen Pauline Berg om mee te praten, en zij was er vandaag niet geweest, weer naar de psychiater, alwéér.

'Ik ben weer op het postkantoor geweest, maar het is nog steeds hetzelfde deuntje. Jørgen Kramer Nielsen leidde zoals je weet een zeer rustig en uiterst regelmatig leven. Toen ik hoorde hoe de dominee het leven van Kasper Planck bij diens begrafenis terugbracht tot twee minuten vond ik dat heel triest.'

Kasper Planck was een vriend van Konrad Simonsen geweest en ook de vroegere chef van de afdeling Moordzaken. Hij ging door: 'Een lang, sprankelend leven, ingekookt tot een nuchtere uiteenzetting van twee minuten door een vreemde die toevallig dominee is – het is bijna stuitend. Maar in het geval van Jørgen Kramer Nielsen geloof ik dat het nog moeilijk is geweest om twee minuten te vullen.'

'Vertel.'

'Heb je daar zin in? Wil je niet liever vrij hebben?'

'Ik heb vrij en ik wil er graag over horen.'

Hij hield van haar. Zijn notitieboekje zat in zijn achterzak voor het geval dat hij het nodig zou hebben. Hij pakte het, bladerde even en vertelde: 'Die twintig ex-collega's die ik heb gesproken zijn het allemaal eens. *Een eenling; betrouwbaar maar saai; ging nooit mee uit; erg op zichzelf, had geen vrienden op het postkantoor; nooit ziek, ook nooit blij; stil, vriendelijk en onbeduidend; zei zelden iets uit zichzelf; ging na het werk naar huis, wat er ook gebeurde; had nergens een mening over.* Hij was bijna veertig jaar in dienst, maar het is alsof hij er net zo goed niet had kunnen zijn.'

'Hoe zat het met vrienden? Verenigingen, clubs, hobby's en zo?'

'Zover ben ik nog niet, behalve dan dat een van zijn hobby's wiskunde was. Vergeet niet dat er op mijn werk goedbedoelende, maar ook uitermate pietluttige mensen rondlopen, die ervoor zorgen dat ik stipt vier uur na aankomst weer naar huis ga. Er zit vast iemand met een stopwatch.'

Ze glimlachte zonder iets te zeggen, en hij ging door: 'Morgen ga ik met een gepensioneerde postbode praten. De huidige werknemers zijn bij lange na niet zo lang in dienst als Jørgen Kramer Nielsen was. En dan ga ik maandag, en misschien dinsdag ook nog, zijn spullen door. Dan moet er toch iets tevoorschijn komen? Hij moet zijn leven toch ergens voor hebben gebruikt? Arne heeft trouwens beloofd dat hij me komt helpen, hoewel ik niet snap dat hij daar tijd voor heeft. Jullie hebben het toch zo druk?'

Het onmiskenbare sarcasme was niet aan haar besteed. 'Het hoort onder andere bij Arnes werk dat hij belangstelling voor jouw onderzoek toont. Maar ik ben het met je eens dat hij in zijn vrije tijd toch iets moet hebben gedaan behalve thuiszitten, anders zou het onnatuurlijk zijn.'

'Ja, televisie keek hij in elk geval niet. Hij had geen televisie en ook geen computer. Dat heeft Pauline al geconstateerd. Een auto had hij ook niet.'

'Misschien is het wel goed dat hij zo anoniem was.'

'Hoe bedoel je? Op dit moment kan ik me totaal niet voorstellen dat iemand hem om het leven zou willen brengen.'

'Omdat het niet uitmaakt of hij leefde of dood was?'

'Niet in morele of juridische zin natuurlijk, maar in de praktijk, ja. Ik geef toe dat ik nog een heleboel moet doen voordat zijn leven is blootgelegd. Maar waarom vind je het goed dat hij zo teruggetrokken was? Om niet te zeggen onbeduidend.'

'Dan is het atypische meer zichtbaar.'

'Daar heb je natuurlijk gelijk in. Je bedoelt dat met de meisjes en zijn zolder?'

'Nee, ik dacht meer aan het vliegtuigongeluk. Dat hij op zijn twintigste zijn hele familie heeft verloren, kan hem zeker voor de rest van zijn leven hebben beïnvloed. Vooral als hij daar, als ik het zo mag zeggen, gevoelig voor was. In 1972 waren er geen crisispsychologen, dus hij heeft het waarschijnlijk allemaal zelf moeten doen.'

'Dat is ook de reden dat ik iemand wil spreken die hem toen kende, maar er is nóg iets aparts aan hem. Hij was katholiek, en daar zijn er natuurlijk niet zo ontzettend veel van in dit land.'

'Denk je dat het iets te maken heeft met zijn buurman? Jørgen Kramer Nielsen moet hem op een gegeven moment het huis toch hebben verkocht. Heb je daar al naar gekeken?'

Konrad Simonsen schudde verontschuldigend zijn hoofd.

'Ik kan, zoals ik al zei, in vier uur per dag maar heel weinig doen.'

'Je kunt Arne toch vragen een paar man voor je vrij te maken? Ik bedoel, het is nu officieel een moordzaak.'

Dat was al gebeurd, maar hij maakte er alleen gebruik van als er geen andere optie was. Aan de ene kant was het fijn om een paar mensen achter de hand te hebben; dat was ook de reden dat hij Arne Pedersen daarom had gevraagd. Aan de andere kant vond hij het prettig dat zijn bescheiden onderzoek niet zo heel veel ruimte innam in het geheel van activiteiten van de afdeling Moordzaken. Zo mocht het wat hem betrof nog wel een tijdje blijven. Er was geen reden om er meer mensen bij te betrekken dan hoogstnoodzakelijk. Hij had zijn eigen agenda opgesteld: eerst de collega's van de postbode, dan zijn spullen en als laatste de priester. Als hij zover was, zou het kunnen dat hij er meer mensen bij zou willen betrekken. Dat was niet ondenkbaar.

'Ik heb Pauline.'

'Ja, dat is ook zo.'

Ze klonk bits, bijna jaloers. Ze kon soms wat dominant zijn, een eigenschap die hij niet van haar kende voordat hij bij haar introk. Nu wist hij dat ze haar ex-man en diens nieuwe gezin soms stalkte, niet zelf maar door middel van een privédetective. Soms verborgen, soms openlijk met een camera in de openbare ruimte. Hij was er bij toeval achtergekomen en had er niet met haar over gesproken. Het ging hem immers niet aan?

Ze was intussen naar de keuken gegaan om thee te zetten. Toen ze terugkwam, was haar stem normaal. 'Je geniet inmiddels van je zaakje waar maar weinig mensen belangstelling voor hebben, hè Simon?'

'Ik ben zeker nieuwsgierig geworden. Zeg, heb jij weleens hasj gerookt?'

Hij genoot ervan als het lukte haar van de wijs te brengen. Dat gebeurde niet zo vaak meer.

'Of ik weleens hasj heb gerookt? Waarom vraag je dat?'

'Omdat je oogleden net een beetje zwaar begonnen te worden en ik dacht dat die vraag je een beetje wakker kon schudden. Meestal ben ik toch degene die slaperig is. En bovendien zou ik het graag ook willen weten.'

'Ik doe ook niet elke dag een middagdutje van twee uur.'

'Nee, en ik ben een mazzelaar. Hoe zit het met de hasj?'

'Ik heb het wel gerookt. Jaren geleden.'

'Hoe was het?'

'In het begin was het grappig, de laatste keren voelde ik me alleen maar sloom. Zou je me willen vertellen waarom je dat vraagt?'

'Ik wil het graag proberen.'

De boodschap drong blijkbaar maar moeilijk tot haar door. Ze vroeg: 'Wat proberen?'

'Hasjroken verdomme. Blowen, een jointje roken, stuff, wiet, of hoe het ook heet.'

De Freule ging staan, zette haar handen in de zij, en schoot het voorstel meteen aan flarden.

'Konrad Simonsen, jij gaat onder geen beding ooit weer roken, of het nu tabak, hasj, beukenblaadjes of iets anders is. Je kunt een kopje thee krijgen. Punt, uit.'

Daar had hij nog niet aan gedacht, hij hield haar op weg naar de keuken tegen.

'Maar Freule, het gaat niet om het roken. Je kunt het toch ook op een andere manier innemen? Dat weet ik zelfs, en het is alleen om het te proberen.'

Ze liet zich een klein beetje milder stemmen.

'En waar wil je die hasj vandaan halen? Bij de collega's van Narcotica vragen of ze een klontje overhebben? Gewoon voor privégebruik?'

'Ik had gehoopt dat jij wist hoe je zoiets doet.'

'Lijk ik op een drugsdealer? Is dat wat je zo elegant suggereert?'

'Ja, dat lijkt me echt iets voor jou. Ik verdenk je daar al lang van.'

Ze was even stil en keek hem aan. Toen zei ze: 'Meen je het echt serieus?'

'Ja, echt serieus. Ik wil het heel graag één keer proberen.'

'Ja, ja. Maar nu nemen we eerst een kopje thee en dan zien we wel wat de toekomst brengt.'

Hij ging haar achterna en maakte zichzelf nuttig met de kopjes zonder erop door te gaan.

De volgende dag kreeg Konrad Simonsen de aanname van de Freule bevestigd, dat Jørgen Kramer Nielsen een flinke knauw had gekregen door de dood van zijn ouders en zijn zusje. De bevestiging daarvan kreeg hij in een bejaardentehuis in een buitenwijk van Køge.

Toen hij zich had voorgesteld, vertelde Konrad Simonsen waarom hij er was en hoe hij zijn gastheer had gevonden in het personeelsarchief van het postkantoor. De oude man keek stuurs. Konrad Simonsen lachte hem vertrouwenwekkend toe en bedacht dat dit waarschijnlijk een moeizaam gesprek werd. De man rook zuur, en niet zo'n beetje ook, het was bijna niet te harden. Gelukkig was er niets mis met zijn geheugen.

'Jørgen was een bijdehante, drukke jongen toen hij bij ons begon. Dat moet begin jaren zeventig geweest zijn. Toen was zijn vader directeur van het postkantoor.'

'In de zomer van 1969?'
'Ja, dat kan kloppen.'
'Waarom werd hij eigenlijk postbode? Je zou toch denken dat hij aantrekkelijker mogelijkheden had met een gymnasiumdiploma.'
'Het was ook niet zijn bedoeling om voor langere tijd op het postkantoor te blijven. Hij was aan het sparen voor een wereldreis. Dat weet ik nog heel goed, en ook dat zijn vader daar niet veel voor voelde. Hij had het liefst dat zijn zoon meteen doorging met een studie, misschien de universiteit of zoiets. Maar Jørgen zelf was helemaal geobsedeerd door zijn wereldreis. Hij praatte in die tijd alleen maar over zijn reis en alle exotische reisdoelen die hij had. De meesten van ons kregen er genoeg van. Misschien waren we ook wel een beetje jaloers, we hadden immers niet zijn mogelijkheden. Ons salaris ging op aan het gezin en de huur, maar daar had hij geen last van.'
'En toen gebeurde dat vliegtuigongeluk.'
'Ja, en toen verloor hij zijn glans wel een beetje.'
'Dat klinkt bijna alsof je het leuk vond. Mocht je hem niet?'
De oude man schudde zacht zijn hoofd en zijn ogen traanden. Konrad Simonsen had de neiging om hem een zakdoek te geven. En om zijn stoel wat verder weg te zetten, maar hij deed geen van beide. De oude zei zuur: 'Dat is mijn zaak, dat gaat jou niks aan.'
'Sorry, sorry. Hoe reageerde hij na het ongeluk?'
'Hij werd het tegenovergestelde van daarvoor: hij brak, hij werd nooit meer dezelfde.'
'Kun je dat nader beschrijven?'
'Vanaf de dag dat hij het hoorde, liep hij rond als een zombie. Het was alsof hij niet wist hoe hij moest leven en niet de puf had om dood te gaan.'
De man sloot zich daarna aan bij het koor van getuigen en noemde de gebrekkige sociale vaardigheden van Jørgen Kramer Nielsen. Hij vertelde een aantal gebeurtenissen waarvan Konrad Simonsen er al een paar had gehoord. Andere waren nieuw, maar oninteressant, omdat ze alleen maar bevestigden wat hij al wist.
Na nog een paar vragen nam hij afscheid, en hij was blij toen hij weer buiten in de frisse lucht was, hoe drukkend en warm het ook was. Al met al had hij gekregen waarvoor hij gekomen was. Hij mocht de oude man niet, een gevoel dat duidelijk wederzijds was, maar het gesprek was zeker de moeite waard geweest. Het leven van Jørgen Kramer Nielsen kreeg langzaam maar zeker een wat duidelijker kader.

Na het verzorgingshuis ging Konrad Simonsen terug naar het hoofdbureau, hoewel er minder dan een uur over was van zijn werkdag. Hier vond hij Pauline Berg in de dependance van zijn kantoor, op de bank met een krant. Ze zat meer op die bank dan in haar eigen kantoor. Ook vaak als hij er zelf niet was, iets waar iedereen behalve hij zich aan ergerde. Er waren wat opmerkingen gemaakt, in de kantine en bij andere gelegenheden. Hij moest een slot met een speciale sleutel nemen zodat niet iedereen zomaar naar binnen kon. Niemand zei het direct, maar 'iedereen' was Pauline Berg. Tot nu toe had hij alle goede adviezen genegeerd. Het was verdomme zijn kantoor en hij was assertief genoeg om nee te zeggen als hij geen gezelschap wenste of om anderen de toegang te verbieden als hij er niet was. Daarvoor had hij zijn collega's niet nodig. Hij keek naar binnen en groette haar, maar ging toen aan zijn bureau zitten en zette de computer aan. Ze kwam naar hem toe, en hij wachtte met inloggen.

Pauline Berg zei: 'Ik heb iets gevonden over zijn vakanties.'

'De vakanties van Jørgen Kramer Nielsen?'

'Ja, van wie anders? Nou goed. Charterreizen en dat soort dingen waren niet zijn ding, dat is wel zeker, maar ik had ongelooflijke mazzel bij de Spoorwegen. De spoorwegenmevrouw, die overigens niet "spoorwegenmevrouw" heet, maar "kaartverkoopassistente"... maar goed, de spoorwegenmevrouw herkende hem toen ik haar een foto liet zien. Hij kocht elk jaar een retourtje Esbjerg. Op dezelfde data, namelijk heen op 19 juni en terug twee dagen later.'

'Had hij iets met de Spoorwegen te maken?'

'Nee, niet dat ik weet. Het was meer uit wanhoop dat ik het daar probeerde. Ik dacht dat hij misschien niet wilde vliegen, maar alleen met de trein reisde. Zoals ik al zei, ik had gewoon mazzel.'

'Dat de kaartverkoopassistente hem nog kende?'

'Alleen zijn uiterlijk.'

'Was hij vaste klant?'

'Ja, maar alleen die ene keer per jaar, voor zover zij wist.'

'Ik heb een hoop goede getuigen ontmoet, maar deze krijgt de prijs. Hoe kon ze zich nou één bepaalde klant herinneren die maar één keer per jaar kwam?'

'Ja, dat is nou net de vraag. Ze kan zich hem herinneren omdat hij niet wilde opschuiven in de rij, of eigenlijk, dat was de reden dat ze hem voor het eerst opmerkte. Hij ging alsmaar achter in de rij staan en dat had ze nooit eerder meegemaakt en toevallig zat ze er het jaar daarop weer, toen hetzelfde onzelfzuchtige gedrag zich herhaalde. Ze denkt dat het de zomers van 1996 en 1997 waren. Sindsdien heeft ze hem een paar keer geholpen, maar natuurlijk niet elk jaar. Dat hing er uiteraard vanaf of ze dan toevallig aan het werk was. Maar ik heb het later gecheckt bij het postkantoor, en de directeur bevestigde het. Jørgen Kramer Nielsen was erg flexibel met zijn vakanties en vrije dagen, maar hij moest en zou één bepaalde week in juni vrij hebben, en dat was inderdaad de week waarin de periode 19 tot 21 juni viel. Die kreeg hij dus ook.'

'Waarom wilde hij niet meegaan met de rij?'

'Dat is een mysterie, misschien verlegenheid, maar de spoorwegenmevrouw denkt dat hij niet wilde dat anderen iets over zijn reis te weten zouden komen. Maar dat is met een dikke streep onder "dénkt".'

'Wat moest hij in Esbjerg, weet je dat?'

Ze schudde haar hoofd. Dat wist ze niet. Hij vergat niet haar te complimenteren, maar de waardering gleed van haar af. Daar reageerde ze elke keer weer anders op. Soms werd ze er blij van, zo nu en dan zelfs erg blij, andere keren kon het haar niet schelen, en vandaag was dus zo'n keer.

Ze vroeg: 'Heb je ervoor gezorgd dat die koe een aantekening heeft gekregen?'

'Die koe' was de nerveuze vrouwelijke agent die zich Jørgen Kramer Nielsens mobiele telefoon had toegeëigend, maar het was geen kwade opzet geweest om de telefoon te stelen. Toen ze het lijk van de postbode gingen bekijken, liep ze vlak achter Hans Ulrik Gormsen, en zag ze dat hij, zonder het te merken, bijna op het mobieltje stond. Ze had de telefoon opgeraapt en er een hele tijd mee in haar hand gestaan terwijl haar collega foto's van de dode maakte, het over 'een duidelijk geval van moord' had en ruziede met de priester. Uit verstrooidheid had ze de telefoon in haar zak gestopt. Daarna was ze hem – zoals het nu eenmaal gaat – volstrekt vergeten, tot ze hem de volgende dag op haar werk op het politiebureau van Glostrup in haar zak terugvond. Toen had ze de telefoon in een plastic zakje voor het verzamelen van bewijsstukken gestopt. In plaats van er een zaaknummer op te schrijven, had ze er echter in haar stommiteit een paar woorden opgeschreven en het plastic zakje in haar bureaula gelegd. Vervolgens legde ze haar direct leidinggevende in een mail uit wat er was gebeurd. Ze vroeg hoe ze hiermee om moest gaan en wat ze met de telefoon moest doen. Ze kreeg geen antwoord, en de mobiele telefoon van Jørgen Kramer Nielsen bleef waar hij was. Maanden later, toen ze voor het gesprek met Konrad Simonsen werd opgeroepen, was haar vergissing plotseling een probleem geworden, en probeerde ze die te verdoezelen. Dat gebeurde ook toen Pauline Berg haar ondervroeg. Ze bleef liegen, bang voor de consequenties als de waarheid uitkwam. Maar het gedraai liet haar niet onberoerd, ze werd er rusteloos en prikkelbaar van, en ze wilde ook geen bewijsmateriaal in een moordzaak achterhouden. Uiteindelijk kreeg haar man uit haar wat eraan schortte, en na heel wat discussie nam hij contact op met Pauline Berg. Hij was later ook naar het hoofdbureau gekomen om de mobiele telefoon af te geven.

Pauline Berg schudde een boos vingertje voor Konrad Simonsens gezicht. 'Ik heb toch verdomme zoveel tijd aan die idioot verspild.'

Konrad Simonsen gaf haar gelijk, maar op een verzoenende toon, waarvan hij hoopte dat hij de juiste snaar raakte. Tot zijn verrassing werkte het.

Ze zei: 'Ik weet wel dat ik moet dimmen... maar...' Plotseling had ze tranen in haar ogen, en hij zag dat ze haar tanden op elkaar zette. Het lukte, ze kreeg zichzelf weer onder controle en zei toonloos: 'Ga maar door, het gaat wel weer.'

'Waar heeft ze de telefoon gevonden? Weten we dat?'

'Op de overloop waar het lijk is gevonden, rechts, helemaal tegen de muur aan. De telefoon lag met de onderkant naar boven en zoals je weet heeft die bijna dezelfde kleur als het vloerkleed.'

'Weet je dat zeker?'

'Nee, dat heb ik alleen van de man, niet van die sukkel... van haarzelf.'

Konrad Simonsen dacht na en beval daarna: 'Zoek die vriendin van je op en ga met haar naar Hvidovre. Laat haar precies aanwijzen waar ze de telefoon heeft gevonden, dan ga ik bij gelegenheid met haar hoofdcommissaris praten.'

Pauline Bergs lichaamstaal gaf overduidelijk aan hoe ze over die belofte dacht.

*

Het was intussen half september, normaal gesproken beloofde dat regen en wind, maar die beloftes werden nu niet nagekomen. De hitte hield aan, en in de rest van de wereld gebeurden grote dingen. De internationale geldmarkten kelderden en rare nieuwe woorden kwamen ongemerkt de Deense taal binnen: *sub-prime mortgages, collateralized debt obligations* en *hedge funds*. Niet iets waar je je normaal druk om zou hoeven maken, maar nu moest dat toch. Want plotseling was er een financiële crisis. De banken kregen subsidie en de welvaart kwam onder druk te staan. Niet overal was geld voor.

Op een ondraaglijk warme ochtend in de opslaghal van Express Verhuizingen in Hvidovre vonden ze nog een paar stukjes van de puzzel die Jørgen Kramer Nielsen was. Veel was het echter niet, en het leverde nog geen schijn van de dader op.

Konrad Simonsen en Arne Pedersen werkten samen. De chef Moordzaken ad interim hielp de eigenlijke chef. Maar hoewel de zaak nu als moordzaak was bestempeld, had Konrad Simonsen het gevoel dat Arne Pedersen niet alleen was meegegaan om hem te helpen met het onderzoek, maar ook om erachter te komen hoe het met hem ging. Hij vroeg het echter niet, om hen allebei niet in verlegenheid te brengen. Bovendien was het fijn om de inboedel van Jørgen Kramer Nielsen met z'n tweeën te doorzoeken. Het was saai werk en je zag makkelijk iets over het hoofd als je hoofd kookte en het zweet van je lichaam spatte in de gloeiend hete, niet geventileerde opslaghal. Vooral omdat ze niet wisten wat ze zochten.

Het verhuisbedrijf was zo vriendelijk geweest om een tafel voor hen neer te zetten, een dikke spaanplaat ter grootte van een tafeltennistafel, die op een paar stevige schragen rustte. Daar konden ze staand werken. Zo nu en dan kwam de eigenaar met thee en koffie of koele frisdrank. Op dag twee, een dinsdag, die nog ondraaglijker heet voelde dan de dag ervoor, had de eigenaar zelfs een verlengsnoer en een tafelventilator geregeld die langzaam van de ene kant naar de andere draaide en het ergste door de hitte veroorzaakte onbehagen verdreef.

Arne Pedersen stond met een camera in zijn hand.

'Leica M4, state of the art eind jaren zestig, moet een fortuin hebben gekost toen, en het zou me niet verbazen als dat nog steeds zo is. Dit is echt een zeldzaamheid, kijk eens naar zijn apparatuur.'

Konrad Simonsen keek op van de papieren waarin hij verdiept was zonder er veel wijzer van te worden.

'Wat moet ik zien? Mijn kennis van fotografie is beperkt.'

'Dit is een vergrootapparaat. Als ik het goed heb uit dezelfde periode als de camera. En hier zijn telelenzen, statieven, projectoren en bakjes, keukenwekker, tangen, fixeermiddel, lichtdozen, fotopapier, alles wat nodig is voor een doka. Hij ontwikkelde zijn eigen foto's op de ouderwetse manier. Nu gaat dat allemaal digitaal en computergestuurd.'

'Dat wist ik eigenlijk wel, maar ik heb geen foto's gevonden. Behalve wat op zijn zolder hangt uiteraard. En ook geen negatieven, maar dat komt misschien nog.'

'Vast en zeker, we hebben nog ongeveer een miljoen dozen te gaan.'

'Praat me er niet van.'

Iets later kwam Arne Pedersen op het onderwerp terug.

'Voor een doka heb je stromend water nodig en dus ook een afvoer. Het kan niet zo moeilijk zijn om erachter te komen of hij die had. De mensen die zijn appartement hebben leeggehaald moeten het weten en de plaatselijke fotohandel zeker ook.'

'Hij hád een doka, dat heeft Pauline al geconstateerd. Maar we hebben de foto's en de negatieven nog niet.'

Arne Pedersen reageerde alsof deze informatie niet nieuw voor hem was. Toen zei hij: 'Ik kan je wel permanent een paar man geven. Het is niet de bedoeling dat je alles zelf gaat uitzoeken.'

Konrad Simonsen vond dat Arne Pedersen klonk als een echo van de Freule. Zij wilde hem ook vaak meer personeel opdringen, ook al had hij dat op dit moment niet nodig. Hij antwoordde zoals steeds: 'Ik heb Pauline.'

Hij keek tersluiks op toen hij haar naam uitsprak en ving een geërgerde blik van Arne Pedersen op. Dat verbaasde hem niet. Hun arbeidsrelatie was op dit moment niet optimaal. Dat kwam natuurlijk door het vaak provocerende gedrag van Pauline Berg. Maar onderhuids was er meer aan de hand, en hij wist niet zeker of Arne Pedersen daar oog voor had. Hij had zijn jonge collega vaak genoeg met rode ogen van de wc of uit zijn eigen televisiekamer zien komen, en minstens één keer was ze plotseling met een taxi naar huis gegaan. Waarschijnlijk na een angstaanval en een van haar zwarte pillen.

Arne Pedersen vroeg voorzichtig: 'Hoe gaat het eigenlijk met haar? Met jullie samenwerking en zo?'

'Prima.'

Zijn afwijzing was duidelijk, maar Arne Pedersen ging door: 'Haar gedrag is onuitstaanbaar en het wordt steeds erger.'

'Niet tegenover mij.'

Konrad Simonsen werkte stoïcijns door.

'Wist je dat ze als ze bang is om 's nachts alleen te zijn de eerste de beste vent oppikt in een hotelbar of café?'

'Nee, dat wist ik niet en ik had het ook liever niet willen weten.'

Hij sprak met stemverheffing en keek zijn voormalige ondergeschikte strak aan.

Er volgde een lange en voor Arne Pedersen ongemakkelijke stilte. Ten slotte pakte hij het gesprek weer op terwijl hij naar de stapel papieren voor Konrad Simonsen wees.

'Zeg, heeft die man nooit een paspoort of een rijbewijs gehad? Of een andere vorm van legitimatie met foto?'

'Nee, geen pas of rijbewijs. En tenzij we iets vinden ook geen andere legitimatie met foto.'

'Ik begin me aan hem te ergeren. Hoe kun je zo alleen door het leven gaan als hij blijkbaar deed? Het moest niet mogen.'

'Schijn bedriegt misschien. Wie weet ontvouwt zijn wereld zich in volle omvang voor ons in een van deze dozen.'

'Ik ben altijd jaloers geweest op je optimisme, Simon. Maar ik begin toch te twijfelen.'

'Stil eens even.'

Konrad Simonsen had een vluchtige gedachte gehad, iets belangrijks, maar hij kon het niet vasthouden. Het gevoel van samenhang stroomde door zijn lichaam, maar de kern was weg. Hij probeerde tevergeefs terug te spoelen.

'Wil je nog eens herhalen wat je net zei?'

'Ik ben altijd jaloers geweest op je optimisme. Bedoel je dat?'

Hij concentreerde zich, maar het moment was voorbij. Dus gaf hij het op en hoopte dat de ingeving later weer terug zou komen. Dat gebeurde wel vaker als hij er zich niet te druk om maakte.

'Het was een ideetje, maar nu is het weg. Maar goed, ik denk dat het vliegtuigongeluk fnuikend voor hem is geweest.'

'Welk vliegtuigongeluk?'

Konrad Simonsen bedacht dat Arne Pedersen er niet bepaald van kon worden beschuldigd dat hij de rapporten die hij over de zaak had gekregen, uitputtend had gelezen. Maar hij hield zijn ergernis voor zich en legde het geduldig uit.

Ruim dertig dozen en drie uur later waren de twee mannen bijna klaar. De opbrengst van hun inspanning was niet erg groot. Het doornemen van alle spullen van de postbode, en dan vooral de vele papieren, die voornamelijk zijn wiskundige hobby documenteerden, had niets spectaculairs opgeleverd; het viel eerder op wat ze níét hadden gevonden, namelijk foto's en negatieven.

De gebruikelijke goede relatie tussen hen was allang teruggekeerd en geen van beiden kwam nog terug op de woordenwisseling over Pauline Berg. Ook aan het feit dat Konrad Simonsen al ruimschoots boven zijn dagelijkse quotum van vier uur zat, gingen ze in stilte voorbij. Geen van beiden had er zin in om de volgende dag weer door te moeten met de dozen.

Konrad Simonsen begon aan de op een na laatste doos. Die was gevuld met boeken, heel wat meer dan waar je een verhuizer mee mocht opzadelen, maar dat was hun eigen schuld: ze hadden hem zelf ingepakt. Het lukte hem de doos op de tafel te krijgen. Hij maakte hem open en verstijfde.

'Verdomme. Wat een idioten zijn we toch.'

Arne Pedersen keek op.

'Hoe bedoel je?'

'Ja, wat zit er normaal in een fototoestel?'

Ze pakten de Leica weer en stelden vast dat er vier foto's mee waren genomen.

Konrad Simonsen zei: 'Als de technische recherche twee weken nodig heeft om ze te ontwikkelen ga ik gewoon naar die Papa Foto toe.'

Arne Pedersen beloofde dat hij zou kijken wat hij kon doen.

*

Hoofdinspecteur Konrad Simonsen kreeg zijn vuurdoop met hasj op een willekeurige donderdagmiddag op een gazon in Søllerød, en het was geen doorslaand succes. Hij had er iets meer van verwacht en was teleurgesteld. De drie spacecakes van de Freule, waarvan ze koppig de herkomst bleef verzwijgen, smaakten nergens naar, en het effect was navenant. Zelf wilde ze niet aan het feestje meedoen, dus hij ging in de tuin zitten wachten tot hij stoned werd, met de stijgende argwaan dat de cakes nooit in de buurt van cannabis waren geweest en volkomen conform de wet bij de plaatselijke bakker waren gebakken, een theorie die nog onderbouwd werd door het feit dat zijn vriendin ze in een mum van tijd tevoorschijn had getoverd.

Even later besloot hij een klacht te gaan indienen. Hij wilde naar de bakker gaan om zich erover te beklagen dat er geen cannabis in hun biscuitjes zat. 'De hele bakkerswinkel valt door de mand,' zou hij zeggen. Midden in de winkel. Hij stelde zich de reactie van de bakkersvrouw voor en giechelde. Of misschien moest hij alleen maar 'biscuitjes' zeggen, luid en met gezag, twee keer: 'biscuitjes, biscuitjes', en haar dan zelf de rest laten raden. En bovendien verkochten ze ook nog oude zondagskranten. Hij zou er eentje meenemen, dan kon ze zelf zien dat die oud was. Hij lachte nog meer en droogde zijn tranen met zijn hand. De andere klanten zouden het met hem eens zijn. Stokoude kranten, wat een oplichters. 'Ik heb toch gelijk? Zullen we erover stemmen?' Hij moest op het gras gaan liggen van het lachen, maar na een tijdje ebde het weg. Toen lag hij op zijn rug naar een bloemenborder van de Freule te kijken, waarvan de planten van onderaf gezien enorm hoog leken, met een synthetische glans van groen en geel cellofaan. Later schommelde het gazon heerlijk en hij stelde zich voor dat hij in een kano zat die lui op een tropische rivier dreef. De fuchsia op de achtergrond veranderde in mandarijnboompjes op de oever en als hij zijn tong uitstak proefde hij zoete marmelade in het zachte briesje dat over het water blies. Daar bleef het bij. Hij had gehoopt op een meisje *in the sky with diamonds*, sterker nog, hij vond dat hij daar recht op had, maar ze liet zich niet zien. In plaats daarvan viel hij in slaap.

*

Het weer veranderde, er kwam een lagedrukgebied uit het oosten en de temperaturen in Kopenhagen waren weer te harden. De eerste bladeren werden geel en de windjacks werden tevoorschijn gehaald. Op de afdeling Moordzaken kwam Konrad Simonsen er eindelijk achter waar Jørgen Kramer Nielsen foto's van had genomen. Het filmrolletje in de camera van de postbode was ontwikkeld en hij liet het resultaat samen met Pauline Berg zien aan Arne Pedersen. Die nam de tijd om de eerste foto goed te bekijken, om te laten zien dat hij er wel degelijk belangstelling voor had. De foto was mooi, bijna té mooi, en daarom saai. Boven een grandioos landschap met dreigende, ruige rotsen hing een lage zon waarvan de stralen in een loodgrijze fjord werden weerspiegeld. De tijd was bevroren in een eeuwige dag. Arne Pedersen liep snel door de rest van de foto's, allemaal met hetzelfde thema, hoewel de motieven verschillend waren. Toen keek hij steels rechts onder in de hoek van zijn beeldscherm naar de tijd en de datum en zei aarzelend: 'Die foto's heb ik toch pas nog gezien. Ze stonden toch in... Komen ze niet uit...?'

'... Een van de geïllustreerde natuurboeken die Jørgen Kramer Nielsen over Noorwegen had geleend en dat nog steeds in de opslaghal van Express Verhuizingen bibliotheekboetes ligt te sparen.'

'*Lofoten geïllustreerd*?'

'Mis. *Beelden uit Lofoten*.'

'Hij maakte foto's van foto's?'

'Precies, en met het allergrootste vakmanschap.'
'Waarom deed hij dat in vredesnaam?'
'Voor zijn zolder, denk ik.'
De uitdrukking op het gezicht van Arne Pedersen gaf aan dat meer uitleg gewenst was. Pauline Berg zei verbazend vriendelijk: 'Hij voegde ze samen met foto's van het dode meisje om er posters van te maken die hij op zolder ophing. Ergens moet hij ook negatieven van haar hebben, maar die hebben we nog niet gevonden.'
Konrad Simonsen keek haar verbaasd aan.
'Waarom zeg je dat ze dood is?'
'Dat ligt toch voor de hand. Denken jullie van niet?'
Arne Pedersen dacht niets. Konrad Simonsen daarentegen merkte tot zijn verbazing dat hij het met haar eens was.

4

Ze bedreven de liefde. Voorspelbaar, voorzichtig en zoekend. Geen van beiden had daarna behoefte om erover te praten, woorden konden gemakkelijk verdeeldheid zaaien en bovendien was er niets aan toe te voegen. De Freule ging zitten en schoof een kussen achter haar rug. Zonder erover na te denken trok ze het dekbed over haar borsten heen. Daarna liet ze haar vingers een paar keer door haar haar glijden. Het was zondag en al laat in de ochtend. Konrad Simonsen had enorme trek in een sigaret, zo erg was het al lang niet meer geweest. Een trimrondje zou een goed alternatief zijn – of eigenlijk een rondje hardlopen, zoals hij het nu wel kon noemen, per slot van rekening liep hij al bijna een derde van zijn rondje hard. Slapen was een andere mogelijkheid, maar weinig realistisch. Hij vroeg zich af of hij nu, vanaf vandaag, altijd hier zou slapen, in het bed van de Freule, in plaats van in zijn eigen kamer op de eerste verdieping. Misschien verwachtte ze dat wel. En het zou niet makkelijk zijn om haar te vertellen dat hij liever alleen sliep. Dat zij er misschien net zo over dacht, kwam niet bij hem op. Hij trok zijn hand terug, die op haar knie rustte. Hij was kleverig en warm, en hij droogde hem discreet, zonder dat ze het merkte, af aan het dekbed.

Toen vouwde hij zijn handen achter zijn hoofd, keek haar aan en vroeg: 'Ben jij weleens ingezet bij een demonstratie?'

'Een gewelddadige, bedoel je? Want ik ben wel vaker bij een demonstratie ingezet.'

'Ja, ik bedoel een gewelddadige. Een buitengewoon gewelddadige, zo eentje waar alles onoverzichtelijk is en je uiteindelijk alleen aan jezelf denkt.'

'Nee, niet echt. Ten eerste hielden ze toen ik jong was bij dat soort gelegenheden de vrouwelijke agenten achter. Zonder dat het expliciet werd gezegd. Ten tweede ben ik niet uit de tijd van de grote demonstraties, ik bedoel die echt veel mensen op de been brachten. Maar jij wel.'

Ze had gelijk.

Toen hij een jonge agent was, eind jaren zestig, begin jaren zeventig, waren er voortdurend demonstraties, in elk geval in zijn herinnering. Demonstraties voor een beter salaris en betere arbeidsomstandigheden, demonstraties voor gelijke rechten voor vrouwen, demonstraties tegen kernenergie de ene dag, tegen het lidmaatschap van Denemarken van de EEG de volgende dag en tegen de middellangeafstandsraketten een week later. Daar kwamen nog de studentenprotesten bij, die altijd waren gericht tegen de minister van Onderwijs van dat moment, ongeacht wie het was en wat hij – of zij, natuurlijk, dat maakte niet uit – deed. Verder demonstraties die steun betuigden aan alles tussen hemel en aarde: antiapartheid in Zuid-Afrika, het Palestijnse volk, onderdrukte mensen in Midden-Amerika, de vrijstad Christiania en vast vele andere onderwerpen die hij nu was vergeten. In Kopenhagen kreeg een demonstratie vaak vijftigduizend mensen of meer op de been, voornamelijk jonge. Dat was nu eenmaal zo in die tijd, en het fenomeen was bij lange na niet alleen Deens. Overal in de westerse wereld zag je hetzelfde beeld, en niet zelden veel erger, met dode demonstranten of politiemensen als gevolg. West-Berlijn voor de Deutsche Oper in 1967, de meiopstand in Parijs in 1968, Kent State University in Ohio in 1970.

Hij greep gretig haar uitgestrekte hand. Ja, hij was ingezet bij een aantal grote demonstraties.

'De Vietnamdemonstraties waren het ergst. En dan de topconferentie van de Wereldbank, die was ook ellendig, oef, wat was ik bang. Mijn knieën knikten en ik was bang dat de collega's het zouden zien. Maar zij waren waarschijnlijk net zo bang als ik, daar dacht ik toen alleen niet aan, toen ik daar op de eerste rij stond, met helm en schild en stok, als een soldaat in een oorlog waarvan ik niets begreep. Het was verschrikkelijk.'

'Maar wel een deel van je werk.'

Ze bedoelde het als steun, dat hoorde hij heel goed aan haar toon. Toch reageerde hij tot zijn eigen verbazing scherp.

'Dat werk was een keuze. Ik had een andere keuze kunnen maken, mijn baan kunnen opzeggen en ander werk kunnen zoeken. Niemand dwong me om politieman te zijn. Dat is geen excuus.'

Haar hand vond zijn kruin en aaide voorzichtig waar vroeger haar had gezeten.

'Heb je behoefte aan een excuus dan?'

Hij hoorde haar gefluisterde vraag niet en ging somber door: '*Smeris, juut, zwijn, lakei, fascist, blauwe rat* of wat ze al niet riepen.'

'Dat riepen die demonstranten toch niet allemáál?'

Dat deden ze wel, en o, wat haatte hij hen. Hun lange haar, hun borden en spandoeken, hun welbespraaktheid en hun eensgezindheid, hij haatte het allemaal – maar vooral hun eigengerechtigde respectloosheid, de minachting waarmee ze alles verwierpen waarin hij geloofde, waar zijn ouders hun leven lang voor hadden gewerkt, de oude deugden die een voor een verdwenen terwijl zíj triomfantelijk zongen en jubelden. Nee, dat klopte niet, het allermeest haatte hij hun lef. Hun betrokkenheid en hun lef.

'De demonstranten waren niet bang. Ze hadden iets om voor te strijden, en ze waren eensgezind.'

Er klonk geen haat meer in zijn stem, eerder verwondering. De Freule begreep de dubbelzinnigheid: 'Een eensgezindheid waar je nooit deel van uit kon maken omdat je de gevestigde orde bewaakte?'

'Ja, ik was bewaker. Voor de Amerikaanse ambassade, met uitzicht op een golvende zee van haat, schietschijf voor de fouten van anderen. Ik had toch verdomme nooit napalm op kinderen gegooid of *bombies* op dorpen?'

En dan die eeuwige rode vlaggen. Soms was het een eenvoudig lapje aan een bamboestok, soms waren het mooie vakbondsvaandels, maar altijd waren ze rood. Hij had geen sympathie voor de Amerikaanse inmenging in Vietnam, maar hoe al die verwende hippies van de wereld er ook tegenaan keken, Amerika was een democratie en de Sovjet-Unie niet. Daar in het oosten waren er geen demonstraties door de jeugd, in elk geval niet tegen het systeem gericht, daar zorgde die zo begerenswaardige communistische staat wel voor. Maar de folders, pamfletten en vlugschriften van de demonstranten lieten rijkelijk foto's zien van Vietnamese kinderen in de greep van de oorlogsverschrikkingen, terwijl er maar zelden foto's werden verspreid van de Sovjet-Russische tanks die Praag binnenreden en de Praagse Lente vermorzelden. Bovendien was die vrijheid van de jeugd slechts vijfentwintig jaar eerder, in de Tweede Wereldoorlog, juist betaald met Amerikaanse levens en Amerikaans geld. Maar daar stond nu natuurlijk niemand bij stil.

Hij zei: 'De kerstbombardementen op Hanoi– ik weet nog dat Olof Palme meeliep in de demonstratie daartegen, en ik was het eigenlijk wel met hem eens: "Je kunt een dorp niet redden door het te vernietigen, door de velden af te branden, door de huizen te vernielen, door de inwoners gevangen te nemen of ze te vermoorden." Daarmee sloeg hij de spijker op de kop, ook al vond Amerika het niet leuk om te horen. De Vietnamoorlog was een foute oorlog, maar ik begreep niet waarom de Deense politie daarvoor moest boeten, en dat begrijp ik nog steeds niet. Waarom lach je nou?'

Hij ging zitten en ze kuste hem op zijn wang.

'Nergens om, het is onbelangrijk.'

'Nee, zeg op.'

'De kerstbombardementen op Hanoi waren in 1972, Olof Palme liep in 1968 mee in de Vietnamdemonstratie. Hij was toen minister van Onderwijs. Hij werd pas het jaar daarna premier, maar zijn betrokkenheid wekte inderdaad woede op in Washington. President Johnson riep zijn ambassadeur terug uit Zweden.'

Soms kon hij niet goed tegen haar grote feitenkennis, en dat terwijl ze toen in de kleuterklas zat. Toch wist ze altijd alles, het was onuitstaanbaar.

De Freule ontkrachtte die gedachte onbewust door te vragen: 'Wat zijn bombies? Die ken ik niet.'

Hij schudde geërgerd zijn hoofd.
'Het is zo dom dat ik daar nu over begin. Dat verdienen we niet.'
'Nee, het is goed, Simon.'
Ze ving zijn blik en hield die vast.
Er was sinds zijn hartaanval flink in zijn mentale soep geroerd, dat had hij allang door. Maar waarom hij uitgerekend nu aan zulke rotdingen dacht, die jaren verborgen en vergeten waren geweest, wist hij niet. Het zou toch veel gepaster zijn als hij nu een beetje lief voor haar was, een beetje belangstelling toonde en zo. Toen besefte hij opeens waarom hij over al die onaangename herinneringen was begonnen.
Hij glimlachte inwendig en zei: 'Ik weet niet waarom ik al die oude koeien uit de sloot haal. Het is begonnen na mijn operatie.'
'Je hoeft niet altijd alles uit te leggen.'
Misschien had ze gelijk, zoals zo vaak. Hij zei zacht: 'Er zijn twee woorden van toen die ik verafschuw. Ze zijn allebei Engels. Het ene is bombies, dat zijn kleine antipersoneelsmijnen ter grootte van een tennisbal. Ze lijken soms op speelgoed.'
'Gatverdamme.'
'Ja, op zijn zachtst gezegd. Het tweede woord is *crowd control*.'
Als jonge agent moest hij weer naar school. Nou ja, ze noemden het cursus, maar het kwam op hetzelfde neer. Crowd control was een nieuw, hip begrip, en het klonk heerlijk aantrekkelijk in de klas. De politie moest de menigte controleren, maar hallo zeg, die mooie theorie hielp geen zier als hij ergens stond met een mogelijkheid van maar drie meter om zich terug te trekken achter zich voordat hij tegen het ijzeren hek van de ambassade werd doodgedrukt, en een even kort stuk niemandsland vóór zich. In dat geval was crowd control een kwestie van keihard overleven, wat iemand hoger in de piramide niet alleen wist, maar ook wenste. Dat had hij alleen pas veel later door. Crowd control...
'Pff.' Vol verachting blies hij wat lucht uit.
'Ze hadden het *generation control* moeten noemen, dan hadden we in elk geval geweten waar we het tegen op moesten nemen.'
Hij sloeg het dekbed opzij.
'Je maakte toch zelf deel uit van je eigen generatie? Ik bedoel, jij had toch ook het recht er te zijn?'
'Die tijd was niet zo tolerant, tolerantie was iets wat de politiek correcten eisten, niet iets wat ze gaven. Ga je mee onder de douche?'
De Freule dacht verbaasd even over het voorstel na. Toen lachte ze.
'Ja, waarom niet? Maar vertel nu eerst over je demonstratie.'
Hij zei bijna triest: 'Die maakte dat ik voor het eerst rookte. En god, wat mis ik nu een peuk.'
'Stond je daar te roken?'

'Wat denk je zelf? Natuurlijk niet, maar het was er wel een gevolg van.'

'Laat horen.'

'Later, later. Morgen moet ik het opnemen tegen de hele katholieke kerk, vermoed ik zo. En dat is een tegenstander van formaat, daar kan zo'n groep langharig tuig niet aan tippen. Misschien kun je me met je geestelijke rijkdom een beetje helpen? Per slot van rekening lees jij boeken voor je lol, en ik heb zelf nog geen tijd gehad om me goed voor te bereiden.'

'Alleen als je niet zo naar me kijkt.'

Zij pikte het beste plekje onder de douche in.

*

De priester ontving hem op het terras, waar de tuintafel gedekt was voor de thee. Terwijl zijn gastheer inschonk, liet Konrad Simonsen zijn blik over de kleine, goed verzorgde tuin glijden. Intussen schatte hij kundig in of de wind die door de kronkelwilg speelde te veel achtergrondruis zou veroorzaken op zijn dictafoon. Toen ging hij er eens goed voor zitten en keek de priester in de ogen. Onder andere omstandigheden was het misschien zelfs gezellig geworden, maar door de openingszin van de man ontstond er meteen een kloof: 'Ik kan maar beter meteen zeggen dat we waarschijnlijk een probleem krijgen. Zoals je weet, was Jørgen Kramer Nielsen lid van onze kerk, en in dat verband heb ik als zijn priester informatie gekregen die ik niet met anderen kan delen.'

Dat was duidelijke taal. Konrad Simonsen fronste zijn wenkbrauwen en hield die barse gezichtsuitdrukking vast toen de priester zijn woorden probeerde te verzachten door te verzekeren dat hij de politie van ganser harte wenste te helpen bij het onderzoek.

'Dus als ik je geen antwoord kan geven, moet je weten dat het niet uit kwade wil is.'

Hij glimlachte verontschuldigend met een rustige kracht. Dat overtuigde Konrad Simonsen ervan dat protesteren weinig zou uithalen.

Dat de priester een voorbehoud maakte, verbaasde hem niet. Hij had met die beperking rekening gehouden, maar hij had het liefst gehad dat eventuele religieuze ontwijkmechanismen wat later in het gesprek waren ingezet, nu was het meteen al de introïtus. Hij probeerde een beetje tijd te winnen.

'Mag je ook na het overlijden niets zeggen? Ik dacht dat het biechtgeheim alleen gold voor de levenden.'

'Dat maakt niet uit.'

Konrad Simonsen zweeg en dacht na. De priester wachtte rustig af en deed met een welwillende houding zijn best om de pauze niet pijnlijk te laten worden. Kon je uit een lichaam dat twee meter verderop in een tuinstoel zat, een welwillende houding laten spreken? De priester kon het. De man nodigde uit tot openheid zonder die zelf te geven. Dat was eigenlijk indrukwekkend. Ten slotte vervolgde Konrad Simonsen: 'Je weet dat het strafbaar kan zijn als je niet meewerkt aan het onderzoek naar een misdrijf en mij wezenlijke informatie onthoudt, en dat de Deense wet je bovendien niet beschermt?'

'Ja.'

Zoals verwacht deed dat niets af aan de rust die de man uitstraalde, en Konrad Simonsen besloot heel ergens anders te beginnen dan hij oorspronkelijk van plan was geweest. Als hij geluk had, zou zijn nieuwe strategie werken. Dan zou hij antwoord krijgen op zijn allerbelangrijkste vraag. Weliswaar een indirect antwoord, maar dat was beter dan niets, en in elk geval de moeite van het proberen waard.

'Zou je me iets over het biechten kunnen vertellen?'

De priester leek niet verrast door die vraag.

'Wat wil je weten? Ik kan er uren over praten als je wilt, maar ik denk niet dat je interesse zo ver gaat.'

'Nee, dat moet maar een andere keer. Ik wil graag weten waar ik je vragen over kan stellen en waarover niet. Nu jij de spelregels hebt vastgelegd vind ik het niet onredelijk dat je me die ook uitlegt.'

'Jij kunt natuurlijk vragen stellen over alles wat je wilt, mijn regels gelden niet voor jou.'

'Nee, dat weet ik ook wel. Ik heb me blijkbaar niet goed uitgedrukt. Ik zal niet ontkennen dat ik op zijn zachtst gezegd niet gewend ben aan een situatie als deze. Dat wil zeggen, ik heb natuurlijk wel vaker meegemaakt dat getuigen informatie achterhouden, zoals jij het zo direct stelt. Maar het nieuwe is dat ik al op voorhand een confrontatie hierover uit de weg ga. En dat is vooral omdat ik denk dat ik die niet zou winnen. Vertel me dan maar liever wanneer je je als priester moet houden aan je biechtgeheim, in theorie dan.'

De priester glimlachte blij om die vraag. Vervolgens vertelde hij enthousiast dat de boeteling zijn zonden belijdt en het noodzakelijke berouw toont, waarna de penitentie wordt opgelegd en de sacramentele absolutie volgt, waarmee de zondaar de genade van de vergiffenis wordt geschonken.

'De biecht kan op allerlei manieren plaatsvinden. Een van de manieren, en daarin ben jij vast geïnteresseerd, is in de kerk in een persoonlijk gesprek met een daartoe aangewezen priester.'

'Bijvoorbeeld met jou?'

'Ja, ik ben bevoegd. Gedeeltelijk door mijn priesterwijding en gedeeltelijk door kerkrechtelijke volmacht. Dat heet biechtjurisdictie, een vreselijk woord als je het mij vraagt.'

'En wat je in dat verband hoort, valt onder het biechtgeheim?'

'Absolute geheimhouding; het wordt "het sacramentele zegel" genoemd.'

Hij schonk nog wat thee in. Konrad Simonsen bedankte hem vriendelijk, en concentreerde zich. De timing was belangrijk. Timing en geluk. Hij veranderde van toon, klonk meer vrijblijvend.

'Ik wilde vragen of je het goedvindt dat ik een dictafoon gebruik voor ons verdere gesprek.'

'Geen probleem. Ga je gang.'

'Dat is fijn, dat maakt mijn werk stukken makkelijker, maar ik moet even een geluidstest doen om het achtergrondgeluid te kunnen onderdrukken.'

Hij wees naar de wilg. De priester keek begrijpend. Konrad Simonsen ging met de dictafoon aan de slag en vroeg een beetje ongeconcentreerd: 'Zeg, bij wie biecht je eigenlijk zelf als je daar behoefte aan hebt? Je kunt jezelf waarschijnlijk geen vergiffenis schenken?'

'Nee, dat kan niet. Ik ga bij mijn bisschop te biecht.'

'En zo verder de hiërarchie omhoog?'

'Normaal gesproken wel, ja.'

Konrad Simonsen was nog bezig met zijn dictafoon. Die werkte niet mee.

'Hoe vaak biechten jullie eigenlijk? Ja, ik weet natuurlijk wel dat dat afhangt van de zonden, om het zo te zeggen, maar hoe gewoon is biechten? Ik bedoel gemiddeld? Hoe zit het met jou, ben je zelf het afgelopen halfjaar bij de bisschop geweest?'

De priester lachte. Praten over gemiddelden was in dit verband ongebruikelijk, maar hij probeerde toch eerlijk antwoord te geven, blij met de belangstelling voor zijn kerk.

'Nee, dat heb ik de laatste tijd niet gedaan, dat is al jaren geleden. Maar er wordt van ons priesters natuurlijk wel verwacht dat we het goede voorbeeld geven, hoewel dat niet altijd lukt.'

Konrad Simonsen bekeek het gezicht van de priester tersluiks. Diens geduldige glimlach was echt, echt als bij goede ouderwetse oprechtheid.

De priester keek lang naar de wilg. Het leed geen twijfel dat hij doorhad wat er was gebeurd. Twintig seconden te laat.

Konrad Simonsen deed de dictafoon terug in zijn tas. Hij was als afleiding gebruikt en nu overbodig. Hij keek naar het bedroefde gezicht van de priester en merkte dat hij zich schaamde. Dat was raar. Hij had bij talloze gelegenheden veel ergere dingen gedaan bij getuigen, en toch werd hij nu bevangen door spijt. Drie maanden geleden zou het hem helemaal niets hebben uitgemaakt. Hij probeerde zichzelf ervan te overtuigen dat zijn manipulatie terecht was geweest, ja, uiteindelijk zelfs in het belang van de priester. Het was toch overduidelijk noodzakelijk dat hij als verdachte kon worden geschrapt en hij zou toch zelf wel begrijpen dat hij als buurman en verhuurder vanzelfsprekend kandidaat-moordenaar was. Direct of in samenwerking met anderen. Alleen al zijn vakantie riekte naar het zich willen verschaffen van een alibi. Daar kwam nog zijn biechtgeheim bij, dat hem wel heel handig vrijstelde van het beantwoorden van de vragen van de po-

litie. Hij had echt geen reden om zich te schamen. Maar toch deed hij dat.
Na een tijdje zei de priester: 'Was dat nou echt nodig?'
'Het is mijn werk. Ik heb je als verdachte geëlimineerd.'
'Je hebt een ontmoeting tussen mensen verpest. Je had het me toch gewoon kunnen vragen?'
Hij probeerde zijn schuldgevoel weg te drukken. 'Een ontmoeting tussen mensen', hoe zalvend kon het worden? En dan die bedroefde hondenogen, alsof hij zei 'neem een troostkoekje'. Hij werkte aan een moordzaak, hoor. Priesters stonden niet boven de wet.
Hij slaagde er niet goed in zich te verontschuldigen, de woorden van de man hadden hem geraakt.
'Misschien kunnen we voor vandaag maar beter stoppen.'
'Dat lijkt me een goed idee.'
'En kan ik je dan overhalen om een keertje langs te komen op het hoofdbureau? We hebben hoe dan ook nog heel wat meer te bespreken.'
'Ja, we zijn niet echt op gang gekomen. Ik zal er zijn. Bel me maar, dan zoeken we een tijdstip.'
'Het spijt me dat het zo liep.'
Ze namen snel afscheid. Konrad Simonsen wilde graag naar huis en de priester moest aan het werk.

Dezelfde avond kwam Arne Pedersen schaken. Hij had zijn jas nog maar amper uitgetrokken of hij vroeg al naar het gesprek met de priester. Konrad Simonsen ging zijn gast voor naar de keuken, waar ze ongestoord konden zitten. Schaakklok, schaakbord en schaakstukken had hij al klaargezet. Hij pakte een biertje voor Arne Pedersen uit de koelkast en schonk zichzelf een kopje thee in. Toen zei hij: 'De priester heeft niets met de moord te maken.'
Hij deed verslag van het gesprek zonder in details te gaan en besloot: 'Hij had geen moment in de gaten waar ik heen wilde, niet toen ik er naartoe werkte en ook niet bij de centrale vraag of hij recentelijk had gebiecht. En dat had hij niet. Hij merkte niet eens dat ik hem observeerde toen hij antwoord gaf. Ik ben ervan overtuigd: hij heeft Jørgen Kramer Nielsen niet vermoord en hij weet ook niet wie het wel heeft gedaan. Daar durf ik mijn hand voor in het vuur te steken.'
'Geen voorbehoud? Bescheidenheid over je eigen kwaliteiten?'
Konrad Simonsen had zich nooit verbeeld dat hij het kon zien als iemand niet de waarheid sprak. Sommige mensen konden zo goed liegen dat ze iedereen om de tuin konden leiden, hem in elk geval wel. Maar soms, in bepaalde situaties, kon hij met zekerheid bepalen of iemand de waarheid sprak, in elk geval in zoverre die persoon zelf geloofde wat hij zei. Of dat dan de waarheid was, was natuurlijk een ander verhaal. En het gesprek met de priester was zo'n situatie.

Arne Pedersen complimenteerde hem: 'Dat is wel knap gedaan. Ik bedoel, zo'n man met retorica inpakken.'

Dat vond Konrad Simonsen niet. De afweermechanismen van de priester waren op zijn biechtgeheim ingesteld, niet op hemzelf, en waarom zouden ze ook? Vanuit hemzelf gezien was er geen reden om waakzaam te zijn. Hij had toch niets verkeerds gedaan? Maar dat kon je niet van tevoren weten. Een 'ontmoeting tussen mensen' – wat een gelul, hij had zich zeker niet onethisch gedragen. Toch zou hij het gesprek het liefst willen vergeten. Hij reageerde met een nasale klank die op elke gewenste manier kon worden geïnterpreteerd.

Arne Pedersen ging door: 'Ze worden op hun seminaries toch jarenlang tot het uiterste getraind in scholastiek.'

'Om nu de katholieke kerk te reduceren tot een obscure sekte die zijn vertegenwoordigers hersenspoelt, gaat wel ver. Dat is niet zo. Hij heeft zeven jaar aan het Saint Michael Pastoral Center in Dublin gestudeerd en een lange reeks uiterst respectabele vakken gehaald, welke academische standaard je ook hanteert. Daarvoor zijn bidden en uit je hoofd leren bij lange na niet genoeg.'

'Het is niet te geloven wat je allemaal weet over het katholicisme. Je had je zeker goed voorbereid?'

'Inderdaad.'

'Hij moet toch hebben ingezien dat hij de meest voor de hand liggende verdachte was. Maar hij weigert je vragen te beantwoorden. Wat denkt hij nou? Dat priesters onschendbaar zijn als het over moord gaat?'

'Helemaal niet, zo ging het ook niet. In mijn ogen is het een heel goed mens. Ik denk dat hij zich gewoon niet kon voorstellen dat iemand hem van een misdrijf zou verdenken, en al helemaal niet van moord. Omdat het zo ver van hem afstaat om zoiets te doen.'

'Voor de reine is alles rein.'

'Tja, dat dekt de lading wel redelijk.'

'En toen, konden jullie het afronden?'

'Totaal niet. Ik heb het afgebroken en doe de tweede ronde met hem op HS. Samen met de Freule of Pauline, denk ik. Dat hoor je nog wel.'

Arne Pedersen zei: 'Goed. Weet je al wanneer je je plek weer gaat innemen? Als chef, bedoel ik. Ik hoop dat het geen maanden duurt?'

Konrad Simonsen wist het zelf ook niet. Die beslissing was aan de arts. En aan de Freule. Die had er vast ook het een en ander over te zeggen, dat wist hij wel zeker. Hij ging niet op de vraag in, maar wees naar het schaakbord.

De schaakpartijen tussen Konrad Simonsen en Arne Pedersen waren langzamerhand een eentonige voorstelling geworden. Toen Konrad Simonsens oude chef, Kasper Planck, nog leefde, hadden die twee jarenlang tot wederzijds genoegen tegen elkaar geschaakt, onder andere omdat ze ongeveer even goed waren. Na de dood van Kasper Planck had Arne Pedersen diens plek als schaakpartner van Konrad Simonsen ingenomen. De eerste avonden had Konrad Simonsen gewonnen, maar dat was lang geleden. Nu won Arne Pedersen vrijwel elke partij die ze speelden, en ook nog zonder veel moeite. Hij had gewoonweg talent zonder dat hij eigenlijk echt in het spel geïnteresseerd was. Voor hem ging het meer om het gezellig samenzijn, in schril contrast met zijn tegenstander.

Konrad Simonsen dacht lang na over zijn verloren positie voordat hij uiteindelijk – nog steeds met een zweem van de hoop op een wonder in zijn stem – vroeg: 'Het maakt toch niet uit wat ik doe?'

'Nee, dat vrees ik helaas ook.'

Ze gaven elkaar netjes een hand, een klein ritueel dat ze zorgvuldig uitvoerden na de laatste partij, maar nooit na de eerste.

Konrad Simonsen zei: 'Begint het je niet te vervelen? Ik ben niet meer in staat om je behoorlijk tegenstand te bieden, toch?'

'Nee, ik verveel me niet, integendeel, ik kijk altijd uit naar onze schaakavonden. Ik hoop niet dat je van plan bent om ermee te stoppen, ik bedoel, omdat ik wat vaker win dan jij.'

Konrad Simonsen bauwde hem na: 'Wat vaker dan ik. Wat een onzin, jij wint elke keer.'

'Oké dan, elke keer. Bijna, vorige keer was het remise.'

'Dat is twee keer geleden en toen viel je bijna om van vermoeidheid.'

Arne Pedersen zette de stukken op, ze speelden de partij na en Konrad Simonsen kreeg uitgelegd waar hij verkeerde zetten had gedaan.

Het was een gezellige avond, en daar waren ze aan toe. Op een gegeven moment kwam de Freule bij hen zitten zonder dat de sfeer daardoor veranderde. De hartoperatie van Konrad Simonsen had de Freule en Arne Pedersen dichter bij elkaar gebracht. Zo was het niet altijd geweest. Nog niet zo lang geleden hadden ze buiten het pure werk om een moeizame relatie.

Het was bijna twaalf uur toen Arne Pedersen naar huis ging. Voordat hij opstapte had hij een mededeling, iets wat hij graag wilde vertellen. Nu ze toch bij elkaar waren, zoals hij zei. Hij wilde zijn stropdas recht leggen en ontdekte dat hij er geen droeg. Toen probeerde hij het met de andere hand, met hetzelfde resultaat. Konrad Simonsen en de Freule keken elkaar aan, ze kenden die handbeweging maar al te goed.

Konrad Simonsen zei: 'Je zou de slechtste pokerspeler van de wereld zijn, Arne. Wat is er? Voor de draad ermee.'

'Het is geen slecht nieuws, hoor. Ik wilde het eigenlijk morgen vertellen, maar nou ja, ze kwam naar me toe, gewoon uit het niets, zonder afspraak of zo. Ja, ik denk dat ze me bespiedt, probeert fouten te vinden of zo, en toen zat ze daar met haar koude ogen...'

Konrad Simonsen onderbrak hem.

'Hé, joh, ho even.'

Arne Pedersen zweeg. Konrad Simonsen moest hem weer op gang brengen.

'Ik neem aan dat je met "ze" onze chef bedoelt?'

'Jullie kunnen zeggen wat je wilt, maar ze heeft de pik op mij.'

De Freule ging staan en legde een hand op Arne Pedersens schouder.

'Nu moet je eens goed luisteren. De waarheid is dat je het als chef Moordzaken heel goed doet, beter dan iedereen had verwacht, inclusief ik, en de hoofdcommissaris is oprecht blij met je. Dat weet ik zeker. Anders is ze gewoon dom.'

'Ze is niet dom, maar wel gemeen. Maar dat is natuurlijk mijn probleem, en niet dat van jullie. Om een lang verhaal kort te maken: ze vertelde dat jij, Simon, van nu af aan zelf je werktijden mag invullen. Maar we moeten je in de gaten houden en ervoor zorgen dat je niet te hard van stapel loopt. Dat gedeelte moet ik nog steeds heel serieus nemen, zei ze. En verder mag je nog geen leidende functies op je nemen, iets wat ik zeer betreur maar heel goed begrijp.'

Konrad Simonsen en de Freule moesten zich beheersen om niet in lachen uit te barsten. Ze hadden het nieuws al twee dagen geleden van de hoofdcommissaris gehoord, nieuws dat overigens was ontstaan omdat de Freule met de hoofdcommissaris had gebeld. Met medeweten en instemming van Konrad Simonsen.

Toen de voordeur achter hun gast dichtviel zei de Freule: 'Je moet iets verzinnen, Simon. Hij is echt bang voor haar. Ik wist niet dat het zo erg was.'

'Mee eens, het is niet best.'

'Niet best? Hij is paranoïde. Wij kunnen toch niet twee medewerkers hebben rondlopen die spoken zien?'

'Je bedoelt Pauline.'

'Ja, wie anders?'

Ja, natuurlijk. Pauline, wie anders? Hij beloofde dat hij erover na zou denken.

*

Als chef Moordzaken was Konrad Simonsen gewend dat mensen contact met hem zochten omdat ze hem wilden spreken. Mailtjes, brieven, telefoontjes, en niet zelden kwamen mensen ook persoonlijk naar het hoofdbureau om meteen een afspraak te regelen. De meeste van deze contacten werden door het lagere personeel opgevangen en bereikten hem nooit, slechts in enkele gevallen werd hij erbij betrokken. Als dat gebeurde, liet hij de zaak meestal voor zich regelen door een jongere medewerker.

De contacten waren grofweg in vier categorieën te verdelen. Je had mensen met een psychische afwijking die iets duidelijk krankzinnigs hadden meegemaakt wat ze per se met hem wilden delen, bijvoorbeeld dat een televisiepresentator tijdens de uitzendingen gemeen naar hen keek en hen wilde vermoorden. Dan waren er goedbedoelende amateurs die ervan overtuigd waren dat ze door intelligentie en goed nadenken een of andere onopgeloste, gesloten of actuele zaak hadden opgelost, meestal een moordzaak. Vervolgens had je leugenaars, mensen die het geweldig vonden om door de politie verhoord te worden en daarom verhalen gingen verzinnen. En dan de laatste, maar zeker de ergste categorie, namelijk nabestaanden die niet konden accepteren dat een familielid, vriend of vriendin was overleden en zich daarom verbeeldden dat er een misdrijf was gepleegd. Deze ongelukkigen probeerden meestal zeer hardnekkig een hogergeplaatste rechercheur te spreken te krijgen. Slaagden ze daarin, dan was het bijna onmogelijk om weer van hen af te komen.

Twee mensen uit deze laatste categorie zaten voor het hoofdbureau op Konrad Simonsen te wachten toen hij daar dinsdagochtend aankwam. De politieassistent van de receptie kon hem nog net voordat hij er was via zijn mobiele telefoon waarschuwen, en hij ging door een andere ingang naar binnen om het tweetal te omzeilen.

Eenmaal in zijn kantoor vond hij een stapel papier op zijn bureau, netjes half op het toetsenbord van zijn computer neergelegd. Bovenop zat een gele post-it waarop stond dat de twee mensen die buiten bij de hoofdingang op hem wachtten, het onderliggende materiaal hadden opgestuurd.

Hij bladerde losjes door de stukken. De eerste pagina's waren drie lange, uitgeprinte e-mails, allemaal aan hem gericht maar weggefilterd voordat ze zijn inbox bereikten. Ze waren netjes beantwoord door een politieassistent die hij niet kende, en uit de antwoorden bleek dat de politie van Kopenhagen de zaak helaas niet in behandeling kon nemen. De politieassistent verwees door naar politieregio Nordsjælland en stelde afsluitend laconiek vast dat 'hoofdinspecteur Konrad Simonsen daarom niet kon aanbieden aanwezig te zijn bij eventuele besprekingen'. Hetgeen helemaal correct was.

Het laatste stuk was een kopie van een obductierapport en hij fronste even toen hij de naam van de overledene zag: Juli Denissen. In de verte ging een belletje rinkelen. Ongeveer een jaar geleden had Juli Denissen als getuige waardevolle informatie verstrekt in verband met de gijzeling van Pauline Berg. Later, toen het allemaal achter de rug was, waren Konrad Simonsen en de Freule voor iets anders in Hundested geweest. Op de terugweg waren ze toen bij de vrouw in Frederiksværk aangegaan en hadden ze haar de mobiele telefoon van de Freule cadeau gedaan. De oude mobiele telefoon van Juli Denissen was stuk en ze had wel een nieuwe verdiend, vond Konrad Simonsen, die door haar gefascineerd was. Maar sindsdien had hij haar niet meer gezien of gesproken en hij was haar allang vergeten.

Hij rolde de stukken lichtelijk geërgerd op tot een rolletje, overwoog even of hij het geheel in de prullenbak zou gooien, maar keek toen per ongeluk uit het raam naar de zware grijze herfsthemel. Dit was geen dag om uren buiten te staan wachten. Maar dat zouden ze vast doen, en waarschijnlijk ook de dag daarna, als ze een beetje aan de norm voldeden. In plaats van het rolletje weg te gooien liep hij vastberaden de gang op om het probleem door te schuiven naar de eerste de beste lager geplaatste rechercheur die hij tegenkwam. Dat kon toch geen probleem zijn.

Helaas kwam hij Pauline Berg tegen.

Het grootste deel van Konrad Simonsens werkdag ging op deze grijze herfstmiddag op aan het lezen van de rapporten van de rechercheurs die de buren en de winkeliers in Hvidovre over Jørgen Kramer Nielsen hadden ondervraagd. Maar behalve een paar notities van iets waar hij op door wilde gaan, had het lezen geen ander resultaat dan dat hij beter op de hoogte was van zijn eigen zaak. Aan het begin van de middag had hij een bespreking met de hoofdcommissaris. Die verliep in alle opzichten vlekkeloos; ze reageerde bijna enthousiast op het idee dat hij haar voorlegde.

Voordat Konrad Simonsen wegging zei ze: 'Nu ik je toch spreek, Simon, ik heb een uur geleden een bericht gekregen waarvan ik vind dat je ernaar moet kijken. Ik wilde het doorsturen, maar nu je er toch bent...'

Ze draaide haar beeldscherm om en liet hem het bericht lezen. Het was afkomstig van de chef van de Nationale Recherche en het moest wellicht worden geïnterpreteerd als rappel dat de bevoegdheden van de verschillende politieregio's gerespecteerd moesten worden. Konrad Simonsen twijfelde over de interpretatie. Dat was ook niet zo vreemd, want dat overkwam hem meestal als hij berichten van de chef van de Nationale Recherche las. En daarin was hij niet alleen.

'Wat heeft dat met mij te maken?'

De hoofdcommissaris plaatste haar ellebogen op het bureau en zette haar vingertoppen tegen elkaar en haar wijsvingers onder haar kin.

'Eigenlijk niets. Maar ik heb de indruk dat Arne Pedersen meer dan genoeg aan zijn hoofd heeft, dus misschien kun jij dit even regelen.'

'Wat regelen? Je bent bijna nog slechter te volgen dan onze chef.'

'Bel de hoofdcommissaris van Frederikssund maar even, liefst voordat je naar huis gaat vandaag. Je kunt het verhaal beter van hem horen dan van mij, ik ken het alleen uit de tweede of derde hand.'

Haar verzoek had bij Konrad Simonsen de alarmbellen moeten laten rinkelen, maar dat gebeurde niet. Terug in zijn kantoor besloot hij dat het telefoongesprek met de hoofdcommissaris best kon wachten tot de volgende dag. Daarna ging hij naar huis.

's Avonds hadden Konrad Simonsen en de Freule weer bezoek.

Malte Borup, de lievelingsstudent van de Freule, en zijn vriendin Anita Dahlgren waren er, en het werd veel gezelliger dan Konrad Simonsen van tevoren had durven hopen. De Freule had een kok ingehuurd die vetarm kookte. Konrad Simonsen was er langzamerhand aan gewend geraakt dat ze zich zo nu en dan dit soort extravagantie permitteerde, en hoewel de kok door zijn uiterlijk nu niet bepaald een reclame was voor zijn dieetgerechten, was het geld goed besteed. Het diner was zonder meer voortreffelijk: een oestergerecht op geroosterd brood, tournedos met rijst en paprika's en als dessert zelfgemaakte zwartebessensorbet met hele bessen erin.

Konrad Simonsen verslond het eten met veel plezier en zonder een slecht geweten. Na het feestmaal verdwenen de vrouwen, en Konrad Simonsen bleef achter met Malte Borup, die met aanstekelijk enthousiasme vertelde over hoe de HOMS-applicatie werkte. Hij had het grootste deel van zijn vakantie gebruikt om het programma te leren kennen. Het had blijkbaar fantastische mogelijkheden in zich en zou in toekomstige onderzoeken een waardevolle tool worden.

Later speelden ze met z'n vieren mens-erger-je-niet. Fanatiek en meedogenloos, alleen winnen telde. Ze hadden alle vier hun eigen strijdwijze: de Freule probeerde het met gelegenheidscoalities, Konrad Simonsen met basale waarschijnlijkheidsberekeningen en Malte Borup gewoon met valsspelen. Anita Dahlgren won. Zij had besloten het op geluk te laten aankomen en dat bleek de beste strategie te zijn, twee keer achter elkaar.

De Freule bracht de jongelui naar huis. Toen ze weer terug was, had Konrad Simonsen alles opgeruimd, en hij zat nu in gedachten op de bank. Hij had de pionnen van het spel aan de rand van de salontafel op een rijtje gezet. Ze ging naast hem zitten.

'Ben je het leger aan het decimeren omdat je hebt verloren? Dan komen we een pion tekort.'

Hij negeerde haar opmerking.

'Daar stonden we. Op een rij, om de ambassade te verdedigen, terwijl onze chefs lichtjaren weg in hun veilige ME-busjes zaten. Maar ze hadden ons goed opgeleid, nou en of, het gebruik van de wapenstok was algemeen geaccepteerd.'

'Die demonstranten waren toch ook geen engelen?'

'Nee, maar tegenwoordig proberen we het geweld te beperken, toen was het de bedoeling dat we ze in elkaar sloegen.'

'Ik herinner me dat ik toch ook wel iets heb gehoord over molotovcocktails en aardappelen met scheermesjes.'

'Dat was bij de Wereldbank-demonstratie en trouwens overdreven. Ik heb het over Vietnam. Maar nee, die demonstranten waren ook zeker geen engelen. Ze waren heel angstaanjagend: "Ho! Ho! Ho Chi Minh, Ho! Ho! Ho Chi

Minh," scandeerden ze met z'n tienduizenden. Daarom heb ik ook de pest aan voetballen. Het spel en het juichen is prima, maar dat massale, agressieve geschreeuw van leuzen vind ik afschuwelijk.'

'Dat is jammer, Simon, ik zal je weleens iets echt moois laten zien. Ga door!'

'Ik was vooral bang als de massa in beweging kwam. We hadden zomaar onder de voet gelopen kunnen worden. Onze zogenaamde tegenstanders waren veel sterker dan wij, maar dat wisten ze gewoon niet. Ook onze docent crowd control wist dat niet. Wat een helse, hatelijke rotzooi preekte die man toch. Ik zou zo graag willen dat ik me ertegen had verzet, maar ik stak mijn kop in het zand, zoals iedereen, en leefde mijn woede uit op de hippies en de provo's, rooie rakkers die een pak slaag nodig hadden. Angst en woede, dat is een afschuwelijke cocktail, vooral als je zo groot en sterk was als ik... en een wapenstok in je hand had.'

De Freule zei dat ze het met hem eens was, hoewel ze het moeilijk vond hem te volgen.

'"*Der Staat ist auf dem rechten Auge blind,* het rechteroog van de staat is blind", zeggen ze. En vrijwel de hele jeugd van toen had een blind linkeroog. Logisch dat het misging.'

'Ja, misschien wel.'

Hij staarde een tijdje voor zich uit, diep in gedachten verzonken. Toen zei hij zacht: 'En toen kwam dat meisje. Ze deelde roosjes uit. Glimlachend en zonder angst, alsof het de natuurlijkste zaak van de wereld was om de ene na de andere politieagent in gevechtsuitrusting een bloemetje aan te bieden, terwijl de haat en de woede overal om haar heen op hun kookpunt waren. Toen ik aan de beurt was, liet ze haar bosje bloemen vallen. Misschien kreeg ze een duw, dat weet ik niet meer. Hoe dan ook, de bloemen vielen tussen mij en een collega in, een klein beetje achter ons, een halve meter, tien centimeter, een klein stukje, maar genoeg. Toen ze zich vooroverboog om de bloemen op te rapen, brak ze dus door ons cordon heen, en ik sloeg haar zo hard mogelijk op haar schouder. Nadat ze in elkaar was gezakt, schopte ik haar in de zij. Ze was zeventien, een tenger meisje van zeventien, een middelbareschoolleerling die mij een roosje wilde geven.'

'O, nee toch.'

'O, jawel. Daarna brak de hel los en iedereen begon te vechten, zoals van het begin af aan ook al de bedoeling was. De volgende dag kreeg ik complimenten omdat ik zo consequent was geweest.'

Ze lieten het een tijdje in stilte bezinken.

De Freule leunde tegen hem aan en zei: 'Dat heb je al lang eens van je af willen praten.'

'Er was niemand. Ik denk ook niet dat ik het had gekund, maar het is alsof het steeds beter gaat met dat soort... gepraat.'

'Dat soort gepraat wordt ook wel "emoties" genoemd.'

'Goed dan, emoties. Alsof het steeds gemakkelijker wordt sinds we een relatie hebben en vooral sinds...'

'Sinds je me hebt verleid.'

Die opmerking verbrak zijn triestheid.

'Hé, zo is dat niet gegaan! Dat is geschiedvervalsing, en het was niet wat ik wilde zeggen.'

'Kletskoek.'

'Goed, kletskoek, zand erover. Je moet even naar een goed idee luisteren dat ik kreeg over Arne. Je weet toch dat die priester zijn bisschop meeneemt voor het verhoor donderdag? Ik heb iets bedacht waardoor we misschien twee vliegen in één klap kunnen slaan. Wil je het horen?'

'Alleen als het snel kan.'

*

De Freule vond het idee van Konrad Simonsen slim en origineel. Dat was uit haar mond een groot compliment, omdat ze niet iemand was die met superlatieven strooide.

Arne Pedersen, daarentegen, had heel wat meer reserves toen hij het idee woensdagochtend op Konrad Simonsens kantoor te horen kreeg.

'Ben je nou helemaal gek geworden? Geen sprake van. Onder geen beding. Volstrekt categorisch: nee.'

Konrad Simonsen draaide hem ontwapenend zijn handpalmen toe.

'Rustig maar. Natuurlijk moet je het eerst even laten bezinken.'

'Ik hoef helemaal niks te laten bezinken, wat een vreselijk idee. Wat zou ze ook kunnen doen? Ze is jurist en hoofdcommissaris, en ze weet er geen ruk van. Bovendien heeft ze goddank totaal geen tijd voor dat soort dingen.'

'Ze maakt er tijd voor, en ze verheugt zich erop, maar ze weet wel dat ze haar mond moet houden en alleen iets mag zeggen als jij het sein geeft.'

Arne Pedersen stond op en liep met grote stappen door het kantoor van Konrad Simonsen.

Het kleine sprankje hoop werd snel gedoofd: 'Je neemt me in de maling, Simon. Toegegeven: het was grappig, maar het is toch zeker een geintje?'

'Ik heb haar gistermiddag gesproken. Ik moest je trouwens de groeten doen en de complimenten overbrengen voor het idee.'

'Dit is vreselijk. Kan ik niet iets kalmerends van je pikken?'

'Nee, ik heb een heleboel, maar dat niet.'

'En drank? Heb je iets met alcohol erin?'

'Slecht idee. Dat zal ze raar vinden als je haar vanmiddag brieft, tussen halfvier en vier uur. Ik heb het in je agenda gezet, dus daar hoef jij niet meer aan te denken.'

'O, lieve help.'

'Ik wist wel dat je het een goed idee zou vinden.'

De volgende drie uur werkten ze geconcentreerd en resultaatgericht. Vooral Arne Pedersen was scherp. Het leek alsof zijn intellect extra werd geprikkeld omdat hij later naar de hoofdcommissaris moest om haar het resultaat voor te leggen. Na een uitvoerige discussie werden ze het eens over vijf hoofdvragen waarop ze de volgende dag de antwoorden hoopten te krijgen bij het horen van de priester en de bisschop die de priester per se mee wilde nemen.

Arne Pedersen tikte de vragen in, printte ze uit en eiste met het papier in zijn hand dat ze het nog een keer zouden doornemen. Konrad Simonsen voelde zich wat uitgeput na het werk, maar zei toch ja.

'Het eerste punt is de algemene relatie tussen de priester en Jørgen Kramer Nielsen. Dat wil zeggen: wat hij buiten de biecht om over hem wist.'

'Precies, de invalshoek van buurman of huurder, alles wat niet met religie te maken heeft.'

'De volgende stap is het religieuze leven van de overledene zo goed mogelijk in beeld te brengen. Delen daarvan zullen mogelijk onder het biechtgeheim vallen. Maar we willen graag weten waarom Jørgen Kramer Nielsen zich bekeerde en vooral of hij een persoonlijke relatie had met iemand van de kerk, en ook wie er bij zijn begrafenis waren.'

'De bijzetting. Het was een bijzetting.'

'Whatever. Wie er bij zijn bijzetting waren, dus. Dat wil zeggen focus op vrienden en kennissen die... Hé, Simon, wacht eens.'

'Ik wacht.'

'Wat is het verschil tussen een begrafenis en een bijzetting?'

'Simpel. Bij een begrafenis wordt het lichaam begraven en bij een bijzetting wordt het gecremeerd.'

'Wat gebeurt er als de hoofdpersoon geen familie of vrienden heeft? Ik bedoel, je kunt het een lijk niet vragen. Word je dan gecremeerd of begraven?'

'Volgens mij begraven.'

'Jørgen Kramer Nielsen is gecremeerd.'

Konrad Simonsen dacht lang na voordat hij antwoord gaf. Toen zei hij langzaam en zoekend naar woorden: 'Ik zie je punt. In zijn geval nam de katholieke kerk de verplichting om te begraven over van de staat en ik weet niet of die kerk andere regels heeft. Maar er kan ook iets in zijn testament hebben gestaan.'

'Dat heeft Pauline een halfjaar na de crematie gevonden. Ik denk dat we die mogelijkheid kunnen uitsluiten. Wat ik bedoel is: als er is afgeweken van de normale procedure, moet iemand hebben geweten dat dat de wens van de overledene was. En dat kun je alleen weten als je met de betrokkene over diens dood hebt gesproken. De meest voor de hand liggende persoon daarvoor is de priester.'

'Interessant. Ik heb morgenochtend tijd om het voorwerk voor je te doen en dan heb je misschien een erg goede vraag. Maar laten we nu de laatste vragen doornemen, want ik begin een beetje moe te worden.'

Dat was niet waar, maar hij had het idee dat Arne Pedersen over elk detail kon blijven muggenziften totdat hij met de hoofdcommissaris moest overleggen. En daar had hij geen zin in.

'Het derde onderwerp zijn de biechten van Jørgen Kramer Nielsen. Waar gingen die over? Weet de priester dingen die wij ook zouden moeten weten? Heeft de religieuze overtuiging van Jørgen Kramer Nielsen iets met zijn dood te maken? Dus alles waarbij ik kan rekenen op weerstand van de getuigen.'

'We willen in de eerste plaats weten of de priester denkt dat we samen de moord zouden kunnen ophelderen als hij zijn informatie met ons zou kunnen delen.'

Arne Pedersen vatte het plan van aanpak samen.

Het zwaartepunt zou liggen op hypothesen, ontkenningen en indirecte verbanden. Als gespreksleider moest hij snel de juiste conclusie kunnen trekken uit een ontkenning en een weigering om antwoord te geven. Een aarzeling, een onzekerheid of een wisseling van blikken tussen de beide getuigen zou hem de informatie kunnen geven die hij nodig had. Bovendien was de snelheid waarmee hij van de ene vraag naar de volgende overging essentieel. Het ging om timing en niet om een derdegraads verhoor.

Konrad Simonsen was het met de uitleg van Arne Pedersen eens. Hij had het gevoel dat het eigenlijk meer over diens presentatie voor de hoofdcommissaris ging dan over de voorbereiding van het verhoor.

Arne Pedersen herhaalde: 'Snelle, goed geoliede logica is de sleutel.'

'Ja, prima. Laten we het laatste punt doornemen.'

Het laatste punt was de relatie tussen Jørgen Kramer Nielsen en het meisje op zolder, waaronder de vraag wie ze was, waarom hij door haar was geobsedeerd enzovoort. Maar daarbij gingen ze er helemaal van uit dat de priester iets over het meisje wist en dat moest dus allereerst worden opgehelderd.

Vooral uit behoefte aan bevestiging zei Arne Pedersen: 'De belangrijkste vraag is: wie is het meisje?'

'Of was. Ik heb er veel over nagedacht en ik denk nu net als Pauline dat ze dood is. De zolder die hij voor haar heeft ingericht heeft iets mausoleumachtigs. Als jullie daar alleen al achter komen, of ze dood is of niet, dan is het al geweldig. O ja, Kurt Melsing heeft beloofd dat je morgenochtend een foto van haar krijgt. De technici hebben de zolderposters bij elkaar gevoegd en geëxtraheerd. En nu zijn we klaar. Dit wordt een succesverhaal, Arne, je hebt het helemaal in de vingers. En nu wil ik wat eten.'

'Wacht even. En, eh... zij dan?'

'Zij' was de hoofdcommissaris, dat was duidelijk. Arne Pedersen prevelde door: stel nou dat 'zij' dit zei of dat 'ze' hem dat vroeg of, nog erger, dat 'ze' misschien dacht dat hij...

Konrad Simonsen viel hem in de rede: 'Hou nou op met dat gezeur, Arne. Je bent uitstekend voorbereid en de meeste tijd zal trouwens toch gaan zitten in haar verzekeringen dat ze het niet kwaad met je voorheeft.'

'Hoezo?'

'Dat is toch niet zo moeilijk te raden.'

'Je hebt haar toch niet verteld dat ik bang voor haar ben?'

'Dat ben je toch?'

'Ja, maar... wat zei ze toen?'

'Daar voelde ze zich niet prettig bij, en dat is ook de bedoeling. We kunnen niet hebben dat jij overspannen raakt. Daar kun je aan doodgaan.'

5

De herfst was gekomen om te blijven. De Oosterse wingerd op het gebouw waar de afdeling Moordzaken aan de Niels Brocks Gade op uitkeek, veranderde van kleur, de vermoeide groene bladeren waren al bijna in de minderheid bij de vrolijke gele en oranje, die een gouden lach lieten zien in de zachte ochtendregen. Over een tijdje zouden ze weer van kleur veranderen en donkerrood worden, en dan was de zomer volgens de agenda van Konrad Simonsen definitief voorbij. Hij keek omhoog, boven het dak. Bleke, grijze wolken die nauwelijks van de achterliggende blauw-witte hemel te onderscheiden waren, dreven langzaam oostwaarts, als half opgeloste rook uit een schoorsteen.

Omdat hij graag tegelijk met de Freule wilde vertrekken, was hij eerder op zijn werk dan anders. Zij had het druk en wilde graag een lange werkdag kunnen maken zonder al te laat weer thuis te zijn. Hij dacht dat ze waarschijnlijk toch laat zou zijn en dat het eigenlijk onzin was om samen te gaan als ze toch allebei in hun eigen auto reden, maar het was zijn idee geweest om tegelijk te gaan, dus...

Zijn gepeins werd onderbroken doordat hij het briefje zag. Ze had het met een stukje tape midden op de televisie in zijn dependance geplakt en zodra hij het zag, wist hij dat het van haar was. Niemand anders dan Pauline Berg zou op het idee komen om juist daar een mededeling op te hangen. Alleen al omdat zij als enige zijn nieuwe gewoonte kende om de dag te beginnen met het nieuwsoverzicht op teletekst, voor een korte update voordat hij aan de slag ging.

Hij trok het briefje van het scherm en schudde geïrriteerd zijn hoofd over de kleine, maar duidelijke plakvlek die het briefje achterliet. Ze had toch verdorie de rand van het scherm kunnen gebruiken. Hij las het briefje met verbazing. Pauline Berg schreef kort dat ze vandaag niet naar HS zou komen omdat ze naar Frederikssund was gegaan om aan de Juli-zaak te werken. Meer niet, als hij het wat te intieme 'Liefs van Pauline' niet meerekende. Of ze de boodschap de dag van tevoren op het scherm had geplakt voordat ze naar huis ging of dat ze er vanmorgen vroeg was geweest en daarna weer weg was gegaan, wist hij niet. Hij zei met gefronste wenkbrauwen tegen het briefje: 'De Juli-zaak?' Toen lukte het zijn hersenen eindelijk om de juiste draadjes met elkaar te verbinden, en hij legde zijn voorhoofd op zijn gebalde vuist.

'O, nee toch, laat het niet waar zijn.'

Een lang gesprek met de hoofdcommissaris van Frederikssund leerde hem dat het wel waar was.

De hoofdcommissaris was eigenlijk best voor rede vatbaar. Toen Konrad Simonsen hem de achtergrond van Pauline Bergs gedrag had uitgelegd, voor zover hij die zelf begreep, kalmeerde de man dan ook en was hij zelfs tot samenwerking bereid. Hij had alle begrip voor de zienswijze van Konrad Simonsen, maar vond het onacceptabel dat een willekeurige politie-inspecteur in zijn rayon rondliep om onderzoek te doen in een niet-bestaande zaak, die ongetwijfeld niet meer was dan een natuurlijk, zij het tragisch sterfgeval. Konrad Simonsen kon niets anders dan de man gelijk geven, het was op zijn zachtst gezegd niet wenselijk. Hij beloofde dat hij later op de dag terug zou bellen en dat hij natuurlijk ook alles zou doen wat hij kon om zijn onhandelbare ondergeschikte te stoppen. Terwijl hij het zei, wist hij al dat dit weleens zeer moeilijk kon worden. Deze vrees werd meteen bevestigd toen hij probeerde contact met Pauline op te nemen via haar mobiele telefoon, en haar voicemail te horen kreeg. Hij vroeg haar onmiddellijk naar HS terug te komen, nu meteen, linea recta. Intussen vroeg hij zich af of het mogelijk was om Paulines telefoon op te laten sporen door de niet-geautoriseerde telecommunicatiecontacten van de Freule, dan wist hij tenminste waar ze was. Toen probeerde hij zich een beetje te ontspannen en kwam tot de conclusie dat dat toch overkill zou zijn. Na nog een paar minuten te hebben nagedacht besloot hij te kijken of hij de chef van de Nationale Recherche even te spreken zou kunnen krijgen.

Diens secretaresse was categorisch toen ze hoorde wat Konrad Simonsen wilde: 'Vandaag niet, Simon. Geen minuut, tenzij het ontzettend dringend is.'

Hij kende haar goed, een vriendelijke, efficiënte vrouw, die altijd iedereen netjes behandelde. Hij zei met spijt in zijn stem: 'Nee, dat kan ik niet beweren.'

Ze draaide haar stoel om en keek hem aan.

'Gaat het over Pauline Berg?'

Dat ze goed op de hoogte was, verbaasde hem niet, en hij bevestigde het.

'Ik heb gehoord dat ze alleen aan de slag is gegaan, maar als je disciplinaire maatregelen wilt, kun je het vergeten. Daar wil ik niet eens een afspraak voor maken, dat is gewoon tijdverspilling. Als ze niets strafbaars doet en geen gevaar is voor zichzelf of anderen, dan staat ze boven de wet. Zonder restricties.'

Ook dat was geen verrassing voor Konrad Simonsen. Zo was het, en dat wist hij. Maar in dat geval had hij een probleem, en daar kon ze hem vast wél bij helpen.

Haar antwoord was gespeeld, bijna koket: wat kon zíj nou doen?

Hij legde uit wat hij wist. Pauline Berg had naar haar eigen idee nu de zaak gekregen die ze zo graag wilde hebben. Behalve dan dat het helemaal geen zaak was, en er helaas ook parallellen waren met zijn eigen zaak, wat haar wellicht nog meer zou motiveren.

'Je vermoorde postbode?'

'Ja, mijn vermoorde postbode. Maar de vrouw in de politieregio Frederikssund is niet vermoord. Het is vast al erg genoeg voor haar familie, en als die nu ook nog wordt meegetrokken in een overbodig en ongeautoriseerd opsporingsonderzoek...'

Hij dikte het een beetje aan, maar niet te veel; dat zou ze merken. Ze vroeg: 'Denk je niet dat Pauline Berg inbindt als je het haar vraagt?'

'Dat betwijfel ik. Meestal doet ze waar ze zin in heeft, en dat kan ze zich blijkbaar ook veroorloven.'

'Ja, dat klopt. Zeg maar wat je van me wilt.'

Konrad Simonsen wees naar de gesloten deur van de chef Nationale Recherche.

'Laat hem het sterfgeval van de vrouw aan mij overdragen. Dan kan ik kijken of ik het probleem in stilte kan oplossen.'

'En hoe had je je voorgesteld dat ik een niet-bestaande zaak aan jou overdraag?'

'Dat weet ik niet, maar dat soort dingen kun jij heel goed als het je uitkomt. Zou je het zelfs op papier willen zetten?'

'En wat denk je dat de politie van regio Nordsjælland dan zegt? Ze zullen wel denken dat we gek zijn geworden.'

'Ik ga morgenochtend naar Frederikssund en dan leg ik het de hoofdcommissaris persoonlijk uit.'

Ze dacht na. Haar voorbehoud van net, over haar eigen invloed, was verdwenen. Na een tijdje concludeerde ze: 'Oké, Simon, afgesproken. Je krijgt het zwart op wit van hem, uiterlijk morgen.'

*

Konrad Simonsen was geïrriteerd nu de dag zo slecht begonnen was. Hij sloot zich een paar uur op in zijn kantoor, zonderde zich af van de buitenwereld met twee rapporten van Interpol die hij allang had willen lezen, en liet de postbodezaak de postbodezaak. Zo nu en dan belde hij de mobiele telefoon van Pauline Berg, maar elke keer met hetzelfde negatieve resultaat. Zijn humeur ging er echter met sprongen op vooruit toen het verhoor van de priester en de bisschop zich ontwikkelde tot het meest briljante staaltje politiewerk dat hij in jaren had meegemaakt.

Kort voordat de geestelijken zouden aankomen liep hij naar het kantoor van Arne Pedersen. Die maakte verbazend genoeg geen zenuwachtige indruk. Even later kwam de hoofdcommissaris binnen, lachend, ontspannen en vol verwachting, gekleed in schreeuwend geel, als een paaskuikentje. Helaas had dit kuikentje een mobiele telefoon, en ze was het kantoor nog niet binnen of die ging. Konrad Simonsen en Arne Pedersen keken elkaar aan. Chefs die aanwezig waren, maar als het erop aankwam ook weer niet vanwege onmogelijk uit te stellen telefoongesprekken, kenden ze maar al te goed. Maar ze deden haar onrecht, want wat de mannen interpreteerden als slechte stijl bleek verstandige voorbereiding te zijn.

Het was een kort gesprek, waarna de hoofdcommissaris zei: 'Ja, ik had al zo'n vermoeden. Het was de receptie. Onze gasten zijn onderweg en het ziet ernaar uit dat we een lesje krijgen in kerkelijke liturgie. Maar dat spel kunnen wij ook spelen, ik heb ook het een ander te bieden op dat gebied. Ik ben over vijf minuten terug, en jullie hoeven niet nerveus te zijn, de receptie houdt ze zolang op. Ze krijgen de ontvangst die ze verdienen.' En weg was ze.

Arne Pedersen vroeg: 'Waar ging dat in godsnaam over?'

'Kleding, geloof ik, maar ik weet het niet zeker. We moeten die vijf minuten wachten voordat we het weten. Heb je de kriebels?'

'Gisteren had ik je kunnen wurgen, vandaag hou ik van je.'

'Ik hoop dat je eindigt op iets ertussenin. Maar denk erom, niet forceren. Je hebt soms te weinig geduld.'

Toen de hoofdcommissaris het kantoor weer binnenkwam, was ze in uniform. Ze was tenger gebouwd, maar dat maakte haar verschijning alleen maar indrukwekkender: ze was onberispelijk gekleed, met rangtekens en insignes die zelfs voor de minst geoefende ogen indrukwekkend waren. De ogen van de twee mannen waren wel geoefend, en ze stonden allebei op. De symboliek was veelzeggend: van het maximale aantal onderscheidingen op haar schouder tot het embleem op de pet die ze onder haar arm droeg, straalde ze een niet mis te verstaan gezag uit.

Ze zei opgewekt en energiek: 'Zullen we onze gasten ontvangen, Arne? Ze zijn onderweg. Ja, het is niet de eerste keer in de geschiedenis dat de Kroon en de Kerk de degens kruisen. Het wordt spannend wie vandaag de zege zal behalen.'

Ze hield de deur open voor Arne, die haar snel voorging.

Konrad Simonsen wachtte in het kantoor tot hij de deur naar de verhoorruimte hoorde dichtgaan. Toen haastte hij zich naar de aanpalende ruimte, van waaruit hij door een eenrichtingsspiegel kon volgen wat er gebeurde.

De bisschop was in vol ornaat. Het was een man van midden veertig, met een vlezig, open gezicht en een vaste blik. Zijn toga was van purperen zijde die op een natuurlijke manier over zijn grote lichaam viel, en achter op zijn hoofd droeg hij een bijpassend kalotje, dat niet alleen bij zijn kerkelijke kleding paste, maar ook zijn kalende kruin bedekte. Dat zag Konrad Simonsen toen de bisschop zijn kalotje een beetje omhoog deed om op zijn hoofd te krabben. Maar het meest opvallend aan zijn voorkomen was het grote kruis met de lijdende Jezus, dat aan een gouden ketting op zijn borst hing. Dat, maar ook zijn volstrekte kalmte.

De hoofdcommissaris liet iedereen plaatsnemen, bood koffie, thee of frisdrank aan, en stelde zichzelf en Arne Pedersen beleefd voor. Daarna legde ze haar pet voor zich op tafel, en terwijl Arne Pedersen de priester intensief bestudeerde, begon ze het gesprek door de getuigen in welgekozen bewoordingen te bedanken voor hun komst en te verzekeren dat ze respect hadden voor hun godsdienst. Bovendien vergat ze niet ook nog te wijzen op begrippen als samenwerking en wederzijds respect, waardoor haar inleiding hoog boven het niveau van een speech uit steeg.

Dit liet de bisschop niet onberoerd en zijn reactie dat ze zo veel mogelijk wilden bijdragen aan het werk van de politie was dan ook oprecht. En juist toen iedereen dacht dat de hoofdcommissaris het podium nu zou overdragen aan de eigenlijke acteurs, begon ze over haar vakantie naar Rome vorig voorjaar. De bisschop luisterde belangstellend, en voordat iemand 'en nu ter zake' had kunnen zeggen, zaten de twee chefs gezellig over het Colosseum, de Spaanse Trappen en okerkleurige smalle steegjes te keuvelen, terwijl hun respectieve ondergeschikten ongeduldig nu eens naar het plafond, dan weer naar elkaar keken. Konrad Simonsen leunde met zijn hoofd in zijn handen en zwoer dat hij nooit meer een jurist bij een verhoor zou betrekken.

Pas twintig minuten later, toen de hoofdcommissaris uitgepraat was over haar kleinkinderen, de bisschop had verteld over zijn wijding, beiden uiting hadden gegeven aan hun verrukking over de Sixtijnse Kapel en hun gedwongen toehoorders openlijk dan wel heimelijk hadden gegeeuwd, werd het Konrad Simonsen duidelijk dat dit doorgestoken kaart was. Van waar hij zat, kon hij zien hoe Arne Pedersen zijn chef plotseling discreet onder de tafel aanraakte, en dan ook nog haar dij. Dat iemand in rijksdienst, en dan nog wel Arne Pedersen, het bovenbeen van de hoofdcommissaris zou betasten zonder dat het van tevoren was afgesproken, was onmogelijk, en op het gezicht van Konrad Simonsen, dat eerst wanhopig had geleken, verscheen plotseling een brede, begrijpende lach. De vakantieherinneringen en persoonlijke verhalen waren niet zonder betekenis geweest. Het gekeuvel over koetjes en kalfjes had ongetwijfeld niet alleen de onderlinge verhoudingen veranderd, namelijk tussen opperhoofd en opperhoofd en tussen indiaan en indiaan. Het had er ook voor gezorgd dat de verdedigingsmechanismen, die aan het begin van het gesprek bij de priester gegarandeerd nog volop actief waren, nu waren afgestompt. Het is moeilijk tegelijkertijd paraat te blijven en je te vervelen.

De hoofdcommissaris rondde met een paar zinnen af en Arne Pedersen gooide een handgranaat: 'Wie heeft er besloten dat Jørgen Kramer Nielsen gecremeerd moest worden?' Zijn toon was scherp, bijna verongelijkt, en hij richtte zich tot de bisschop.

De hoofdcommissaris, die achterover was gaan leunen, vroeg verbaasd: 'Is hij gecremeerd?' Ze liet het klinken alsof ze dacht dat hij opgezet en verkocht was, waarna ze zichzelf in één adem terechtwees: 'Sorry, ik zal me er verder niet mee bemoeien.'

Arne Pedersen zweeg. Precies zo lang dat de eerste echte vraag aan de priester door de bisschop werd gesteld: 'Ja, wie heeft er eigenlijk besloten dat hij gecremeerd moest worden?'

De priester aarzelde, en weer koos Arne Pedersen precies het goede moment toen hij de tafel schoonveegde en de kaarten opnieuw uitdeelde.

'Misschien is dat ook geen goed onderwerp om mee te beginnen, laten we het even parkeren.'

Hij keek naar de priester.

'Ik wil graag dat je in eigen woorden zoveel over Jørgen Kramer Nielsen vertelt als je kunt en mag met het oog op je biechtgeheim.'

De priester vertelde. Niet veel nieuws, maar hun beeld dat de overledene een eenling was, werd bevestigd. Hun onderlinge omgang als bewoners van hetzelfde huis was vriendschappelijk, maar zonder persoonlijke diepgang. Toch werden een paar van de vragen beantwoord die Konrad Simonsen en Arne Pedersen zich de vorige dag hadden gesteld. De meeste negatief. Zo had de postbode voor zover de priester wist geen nadere relatie met andere mensen uit zijn parochie – hij wist niets van het vliegtuigongeluk – en de enige die hij ooit op bezoek had gezien bij zijn bovenbuurman was de loodgieter. Het klonk wel een enkele keer alsof er twee mensen op de eerste verdieping waren, maar... ja, dat wist hij niet eens zeker. Maar één gegeven was misschien van belang. Dat ging over de bekering van de overledene tot het katholicisme.

Arne Pedersen spoorde hem aan: 'Daar horen we graag meer over.'

'Het was een verandering waar Jørgen al heel lang over had nagedacht, ook allang voordat ik hem kende. Dat het nu zover kwam, kwam doordat ik een van de vele potentiële kopers van zijn huis was toen het te koop kwam te staan. Er waren veel mensen die het wilden hebben, en ik had het zeker niet gekregen als de verkoop uitsluitend op financiën gebaseerd was geweest. Daarmee bedoel ik niet dat ik het huis voor niets kreeg. Maar dat hebben jullie vast allang onderzocht.'

Arne Pedersen bevestigde: 'Natuurlijk hebben we dat gedaan, en het was volkomen in orde. Vergeleken met de marktprijzen van toen niet eens goedkoop.'

Konrad Simonsen glimlachte. Arne Pedersen had geen idee waar hij het over had.

'Maar er waren anderen die meer hadden geboden. Dat kon ik niet. Maar alle kopers werden uitgenodigd voor een kort gesprek, dat overigens op het postkantoor plaatsvond. Hij wilde zich ervan vergewissen dat hij het huis niet ging delen met iemand die hij niet mocht. Zodra hij zag dat ik priester was – katholiek, dus – vertelde hij over zijn wens om zich te bekeren. Ik beloofde natuurlijk dat ik hem zou helpen als hij daarover dacht, maar ik benadrukte ook zo krachtig mogelijk dat ik dat zou doen ongeacht aan wie hij zijn huis zou verkopen. Toch denk ik dat dat de doorslag gaf voor zijn keuze voor mij.'

'Weet je waarom hij naar de eerste verdieping verhuisde? En waarom hij überhaupt wilde verkopen?'

'Dat weet ik, ja. Hij zei dat dat was omdat hij geen zin meer had om de tuin steeds te onderhouden.'

'Die is toch niet echt groot.'

'Nee, maar dat is wel wat hij zei, en verder verkocht hij het ook omdat zijn huurder op de eerste verdieping naar een aangepaste woning verhuisde. Dat was de concrete aanleiding.'

Konrad Simonsen bedacht dat dat wel klopte met het feit dat Jørgen Kramer Nielsen zijn spiegelzolder negen jaar geleden had ingericht, als je dat afleidde uit zijn enorme verbruik van glasspray dat uit zijn supermarktbonnetjes bleek. Maar enkele van de posters met het meisje had hij vast al jaren eerder gemaakt.

Arne Pedersen vroeg de priester: 'De bekering was dus iets wat Jørgen Kramer Nielsen al een tijdje had overwogen?'

'Ja, al heel lang.'

'Waarom?'

'Daar kan ik geen antwoord op geven.'

'Omdat je het niet weet?'

'Daar kan ik geen antwoord op geven.'

Beide dienaren Gods schudden verontschuldigend hun hoofd en Konrad Simonsen stelde vast dat 'kan geen antwoord geven' in het laatste geval een duidelijk 'nee' was. Arne Pedersen sloot de eerste ronde af met een kleine samenvatting, die de priester bevestigde. Arne Pedersen raakte de hoofdcommissaris weer stiekem aan en zei: 'Goed, dat waren de meer algemene vragen, nu...'

De hoofdcommissaris viel hem in de rede.

'Wacht even, je had beloofd te vertellen waarom Jørgen Kramer Nielsen werd gecremeerd.' Ze wendde zich weer tot de bisschop. Konrad Simonsen genoot van de ontwikkeling. Wat was begonnen met de vraag wie tot crematie had besloten, werd eerst teruggebracht tot waarom dat was gebeurd en nu voorgesteld als de toezegging van een antwoord. En dan ook nog aan het adres van de bisschop, die van niets wist.

'Ja, dat is waar ook. Waarom hebben we voor crematie gekozen?'

Na enig nadenken antwoordde de priester: 'Dat heb ik besloten. Jørgen Kramer Nielsen wilde gecremeerd worden.'

Na een zware pauze vroeg de bisschop: 'Had hij dat tegen je gezegd?'

De priester was niet echt blij met de situatie. Hij antwoordde met tegenzin: 'Nee, niet direct, maar ik voelde het. Hij was bang voor... het donker.'

De woorden waren zijn mond nog niet uit of Arne Pedersen gooide een foto voor hem op de tafel.

'Had dat iets met haar te maken?'

'Ja, maar meer kan ik niet zeggen.'

'Ken je haar?'

'Nee.'

'Ook niet haar naam?'

'Nee.'

De vragen hagelden neer terwijl Arne Pedersen de blik van de priester vasthield.

'Weet je iets over haar?'

'Daar kan ik geen antwoord op geven.'

'Als je niets over haar wist, mocht je dan wel antwoord geven?'

'Dan was er geen antwoord te geven.'

'Maar dan zou het dus wel mogen?'

'Ja.'

'Als ik je vraag of ze dood is, wil je daar dan antwoord op geven?'

'Ik zou het wel willen, maar ik kan het niet.'

'Is ze dood?'

De deur ging open en een roodharige stagiaire van het secretariaat van de hoofdcommissaris kwam binnen met een dienblad vol verse, koele frisdrank. Zonder woorden, maar met een vriendelijke glimlach die een ober niet zou misstaan, verving ze de lege flesjes en ging weer weg. Zelfs Konrad Simonsen dacht niet verder over deze gebeurtenis na. De procedures waren altijd een beetje anders als er chefs bij waren.

Arne Pedersen herhaalde zijn vraag van voor de onderbreking: 'Is ze dood?'

'Daar kan ik geen antwoord op geven.'

De timing van de hoofdcommissaris was indrukwekkend. Ze was de bisschop een halve seconde voor toen ze tegen Arne Pedersen zei: 'Er klopt hier iets niet.'

De bisschop vulde aan: 'Ja, dat dacht ik ook al.'

De priester maakte maar al te graag gebruik van de pauze, maar had duidelijk geen idee wat er om hem heen gebeurde. Arne Pedersen blijkbaar ook niet, want hij vroeg de bisschop: 'Wat is het probleem?'

'Nou, het probleem is dat ze daar net liep.'

Hij wees naar de deur waardoor de stagiaire net weer weg was gegaan.

De hoofdcommissaris wees haar ondergeschikte scherp terecht: 'Zeg, zorg dat je je foto's op orde krijgt, dit is gênant.'

Arne Pedersen bladerde rustig door zijn map. Hij liet de foto van de stagiaire voor de priester liggen. Toen zei hij verontschuldigend tegen niemand in het bijzonder: 'Het spijt me. Ja, deze is geloof ik drie of vier jaar ouder dan die andere ooit is geworden.'

De priester bekeek de foto voor het eerst met aandacht en zijn bedroefde ogen keken ver weg toen Arne Pedersen hem eindelijk terugpakte en verving door een foto van een jong, mooi meisje dat de afdeling van Kurt Melsing uit de lucht had getoverd.

'Of is het misschien deze die dood is?'

De bisschop schudde zwaar zijn hoofd.

'Nu wordt het te ingewikkeld voor mij. Ik denk dat je vraag al is beantwoord, jongeman. Volgens mij kunnen we hier niet verder aan bijdragen.'

Arne Pedersen liet het onderwerp rusten. Daarna ging hij een beetje ongeconcentreerd door met een paar losse eindjes over de hal waarin de overledene was gevonden, en toen zei hij dat hij klaar was. Daarna was het alleen nog aan de hoofdcommissaris om hen te bedanken voor hun medewerking, hetgeen ze net zo zwierig deed als ze het gesprek had ingeleid. Op weg naar buiten verontschuldigde ze zich nogmaals: 'Het spijt mij van die foto. Misschien mogen we er nog eens op terugkomen als we het beter onder controle hebben?'

Arne Pedersen bloosde zo innemend als een schooljongetje. Maar de bisschop was in een vergevingsgezind humeur, blij dat het verhoor in een uitstekende verstandhouding was verlopen.

'Die dingen gebeuren nou eenmaal, maar ik ben blij als we toch hebben kunnen helpen.'

'Jazeker, en het was ook nog gezellig. Ik hoop ook dat we jullie geloof hebben gerespecteerd, maar het is mij nog steeds niet helemaal duidelijk waarover jullie mogen praten en wat taboe is.'

De priester antwoordde met een smal glimlachje: 'Ik moet, geloof ik, ook nog wat zaken scherp zien te krijgen.'

*

's Middags ging Konrad Simonsen aan het schilderen, iets waarvan hij genoot en waar hij meteen mee begon toen hij thuis was.

De Freule liet hem het gastenverblijf in een vleugel van haar huis gebruiken als tijdelijke galerie voor de posters van de zolder van Jørgen Kramer Nielsen. Hij had niet echt een goed argument om ze privé op te hangen: ze moesten in een mooie ruimte kunnen worden bezichtigd als hij psychologen, gedragsonderzoekers en fotofanaten uitnodigde om hun mening te geven over de betekenis ervan. Niemand geloofde die uitleg, maar er was ook niemand die zin had om door te vragen naar zijn eigenlijke motief, dus uiteindelijk werden de afbeeldingen, nadat ze langs het laboratorium van Kurt Melsing waren geweest, naar Søllerød gebracht. Nu stonden ze in een hoek te wachten totdat ze opgehangen zouden worden in hun pas gerenoveerde ruimte. Na het leeghalen daarvan hadden vakmensen al een paar kleine reparaties verricht, maar Konrad Simonsen wilde per se zelf schilderen, en hij was net aan de derde wand begonnen toen de Freule thuiskwam en hem in het gastenverblijf aantrof. Ze bleef lang in de deuropening naar hem staan kijken. Op de radio werd een oud Deens revueliedje gedraaid, en hij mimede mee terwijl hij de verfroller methodisch over de wand liet glijden. Zo nu en dan deed hij een stapje terug om het resultaat van zijn inspanningen te bekijken.

Toen hij haar opmerkte, deed hij de radio uit.

'Sta je me te begluren?'

'Ja, precies. Hoe ging het verhoor van Arne?'

Hij deed verslag met de verfroller in zijn hand.

'Dus ze waren trots, na afloop?'

'Nou en of. Je had ze moeten zien. Ze liepen arm in arm rond, als twee verliefde tieners, en genoten van het applaus van het publiek, terwijl ze over zichzelf opschepten tot ver over de misselijkheidgrens.'

'En het publiek, dat was jij?'

'Ja. Het werd bij de achtste toegift ook wel een beetje eentonig, maar eerlijk is eerlijk, ze vulden elkaar perfect aan en hebben mij zo een parelkettinkje aan waardevolle informatie bezorgd.'

'Dat is mooi.'

'De priester ging er gewoon van uit dat het meisje op de foto die hij te zien kreeg het meisje van de zolder was, en van daaruit reageerde hij. Dus het lijdt geen twijfel dat hij van tevoren over haar moet hebben gehoord.'

'Ja, ik snap het. En is Arne nu niet meer bang voor onze hoofdcommissaris?'

'Bang? Hij noemde haar Gurli en knuffelde haar alsof ze een beertje was.'

'Dat had ik weleens willen zien.'

'Alles staat op video. In hun enthousiasme over zichzelf vergaten ze de camera te stoppen, en aangezien het niet mijn verhoor was, heb ik me daar ook niet mee bemoeid. Je zult zien, het is geweldig.'

'Klinkt als een leuke bijdrage voor het kerstdiner. Goed, ik kwam eigenlijk om te horen wanneer je wilt eten en hoe het schilderwerk vordert.'

De Freule keek rond.

'Het wordt erg... kleurrijk. Je hebt vrij consequent sterke primaire kleuren gekozen, zie ik.'

'Vind je het mooi? Het is natuurlijk nog niet klaar.'

Ze ging naar hem toe. Maar niet te dichtbij. Dat een gedeelte van haar huis in een regenboog veranderde was tot daaraan toe, maar haar nieuwe vestje mocht niet hetzelfde psychedelische lot beschoren zijn.

'Ik vind jou leuk. Geniet je ervan?'

'Jazeker, erg.'

'Heb je ook nog hardgelopen?'

'Natuurlijk, en over niet zo heel veel weken hoef ik tussendoor niet meer te wandelen.'

'Ik ben trots op je, Simon, maar er is iets waar we over moeten praten.'

Hij verstijfde onmerkbaar. Die woorden klonken nooit goed uit de mond van een vrouw.

'Zeg het eens.'

Ze zei het.

Het was onder de collega's onderwerp van gesprek geweest, maar natuurlijk alleen als Konrad Simonsen buiten gehoorsafstand was. En Pauline Berg natuurlijk ook, van wie ze geen van allen wisten wat ze aan haar hadden en die ze daarom tot op zekere hoogte ontweken. Stel dat de chef Moordzaken in de verkeerde richting aan het zoeken was. Hij was er blijkbaar van overtuigd dat de moord op de postbode opgehelderd moest worden door naar het verleden van de man te kijken. Maar stel dat het een onbekende inbreker was geweest, die toevallig verrast was? Of een paar onaangepaste jongeren die dachten dat de man geld had?

De Freule zei voorzichtig: 'En er zijn heel wat van dat soort scenario's te bedenken, maar jij kijkt terug, naar het verleden van Jørgen Kramer Nielsen, alleen maar naar achteren.'

Zijn antwoord was vaag en daarom verontrustend: 'Ik stop een gat waar de regen doorheen kwam, vul scheuren die ik lang geleden had moeten repareren.'

'Bij jezelf?'

Hij legde de verfroller terug in het bakje en legde uit: 'Het maakt eigenlijk niet zo heel veel uit of ik gelijk heb of niet. Misschien is het een doodlopende weg, misschien niet. Vergeet niet dat niemand belangstelling voor Jørgen Kramer Nielsen had toen hij nog leefde. Dat heb ik nu na zijn dood dus wel. En wat mijzelf betreft, neem ik nu de tijd voor een aantal dingen die vroeger niet belangrijk voor me waren. De realiteit en de omstandigheden maken dat ik daar opeens de kans voor heb gekregen. Waar het toe leidt, weet ik niet. Maar zolang ik jou en Anna Mia heb, weet ik vrij zeker dat het niet helemaal mis kan gaan.'

De Freule lachte klaterend en opgelucht, en offerde toen toch haar kleren op. Het was verf op waterbasis; die kon vast wel worden uitgewassen en lukte dat niet, dan had ze een goede smoes om de stad in te gaan en weer een nieuw vestje te kopen. Of twee.

'Dat is lief gezegd. Ik was bang dat je de dingen niet kon scheiden.'

'Dat kan ik makkelijk. Maar ik heb er niet echt zin in.'

De Freule streelde zijn rug. Toen maakte ze zich los en zei: 'Ik hoor dat je problemen hebt met Pauline.'

Dat was zo, maar hij had besloten om met dat probleem te wachten tot de volgende dag. Bovendien was hij wat rustiger geworden. Aan de ene kant zou je kunnen zeggen dat Pauline Berg deed wat hij zelf ook deed. Maar er waren natuurlijk ook heel grote verschillen. Maar hoe dan ook, het moest wachten. Hij had er gewoon geen zin in om nu met haar bezig te zijn.

De Freule accepteerde dat; het klonk redelijk. Het was belangrijk dat hij niet te hard van stapel liep. Ze wees naar de posters achter in de ruimte en vroeg: 'En zij, hoe zit het met haar?'

Hij keek ernaar.

'Ik begrijp dat ik niet jaloers hoef te zijn?'

'Hoezo? Ik kende haar niet eens. En trouwens, Arne heeft de priester zover gekregen dat hij de facto bevestigde dat ze dood is. De zolder was haar mausoleum.'

'En nu maak je een nieuwe voor haar?'

Het duurde even voordat hij antwoord gaf, en toen hij het deed probeerde hij het een beetje nonchalant te laten klinken, een beetje als een grapje. Dat lukte niet.

'Ze is gewend aan het licht.'

'En Rita? Was zij ook gewend aan het licht?'

De naam zinderde tussen hen in. Ze had het geraden, maar dat kon natuurlijk ook niet uitblijven. Hij wist niet wat hij moest antwoorden, dus hij zei niets.

'Het meisje met de bloemen, dat je bij de demonstratie had geslagen – je hebt haar later ontmoet, toch?'

'Ja.'

'En ze heette Rita?'

'Ja, maar het is mijn verhaal en ik vertel het als ik eraan toe ben. Op dit moment wil ik liever mijn schilderwerk afmaken.'

Hij vond zelf dat het redelijk klonk, maar de Freule negeerde hem: 'Leeft ze dan nog?'

'Dat weet ik niet. Waarschijnlijk wel. Dus als je denkt dat ik háár nu aan het ophangen ben, als een soort plaatsvervanger, dan heb je het mis. Is dat wat je dacht?'

'Eerder waar ik bang voor was.'

Hij ging voor de posters staan en probeerde contact te krijgen met het gezicht in de lucht op de voorste. Toen dat gelukt was, zei hij: 'Ze was mooier dan Rita.'

'Ze was mooier dan de meesten.'

'Ben ik nu geestelijk gezond verklaard?'
'Ja. De prijs is broccoli, bloemkool en tomaten, over een halfuurtje.'
'Wat had ik gekregen als ik afgekeurd was?'
'Broccoli, bloemkool en tomaten, over een uur.'

*

Twee dagen na de demonstratie had hij Rita ontmoet. Hij woonde op dat moment in een appartement in Brønshøj, en hij was bezig de afwas van de vorige dag te doen – dat wist hij nog heel goed – toen er werd aangebeld, lang en dringend. Hij deed open en daar stonden twee jonge meisjes. Hoe ze aan zijn naam en adres waren gekomen, wilden ze niet vertellen, en in het begin ook hun eigen namen niet. Ze waren slechts met één doel gekomen, namelijk hem laten zien wat hij haar had aangedaan. Nog steeds, nu vijfendertig jaar na de gebeurtenis, herinnerde Konrad Simonsen zich duidelijk hoe perplex hij was geweest toen Rita zonder waarschuwing haar blouse uittrok zodat hij haar blauwe plekken kon zien. In die jaren was het niet in de mode om een beha te dragen. Maar de meeste van zijn buren hielden zich wel aan die mode, dus toen hij een voordeur op de etage boven zich hoorde dichtgaan, was zijn enige optie de meisjes snel naar binnen te halen en zijn deur dicht te doen. Onzedelijk gedrag in een trappenhuis was geen kleinigheid in de sociale woningbouw van de Deense welvaartsstaat van die tijd. Al helemaal niet als je politieagent was en werd geacht pal te staan tegen de ondermijnende activiteiten van de jeugd – zowel in moreel als in politiek opzicht.

Het duurde lang voordat het hem lukte zijn ongenode gasten te laten begrijpen dat hij had geslagen omdat hij bang was. Eerst dachten ze dat hij loog. Smerissen waren fascisten die geheime orders van de regering hadden om zo veel mogelijk op demonstranten in te slaan. 'Pak je stok en pak ze aan, pak je stok en pak ze aan.' Wist hij dan niet meer hoe die schreeuwerige stem door de megafoon had geroepen terwijl er zo op mensen in werd geslagen dat er bloed vloeide? Hij bleef bij zijn verhaal, de waarheid was dat hij demonstraties haatte, en bijna al zijn collega's ook. En toen, in de keten, voordat hij haar sloeg – ja, hij kon zich niet heugen wanneer hij voor het laatst zo bang was geweest. Of eigenlijk, dat wist hij nog wel, want dat was tijdens de vorige demonstratie. Uiteindelijk geloofden ze hem, maar dat was nog niet genoeg. Hoe zat het dan met het Chileense volk? Waren zij dan niet bang? Bang voor de beulen van Augusto Pinochet, nadat de CIA president Salvador Allende had afgezet en vermoord? Of waren het de Vietnamezen? Hij wist het niet meer. Rita had altijd een of ander onderdrukt volk om als voorbeeld te gebruiken. Misschien waren het de Palestijnen die bang waren, ja, vast, die waren het. Weer hadden ze gediscussieerd, maar zelfs zij begrepen dat, hoe onderdrukt een volk in Palestina ook was, dat hem in Østerbro in Kopenhagen niet minder bang maakte. Uiteindelijk hadden ze zijn uitleg geaccepteerd en hij verontschuldigde zich tegenover Rita. Hij had er echt heel veel spijt van, en dat was ook zo.

Dat was het dan, nu zouden ze wel weer gaan. Dacht hij. Maar in plaats van afscheid te nemen begonnen ze nieuwsgierig rond te neuzen in zijn appartement. Zonder enige remming, alsof het de normaalste zaak van de wereld was om in de inboedel van vreemden rond te snuffelen. Rita liep zijn slaapkamer in en inspecteerde zijn kledingkast, hij ging achter haar aan en borg snel het ondergoed van de dag ervoor op dat de wasmand nog niet had bereikt. De vriendin vroeg vanuit de keuken waar het zout was. Ze had honger en had rijst opgezet. Hij hielp haar totdat hij kreten hoorde vanaf de straat. Rita had zijn politie-uniform aangetrokken. Dat was veel te groot, ze zwom erin, maar dat leek haar niet te deren. Ze stond op het balkon toevallige passanten op straat te 'arresteren'. Hij probeerde haar naar binnen te trekken, maar ze hield zich goed vast aan de balustrade. Hij werd uitgejoeld door de menigte, lachte geforceerd naar zijn buurman, die ook naar zijn balkon was gekomen, en toen kookte de rijst over.

De vriendin blokkeerde de weg naar de keuken. 'Ben jij dat echt als klein kind? Wat een schatje was je!' Ze had het familiefotoalbum gevonden. Hij zette het vuur lager en redde daardoor de rijst, terwijl Rita zijn politiepet veilde in het oploopje dat ze beneden op straat had veroorzaakt. 'Het geld gaat in z'n geheel naar de Kattenbescherming, in z'n geheel naar de Kattenbescherming. Wie biedt er twintig kronen? Twintig kronen zijn geboden, wie biedt er vijfentwintig? Jij daar met die stropdas, jij ziet eruit alsof je het wel kunt betalen, wil jij geen vijfentwintig bieden?'

Het was onmogelijk om hen in het gareel te houden. Hij gaf het op.

's Avonds dronken ze thee en keken ze televisie. Kleurentelevisie! Het televisietoestel was zijn trots. Ook al noemde Rita het een kleurenkijkdoos voor een kantoorproleet en gaf ze hem plagend een stoot tegen zijn schouder voordat de film begon. Het was een 21-inch Arena-televisie met een prachtige teakhouten kast en een lekker geluid dat zonder vervorming helemaal tot aan de keuken reikte. Hij had het een paar jaar eerder op afbetaling gekocht om de maanlanding van de Amerikanen te kunnen volgen. De eerste stappen van de mensheid op een vreemd hemellichaam, het beeld waarvan hij zeker wist dat hij het zich uit zijn jeugd zou herinneren als hij oud werd. En dan live, en ook nog in kleur. Maar het was niet de kleine grote stap van Neil Armstrong die hij zich uit die tijd het beste kon herinneren. Dat was een ander beeld, en ironisch genoeg was dat zwart-wit.

De Freule haalde hem uit zijn gepeins.

'Er zit gele verf in je haar, Simon. Je moet douchen voordat we naar bed gaan. Ik wil mijn slaapkamer niet geel geverfd hebben.'

Hij beloofde te doen wat ze vroeg en bedacht dat het nu ineens háár slaapkamer was. Bij andere gelegenheden was het hún slaapkamer, bijvoorbeeld als het beddengoed verwisseld moest worden.

'Je bent helemaal weg, waar denk je aan?'

Ze waren na het eten op de bank gaan zitten, zij met een boek en hij met de krant die hij niet las.

'Aan een foto die me nog voor de geest staat.'

De foto liet een man op een trap zien, van schuin opzij. Zijn kalende hoofd en zijn gevouwen handen contrasteerden met zijn lange, zwarte jas en zijn goed gepoetste schoenen. De man knielde. Achter hem waren fotografen te zien, toevallige toeschouwers en één enkele officier met schouderepauletten en pet, allemaal met hun ogen op de man gericht, maar op respectvolle afstand, alsof ze wisten dat dit spontane moment historisch zou worden. Verder weg waren nog net huizen zichtbaar, saaie, grijze huizenblokken, die in een handomdraai waren neergesmeten. In de stad waarin alle gebouwen nieuw waren. De foto van de Duitse kanselier die voor het Gettomonument in Warschau knielde, ging de wereld rond, en Willy Brandt was de enige politicus die Rita en hij allebei bewonderden. En met hen miljoenen anderen. Duitsland had een kanselier die verenigde in plaats van verdeelde, geen geringe prestatie tijdens de studentenprotesten. De man op de trap kreeg een jaar later de Nobelprijs voor de Vrede, en zelden was dat zo verdiend.

De Freule vroeg: 'Wat voor foto?'

'Een foto van een staatsman, de grootste van zijn tijd.'

Ze raadde zijn naam natuurlijk, zo moeilijk was dat nu ook weer niet. Hij ging douchen.

*

Al meteen toen de wekker ging en Konrad Simonsen zijn ogen opendeed, wist hij dat hij geen zin had in de dag die nu begon. Dat gevoel verdween in de loop van de ochtend niet, toen hij nog steeds geen contact kreeg met Pauline Berg, maar alleen met haar voicemail, en daar had hij allang genoeg van. Tijdens het ontbijt was hij prikkelbaar, en de Freule liet hem met rust. Ze was langzamerhand goed geworden in het inschatten van zijn humeur en zich daaraan aanpassen, als het haar zo uitkwam. Deze ochtend was ze veel eerder weg dan hij, en hij kon haar amper een zoen geven voordat ze de deur uit was. Hij ruimde het ontbijt af, besteedde een kwartier aan de ochtendkrant zonder er echt zin in te hebben en reed daarna naar Frederikssund.

De hoofdcommissaris bleek een aardige en verstandige kerel te zijn. Hij ontving Konrad Simonsen in de dienstruimte omdat zijn eigen kantoor gerenoveerd werd. Ze gingen in een hoekje zitten waar ze ongestoord konden praten, en de hoofdcommissaris vertelde kort over het sterfgeval waar Pauline Berg zich op had gestort als ware het een moordzaak.

Een vierentwintigjarige vrouw, Juli Denissen uit Frederiksværk, was op 10 juli gevonden op de Melby Meent, een oud militair oefenterrein tussen Asserbo en Hundested tegen het Kattegat aan. Het was beschermd gebied en onderdeel van het nationaal park Kongernes Nordsjælland. De omstandigheden waarin de dode was gevonden waren niet prettig, omdat een boswachter uit het naastgelegen bos door het huilen van haar tweejarige kind was gewaarschuwd. Het was een bijzonder sterfgeval, enerzijds vanwege de jonge leeftijd van de vrouw, anderzijds omdat het op zo'n afgelegen plek was gebeurd. Daarom was het grondig onderzocht door de politie van Nordsjælland, die echter niets verdachts vond. Het obductierapport over de vrouw stelde eenduidig en zonder voorbehoud vast dat haar dood was veroorzaakt door een massieve hersenbloeding, waarna de zaak wat de politie betrof als een natuurlijke dood werd gerubriceerd en gesloten. Juli Denissen was op zaterdag 2 augustus in de kerk van Kregme begraven.

De hoofdcommissaris zei: 'Dat is de korte versie. Er zijn natuurlijk een hoop details die ik nu heb overgeslagen. Ik heb het dossier voor je als je wilt. Dan kun je het zelf lezen.'

Konrad Simonsen schudde energiek zijn hoofd.

'Nee, dank je, absoluut niet. Ik twijfel er geen moment aan dat het een natuurlijke dood was.'

'Dat is een geruststellende gedachte. Toch heeft de chef Nationale Recherche alles wat met de dood van de vrouw te maken heeft aan jou overgedragen. We kregen er gisteren een mail over, maar dat weet je vast al. Ik hoop niet dat wij weer mankracht moeten inzetten in deze zaak, want dat zou tijdverspilling zijn.'

Hij verzekerde de hoofdcommissaris dat dat niet het geval was. En de overdracht had alleen maar plaatsgevonden opdat de politie van Nordsjælland naar hem kon verwijzen als er iemand... in de zaak ging wroeten. Hij wist geen betere uitdrukking te vinden, en de hoofdcommissaris nam die meteen over: 'In de zaak wroeten, ja, zo mag je het wel zeggen. Maar de enige die aan het wroeten is, is je eigen medewerker Pauline Berg.'

'Ja, helaas. Vertel me maar wat ze allemaal heeft uitgespookt.'

'Niet meer dan waar we het gisteren al door de telefoon over hadden. En nu kan ik natuurlijk doen alsof mijn neus bloedt, het is mijn zaak niet meer.'

'Ik wil graag dat je ervoor zorgt dat er een aantekening op het dossier komt dat het alleen mag worden ingezien met jouw of mijn toestemming.'

'Graag. Zeg, krijg je geen contact met haar?'

'Nee, dat gaat nogal moeizaam, helaas.'

Hij stak zijn handen omhoog en verdedigde zichzelf: 'Ik weet dat het een beetje soft klinkt, maar haar situatie is ook niet helemaal normaal, zoals ik je al vertelde.'

'Heeft ze PTSS?'

Een posttraumatisch stresssyndroom. Daar had Konrad Simonsen zelf ook al aan gedacht. Zoals Pauline Berg zich op haar werk gedroeg, was soms haast zelfdestructief. Ze bracht zichzelf en anderen in situaties waar alleen een eind aan kon worden gemaakt als ze... het was moeilijk te formuleren... werd terechtgewezen, overtroefd of soms gewoon genegeerd. Hij wist dat dit voor sommige mensen de fase vóór zelfmutilatie was. Het waren allebei strategieën om de traumatische situatie waarin ze had verkeerd te overstemmen. Maar hij was geen psychiater en wilde andere mensen geen medisch stempel opdrukken.

Hij antwoordde eerlijk: 'Ik weet het niet. Soms is ze niet in balans en soms werkt ze net zoals voor de ontvoering. Wij hopen natuurlijk dat het zich mettertijd stabiliseert. Maar ik vrees dat ze de dood van de jonge vrouw beschouwt als een kans om een zaak te onderzoeken die helemaal van haar is. En dan is er nog iets: toen ze in die bunker zat kwam uitgerekend deze vrouw bij me met doorslaggevende informatie, waardoor we de bunker vonden voordat het te laat was. Ik denk dat Pauline Berg deze twee dingen aan elkaar koppelt, vindt dat ze de vrouw iets verschuldigd is, om het zo te zeggen. Maar dat is maar een vermoeden. Ik heb het er niet met haar over gehad. Op dit moment ontloopt ze mij en al haar andere superieuren bewust, dat is wel duidelijk.'

De hoofdcommissaris begreep het, en hij was ook niet ongevoelig voor de situatie waarin Pauline Berg zich bevond en waarvan hij de achtergrond heel goed kende, zoals bijna de hele Deense politie. Hij zei: 'Ze heeft vanmiddag een afspraak om de plek te zien waar de vrouw is overleden.'

'Met wie? Niet met jullie mag ik hopen.'

'Met de familie van de vrouw, haar stiefvader en zus.'

'Hoe weet je dat?'

'Van de man van de zus; hij belde ons gisteren. Hij is gefrustreerd vanwege... laten we het maar "de belangstelling" van zijn vrouw noemen, en hij wilde weten waarom we de zaak hebben heropend. Overigens is ze niet eens de echte zus van Juli Denissen. Ze noemt zich alleen maar zo.'

De hoofdcommissaris liet op een kaart zien waar de vrouw was overleden. Konrad Simonsen bedankte hem. Toen praatten ze nog een paar minuten over koetjes en kalfjes, gemeenschappelijke kennissen en het nieuwe politiebeleid.

Toen Konrad Simonsen wegging en ze elkaar een hand gaven, vroeg de hoofdcommissaris: 'Klopt het dat je haar kende? Ik bedoel de jonge vrouw die is overleden.'

Hij antwoordde aarzelend: 'Nee, ik kende haar niet.'

Konrad Simonsen probeerde de aanwijzingen van de hoofdcommissaris in zijn gps te zetten om de plek te vinden waar Juli Denissen was overleden. Dat lukte hem niet. Hij overwoog even terug te rijden om nadere aanwijzigen te krijgen, maar besloot in plaats daarvan in Frederiksværk te stoppen. Daar vond hij zonder problemen het plaatselijke cultuurhuis, waarin ook de toeristeninformatie was gevestigd. Hij at een verantwoorde, vetarme hamburger met een schaaltje saai uitziende salade en kreeg een klein foldertje met in het midden een plattegrond van het gebied waar hij naartoe ging. De vrouw achter de infobalie tekende de route met een balpen op de plattegrond. Terug in de auto volgde hij haar aanwijzingen op en sloeg van de weg af kort nadat hij Asserbo was binnengereden. Hij volgde nu een slecht onderhouden bosweggetje waarop hij langzaam om de ergste gaten heen moest slalommen. Na een rit van tien minuten eindigde de weg op een grote parkeerplaats. Hij parkeerde de auto in de verste hoek, bijna aan het strand, stapte uit en keek om zich heen. Het parkeerterrein was afgezet met witgeverfde zwerfkeien. In het midden stonden een paar verwaaide jonge eikenbomen en hij zag behalve die van hemzelf nog twee andere auto's.

Het regende. Niet hard, alleen nu en dan een paar druppels, genoeg voor hem om de paraplu mee te nemen, maar hij zette hem nog niet op. Hij beklom eerst een van de duinen die op het strand uitkeken. Het was steil en hij moest meerdere keren een pluk zandhaver vastpakken om omhoog te kunnen. Boven aan de top keek hij uit over de zee, die groen en onstuimig voor hem lag, met witte schuimtoppen die zo ver het oog reikte tevoorschijn kwamen en weer verdwenen, helemaal tot aan de horizon, waar de lucht en de zee in elkaar vloeiden. Links van hem maakte de kustlijn een regelmatige bocht, die in een landpunt eindigde. Verder weg kwam de kustlijn terug, zonder dat hij details kon onderscheiden, afgezien van een paar rode dakpannen van een groepje huizen in de buurt van Hundested. De wind ruiste in zijn oren en als hij zijn hoofd in de richting van de wind draaide, klonk het als klapperend zeildoek en overstemde het zelfs het gebulder van de branding die onder hem kolkte.

Hij stond dit decor een tijdje te bekijken en liep toen schuin van het duin af naar het noorden, door het grasland dat zich tussen de duinen en het bos uitstrekte zo ver het oog reikte. Hier liep hij in de luwte, maar het was harder gaan regenen, en hij zette zijn paraplu op. Het pad waarop hij liep, was op sommige plekken niet meer dan een onduidelijk, vertrapt hertenspoor. Het leidde hem naar een bord: geel met een halve zwarte bom waarvan de gestileerde ontploffing bij de rand van de gevarendriehoek ophield; een lelijk ontwerp, maar een niet mis te verstane waarschuwing. Dit grasland was de Melby Meent, het voormalige oefenterrein voor het leger en als je dat betrad, deed je dat op eigen risico. Hij liep verder. Heuvel op, heuvel af over de zacht glooiende heuvels, die zo dicht met heide begroeid waren dat er verder alleen nog maar ruimte was voor een paar lage, verdrukte groepjes bloemen die zich tegen het zand drukten. Hij keek om zich heen zonder iets anders dan natuur te zien. Af en toe stopte hij en keek of hij iemand zag die voor de regen schuilde in het bos links van hem. De bosrand bestond voornamelijk uit oude kustdennen, die met hun roodgestippelde bast en rare, verkreukelde stammen leken op een gekleurde pagina uit de sprookjesboeken uit zijn jeugd. Uitnodigend, maar ook een beetje gevaarlijk. Hij zag geen mensen.

Nadat hij een kleine tien minuten had gelopen zag hij op de top van een heuvel twee mensen. Hij corrigeerde zijn richting en wandelde hen tegemoet. Toen hij dichterbij kwam, zag hij dat de ene Pauline Berg was. Hij vertraagde zijn pas een beetje en maande zichzelf kalm en bedaard met de situatie om te gaan als hij eenmaal bij hen was. Met kwaad worden viel niets te winnen.

De twee vrouwen waren nat van de regen. Geen van beiden was op dit weer gekleed. Hij groette Pauline Berg netjes, alsof alles in orde was, en stelde zich daarna voor aan de vreemde vrouw. Ze gaven elkaar een hand, en zij reageerde door haar naam te noemen.

Linette Krontoft was een blonde, zwaarlijvige vrouw van in de twintig met wakkere blauwe ogen en een trieste glimlach, die zeker met de trieste omstandigheden te maken had. Konrad Simonsen vond dat ze ongelooflijk witte en regelmatige tanden had, bedacht dat een hongerstaking haar geen kwaad zou doen en vervolgens dat hij totaal geen zin had om haar op deze manier te ontmoeten. En toch stond hij daar. Hij vroeg zacht: 'En waar is ze nou gevonden?'

Linette Krontoft wees naar de bodem van de duinpan tegenover hen. Hij gaf zijn paraplu aan de twee vrouwen, die er meer behoefte aan hadden dan hij. Toen liep hij zijwaarts de paar stappen naar beneden de duinpan in. Daar stond hij een ogenblik stil en keek om zich heen. Eerst in alle windrichtingen naar de duinen om hem heen, daarna naar het zand, dat hij ook met zijn voet omwoelde. Toen liep hij weer naar boven. Hij ving een blik op van Pauline Berg en zag dat haar opstandige, harde ogen niet veel goeds beloofden voor een zachte landing.

Linette Krontoft zei: 'Je bent hier niet om ons te helpen, integendeel, je bent hier om Pauline te beletten haar werk te doen, hè?'

Hij gaf haar geen antwoord, keek alleen van de een naar de ander en had zin in een sigaret. Toen hij eindelijk weer iets zei, was het weloverwogen: 'Jullie hebben een keuze. Willen jullie het horen?'

Ze stemden schoorvoetend in, Pauline Berg bijna vijandig.

'Of jullie gaan op eigen houtje, buiten mij om, door met het onderzoek. In dat geval zullen jullie tot de ontdekking komen dat je geen ondersteuning of antwoord krijgt van wie dan ook bij de politie, en bovendien krijgt iedereen die hier was op 10 juli, toen Juli Denissen overleed, van mij een brief om jullie te negeren als jullie op het idee zouden komen contact met hen op te nemen. De andere mogelijkheid is dat wij drieën samen, onofficieel en privé, contact opnemen met een zeer bekwame patholoog die ik ken. Maar ik zeg er meteen bij dat het een tijdje kan duren voordat we een afspraak krijgen en in die tijd doen jullie niets. Als de patholoog na het lezen van het obductierapport ook maar de geringste twijfel heeft of Juli Denissen wel een natuurlijke dood is gestorven, beloof ik dat ik de zaak officieel zal heropenen. Als hij daarentegen tot de conclusie komt dat de doodsoorzaak natuurlijk was, dan beloven jullie me dat jullie haar verder met rust laten.'

Pauline Berg vroeg: 'Bedoel je Arthur Elvang?'

Dat waren de eerste woorden die ze had gezegd sinds ze elkaar hadden ontmoet. Hij draaide zich naar haar toe. Ja, hij bedoelde professor Arthur Elvang. En hij voegde eraan toe: 'Ik loop nu terug en ga in mijn auto zitten. Als jullie het eens worden, hebben we het er nog over. Zo niet, dan bel jij mij vanavond, Pauline.'

Hij liep weg zonder hun reactie af te wachten en liet hen de paraplu houden.

Pas 's avonds kreeg hij het antwoord. Pauline Berg belde. Zij en de groep hadden zijn voorstel besproken en ze hadden besloten het te accepteren. Alleen wilden ze wel het filmen van het appartement van Juli afmaken, omdat dat binnenkort ontruimd zou worden. 'De groep', verdorie, en dan dat familiaire 'Juli', zonder achternaam – het sloeg allemaal nergens op. Hij schudde zijn hoofd, maar complimenteerde haar tegelijkertijd met dit verstandige besluit. En toen ineens, toen hij voorzichtig vroeg of ze maandag weer kwam werken, barstte ze in tranen uit. Ze was niets waard, dat wist ze zelf ook wel, ze deugde helemaal nergens voor. De zelfverwijten buitelden over elkaar heen. Hij had geen idee wat hij moest zeggen, en hoe hij het volgende halfuur doorkwam, was hem een raadsel. Toen ze eindelijk, snotterend en zich verontschuldigend voor alles tussen hemel en aarde, had opgehangen, schonk hij zichzelf een cognac in, de eerste in maanden, en dronk het glas in een teug leeg, zonder enig slecht geweten. Toen zette hij zijn mobiele telefoon uit en de televisie aan, en viel in slaap.

De Freule maakte hem een uur later wakker toen ze thuiskwam, en ze zag en rook natuurlijk meteen dat hij had gedronken. Ze mopperde. Het was slecht voor zijn gezondheid, wanneer zou dat nou eens tot hem doordringen? De dag eindigde dus net zo ergerlijk als hij was begonnen. Die nacht sliep hij op de eerste verdieping in zijn oude kamer.

*

Hoewel de zomer door de hittegolf aan het begin van de maand was verlengd, was die nu toch definitief voorbij. Het weer werd wisselvallig en winderig, de ochtenden waren koel. Konrad Simonsen moest zich vermannen om zijn hardlooprondjes te blijven doen. Hij was het wel gaan waarderen, maar hardlopen met tegenwind en regen was niet leuk.

Het onderzoek naar de dood van de postbode stond stil. Hij riep Arne Pedersen en de Freule bij elkaar om de zaak van zijn vermoorde postbode nieuw leven in te blazen. Dat was hard nodig.

Ze kwamen woensdag 24 september 's morgens bij elkaar op het kantoor van Arne Pedersen.

Konrad Simonsen vatte eerst kort samen wat er sinds hun laatste bespreking was gebeurd. Het gaf weinig aanleiding tot optimisme.

Van alle achttien posters was een klein stukje naar Duitsland gestuurd voor chemische analyse, en een vergelijking met papiersoorten uit verschillende periodes zou hun later een idee kunnen geven wanneer ze waren gemaakt.

'Vooral van de eerste zou ik graag een tijdsbepaling willen hebben, maar het kan lang duren voordat we antwoord krijgen. Dus de enige concrete vooruitgang wat dat betreft is dat we positief hebben kunnen vaststellen dat de foto's niet van zijn zusje of van zijn moeder als kind zijn.'

Zijn twee toehoorders echoden loyaal: 'Niet zijn zusje, niet zijn moeder' – nou ja, dan lag dat tenminste vast. Het was duidelijk dat ze allebei wat belangrijkers te doen hadden, al deden ze hun best om de juiste opmerkingen te maken.

'Verder heb ik desgevraagd wat tijd besteed aan het in kaart brengen van het patroon van inbraken in die buurt.'

Niets wees erop dat de moord gerelateerd was aan een mislukte inbraak of overval. Bovendien was de plek waar de villa lag onaantrekkelijk voor inbrekers of overvallers; die zouden eerder een wat meer afgelegen huis kiezen.

Geen inbraak, ook geen overval. Wat viel daar nog meer over te zeggen? De Freule reageerde weifelend. Arne Pedersen keek op zijn horloge en Konrad Simonsen ging door met zijn korte lijstje.

'Wat mij het meest irriteert, is dat ik de negatieven met het meisje op de posters niet kan vinden. We weten dat ze er moeten zijn. Maar ze zijn er dus niet. Een theorie zou kunnen zijn dat degene die hem heeft vermoord ook de negatieven heeft meegenomen. Hoe dan ook, ze zijn weg. Het postkantoor is doorzocht, zijn etage, zijn nalatenschap, en dat allemaal vier keer, maar zonder ander resultaat dan... nou ja, dat verhaal kennen jullie al.'

Hij had drie teams van twee man samengesteld. Zorgvuldige, ervaren mensen die niet erg tegensputterden toen hij hun voor de vierde keer opdracht gaf de negatieven te zoeken waarvan niemand nog geloofde dat ze bestonden. Gelukkig was het jonge paar dat nu in het appartement van Jørgen

Kramer Nielsen woonde, bereid mee te werken. Ze hadden een sleutel voor de politie achtergelaten toen ze naar hun werk gingen.

Helaas was het team dat het appartement moest doorzoeken, op het idee gekomen om de hond van een van hen te laten helpen met het werk. De man die er woonde, had Konrad Simonsen opgebeld zodra hij thuis was. Zijn vrouw had een ernstige allergie voor hondenharen, dus het paar moest op kosten van de recherche in een hotel worden ondergebracht totdat het appartement was schoongemaakt. Om nog wat zout in de wonden te strooien had de man ook melding gemaakt van een andere... onregelmatigheid.

Konrad Simonsen riep de twee agenten op voor een vriendschappelijk gesprek, dat hij zeer luid en duidelijk inleidde. Ten slotte zei hij: 'De arme vrouw loopt te niesen en te proesten en kan amper ademhalen omdat ze in haar eigen huis door jullie is vergiftigd, sukkels. Maar ik moet toegeven dat het op zich wel goed bedacht was. Een filmrolletjesspeurhond, waarom niet? Van wie is de hond eigenlijk?'

Een van de mannen liet weten dat de hond van hem was. Hij was nog in training, maar hij was veelbelovend. Ondanks alles was de man duidelijk trots op zijn dier.

'Ik liet hem aan een filmrolletje en daarna aan wat foto's ruiken, en toen hebben we panelen, deuren, het plafond en deurkozijnen doorzocht... alle plaatsen waar we eerder niks konden vinden.'

'Is je hond loops?'

'Nee, hoezo?'

'Je vergist je, ze moet loops zijn. Want ze heeft wel degelijk iets gevonden. Mijn zeer geloofwaardige bron begrijpt namelijk niet hoe het opeens zo'n rotzooi kan zijn geworden in een bepaalde doos met persoonlijke foto's. Eigenlijk zeer persoonlijke foto's. Ik legde hem uit dat we geen vingerafdrukken nemen om zoiets vast te stellen. En dat is natuurlijk ook zo, absoluut, en dat is maar goed ook, want die hond was zo oncontroleerbaar geil dat hij niet met zijn poten van de betreffende doos met foto's af kon blijven.'

Geen van beide agenten zei iets. Ze kregen een kleur en keken naar de grond.

'Jullie laten geen hondenhaartje achter van die teef. Nog niet één onzichtbaar haartje. Jullie gaan daar stofzuigen alsof jullie toekomstige carrière alleen hier maar van afhangt. En nu wegwezen.'

De Freule vroeg aan Konrad Simonsen: 'En, hebben ze alle haren weg gekregen?'

'Dat denk ik wel. Anders was het wel een dure grap geworden.'

'Maar het idee op zichzelf was niet zo gek. Heb je het op het postkantoor en in de loods waar de spullen van Jørgen Kramer Nielsen opgeslagen liggen ook geprobeerd?'

'Daar heb ik zelf ook aan gedacht. Ik heb een bericht achtergelaten op de voicemail van de hondengeleider. Hij is volgende week terug van vakantie, dus dan zal hij woensdag wel bellen.'

Arne Pedersen zei droogjes: 'Daar zou ik maar niet te veel op rekenen.'

Konrad Simonsen negeerde hem en ging door met zijn deprimerende update.

'Het laatste punt zijn de afbeeldingen die op het ogenblik dus in Søllerød hangen.'

De Freule onderbrak hem: 'In jouw galerie.'

Arne Pedersen lachte, maar niet honend. Konrad Simonsen deed alsof er niets aan de hand was en vertelde dat er verschillende experts langs waren geweest om de afbeeldingen van het meisje *in the sky* te bekijken. Professionele fototechnici en een gedragspsycholoog die van alles zei maar niets met zekerheid.

'Laat me raden. Voor een definitieve uitspraak waren meer psychologen nodig?'

Dat was de Freule, en ze had het bij het rechte eind.

Konrad Simonsen zei: 'Dus al met al is mijn galerie, zoals jullie het noemen, een fiasco.'

Arne Pedersen vroeg: 'En hoe zit het met je parapsycholoog? Heb je haar niet uitgenodigd?'

Dat Konrad Simonsen incidenteel en discreet een helderziende vrouw bij zijn onderzoek betrok, was het slechtst bewaarde geheim van de afdeling Moordzaken. Soms had dat zeer verrassende resultaten opgeleverd, in andere gevallen was haar bijdrage waardeloos gebleken.

'Ze heeft in het ziekenhuis gelegen met een gebroken heup, maar misschien kan ik haar verleiden om langs te komen als ze klaar is met haar revalidatie.'

Zijn twee toehoorders waren het met hem eens: dat was misschien een goed idee, en het kon in elk geval geen kwaad. Hij klapte in zijn handen in een poging de moed erin te houden.

'Dat was het dan, ik ben klaar. Heeft een van jullie een goed idee hoe het nu verder moet?'

Originele ideeën die het onderzoek verder zouden kunnen brengen, waren niet in overweldigende mate aanwezig; er viel een doodse stilte.

Arne Pedersen gaf het als eerste op: 'Mogen we er even over nadenken, Simon?'

*

De volgende dag leverde Pauline Berg een concrete bijdrage aan de postbodezaak. Niet baanbrekend, maar Konrad Simonsen was inmiddels zover dat hij ook blij was met iets kleins. Ze zat donderdagochtend op zijn kantoor toen hij daar aankwam, en vertelde trots dat ze een cadeautje voor hem had. Ingepakt was het niet.

Na haar ongelukkige uitstapje de week daarvoor naar Nordsjælland, was ze maandag op haar werk verschenen alsof er niets aan de hand was, en geen van beiden was op het incident teruggekomen. De papieren die hij haar had gegeven, had ze zonder commentaar teruggegeven. Ze lagen nu in de onderste bureaulade van Konrad Simonsen te wachten tot hij zich ertoe kon zetten contact op te nemen met Arthur Elvang. Hij moest hem zover zien te krijgen dat hij het obductierapport ging lezen, zoals hij haar bijna zeven dagen geleden op de Melby Meent had beloofd. Ze had niet aangedrongen, hem zelfs niet meer aan zijn belofte herinnerd, maar hij wist heel goed dat ze het niet zou vergeten en dat hij binnenkort een afspraak met de professor moest maken.

Tegen zijn verwachting in was ze de afgelopen week veel vrolijker geweest dan hij haar sinds lang had meegemaakt. Het was bijna de oude Pauline Berg van voor de ontvoering. Ze was makkelijker in de omgang, vond hij, en niet alleen met hem.

Hij keek naar zijn cadeautje.

'Het diploma van Jørgen Kramer Nielsen. Dus het is eindelijk boven water gekomen. Waar heb je het gevonden?'

'Het hing als versiering op het kantoor van zijn vader tot het postkantoor een nieuwe directeur kreeg. Daarom is het ingelijst. Twee oude postbodes herinneren zich dat het naast koning Frederik IX hing, en waarschijnlijk ook nog een halfjaar naast koningin Margrethe, tot het vliegongeluk, maar dat weet niemand meer. We hebben het in de kelder van het postkantoor gevonden.'

'Dus papa was blij dat zoonlief het gymnasium had gehaald?'

'Ja, nou en of. De vader was de eerste op het postkantoor wiens kind die prestatie leverde, dus dat was echt iets om trots op te zijn, maar kijk eens hier.'

Ze overhandigde Konrad Simonsen een stapeltje papieren en legde uit: 'Dit is een briefwisseling tussen Tom Kramer Nielsen en het ministerie van Onderwijs uit 1969, en ga me nu maar complimenteren, want je kunt je niet voorstellen hoeveel telefoontjes ik heb moeten plegen om aan deze kopieën te komen. Van alle trage instellingen haat ik ministeries het meest. Op de meeste andere plaatsen krijg je tot op zekere hoogte een beetje medewerking als je "moordzaak" en "heeft haast" zegt, maar bij de rijksoverheid lijkt dat wel het tegenovergestelde effect te hebben.'

'Ja, ze kunnen nogal traag zijn, dus bij deze mijn complimenten.'

Ze gaf een exposé.

Jørgen Kramer Nielsen was niet komen opdagen bij het laatste onderdeel van het eindexamen, wiskunde mondeling. De precieze reden daarvan wist niemand meer, ook al omdat zijn vader op een gegeven moment met een andere verklaring kwam, maar volgens de regels kon de zoon zijn diploma daarom niet krijgen en moest hij later herexamen doen. Maar dat was niet gebeurd.

Konrad Simonsen vroeg verwonderd: 'Waarom niet?'

'Ik weet het niet, maar de vader beklaagt zich erover dat zijn zoon zijn diploma niet krijgt met een onvoldoende. Jørgen Kramer Nielsens andere cijfers waren namelijk meer dan goed genoeg om hem met een onvoldoende te laten slagen. Daar schrijven de vader en het ministerie vervolgens een paar keer over heen en weer. Maar het ministerie blijft bij zijn standpunt, en dat was ook de correcte interpretatie van de toen geldende regels.'

'Maar hij kreeg zijn diploma wel?'

'Ja, we wonen tenslotte in Denemarken. Een dienstmaatje van Tom Kramer Nielsen had namelijk carrière gemaakt, en zat precies op de juiste plaats: hij was voorzitter van de Deense Volkshogescholen, en oude vrienden helpen elkaar als het kan. Dus simsalabim en Jørgen Kramer Nielsen kreeg zijn diploma. Haal het bewijsstuk maar uit de lijst en kijk maar naar de handtekening op de achterkant.'

Konrad Simonsen deed wat ze zei. Intussen zei hij: 'Je bent echt de moderne geschiedenis ingedoken. Wie heeft je dit allemaal verteld?'

'De hogeschoolvoorzitter zelf, die helder van geest en bijna honderd is. Hij heeft twee uur zitten praten. Het was erg gezellig en heel interessant. Nou, wat vind je van de handtekening?'

'Ja, die mag er zijn: van Slechte Helge zelf.'

'Waarom noem je hem zo? Ik heb blijkbaar toch iets gemist.'

'Zijn bijnaam was ook erg onrechtvaardig. Helge Larsen, van de sociaalliberalen, was een bekwame minister van Onderwijs, maar hij werd de schietschijf voor de studentenprotesten, dus hij had een ware hondenbaan. Geen politicus had in die tijd op die post populair kunnen zijn. Wow, hij had echt mooie cijfers, die Jørgen Kramer Nielsen.'

'Ja, en kijk eens naar wiskunde schriftelijk, en naar natuurkunde.'

'En desondanks deed hij het mondelinge examen wiskunde niet, en ging hij ook niet verder studeren. Ik vraag me af waarom.'

'Ja, dat weet ik ook niet, maar ik had het mis met het jaar waarin de eindexamendiploma's werden verbrand. Dat was het jaar daarna, in 1970. Bij Kongens Nytorv.'

Ze stopte, maar alleen om er bedachtzaam aan toe te voegen: 'Ik had die tijd eigenlijk best mee willen maken. Was het niet erg spannend?'

Konrad Simonsen schudde zijn hoofd.

'Voor mij niet. Ik werkte, en bovendien had ik geen gymnasium gedaan.'

*

De volgende impulsen die de postbodezaak met een beetje goede wil wat verder konden brengen kwamen de week daarna uit onverwachte hoek en bovendien op een voor Konrad Simonsen onverwacht tijdstip. Hij had maandag en dinsdag als vakantiedagen opgenomen – hij had er toch heel veel over – en gebruikte die onder andere om zijn fitnessrepertoire uit te breiden. Als het weer slecht was, vond hij het erg moeilijk om zijn dagelijkse rondje te rennen. Over een paar maanden zou er misschien ook ijs en sneeuw op de stoep liggen, en dan zou het echt onverantwoord zijn om zijn rondje te lopen. Daarom had hij een hometrainer aangeschaft, die hij in zijn galerie had neergezet. En op maandagochtend, toen hij pas voor de tweede keer op zijn nieuwe fiets zat te zweten, terwijl het onbekende meisje hem schalks in de gaten hield, werd hij door een onbekende gast onderbroken.

Klavs Arnold kwam uit Esbjerg. Het was een grote man, achter in de dertig, met forse ledematen en een brede borstkas. Er zaten niet veel overbodige grammen vet op zijn lichaam, en hij werd in zijn stamkroeg waarschijnlijk zelden lastiggevallen. Zijn kleding was praktisch en versleten. Zijn stevige leren laarzen, die geschikt zouden zijn voor een militaire oefening in de herfst, had hij buiten uitgedaan, voordat hij had aangeklopt en naar binnen was gegaan.

'Sorry, maar ben jij chef Moordzaken Konrad Simonsen?'

Konrad Simonsen ging wat langzamer fietsen terwijl hij naar de man keek, die moest bukken om door te deur te kunnen.

'Met wie heb ik het genoegen?'

'Ja, sorry, dat had ik natuurlijk moeten zeggen, Klavs Arnold, inspecteur, uit Esbjerg.'

Hij gaf Konrad Simonsen een hand door diens onderarm te schudden, waarna hij de fiets wat lichter instelde.

'Hij staat veel te zwaar, hij moet niet hoger dan drie. Ben je een beginner?'

Konrad Simonsen gaf een beetje verontwaardigd toe dat hij dat inderdaad was. Meteen daarna merkte hij dat de man wel gelijk had. Hij stopte met trappen, maar bleef op het zadel zitten.

'En jij bent expert?'

'Nee, dat zou ik niet willen zeggen, maar ik doe weleens wat begeleiding in de plaatselijke fitnessclub om de eindjes aan elkaar te knopen.'

Hij reikte Konrad Simonsen diens handdoek aan.

'Maar ik zal je niet lang storen. Ik ben met mijn vrouw in Kopenhagen om een huis te zoeken. We verhuizen van de herfst hiernaartoe en ik dacht dat ik meteen een klein probleempje uit de wereld kon helpen dat me de laatste maand heeft dwarsgezeten. Daarom ben ik naar het hoofdbureau gegaan, en dat draaide erop uit dat je vriendin me hierheen stuurde.'

'En wat is je probleem dan wel?'

'Nou kijk, jullie hebben me gevraagd uit te zoeken waar iemand die elk jaar naar de stad komt – ja, en dan bedoel ik dus Esbjerg – overnacht. Als dat kon. Maar ik kreeg alleen een naam en dat leverde niets op, dus ik heb gemaild en gebeld om wat meer informatie te krijgen, leeftijd of een foto of wat jullie ook maar hebben. Eerst kreeg ik geen antwoord. En later ook niet. En uiteindelijk kreeg ik een bericht waarin jullie het vermoedelijke tijdstip van aankomst en vertrek op het station van Esbjerg meldden.'

Hij laste even een pauze in en ging vervolgens door: 'En natuurlijk is Esbjerg niet zo groot als Kopenhagen, maar... Nou, dat kan dus niet.'

Dat zag Konrad Simonsen ook wel in. Hij vroeg onheilspellend: 'Met wie had je contact?'

'Nee, dat zeg ik niet. Een paar collega's zeiden al dat je nogal rottig kunt doen als het je zo uitkomt, en ik ben niet gekomen om ze te verklikken, maar om een beetje hulp te krijgen.'

'Dus je wilt me niet vertellen met wie je contact hebt gehad?'

'Nope.'

'En als ik er een bevel van maak?'

'Dat kun je niet, want ik ben met vakantie, en jij ook.'

Konrad Simonsen bekeek het forse postuur van de man eens goed. Het was niet makkelijk te zien, maar hij had daar een goed oog voor. Hij zei een beetje wantrouwend: 'Ik zie dat je een wapen draagt.'

De Jutlander knikte.

'Ja.'

'Waarom?'

'Ik ben dit voorjaar een paar keer bedreigd. Mijn gezin ook. Dat is een vervelende gedachte, maar... nou ja, sindsdien bescherm ik mezelf. En we hebben thuis een beveiligde wapenkast aangeschaft, dus alles is precies volgens de regels. Maar je moet niet denken dat ik een cowboy ben. Heus niet.' De man streek zijn jas glad over de bult waar de schouderholster zat.

Konrad Simonsen vroeg: 'Wil je een biertje, of wat fris?'

Klavs Arnold had Konrad Simonsens zaak deprimerend snel doorgenomen. En dat liet hij ook irritant eerlijk merken: 'Veel heb je niet. Mag ik de posters eens bekijken?'

De man liep langzaam en zonder iets te zeggen door de ruimte. Konrad Simonsen liep hem achterna en voelde zich net een suppoost.

Toen hij alles gezien had, vroeg de Jutlander: 'Welke is de eerste?'

Konrad Simonsen wees. 'Een van die twee, denken we.'

Ze gingen ervoor staan. Weer zweeg Klavs Arnold. Toen zei hij: 'Het is met het blote oog niet te zien, maar een fototechnicus kan vast helpen.'

'Waar denk je aan?'

'Dat hij de eerste foto waarschijnlijk zelf heeft genomen, dus niet uit een boek overgenomen, zoals je vertelde dat hij deed. En hij heeft haar vast op dat uitstapje ontmoet, tenzij ze er al die tijd al was. Misschien was het die beroemde Hurtigrute wel, die langs de Noorse kust vaart. Zei je niet dat hij spaarde voor een reis?'

Konrad Simonsen was onder de indruk, en dat zei hij ook. Maar hij had het compliment niet hoeven geven, want de man merkte het niet eens.

Klavs Arnold vroeg: 'Wie heeft de muren geschilderd? Jij? Prachtig. Mijn kinderen zouden het geweldig vinden.'

'Dankjewel. Alle anderen vinden het een beetje heftig. Hoeveel kinderen heb je?'

'Vijf, maar de jongsten zijn een tweeling, dus daar kon ik niks aan doen.'

Hij lachte innemend.

'Waarom verhuizen jullie naar Kopenhagen? Voor de verandering?'

'Nee zeg, nee, mijn vrouw heeft een nieuwe baan en dan moeten de kinderen en ik natuurlijk mee. Hoewel het moeilijk voor mij was om een baan te vinden. Niemand wilde zo'n boerenkinkel als ik, maar het is uiteindelijk toch gelukt.'

'Waar?'

'In Helsinge. Dat ligt tussen...'

'Ik weet waar Helsinge ligt. Wat doet je vrouw?'

'Ze komt in het Folketing. Tja, ik hoopte dat het niet zo ver zou komen. Ze was plaatsvervanger, maar toen werd die ander ziek en kapte ermee.'

'Hoe lang blijf je in Kopenhagen?'

'Ik ga vanavond naar huis. Ik moet morgen werken.'

'Nee, dat moet je niet, je moet naar mijn kantoor komen. Ik praat wel met je chef.'

'Waarom dat?'

'Omdat ik een paar mensen ken met wie jij moet praten.'

6

Restaurant Sult – 'Honger' – in de Vognmagergade in het centrum van Kopenhagen was, vond Konrad Simonsen, een licht en aangenaam restaurant met veel ruimte tussen de tafels en een vriendelijke sfeer. Hij was er op het afgesproken tijdstip, maar had zich er al bij voorbaat op voorbereid dat dat waarschijnlijk niet zou gelden voor zijn vriendin, die aan het shoppen was. En dat bleek terecht. Hij had thee besteld en zat nu aan een tafeltje bij een raam verstrooid in zijn kopje te roeren, hoewel er suiker noch melk in zat. Het was zijn lunchpauze en hij had een slecht geweten. Eerst twee vakantiedagen waarvan hij vond dat hij ze niet echt had verdiend na zijn lange ziekteperiode, en nu een lunchpauze die zomaar een uur kon gaan duren als de Freule niet gauw binnenkwam.

De ochtend was geen onverdeeld genoegen geweest. Een minpunt was dat het nog wel even kon duren voordat ze speurhonden konden inzetten tussen de meubels van Jørgen Kramer Nielsen. Hij had nog steeds de negatieven niet gevonden waarvan hij overtuigd was dat ze ergens moesten zijn, maar de hond was verkouden. Beweerde de eigenaar, die hem die ochtend had gebeld. Waarschijnlijk was het niet waar en nam de agent op deze manier wraak voor de donderpreek die hij en zijn collega vorige week van hem hadden gekregen. Maar wat kon hij eraan doen? Een dierenarts laten komen op verdenking van spijbelen? Het was natuurlijk mogelijk een andere hond op te roepen, maar er was een wachtlijst. Het voordeel van de zieke hond was dat hij nog niet klaar was met zijn opleiding. Daarom zat de hond nog niet in een vast rooster, dus hoefde hij er niet op te wachten, wat hij nu dus toch deed. Misschien wel tot sint-juttemis, een frustrerende gedachte. Hij had Pauline Berg erop gezet en hoopte dat zij in staat was de hondengeleider milder te stemmen, zodat de hond misschien iets eerder beter werd.

Met Klavs Arnold was het beter gegaan. Hij was er moeiteloos in geslaagd diens verblijf in Kopenhagen met twee dagen te verlengen toen hij de hoofdcommissaris van Esbjerg sprak. Klavs Arnold kreeg een vrije dag extra, waardoor hij rustig in de stad kon rondkijken. Wat ook noodzakelijk was omdat zo'n Jutlander waarschijnlijk nog niet de weg zou kunnen vinden van de ene hoek van Rådhuspladsen naar de andere. Vandaag had hij hem voorgesteld aan een select gezelschap op zijn werk, en dat was over het algemeen genomen een succes geweest. De Freule vond hem al vanaf hun eerste ontmoeting sympathiek, en daar was ze heel open over geweest voordat ze ging shoppen. Ook Arne Pedersen en de Jutlander leken elkaar te mogen, en ook dat was fijn. Hij had zich zorgen gemaakt over haantjesgedrag en territoriumdrift als die twee mannen elkaar ontmoetten, maar ten onrechte. Arne Pedersen had zelfs de tijd genomen om Klavs Arnold rond te leiden op het hoofdbureau en had ook onmiddellijk ja gezegd op de vraag of er een rechercheur met de Jutlander mee kon naar Esbjerg. Dan hoefde hij niet langer alleen te zoeken naar de verblijfplaats van Jørgen Kramer Nielsen tijdens diens jaarlijkse verblijf in de stad. Dit onderzoek was ook heel wat concreter geworden nu Klavs Arnold eindelijk een foto van de postbode had gekregen. Konrad Simonsen had het op zich genomen een geschikte rechercheur te vinden, maar had daar nog geen tijd voor gehad. Hij had wel de spontane reactie van Pauline Berg op de Jutlander gekregen: 'Boers en onbenullig' was haar oordeel. Hij dacht dat hij haar eigenlijk moest meesturen naar Esbjerg, maar... nou ja, misschien was dat toch niet zo'n goed idee.

Hij voelde een hand op zijn schouder en dacht even dat het de Freule was.

'Zou je daar alsjeblieft mee op willen houden? Het is een beetje irritant.'

De man aan het tafeltje naast hem wees naar Konrad Simonsens kopje en het duurde even voordat die begreep dat het over zijn theelepeltje ging, waarmee hij nog steeds zat te roeren.

Hij verontschuldigde zich en legde het lepeltje neer. Toen keek hij op zijn horloge, hoewel er ook een grote klok aan de wand hing. Op dat moment klopte er iemand op het raam waar hij voor zat. Hij keek naar buiten en zag zijn vriendin daar staan met zoveel tassen dat ze wel een baglady leek. Maar dan van het duurdere type.

Het lukte om al haar pakjes onder de tafel te schuiven en ze bestelden hun eten. Konrad Simonsen zei: 'Ik overweeg die Jutlander een baan aan te bieden. Of liever, om Arne hem een baan aan te laten bieden. Wat vind jij ervan?'

'Lijkt me wel wat. Is hij goed?'

'Volgens zijn hoofdcommissaris wel. En zijn idee dat de eerste landschappen op de posters met het meisje geen foto's van andere foto's waren, was ook niet slecht.'

'Maar het klopte niet?'

'Helaas niet, nee. Melsing had dat al onderzocht, hoe hij dat ook doet. Maar het idee op zich was wel goed.'

'Ja, maar is dat niet een beetje weinig om iemand een baan aan te bieden?'

'Ik heb zijn personeelsdossier opgevraagd en dat krijg ik morgen. Ik denk dat hij goed bij de groep past en dat is wel haast het belangrijkste. Maar natuurlijk krijgt hij een proeftijd. Er is geen haast bij, dus we kunnen rustig de kat uit de boom kijken.'

De Freule was het daarmee eens, zowel met de proeftijd als met het idee dat de Jutlander vast goed in het team zou passen.

Na het eten mocht Konrad Simonsen de resultaten van het herfstshoppen van de Freule zien. Weigeren was geen optie. Het ene kledingstuk na het andere werd uit de tassen gehaald, uitgevouwen, becommentarieerd en weer teruggestopt. Konrad Simonsen deed zijn best, maar vond het steeds moeilijker zijn commentaar te variëren. Hij was domweg door zijn superlatieven heen, en dat was lastig. Want als hij een truitje bijvoorbeeld niet genoeg prees, moest hij het meteen vergelijken met een eerder model. 'Vond je die paarse met die streepjes dan leuker?' De waarheid was dat hij die paarse met die streepjes allang was vergeten. Maar als ze dat ontdekte, werd die paarse met die streepjes weer tevoorschijn gehaald, zodat hij kon vergelijken. 'Welke vind je het mooist?' En 'even mooi' mocht niet, dat hoefde hij niet te proberen. En zo ging het maar door. Maar uiteindelijk kwam er toch een einde aan. Er was nog maar een pakje over, en dat was niet zacht. De Freule haalde het plastic tasje ervan af en zette het trots op tafel. Het was een fototoestel, een Nikon F6 spiegelreflexcamera, zag hij op het doosje. Desondanks vroeg hij: 'Wat is dat?'

'Het verjaardagscadeau voor Anna Mia. Weet je niet meer dat we het erover hebben gehad om haar een fototoestel te geven? Dat wil ze graag hebben.'

Dat was waar. Nu wist hij het weer. Hij keek wantrouwend naar het pakje. Zij zei: 'Als ze haar cadeau mee naar Bornholm moet kunnen nemen is het niet te vroeg om het nu te kopen. Ze gaat volgende week toch al?'

'Ja, volgens mij wel, maar het ziet er zo duur uit.'

Uit haar lichaamstaal bleek dat dat haar niet interesseerde. Dat verbaasde hem niet; het meeste van haar geld had ze van haar vader geërfd, die naar haar eigen zeggen een fortuin had verzameld met legale zwendel en bedrog: koop en verkoop van appartementen die zo goedkoop mogelijk waren gerenoveerd. Ze was dus op gevorderde leeftijd rijk geworden en was er nooit echt aan gewend geraakt zoveel geld te hebben. Dat maakte dat ze nu en dan met geld smeet zonder dat het haar iets uitmaakte. Maar soms werd die extravagantie hem te veel. Zoals nu.

Hij mopperde: 'Als ik meedoe aan een cadeau voor mijn dochter wil ik weten wat het kost. En bovendien de helft betalen.'

Ze maakte een geïrriteerde hoofdbeweging toen ze snel het bedrag noemde: 'Veertienduizend kronen voor de camera zelf en vierduizend voor de telelens die morgen met de post komt.'

Zodra ze dat had gezegd, wisten ze allebei dat ze een probleem hadden. Ze zaten elkaar even aan te kijken alsof ze een aanloop namen. Toen zei Konrad Simonsen gedecideerd: 'Dat kan niet, breng hem maar terug.'

‘Wat kan niet? Wil je geen negenduizend kronen uitgeven voor je dochter?’

Hij voelde zich gekleineerd en zei hard: ‘Ja natuurlijk wel, maar in onze familie geven we niet zulke grote cadeaus. Bovendien zou het haar moeder en haar halfbroer in verlegenheid brengen als zij met hun kleine cadeautjes van vijfhonderd kronen aankomen.’

‘Dan zou je ze kunnen vertellen dat het een compensatie is voor wat ze bij haar confirmatie niet heeft gekregen. Sinds wanneer maakt het jou overigens uit wat Anna Mia’s moeder voelt?’

Hij liep rood aan en snauwde: ‘Ik weet heus wel hoe ik met mijn ex om moet gaan zonder het haar bewust moeilijk te maken.’

De Freule siste: ‘Hoe bedoel je? Nou? Wat bedoel je daarmee?’

‘Je weet heel goed wat ik bedoel.’

Ze raapte boos en efficiënt al haar spullen bij elkaar en verliet het café met opgeheven hoofd en rechte rug. Het pakje met het fototoestel liet ze op de tafel liggen.

Een uur later kwam hij terug op het hoofdbureau met het doosje met de camera onder zijn arm. Hij was nog nijdig, maar wel bereid om er wat rustiger met haar over te praten. Hij liep naar haar kantoor maar vond haar daar niet. Op de gang kwam hij Arne Pedersen tegen.

‘Hallo, Simon. Wat een goed idee van je om de Freule naar Esbjerg te sturen.’

Zijn mond viel open van verbazing. Arne Pedersen zag de afbeelding op het pakje.

‘Krijg nou wat, een Nikon F6, dat ziet er mooi uit. Mag ik even kijken?’

Konrad Simonsen gaf hem het pakje.

‘Alsjeblieft, vraag het de Freule maar, hij is van haar.’

Op zijn eigen kantoor trof hij Pauline Berg aan. Ze lag te rusten op de bank in de dependance en las een notitie. Ze was in een stralend humeur: ‘Dat duurde lang, zeg, maar luister. Ik heb morgen om tien uur in de opslaghal van Express Verhuizingen in Hvidovre een afspraak met de hondengeleider.’

Hij wees met een vinger naar haar.

‘Wegwezen uit mijn kantoor.’

Ze lachte en zei dat het toch heerlijk was om te zien dat hij zich ook kon aanstellen. Toen de deur achter haar was dichtgeslagen, nam hij de bank van haar over en bedacht dat het een klerezooi was.

*

Het weer was koeler geworden, de ochtenden waren guur en de klimroos in de tuin van de Freule kreeg spinnenwebben tussen de takken: fijn geweven webben die, verzwaard door myriaden dauwparels, in de zon glinsterden en

Konrad Simonsen meestal een paar seconden deden stilstaan om ervan te genieten.

Ook de Deense economie was wat afgekoeld. De mensen spaarden; je wist wat je had maar niet wat je kreeg. Het besef van een crisis nam toe, de onzekerheid ook, en de chef van de Nationale Recherche nodigde de hele politie uit voor een jubelbijeenkomst in een grote conferentiehal in Kopenhagen. De overige elf politieregio's, die de pech hadden er niet in het echt bij te kunnen zijn, konden de bijeenkomst toch via live video volgen. De slechte tijden, de kortingen, de bezuinigingen moesten worden beschouwd als een uitdaging, een kick-off om creatieve processen te laten opbloeien, een unieke kans voor innovatief denken. Op de afdeling Moordzaken was het gesprek van de week hoe je een excuus kon vinden om er niet heen te hoeven.

Konrad Simonsen miste de Freule. De avond tevoren had hij een lang telefoongesprek met haar gevoerd, en ze hadden allebei hun excuses aangeboden. Toch was ze van mening dat het wellicht gezond zou zijn als ze een dag of vier uit elkaar waren. Hij zei dat hij het daarmee eens was, maar vanmorgen, toen hij alleen wakker werd, had hij moeite om er het gezonde van in te zien. Hij douchte en ontbeet snel, en al een uur nadat hij wakker was geworden, stond hij in de opslaghal van Express Verhuizingen, nog steeds slaperig, maar blij om aan de slag te kunnen. Dan dacht hij tenminste niet aan haar.

In de hal ontmoette hij een knorrige, zwijgzame hondengeleider en een vrolijke, speelse labrador, die het welpenstadium nog niet helemaal was ontgroeid. De inboedel van Jørgen Kramer Nielsen werd naar binnen gedragen en her en der in de hal neergezet door vier gespierde mannen in blauwe overalls. Ze werkten efficiënt, zonder veel woorden, en waren bijna klaar. Konrad Simonsen bedacht dat Arne Pedersen wel een rekening zou krijgen van Express Verhuizingen en dat dat gelukkig zijn probleem niet was. Even later kwam ook Pauline Berg binnen, ze aaide de hond en palmde de hondengeleider in terwijl ze yoghurt at uit een klein bekertje dat ze in haar hand hield. Ze was in een stralend humeur.

De hond rook aan een filmrolletje en ging aan de slag. Hij kronkelde een hele tijd kwispelend tussen de meubels door en stopte bij een lege boekenkast, waaraan hij enthousiast begon te krabben. Hij kreeg een aai, en de hondengeleider sprak zijn eerste vrijwillige woorden: 'Hij heeft iets gevonden.'

De drie politiemensen onderzochten de boekenkast zorgvuldig. Die was van teakhout, met een achterwand en zes verstelbare planken. Elke vierkante centimeter werd geïnspecteerd. Ze draaiden de boekenkast om en onderzochten de bodem, maar vonden niets. De hond was gaan liggen. Zijn staart bonkte van links naar rechts op de vloer terwijl hij zijn baasje met zijn ogen volgde. Ze haalden de planken uit hun houders en inspecteerden ze een voor een minutieus. Daarna bekeken ze het frame vanuit alle mogelijke hoeken en zelfs de houders werden verwijderd en nauwkeurig bestudeerd. Allemaal zonder resultaat. Konrad Simonsen keek bozig naar de hond. Na nog een kwartier gaven ze het op, en de hondengeleider gaf zijn hond met een kort commando bevel om verder te snuffelen. Hij sprong een halve meter verder en ging tapdansen op een van de planken die nu op de grond lagen. Zijn baas vertaalde: 'Hij heeft iets gevonden.'

Konrad Simonsen en Pauline Berg onderzochten de plank weer. De hondengeleider vroeg: 'Is er iets te zien?'

Konrad Simonsen antwoordde droogjes: 'Ja, een ongeveer 60 bij 30 centimeter gelamineerde teakhouten plank, twaalf of veertien millimeter dik, schat ik, en met gleuven voor de plankendragers aan beide uiteinden.'

'Verder niks?'

'Jawel, aan de ene kant zijn krabsporen te zien zoals van een hond.'

Dat was Pauline Berg, maar haar ironie kwam niet aan. De hondengeleider stelde vast: 'Er is iets met die plank.'

'Er is niks met die plank.'

'Probeer de planken eens door elkaar te husselen, maar let op die ene.'

Hij trok de hond een paar meter mee en ze gingen allebei met hun rug naar hen toe staan. Je moest de intellectuele capaciteiten van de hond blijkbaar niet onderschatten, dus Konrad Simonsen haalde de planken goed door elkaar.

Pauline Berg had het project opgegeven. Ze zei vermanend tegen de hondengeleider: 'Let wel op dat hij niet vals speelt.'

'Dat doet ie niet.'

Konrad Simonsen was klaar en de hond kreeg zijn commando. Hij liep direct naar zijn plank toe en krabde ook aan de andere kant.

Konrad Simonsen zei: 'Hij heeft iets gevonden.'

Vervolgens onderzocht hij de plank weer, waarna hij zijn hoofd schudde. Nu gaf hij het ook op. Hij gaf de plank aan de hondengeleider, die meer over planken bleek te weten dan hijzelf.

De man stelde vast: 'Hij is niet gelamineerd. Er zit twee bij drie millimeter teakhouten fineer aan de buitenkant en vier millimeter spaanplaat in het midden, zodat je de binnenste laag van de plank met een handzaag zou kunnen uithollen als je genoeg geduld hebt. De spaanplaat is zachter dan de fineer, dus de zaag vindt zelf de weg. Daarna heb je een mooie bergplaats. Dat is wel vaker vertoond.'

Hij haalde zijn mobiele telefoon uit zijn binnenzak. Pauline Berg vroeg onschuldig: 'Ga je een andere hond oproepen?'

De man gaf geen antwoord. Hij scheen lang met het lampje van zijn telefoon op de gleuf aan de ene kant.

'Volgens mij zit daar een scheur. Misschien heeft hij een stukje van een andere spaanplaat gebruikt om de holle ruimte te verbergen. Hebben jullie iets scherps en buigzaams? Een paperclip of een dun stukje stalen draad?'

Konrad Simonsen moest naar de achterkant van de opslaghal lopen, waar achter een glazen wand een klein kantoortje lag. Hij sloop naar binnen en pikte een handvol paperclips van een magneet die hij, tot zijn geluk, op een van de bureaus zag staan. Toen hij terugkwam, gaf hij ze aan de hondengeleider die een van de paperclips omvormde tot een klein haakje. De rest liet hij op de grond vallen. Zijn mobiele telefoon gaf hij aan Pauline Berg, die hem bijscheen terwijl hij het gereedschap geconcentreerd in de gleuf probeerde te krijgen. Het lukte meteen en er kwam een dun stripje mee terug. Hij scheen in de bergplaats.

'Er zit een envelop in.'

Konrad Simonsen zei met een brede glimlach: 'We laten de envelop daar zitten voor de technici. Wij stoppen nu, maar ik moet zeggen dat jij en je hond uitstekend werk hebben verricht, hoewel ik sceptisch was.'

Op weg naar buiten kreeg de hond wat lekkers en Konrad Simonsen bedacht dat hij ook iets lekkers had moeten meenemen voor de hondengeleider. In plaats daarvan klopte hij hem een paar keer op de rug.

*

Vier lange dagen moest Konrad Simonsen wachten voordat hij hoorde of zijn onderzoek nu eindelijk de doorbraak had bereikt die zo hard nodig was. Hij gebruikte die tijd om een akkefietje af te ronden waaraan hij zich een tijd had geërgerd.

De gepensioneerde postbode die hij in het verzorgingshuis had bezocht, had tegen hem gelogen. In 1969 spaarden de jongelui niet jarenlang geld om te kunnen reizen. Als ze al iets ondernamen, smeerden ze voordat ze vertrokken een paar boterhammen. Maar veelzeggender was het feit dat Jørgen Kramer Nielsen nooit een paspoort had gehad, wat slecht paste bij het beeld van een avontuurlijke jongeman. Hij had het al meteen de eerste keer gedacht, toen Arne Pedersen en hij de spullen van de postbode doornamen, maar toen was hij het weer vergeten. Veel later, zomaar een keer 's morgens onder de douche, herinnerde hij het zich weer. De hersenen maakten soms rare kronkels. Daarna had hij een agent gevraagd een beetje onderzoek te doen naar de gepensioneerde, en toen vielen alle puzzelstukjes op hun plaats.

Terug in het verzorgingshuis zei hij op de man af: 'Je hebt tegen me gelogen, de vorige keer dat ik hier was. Je vertelde me dat Jørgen Kramer Nielsen aan het sparen was voor een wereldreis. Dat is niet waar.'

De man verschool zich achter zijn leeftijd.

'Dat weet ik niet meer.'

'Je maakte me ook wijs dat hij een vrolijke, levenslustige jongen was totdat zijn familie om het leven kwam bij dat vliegtuigongeluk. Dat is ook niet waar.'

'Het is lang geleden dat we elkaar hebben gesproken. Ik weet bijna niet meer dat je hier was.'

'En nu lieg je weer. Er is niets mis met jouw geheugen.'

'Hoe weet je dat? En bovendien heeft iedereen het weleens verkeerd.'

'Sta je sympathiek tegenover de politie?'

Het zure gezicht van de oude man werd nog verbetener. Hij gaf geen antwoord maar schudde geïrriteerd zijn hoofd.

'Toen je jong was probeerde je bij de politie te komen.'

'Ik was niet lang genoeg. Het was gewoon niet eerlijk.'

'Loog je daarom? Of had je een hekel aan de directeur van het postkantoor? Misschien mocht je zijn zoon ook niet?'

'Ik mag niemand.'

Konrad Simonsen vond dat dat in elk geval geloofwaardig klonk. Toen pakte hij twee sloffen sigaretten uit zijn tas. Hij had geprobeerd een manier te vinden om de oude man te motiveren. Helaas kon hij niets anders verzinnen dan hem een wortel voor te houden.

Hij zei: 'Ik heb gehoord dat het moeilijk kan zijn om als gepensioneerde de eindjes aan elkaar te knopen als je geen aanvullend pensioen hebt of op een andere manier voor je oude dag hebt gespaard. De directeur vertelde me dat dit jouw merk is.'

Hij legde de rokertjes op tafel en voegde eraan toe: 'De waarheid graag, en nou de echte.'

De oude keek gretig naar de twee sloffen sigaretten en gaf het gevecht op: 'Jørgen was al vanaf de eerste werkdag raar, en ik mocht zijn vader niet, een opschepper eersteklas. Maar zijn zoon deed niemand kwaad. Aan de andere kant deed hij ook niets aardigs. Hij wás er gewoon.'

'Dat heb ik vaker gehoord.'

'Iedereen vond hem een rare, zelfs zijn vader, zolang het duurde. Raar, maar er stak geen kwaad in.'

'En hij ging niet op wereldreis.'

'Volgens mij zou hij niet weten hoe. Hij was niet zoals de anderen.'

'De anderen?'

'Al die andere jongelui die in die tijd bij ons kwamen werken. Ik kon ze niet uitstaan, vies, langharig tuig, en ze hadden nergens respect voor ook. Ze konden de boel slopen, maar dat was ook het enige wat ze konden. En ineens moesten we elkaar allemaal tutoyeren. Het was echt opheffingsuitverkoop in die jaren, ze verdienden een pak slaag, die lui.'

'En dat had je ze graag gegeven?'

'Ja, nou en of, maar helaas mocht dat niet. De hele maatschappij ging voor ze door de knieën. Allerlei pornografische viespeukerij werd toegestaan, niemand kwam op voor de moraal, om nog maar te zwijgen van goed ouderwets fatsoen, dus alles stortte als een kaartenhuis in elkaar omdat we zo verdomde tolerant waren. En met de flowerpower kwam de rode terreur en drugsverslaving, herrie in plaats van muziek en feministen die alles maar lieten hangen op hun belachelijke zomerkampen. En wij idioten bleven over en betaalden...'

Konrad Simonsen viel hem in de rede: 'Oké, zo is het wel genoeg. Het beeld is me geloof ik wel duidelijk, dus doe maar weer rustig. Was de directeur van het postkantoor ook "zo verdomde tolerant"?'

'Zeker niet toen ik er kwam werken. Die zou onze oren nog elke ochtend het liefst hebben geïnspecteerd om te controleren of we ons wel hadden gewassen. Maar tien jaar later konden de jongelui gewoon zijn kantoor binnensjokken zonder te kloppen. Ja, hij ging echt met zijn tijd mee.'

'En zijn zoon, was die ook langharig en vies?'

De oude dacht na. Het was duidelijk dat hij zijn sigaretten probeerde te verdienen.

'Nee, lang haar had hij niet, Jørgens haar was gemillimeterd. Dat weet ik nog wel. Vies was hij vast, dat waren ze allemaal.'

'Was Jørgen als kind al raar?'

'Geen idee. Ik heb hem nooit ontmoet voordat hij bij ons kwam werken.'

'Kun je nog meer over hem vertellen?'

De oude dacht weer na. Toen antwoordde hij: 'Krijg ik toch mijn sigaretten?'

'Ja ze zijn nu van jou.'

'Dan is er niets meer. Ja, toch wel, één ding. Hij moest en zou altijd in juni op vakantie. Op bepaalde dagen, ik weet niet meer welke. Dan ging hij een week zeilen. Waarheen weet ik niet.'

'Vertelde hij dat hij ging zeilen?'

'Nee, maar hij was op een bepaalde manier bruin als hij weer terugkwam. Onder zijn kin bijvoorbeeld. Dat is de weerschijn van de zon in het water.'

'Interessant. Nog meer?'

'Nee.'

Konrad Simonsen stond op.

'Vertel je me nou alleen nog of je de eerste keer loog vanwege de politie of vanwege de directeur van het postkantoor?'

'Jullie van de politie zijn klootzakken, ik kwam maar twee centimeter te kort.'

'Voor een vrijbrief om hippies in elkaar te rammen?'

'Ik zou ervan hebben genoten. Twee verdomde centimetertjes.'

'Je kwam negen centimeter te kort en bovendien waren je cijfers te slecht. En denk nou niet dat ik dat zeilverhaal geloof. Je vermijdt oogcontact als je liegt. Dat is trouwens pagina 1 van het leerboek over leugen en bedrog.'

De man trok een lelijk gezicht bij wijze van afscheid.

Op de terugweg probeerde Konrad Simonsen de bitterheid van de oude man van zich af te zetten, maar herinneringen die jarenlang goed verstopt waren geweest, krioelden plotseling door zijn hersenen. 'Met de flowerpower kwam de rode terreur' – die oude baas had op de een of andere manier gelijk, hoewel het in andere landen erger was dan in Denemarken. Maar het ontbrak hun niet aan wilskracht, de uitverkorenen, de avant-garde, de speerpunt van de revolutie – of hoe ze zich ook noemden. 'De kortharige langharigen'. Zo noemde hij de vrienden van Rita, voor wie bloemen, wiet en muziek niet langer genoeg was. Er moest ook een revolutie worden gepleegd, en surfend op de golf van verandering en met *Het Rode Boekje* van Mao in de achterzak won de revolutiegedachte meer en meer terrein onder de jonge intellectuelen die aan de universiteiten in Kopenhagen of Aarhus studeerden. De democratie werd met het badwater weggegooid, de heerlijke dictatuur van het proletariaat was om de hoek... Maar de hoek was ver weg en intussen verwelkten de bloemen.

De posters in Rita's kamer werden vervangen. Ze woonde in een kelderkamer bij haar moeder in een villa in Gentofte tot ze naar een studentenhuis verhuisde. De popidolen werden van de muur gehaald en vervangen door propagandaposters voor guerrillagroepen uit de hele wereld. Rita vertelde hem over de mobilisatie tegen de bourgeoisie en de fascistische staat. Haar gitaar had ze weggegeven en het zingen maakte plaats voor boeken die hij niet begreep en die zij verbeten las.

Op een dag in juni fietste hij naar Louisiana, het museum voor moderne kunst in Humlebæk in Nordsjælland. Daar kocht hij een poster met *Guernica* van Pablo Picasso, het symbool van de gruwelen van de Spaanse Burgeroorlog. Onderweg naar huis werd hij door een regenbui overvallen en de kartonnen koker met de opgerolde poster werd nat. Daar was niets aan te doen, hij had echt geen geld voor een nieuwe. Bovendien was hij al in Vedbæk en had hij geen zin om weer terug te fietsen. Een paar dagen later gaf hij Rita de poster voor haar verjaardag. Ze was er blij mee en hing hem aan haar deur, de ereplaats voor posters. En daar hing hij twee weken, golvend door de waterschade en daardoor nog spannender van vorm dan de kunstenaar het werk oorspronkelijk had geschapen. Maar op een dag was de poster verdwenen. Vervangen door Leila Khaled, de mooie Palestijnse vliegtuigkaper met haar kaffiya, haar AK47-geweer en haar liefdevolle blik, alsof ze naar een baby in een wieg keek. Rita legde het uit: het kubisme was gedegenereerde middenklassenkunst die de revolutie van de arbeidersklasse in de weg stond. Bovendien was het museum Louisiana, dat de poster had gedrukt, in bezit en beheer van een kaaskapitalist tevens nazi.

Hij vroeg spottend: 'Dus als de revolutie komt moet het museum gesloopt worden? Er waren anders een heleboel mensen.'

Maar ook daarop had ze een antwoord: het volk was verblind, werd voor de gek gehouden door de burgerlijke ideologie en gehersenspoeld door de kapitalistische media. Dat was het ultieme, altijd sluitende argument dat elke keer kon worden gebruikt als het volk niet paste in de theorieën van haar en haar nieuwe vrienden.

Ze vreeën.

Hij verdacht haar ervan dat het compensatie was voor het weghalen van zijn verjaardagscadeau. Toen ze later met haar hoofd op zijn borstkas lag en een beetje afwezig leek, vroeg hij listig: 'Eén ding begrijp ik niet, Rita. Waarom stelt een nazistische museumdirecteur een tentoonstelling met Kandinsky en Klee samen? Twee schilders die door de nazi's in de ban zijn gedaan. Ze zijn toch wel slim, die moderne nazi's. Het is een beetje eng.'

Ze legde uit dat dat 'repressieve tolerantie' was. Hij aaide haar over haar hoofd en opperde zachtjes dat ze zich misschien iets meer voor Kandinsky en Klee kon interesseren en iets minder voor Marcuse en Habermas. Ze stapte uit bed. Wat wist hij daar nou van? Hij met zijn mulodiploma en zijn smerisachtergrond.

Later die maand haalde zij haar gymnasiumdiploma.

De sombere gedachten uit het verleden bleven in zijn hoofd zitten totdat hij zijn auto in Søllerød in de garage had gezet. Waar hij tot de ontdekking kwam dat het helemaal niet zijn bedoeling was geweest om naar huis te rijden. Dat had hij wel al een paar keer eerder meegemaakt, maar nog nooit over zo'n lang traject als vandaag. Het was verontrustend. Niet in het minst omdat hij helemaal was opgegaan in zijn herinneringen en niets meer wist over de route die hij net had afgelegd. Hij bleef een tijdje in de auto zitten zonder te kunnen besluiten of hij terug zou gaan of niet. Uiteindelijk trok hij zijn trainingspak aan en ging hij zijn vaste rondje rennen, vastbesloten zijn persoonlijk record te verbeteren. Hij forceerde zich echter en moest zijn slechtste tijd in weken noteren. Vervolgens at hij wat en ging weer weg, met als bestemming het Telium-gebouw vlak bij het Rigshospital in Kopenhagen. Hij was benieuwd waar hij nu uit zou komen.

Professor Arthur Elvang was na een mensenleven eindelijk met pensioen gegaan als patholoog van het Forensisch Instituut in Kopenhagen. Hij was nu emeritus-hoogleraar en had het recht om naar het instituut te komen als en wanneer hij maar wilde. Het personeel vertelde Konrad Simonsen dat de oude man niet vaak gebruikmaakte van dit recht, wat iedereen betreurde, want hij was nog steeds een van de beste pathologen van het land. Het was ook slecht nieuws voor Konrad Simonsen omdat hij de man nu alleen kon ontmoeten door bij hem thuis op bezoek te gaan. Hij ging dus naar Klampenborg, ten noorden van Kopenhagen, benieuwd, om niet te zeggen bang hoe de oude man hem zou ontvangen. Arthur Elvang was namelijk niet altijd even vriendelijk, hij was zelfs zonder meer buitengewoon onbeschoft.

Hij vond de villa van de professor zonder problemen in een zijstraat van de Klampenborgvej, niet ver van Dyrehaven, en nadat hij in de auto een tijdje moed had zitten verzamelen ging hij naar de voordeur en belde hij aan. Het duurde even voordat er werd opengedaan en het kale hoofd en het magere lichaam van Arthur Elvang in het halletje tevoorschijn kwamen. De beleefdheden die Konrad Simonsen zich had voorgenomen, bleven in zijn keel steken, terwijl de professor hem strak aankeek door zijn dikke brillenglazen van jampotsterkte.

'Wat kom jij hier in godsnaam doen?'

Konrad Simonsen slaakte een zucht van verlichting. Hij was bang geweest dat de man de deur voor zijn neus zou dichtsmijten. Nu was er in elk geval contact. Hij vertelde de reden van zijn komst, alsof zijn leven ervan afhing, terwijl Arthur Elvang met zijn hoofd scheef en met een verbeten, sceptisch gezicht luisterde.

Toen hij klaar was, beval de professor: 'Nog een keer!'

Hij herhaalde zijn verhaal en hoorde zelf ook dat het... ongewoon was. De professor dacht ongeveer hetzelfde, zij het directer: 'Wat een idioot verhaal! Dat soort flauwekul heb ik sinds de zondagsschool niet meer gehoord. Kom mee!'

Arthur Elvang liep naar buiten en om het huis heen. Konrad Simonsen volgde hem. In een schuurtje pakte de man een hark die hij Konrad Simonsen overhandigde in ruil voor de papieren die deze in zijn hand had. De professor wees met een kromme vinger naar zijn gazon. Dat was bezaaid met bladeren van de kastanjeboom, die op de erfscheiding tussen zijn tuin en die van de buurman stond.

'Ga jij intussen maar harken. Ik werk niet voor niks.'

Konrad Simonsen had een uur nodig, de professor was daarentegen in vijf minuten klaar. Ze kwamen bij elkaar op het terras.

Arthur Elvang zei: 'Als je dorst hebt, kun je in de keuken een glas water halen.'

Konrad Simonsen bedankte. Hij wilde liever de conclusie van de oude man over het obductierapport van Juli Denissen horen.

De professor bromde: 'Ik hoor dat je tweede vrouw je ook al heeft verlaten.'

Licht kleurend ontkende Konrad Simonsen dit. De Freule was aan het werk in Esbjerg, meer klopte er niet van dat verhaal. Hij vroeg zich af hoe de professor in vredesnaam aan die informatie kwam. Toen vroeg hij: 'Wat is je voorlopige conclusie?'

'Mijn voorlopige conclusie is dezelfde als mijn definitieve conclusie, die op haar beurt weer de enige conclusie is. Maar ik dacht dat je wilde wachten tot je weer terugkwam samen met die twee vrouwen. Zoiets zei je toch net?'

'Ja, maar ik wil je antwoord zelf wel liever van tevoren weten.'

'Mijn antwoord is dat de jonge vrouw objectief gezien is overleden aan een *hemorrhagia cerebri*, een hersenbloeding dus. Dat staat er zwart op wit, man. Dat had een eerstejaarsstudent geneeskunde je ook kunnen vertellen.'

Tien minuten later slenterde Konrad Simonsen over de bekende paden van Dyrehaven en dacht aan wat een eerstejaarsstudente bouwkunde hem in 1972 had verteld. Hier, in dit bos hadden ze gelopen, samen maar toch apart, met de kou tussen hen in. Hij wist het nog als de dag van gisteren. Zelfs de datum wist hij nog: 2 november.

Zij had haar Afghaanse jas aan, een lange jas van schapenvacht met de gladde kant naar buiten, met boorden met kunstig geborduurde rode en gele bloemen, en de lange haren van de vacht die alle kanten op pluisden, alsof de fabriek geen zin had gehad om hem goed af te maken. De jas waar de eerzame boerenbevolking ook in liep. Weliswaar voor een fortuin aangeschaft in een van de hippe winkeltjes aan de Larsbjørnsstræde in Kopenhagen, maar het ging om de symboliek. Hij vond het geweldig als ze die jas droeg en had er tegelijk ook vaak om gelachen. De jas kon alleen maar met haken aan de voorkant worden dichtgemaakt, dus als het koud was, had zij het ook koud. Dat was wellicht ook uit solidariteit met de eerzame boerenbevolking, maar toch erg onpraktisch in november.

Het was haar idee geweest om naar Dyrehaven te fietsen. Er was iets waarover ze met hem wilde praten. Hij kon zelfs via de telefoon aan haar stem horen dat het ernstig was, en hij had zich alvast een beetje erop ingesteld dat ze het uit zou maken. Misschien was dat ook niet zo'n slecht idee. Het laatste jaar was moeilijk voor hen geweest, er was zoveel dat hen scheidde. Vaak haatte hij haar en hield hij tegelijk van haar, en dat gold ook voor de kringen waarin ze verkeerde. Op de ene dag was er een grote afstand tussen hen, de volgende dag pure jaloezie. Dat gold in elk geval voor de mensen met wie ze voor die tijd omging. Haar nieuwe politieke vrienden benijdde hij niet.

Rita was aan de Academie voor Bouwkunst begonnen, waar ze het druk had met marxistische economie en leninistische theorie. Je moest er in die jaren wel wat voor over hebben om deel uit te maken van de revolutie. Ze had een kamer gekregen in Grønjordskollegiet, het studentenhuis op Amager, op de zevende verdieping met mooi uitzicht op het natuurgebied Amager Fælled en verder weg de torens en spitsen van de stad. Hij had haar geholpen met schilderen en verhuizen. En hij had haar boekenkast in elkaar gezet, makkelijk, snel en lelijk. De kast nam een hele wand in beslag, maar ze had dan ook veel boeken. Hij had snel een paar titels bekeken toen hij de boeken in de kast zette, en vroeg zich af wie nou eigenlijk in de toekomst de huizen in Denemarken moest ontwerpen als de studenten bouwkunde het niet meer leerden.

1972 was een jaar van grote gebeurtenissen. Rita en hij waren het over bijna alles oneens, maar het meest over het bloedbad in München. Tijdens de

Olympische Spelen in München werden elf Israëlische atleten vermoord door de Palestijnse terreurgroep 'Zwarte September'. De wereld was geschokt, en hij ook. Het was zo laf en gruwelijk als maar kon. Na een dag van rouw gingen de Spelen door. Maar de lol was eraf en hij zette de televisie uit, de wedstrijden hadden geen zin meer. Hij confronteerde haar hiermee en voor één keer spaarde hij haar niet: 'Gefeliciteerd, Rita. Je vrienden hebben echt een grote overwinning behaald. Elf weerloze atleten, ik hoop dat je trots bent.' Ze maakte een onverschillig gebaar. Nou en, het zou haar een zorg zijn wat er in München gebeurde. Zolang de kameraden in de Stammheim-gevangenis in isolatiecellen zaten en werden gemarteld, zonder dat de wereldopinie zich er druk om maakte, had zij in elk geval geen zin om zich op te winden over een toevallig handjevol dode atleten. Hij was kwaad weggelopen. 'De kameraden in Stammheim' – Andreas Baader, Ulrike Meinhof, Gudrun Ensslin en Jan-Carl Raspe – allemaal moordenaars. Wat hem betrof mochten ze in hun isolatiecellen wegrotten. Later kreeg hij een *Fahndungsplakat* van een collega van de grenspolitie in Kruså. Dat was niet zo moeilijk, van dat soort posters hingen er talloze, overal in de publieke instellingen in West-Duitsland. Zwart-wit portretfoto's van twintig jonge mensen, afgedrukt met veel contrast. De kop luidde eenvoudig TERRORISTEN. Met een dikke zwarte stift zette hij een kruis door degenen die al dood waren of in de gevangenis zaten. Hij hing de poster aan de deur naar haar kamer in het studentenhuis zonder dat ze het had gemerkt. De poster hing er bijna een etmaal. Toen ze hem eindelijk zag, werd ze zo kwaad dat ze bijna stikte, maar hij ontkende krachtig. Hij? Geen sprake van. Het moest een van de andere studenten zijn geweest. Misschien waren er wel een of twee die het niet met haar eens waren. Had ze daar al over nagedacht?

Vervolgens kregen zij en de door haar verafgode linkse partijen op 2 oktober een geduchte oorvijg. Denemarken was met overgrote meerderheid voor toetreding tot de EEG. Ze zaten bij hem thuis op de televisie naar de uitslagen van de stemming te kijken. Hij triomfantelijk, zij zonder te reageren, zoals hij al had verwacht. En dat was niet omdat ze had verloren, het was iets anders. Iets wat veel beangstigender was. Die avond kreeg hij voor het eerst het vermoeden dat er iets mis was. Ze was bang.

De eikenboom aan de voet waarvan ze hadden gezeten, stond er nog steeds. Hij zou die boom uit duizenden herkennen. Hij ging zitten en vóélde bijna dat ze naast hem zat. Misschien kwam dat doordat hij ondanks alles van haar hield, dat ze altijd in staat was geweest hem te verrassen. Dat ze altijd dingen deed die hij niet helemaal kon voorspellen of dingen zei die hij totaal niet verwachtte. Ze was onmogelijk in een hokje te stoppen. Als hij dacht dat hij haar kende, bleek het toch niet zo te zijn. En die dag, vijfendertig jaar geleden, was geen uitzondering geweest. Ze leunde met haar hoofd tegen zijn schouder. Dat was het eerste lichamelijke contact tussen hen sinds lange tijd. Hij dacht dat het nu dus voorbij was. Toen zei ze zacht: 'Konrad, ik ben zwanger.'

Duizenden gedachten schoten door zijn hoofd. Huwelijk, verantwoordelijkheid, financiën. Het was overweldigend. Een kind. Hij werd vader.

'Ik weet niet zeker of het van jou is. Ik denk het wel, maar... ik weet het niet zeker.'

Hij wist niet meer wat hij had gezegd. Of hij iets had gezegd. Maar haar volgende zin was hij niet vergeten: 'Ik wil het kind niet. Het kan niet. Nu niet.'

Hij protesteerde, halfhartig. Ze negeerde het.

'Wil je me even in je armen nemen?'

Hij omarmde haar, zoals ze vroeg. Het was ongeveer een jaar voordat abortus werd toegestaan in Denemarken.

*

De villa in Søllerød was groot nu hij alleen was. Hij miste de Freule, zo was het gewoon, er was geen reden om dat te ontkennen. En al helemaal niet tegenover zichzelf.

Zaterdag werkte hij aan zijn postbodezaak, vooral om de tijd te doden met iets zinvols. Hij herlas een paar rapporten die hij mee naar huis had genomen en gebruikte het grootste deel van de middag om de bonnetjes van de man door te nemen om te zien of er nog meer interessants te ontdekken was dan wat Pauline Berg al had gevonden. Dat was er niet. Toen stuurde hij een mailtje naar de priester, nadat hij zelfs even met de gedachte had gespeeld om bij hem op bezoek te gaan, gewoon omdat hij er zin in had. Hij was onder de indruk geraakt van de man. Het bleef echter bij de gedachte. In zijn mailtje vroeg hij kort of de priester via zijn werk de Engelse organisatie Missing Children kende, die Jørgen Kramer Nielsen in zijn testament had bedacht. Een uur later kreeg hij antwoord in de vorm van een link naar de website van de organisatie plus vriendelijke groeten en '*voor morgen een goede zondag*'. De website had hij al eerder bezocht, dus hij had niets aan het antwoord. Maar het was toch het proberen waard geweest.

Laat op die zaterdagmiddag gebeurde er iets wat hem blij maakte. Er werd aangebeld en voor de deur stond Maja Nørgaard met een verlegen glimlach en een enorme bos bloemen. Hij had haar niet meer gezien sinds de dag dat hij haar in het café bij station Enghave had ondervraagd, en dat was bijna een maand geleden. Ze zag er goed uit, met heldere, levendige ogen, zoals het hoort bij iemand van die leeftijd.

Ze bedankte hem onhandig, gaf een hand en haalde de woorden door elkaar die ze waarschijnlijk van tevoren had geoefend. Maar over de betekenis ervan was geen twijfel mogelijk: ze had de controle over haar leven terug en hield het nu doordeweeks bij frisdrank, en van drugs zou ze ver wegblijven, nu en tot ze honderd werd. Haar moeder, een psycholoog en een maatschappelijk werkster hadden haar geholpen. Konrad Simonsen ging op de trap zitten. Hij wilde haar niet naar binnen vragen, dat zou verkeerd overkomen. Maar hij wilde haar ook niet afwijzen als ze wilde praten.

Zij ging aan de andere kant van de trap zitten en zei aarzelend, alsof ze naar de samenhang zocht: 'Het is gek. Zolang ik op school zit, hoor ik al dat je anderen niet mag pesten of buitensluiten. Maar nu begrijp ik pas hoe waar dat eigenlijk is. Ik had best wat aardiger kunnen zijn tegenover Robert, ja, wij allemaal wel. Hij was verliefd op me, maar daar was niks mis mee. Ik had achter zijn uiterlijk moeten kijken, er niet zo aan moeten denken dat hij dik was, ik had met hem moeten praten, hem moeten vertellen dat ik hem eigenlijk best mocht. Dat had ik makkelijk kunnen doen zonder... zonder...'

Ze kwam niet verder, gaf het op en vervolgde toen maar: 'Dat had vast een hoop voor hem kunnen betekenen.'

Konrad Simonsen zei zacht: 'Ja, vast, Maja. Maar wat er is gebeurd, was niet jouw schuld. Het is belangrijk dat je je dat óók voor ogen houdt.'

Ze glimlachte onzeker. Hij vertelde haar over andere gevallen waarvan hij wist dat er mensen in de problemen waren gekomen zonder dat het daardoor direct aan hun omgeving kon worden verweten. Ze luisterde dankbaar en hij verzon er een beetje bij om zijn verhalen beter te laten kloppen. Toen stond hij op, en zij ook.

'De psycholoog zegt hetzelfde als jij, dat het niet mijn schuld is, dus.'

'Dat is vast omdat het waar is.'

Hij bedankte weer voor de bloemen en zij liep langzaam weg. Na een paar stappen bracht ze toch het lef op om spontaan terug te lopen en hem te omhelzen. Zo stonden ze even. Toen liet ze los en liep ze wuivend de tuin uit naar de wachtende auto. Blij.

*

Zondagavond kwam Anna Mia onaangekondigd langs. Ze hadden de volgende dag een eetafspraak en hij had beloofd ergens in de stad te trakteren, dus de visite was een verrassing maar des te gezelliger. Hij zat in de keuken terwijl Anna Mia de koelkast plunderde; ze had honger.

Terwijl ze een paar boterhammen smeerde, vroeg ze: 'Als je mijn cadeau al gekocht hebt, mag ik het dan nu al meenemen? Dan hoef ik het morgen niet mee te sjouwen door de stad.'

Dit was niet goed. Hij had alles wat met haar verjaardag te maken had verdrongen na de ruzie met de Freule. En wat het nog erger maakte – ze interpreteerde zijn verraste uitdrukking bliksemsnel: 'Papa, ben je mijn verjaardag vergeten?'

Dit was een mijnenveld. Er waren zoveel verjaardagen in haar leven geweest waarop haar enige wens was geweest om iets van hem te krijgen. Ongeacht wat – gewoon iets. Ze kreeg tranen in haar ogen en legde het mes neer. Het enige wat hij kon doen was haar de waarheid vertellen.

Ze droogde haar tranen en werd weer zichzelf. Heel erg zichzelf. Ze vroeg zogenaamd langs haar neus weg: 'Waar is het eigenlijk, dat fototoestel, bedoel ik? Ik zou het wel even willen zien.'

Hij had het pakje in de serre neergezet, bij de telelens die een paar dagen geleden per koerier was bezorgd. Twintig seconden nadat hij had gezegd waar ze waren, stonden de pakjes voor hen op de eettafel. Ze haalde de camera uit het doosje.

'Wow, wat een mooi ding.'

Hij maakte haar boterhammen verder klaar terwijl ze de camera bewonderde. Ze bespraken het probleem even. Misschien kon ze zelf een beetje bijbetalen als ze het over een paar maanden kon afbetalen. Hij wees haar voorstel af en pakte schaar, plakband en cadeaupapier, wel wetende dat de conclusie er allang lag.

Ze vroeg: 'Maar kun jij het wel betalen, papa?'

Natuurlijk kon hij het wel betalen. Zijn salaris was uitstekend, maar nadat hij bij de Freule was ingetrokken was het alsof zijn financiën altijd met de hare werden vergeleken, en daar kon hij niet aan tippen. Toch gaf hij op het ogenblik nauwelijks iets uit van wat hij verdiende, wat onder meer kwam doordat de Freule meestal de boodschappen deed en volstrekt afwijzend stond tegenover de gedachte een rechtvaardige boekhouding bij te houden. Dat vond ze maar tijdverspilling. Maar dat zei hij allemaal niet. Hij liet het bij een zuinig: 'Jawel.'

Ze pakten samen haar cadeaus in. Met kerstpapier; dat was het enige wat hij had kunnen vinden. Hij vroeg: 'Maar wat doen we nou met je moeder?'

Toen hij haar net de waarheid vertelde, begreep ze het probleem goed, en ze had hem min of meer gelijk gegeven dat het beter was als het cadeau van de Freule de andere cadeaus niet te veel zou overschaduwen. De oplossing lag voor de hand: 'Ik neem alleen de telelens mee.'

Natuurlijk. Hoe moeilijk kon het zijn?

*

Toen Konrad Simonsen de volgende dag op kantoor kwam, lag er een envelop van de technische recherche op zijn bureau. Hij maakte hem verwachtingsvol open en liet de inhoud op het bureau glijden. Zoals hij had verwacht waren het foto's, om precies te zijn twaalf grote zwart-witfoto's, zo te zien vakantiekiekjes. Hij bekeek ze rustig, één met meer aandacht dan de rest. Het waren allemaal foto's van jonge mensen in allerlei alledaagse situaties, voor zover hij kon beoordelen in en om een zomerhuisje. Op alle foto's herkende hij het meisje van de posters tussen de andere jongeren; zes keer was ze alleen. Bovendien was er een kleinere envelop met de negatieven die van elkaar waren losgeknipt, zodat ze platgedrukt konden worden. Hij hield een willekeurige tegen het licht en stelde vast dat die overeenkwam met een van de afdrukken en dat het aantal klopte.

Het verrassendst en meest informatief was een krantenpagina. Die was dubbelgevouwen, en hij vouwde hem voorzichtig open. Hij kwam uit *Jyllands-Posten*, zag hij, de voorpagina van het tweede katern van zondag 17 februari 1974. Het artikel werd gedomineerd door een foto van een lachend meisje. De kop luidde DE KOSTEN VAN DE OPSTAND en het onderschrift gaf het meisje een naam: *Lucy Selma Davison verliet haar ouderlijk huis in Liverpool in mei 1969 en is voor het laatst gezien op 14 juni van hetzelfde jaar in Harwich.*

Konrad Simonsen zei stilletjes, tegen niemand in het bijzonder: 'Lucy Selma Davison.'

Hij keek een minuut lang naar het portret van het meisje. Toen de foto werd gemaakt, was ze waarschijnlijk niet ouder dan vijftien of zestien jaar. Hooguit zeventien, maar zeker niet ouder. Haar gelaatstrekken waren zacht, met een ietwat spitse neus met een paar zomersproetjes. In haar ogen twinkelde een schalkse lach, een beetje bescheiden, een beetje uitdagend. Haar lange, donkerblonde haar was achter haar oren gekamd en met twee rode haarspelden aan weerskanten vastgezet, de recht afgeknipte pony kwam bijna tot haar wenkbrauwen. Ze had geen make-up op, en dat had ze ook niet nodig.

Voorzichtig, bijna alsof het niet mocht, liet hij zijn vingertoppen over de krantenfoto glijden, terwijl hij fluisterde: 'Wat was je mooi, Lucy, wat was je mooi.'

Toen vouwde hij de pagina weer op en vroeg hij zich af wat hij van Liverpool wist. Dat was bijna niets. De *Titanic* was van Liverpool uitgevaren, en The Beatles kwamen uit Liverpool. Natuurlijk was geen van beide feiten nu belangrijk, dacht hij. Liverpool, mei 1969. Wat gebeurde er in Liverpool in mei 1969? Hij had geen idee, en dat was een uitstekend uitgangspunt.

Plotseling kwam het Konrad Simonsen heel goed uit dat de Freule haar terugkomst uit Jutland had uitgesteld tot woensdag. Dat gaf hem wat meer speelruimte met zijn werktijden, en hij had ineens een heleboel omhanden. Hij vertelde haar door de telefoon over zijn vondst, en ze waren het erover eens dat het nu des te belangrijker was om de gangen van Jørgen Kramer Nielsen tijdens zijn jaarlijkse vakanties na te gaan. Een klus waarmee Klavs Arnold en zij bezig waren, maar die ze nog niet hadden geklaard.

Pas toen hij weer had opgehangen bedacht hij dat hij vergeten was te vertellen over de oplossing voor het verjaardagscadeau van Anna Mia. Hij schudde zijn hoofd over zichzelf. 'De oplossing' was zijn eigen eufemisme voor een complete nederlaag. Toen bedacht hij dat hij ook beter meteen de eetafspraak met zijn dochter voor die avond kon afzeggen. Daar had hij geen tijd voor. Hij had geluk, ze nam niet op zodat hij het kon laten bij het inspreken van zijn verontschuldigende bericht op haar voicemail. Toen ging hij aan het werk.

Op dinsdag kwam Pauline Berg tegen het einde van de ochtend fris en vrolijk zijn kantoor binnen. Hij was blij haar te zien. Dat gaf hem de gelegenheid over zijn resultaten te vertellen, en dat waren er langzamerhand heel wat. Bovendien was hij bijna gaan houden van haar soms provocerende houding en haar anarchistische gedrag. Zolang ze niet te ver ging, in elk geval.

'Hallo, Pauline. Ik hoop dat je tijd hebt. Er is heel wat te bespreken en er is iets concreets waarbij ik je hulp kan gebruiken.'

Pauline Berg ging zitten en nam zijn kantoor argwanend in ogenschouw. De prikborden hingen vol met foto's, op een tafel lag een grote stapel stoffige hangmappen en het whiteboard stond vol met grafieken.

'De Freule heeft je gebeld. Waarom neem je niet op?'

'Ik ben het grootste deel van de ochtend in de kelder geweest, maar daar hoor je later meer over. Vertel me eerst eens: hoe is je Engels?'

'Mijn Engels is prima. Arne heeft ook gebeld; hij kon je ook niet bereiken. En je dochter ook, en die heeft je gisteravond ook gemist. Jullie hadden een afspraak.'

'Ik had onze afspraak afgezegd.'

Ze keek hem misprijzend aan en wachtte het vervolg af.

'Oké, ik was pas laat thuis. Maar luister, ik wil graag dat je later vandaag naar Engeland belt. Mijn eigen Engels is te slecht voor telefoongesprekken, dus dan gaat er te veel verloren. Op het ogenblik weet ik nog niet precies waar je moet starten, ik heb nog geen tijd gehad om dat voor te bereiden, maar ik zal zorgen dat ik een of andere hoge pief vind om mee te beginnen. Iemand moet een persoonlijk contact hebben dat we kunnen gebruiken, misschien wel de hoogste baas, maar dat regel ik dus later wel.'

'Wat moet ik dan uitzoeken?'

'Alles over een zeventienjarig meisje dat in de zomer van 1969 is verdwenen. Ze kwam uit Fairfield in Liverpool en haar naam was Lucy.'

'Het meisje van je posters?'

'Ja, er is een heleboel gebeurd, onder andere is ze geïdentificeerd. Ze heette Lucy Davison en ze had contact met Jørgen Kramer Nielsen voordat ze verdween.'

'Is ze dood?'

'Daar ga ik sterk vanuit, ja, maar ik kan het nog niet met zekerheid zeggen. Daarom moet je in je contact met Engeland ook een beetje voorzichtig zijn.

Ik wil niet dat haar familie valse hoop krijgt. In principe kunnen haar ouders nog in leven zijn.'
'Waar moet ik concreet achter komen?'
Het belangrijkste was natuurlijk dat vast kwam te staan dat Lucy Davison niet ongedeerd was teruggekeerd naar Liverpool en dat haar lot niet op een andere manier was opgehelderd. Hij had niets over haar in de archieven kunnen vinden, hoewel hij kilometers dossiers had doorgespit over verdwenen kinderen en jongeren in 1969 en een paar jaar daarna. Hij ging door: 'Maar ik heb twaalf foto's van haar, of liever, foto's waar zij op staat. Ze zijn genomen door Jørgen Kramer Nielsen en ik heb het tijdstip al bijna bepaald. Morgen ga ik naar het Regionaal Archief om naar examenlijsten en handtekeningen van gecommitteerden te kijken – stel je voor, ze bewaren dat voor eeuwig! – maar eigenlijk twijfel ik niet aan de data.'
'De data van de jaarlijkse vakanties van Jørgen Kramer Nielsen?'
'Ja, die zijn negenennegentig procent zeker.'
'Je bent wel opgeschoten, zeg.'
'Het heeft ook heel wat zweetdruppeltjes gekost, maar als alles volgens plan gaat, kan ik morgen al met een paar duidelijke sporen komen. Ik neem tenminste aan dat je mijn uitnodiging voor de vergadering hebt gezien. Dan is de Freule als het goed is weer terug, en Arne kan ook.'
'Wat zijn dat voor dozen?'
'Opstellen Deens van zijn klas voor het eindexamen van 1969 op het Brøndbyøster Gymnasium en de tentamens van hetzelfde jaar. De opstellen heb ik in het Regionaal Archief gekopieerd en de tentamens komen uit de kelder van het gymnasium. De twee groene dozen zijn het schoolkrantje van het gymnasium, de jaargangen 1967 tot 1969. De krant heette *De Estafette*.'
'En dat moet je ook allemaal vóór morgen hebben gelezen?'
'Ik blader het alleen vluchtig door. Het meeste is waarschijnlijk niet interessant.'
'Wil je me even excuseren, Simon? Ik moet even wat regelen. Ik ben over een kwartier terug.'

De vijftien minuten bleken te kloppen, maar Pauline Berg kwam niet terug. Konrad Simonsen merkte de hoofdcommissaris pas op toen ze tegenover hem zat.
'Hallo, Simon. Je maakt lange dagen de laatste tijd.'
'O, ja, hallo. Wat kan ik voor je doen?'
'Ik kwam je eigenlijk helpen. Ik hoor dat je een probleem hebt met Engels. Ja, ik kwam Pauline Berg tegen en ze vertelde dat je informatie zoekt uit Engeland, om precies te zijn uit Liverpool.'
Konrad Simonsens belangstelling was gewekt.
'Mijn eigen Engels is helaas niet goed genoeg, en we hebben ook een goede

referentie nodig, liefst van iemand die een beetje hooggeplaatst is en die wat deuren kan openen.'

'Dan zit je tegenover de juiste persoon, hoewel mijn Engels vast ook niet goed genoeg is. Ik was ooit op een conferentie in Liverpool en toen hoorde ik hoe de inboorlingen daar met elkaar praatten. Ik begreep er eigenlijk helemaal niets van, dus laten we hopen dat ze vriendelijk zijn als ik bel.'

'Wil je dat doen? Dat zou een grote hulp zijn. Heb je wel tijd voor dat soort dingen?'

'Het was bij ons tamelijk rustig deze week. We moeten de grote medewerkersbijeenkomst voorbereiden, maar daar zijn we allang klaar mee. En ik moet zeggen dat ik ook een beetje benieuwd ben naar je zaak, nu ik zelf vanaf de zijlijn ook een kleine bijdrage heb mogen leveren.'

'Dat klinkt goed. Ik maak een lijst met vragen waar ik graag antwoord op wil hebben. Je hebt hem morgenochtend op je bureau.'

'Dan scheiden daar onze wegen, Simon, want dat doe je dus niet. Je vertelt me alles over het meisje waar je zoveel belangstelling voor hebt, en dan ga je naar huis om je koffer te pakken.'

'Om mijn koffer te pakken, hoezo? Waar moet ik heen? Ik heb morgen een belangrijke bespreking.'

'Niet meer. Die is een week uitgesteld. Het is ongelooflijk wat ze bij de IT-afdeling voor elkaar kunnen krijgen als het haast heeft.'

'Hoezo haast? Waar heb je het over?'

Hij moest naar een conferentie van Interpol, of misschien was het een seminar. Dat wist ze niet zeker. Maar ze was er net achter gekomen dat de politie van Kopenhagen drie plekken had voor het seminar, en niet twee, zoals ze eerst dacht. En omdat het uitermate belangrijk was om je gezicht te laten zien bij dat soort gelegenheden moest je maar voor lief nemen dat er af en toe nogal veel tijd verloren ging. Ja, stel je voor, het seminar ging zelfs over het weekend heen en Joost mocht weten waarom. Maar wat een geluk dat hij beschikbaar was, want anders had ze echt niet geweten wie ze moest sturen. Ze zei vriendelijk maar beslist: 'Je vliegt morgenmiddag om 12.30 uur, en je moet twee uur eerder op Kastrup zijn.'

'Waar is het?'

'In Nesebar in Bulgarije, dat ligt aan de Zwarte Zee. Zeer cultureel, er zijn ook kuurbaden als je je een beetje wilt ontspannen na de inspanningen van de ochtend.'

'Wat is het onderwerp?'

Er waren veel onderwerpen, en ze waren allemaal belangrijk. Internationale samenwerking, grensoverschrijdend teamwork, virtuele werkgroepen, allemaal erg belangrijk, niet in het minst voor Denemarken, dat zoals bekend wat juridische reserves had inzake samenwerking in de EU. Hij zag het verband niet, wat had Interpol met de EU te maken? Ze legde het uit: het ging over persoonlijke netwerken, de alfa en omega in alle internationale samenwerkingsverbanden, vooral in de grote EU-landen. Haar enthousiasme was aanstekelijk, hij luisterde geïnteresseerd.

'Maar je krijgt natuurlijk nog een programma. Ze zijn het allemaal voor je aan het klaarmaken op het secretariaat.'

Konrad Simonsen keek naar zijn prikbord en de hoofdcommissaris volgde zijn blik.

'Ja, ze moet even een weekje wachten, Simon. Je weet hoe belangrijk internationale politiesamenwerking is en hoeveel belang we er als leiding aan hechten. Bovendien is Bulgarije nieuw in de EU, en dat maakt het nog belangrijker om goed vertegenwoordigd te zijn. "Interpol is onze ruggengraat," zeg je dat zelf niet altijd?'

'Ja, ja, maar ik ben een beetje overrompeld... en mijn eigen zaak... maar ach, ja, natuurlijk kan het een week wachten.'

'Pauline Berg wil je morgen vast wel naar de luchthaven brengen. Dan kun je haar onderweg briefen, en daarna weet ik zeker dat zij en anderen je bespreking voor volgende week kunnen voorbereiden. Anders moet je het gewoon nog een paar dagen uitstellen.'

'Goed, ja, het zij zo.'

'Dank je, Simon, daar ben ik echt blij om. Dan zal ik ondertussen zorgen dat ik de informatie uit Engeland krijg. Je weet, voor wat hoort wat.'

Haar brede glimlach was aanstekelijk.

'En praat me dan nu maar eerst bij over het meisje.'

Hij begon met een van de foto's van het prikbord te halen en voor haar op tafel te leggen. Toen pakte hij het krantenartikel. De hoofdcommissaris bestudeerde de foto.

'Wat was ze mooi. Heb je een naam?'

Hij vertelde snel de paar feiten die hij had, en ging daarna door met een samenvatting van het artikel.

De strekking was, zoals ook uit de kop bleek, een scheldkanonnade tegen de studentenprotesten en alle negatieve gevolgen daarvan, met de nadruk op de vele tieners die hun ouderlijk huis verlieten en elkaar vonden in de grote steden. In Denemarken vooral in Christiania, die het artikel overigens consequent de Bådsmandsstrædes Kazerne noemde.

Hij zei: 'Het eigenlijke doel van het artikel is kennelijk de druk op de nieuwe regering te verhogen om de Hasjstad te ontruimen – nou ja, helemaal consequent zijn ze dus niet – maar je begrijpt het wel.'

'Ik snap het helemaal. De premier moest de bulldozers maar inzetten.'

Ze had gelijk. Dat was wat het artikel beoogde. Hijzelf vond het sloopverhaal het belangrijkste, maar het was toen niet anders dan nu: de menselijke invalshoek bevorderde de krantenverkoop. Niet de statistieken over al die verdwenen jonge mensen, hoewel dat er in die jaren veel waren. Ook niet de stakkers die de prijs betaalden voor de maatschappelijke ontwikkelingen en ten onder gingen aan drugs en prostitutie. Maar een ouder Engels echtpaar, een keurig arbeidersgezin uit Liverpool, dat elke zomer naar Deense en Zweedse steden ging om hun verdwenen dochter te vinden, dat ging erin als koek.

'De ouders van Lucy, dus?'

'George en Margaret Davison. Ze spaarden het hele jaar van een klein salaris, zodat ze geld hadden om elke zomer rond te reizen, flyers uit te delen en zelfgemaakte posters op te hangen om informatie te krijgen over hun dochter. Ze waren trouwens katholiek, of misschien zíjn ze katholiek, want misschien leven ze nog.'

'Het begint samenhang voor je te vertonen, hè Simon?'

'Misschien, laten we even afwachten. Hoe dan ook, de ouders hebben zich erbij neergelegd dat hun dochter vermoedelijk dood is, en dan is het hun diepste wens dat ze thuiskomt en in gewijde grond wordt begraven.'

'Arme mensen.'

'Tja, ze hebben de flowerpower, de vrije liefde en yin en yang uitgebreid vervloekt. Luister hier eens naar.'

Hij zette zijn bril op en las voor uit het artikel.

'*"Op een woensdag vonden we een korte afscheidsbrief. Het was de ergste ochtend van ons leven. Ze was weg. Ons kleine meisje was weggelopen." De tranen biggelen Mr. Davison over de wangen, maar hij doet niets om ze weg te vegen, hij zit gewoon machteloos te huilen. Mrs. Davison neemt het van haar man over. "We begrijpen niet wat we verkeerd hebben gedaan, we hebben haar alles gegeven wat we konden. Hoe kon ze ons zo onnadenkend behandelen? Hoe kon ze ons zoiets aandoen?" De vragen blijven in de lucht hangen. Wie kan ze beantwoorden?*'

'Nou ja, enzovoort enzovoort... *schadelijke invloed van ondermijnende elementen...* en dan een onbelangrijk stukje, maar wacht, er is meer.

"We weten dat ze twee dagen later wegging met een jongeman die bij onze plaatselijke autodealer werkte. Hij bracht haar naar Harwich, waar ze van plan was om stiekem de veerboot naar Denemarken te nemen, en we denken dat dat haar op de een of andere manier is gelukt. Mrs. Davison knikt. "Ze was een lief en vrolijk meisje, ze kon iedereen om haar vinger winden en als kind was ze heel makkelijk, maar vorig jaar kwam ze in slecht gezelschap. Hippies en straatmuzikanten." Daar gaat *Jyllands-Posten* dan nog een tijdje over door, zoals je je vast wel kunt voorstellen, en dan komt het laatste feitelijke stuk.'

Hij liet zijn vingers over de woorden lopen en vond snel wat hij zocht.

'*"We kregen een ansichtkaart uit Zweden. Die was op 22 juni 1969 in Orsa afgestempeld, en later werden haar tent en rugzak gevonden in de buurt van Lycksele, een plaatsje in het hoge noorden van Zweden. Dat was pas in april 1970. De tent stond midden in een bos." Weer neemt Mrs. Davison het over.*

Haar man huilt weer en verontschuldigt zich omdat hij zich niet kan beheersen. "De Zweedse politie nam de zaak-Lucy zeer serieus. Ze begonnen een onderzoek en zochten haar in het bos. Heel veel mensen hielpen met zoeken, politie, vrijwilligers en Zweedse militairen (Hemvärnet, de Zweedse burgerwacht, red.), maar ze vonden niets. Later was de politie van mening dat Lucy helemaal niet in Zweden was geweest maar dat iemand anders haar tent had opgezet en de kaart had verstuurd alsof die van haar kwam. Helaas wil de Deense politie niets aan de zaak doen. We hebben het zo vaak geprobeerd, en onze priester ook, maar elke keer tevergeefs. Daarom hopen we heel erg dat het helpt om Lucy's zaak in de krant gedrukt te krijgen."'

Konrad Simonsen stopte, hij was klaar. De hoofdcommissaris merkte op: 'Eén ding begrijp ik niet. Hoe kan iemand een kaart sturen alsof hij van iemand anders is? Het kan toch niet zo moeilijk zijn om uit te zoeken of ze hem zelf geschreven heeft of niet?'

'Dat was mij ook opgevallen, en dat is dus een van de vragen die je aan de Engelse politie moet stellen, als ze überhaupt iets over de zaak hebben. Het lijkt mij beter om in eerste instantie niet aan haar familie te vertellen dat we misschien nieuws hebben. Ze hebben genoeg geleden.'

'Daar zijn we het helemaal over eens. En de Zweedse politie? Het klinkt toch alsof ze bepaalde informatie over haar hebben. Heb je contact met ze gehad?'

'Ze hebben beloofd dat ze zo snel mogelijk een kopie van het eindrapport zullen sturen.'

'Moet ik er een beetje druk op zetten nu ik toch bezig ben?'

'Nee, dat hoeft niet, ze zijn meestal erg efficiënt, ook al wees de collega van de Zweedse Nationale Recherche erop dat we het rapport al een keer eerder hebben gekregen, namelijk eind 1972. Waar het is gebleven en wat wij ermee hebben gedaan, heb ik niet kunnen achterhalen, dus het artikel heeft waarschijnlijk toch gelijk: wij hebben er niets mee gedaan.'

'Denk jij ook dat ze Zweden nooit heeft bereikt?'

'Ik denk dat Lucy Davison tussen 15 en 19 juni 1969 in een zomerhuis aan de Noordzee is vermoord en dat ze door Jørgen Kramer Nielsen en een paar van zijn klasgenoten op een toevallige plek is begraven. En ik denk dat die daad Jørgen Kramer Nielsen het leven heeft gekost.'

7

Toen het vliegtuig van Kastrup opsteeg dacht Konrad Simonsen aan Lucy. Hij stond zichzelf toe haar vijf minuten lang bij haar voornaam te noemen en haar te zoeken *in the sky*, in de wolken die langs hem gleden als popcorn maat XL. Daarna vergat hij zijn zaak. De hoofdcommissaris had gelijk als ze zei dat ook anderen de informatie konden verzamelen terwijl hij weg was, en bovendien had hij Pauline Berg deze ochtend heel goed geïnstrueerd. Algauw viel hij in slaap, en hij werd pas wakker toen de stewardess hem zachtjes heen en weer schudde. Het vliegtuig zette de landing in en hij moest zijn riem vastmaken.

Slechts één keer tijdens de conferentie kreeg hij informatie over de postbodezaak. Dat gebeurde toen hij in een lunchpauze in het grote spabad van het hotel tussen een Argentijn en een Koreaan in zat om zich te ontspannen na de drukte van die ochtend. Hij had zijn mobiele telefoon op het randje van het bad gelegd voor het geval de Freule zou bellen. Toen de telefoon trilde kon hij er niet bij, maar een van de alomtegenwoordige bedienden kwam hem meteen te hulp. De man rende eropaf, gaf hem de telefoon en Konrad Simonsen nam op. Maar hij kreeg geen verbinding. Hij noemde zijn naam een paar keer en gaf het toen op, maar de Argentijn naast hem zei iets onbegrijpelijks en wees naar zijn telefoon. Hij reikte de man het toestel bereidwillig aan, maar die nam het niet aan. Nog steeds pratend.

De Koreaan aan de andere kant vertaalde het zonder zijn ogen open te doen: '*You've got mail. Not a phone call.*'

Konrad Simonsen haatte sms'en en had zijn medewerkers uitdrukkelijk verboden op deze manier met hem te communiceren. Zelfs Anna Mia respecteerde dat, hoewel ze het belachelijk vond. Met moeite lukte het hem om het bericht, dat afkomstig was van Pauline Berg, open te klikken.

Hi Simon. Hoop dat je geniet van je 'conferentie' :) Arne en ik zijn naar een crisismeeting. Het is volstrekt zinloos, wees blij dat je weg bent. Rapport ontvangen uit het buurland: Lucy D. nooit in Zweden geweest. Wil je meer horen? Heb heel veel tijd.

Hij antwoordde met een *ja*, wat hem vijf minuten kostte om te schrijven en verzenden. Dertig seconden later kreeg hij zijn tweede sms'je.

De Zweden hebben in 1969 perfect onderzoek uitgevoerd. Tent opgezet in diep bos. Niemand zou overnachten op zo'n plek. Ver van wegen en stad. Geen normale activiteit in tent. Alleen haar uitgerolde slaapzak en ingepakte rugzak. Meer volgt...

Hij wachtte, onzeker of hij moest antwoorden. Even later kreeg hij het volgende bericht.

Twaalf splinternieuwe Zweedse bankbiljetten van tien kronen, te herleiden naar bank in Kopenhagen! Geen Zweeds kleingeld. Geen v-afdrukken op biljetten. Ook niet van haar! Techniek mbt v-afdrukken toen wel heel nieuw.

Deze keer deed hij niets, en de verwachte halve minuut verstreek.

Ansichtkaart uit Esbjerg. Door haar geschreven maar verstuurd uit Orsa met Zweedse postzegel. Niets in tekst over aankomst in Zweden. Alleen dat ze naar Noordkaap wilde om middernachtzon te zien. Postzegel (met het Vasaschip erop) slechts in boekjes verkocht. Rest van boekje niet bij haar gevonden.

Konrad Simonsen glimlachte naar de Argentijn, die de berichten ongegeneerd volgde. Wat hij daar ook aan had.

Vergat te schijven dat Gurli (zo noemt Arne haar) o.a. originele ansicht toegestuurd krijgt uit GB. Ook andere aanwijzingen dat Lucy Zweden nooit heeft bereikt. Meest overtuigend de handtekening op het rapport. Je gelooft het niet! Wil je raden?

Hij vloekte binnensmonds en spelde een *nee*. Even later staarde hij naar de naam van de beroemdste rechercheur van Scandinavië, een man met een wereldwijde reputatie. Wat de Argentijn meteen onderstreepte door naar het display te wijzen en in het water te vallen.

'*Es mi gran héroe. Un hombre fantástico*.'

De Koreaan deed één oog open.

Konrad Simonsen legde trots uit: '*I just received a message from a legend.*'

De man knikte bijna onmerkbaar en deed zijn oog weer dicht.

'*Lucky you*.'

*

De opgewekte stem van de purser deelde over de luidsprekers mee dat het vliegtuig over ongeveer dertig minuten op de luchthaven Kastrup zou landen. Het weer in Kopenhagen was koud en winderig en de temperatuur was ongeveer twaalf graden.

Konrad Simonsen was een dutje aan het doen, maar deze mededeling, in combinatie met een beetje turbulentie, maakte hem wakker. Hij wreef in zijn ogen en keek uit het raam. De wolken lagen dicht en grijs om het vliegtuig heen, de grond kon hij niet zien. Hij voelde zich goed, lekker relaxed. In Bulgarije had hij niet veel aan zijn postbodezaak gedacht. En eigenlijk ook niet aan Rita. Zijn flashbacks waren niet meegekomen, wat hij eigenlijk wel jammer vond. Ze hadden hoe dan ook veel met elkaar gedeeld, goede en slechte dingen, in een tijd... een tijd die hij niet begreep. Toen niet, en nu nog steeds niet. 'Koud en winderig', was dat niet wat de purser had gezegd? Geen weer voor een meisje in een Afghaanse jas.

*

Er woei een koude wind door de straten van Kopenhagen. Hij huilde door het portiek. Rita had het koud. Ze drukte zich klappertandend tegen de muur. Konrad Simonsen keek naar de toegangsdeur, die groen en afgebladderd was. Een loopjongen was cokes naar de zolder aan het brengen. Eén hectoliter cokes per zak, één zak per keer op zijn rug. De jongen was tenger en door de zware last was zijn gang onzeker toen hij door de deur verdween. Zijn bakfiets stond een paar meter verderop, hij had nog twee zakken te gaan.

Het duurde nog een kwartier voordat Rita en hij naar boven mochten. Elf uur precies, geen minuut eerder of later, maar elf uur precies. Hij had de vrouw door de telefoon gesproken en dat waren haar instructies. De vrouw, de omsteekster, de engeltjesmaakster – hun gesprek had minder dan een halve minuut geduurd, en toch mocht Konrad Simonsen haar niet. Ze sprak gebrekkig Deens, doorspekt met woorden die hij niet begreep. Misschien mocht hij haar daarom niet, dat was vast de reden.

Ze hadden het geld gemakkelijk bij elkaar gekregen. Anders had hij zijn televisie wel willen verkopen, zijn spaarpot voor vakantie wel willen inzetten of desnoods een lening willen afsluiten bij de bank. Hij had een vast inkomen, dus dat zou wel lukken. Maar dat hoefde allemaal niet. Drie medestudenten van Rita van de Academie voor Bouwkunst hadden – buiten haar om – geld voor haar opgehaald, gedeeltelijk in het studentenhuis waar ze woonde en gedeeltelijk bij de academie. De meeste mensen die hadden bijgedragen wisten niet eens wie Rita was. En de geldinzamelaars hadden geen details over de situatie verteld, maar het erbij gelaten dat een van hun vrienden in de shit zat... en toch ging de hoed zelden tevergeefs rond, een briefje van tien kronen kon je altijd wel missen. De vierduizend kronen die een illegale abortus kostte, waren snel opgehaald.

Konrad Simonsen en Rita gingen door de toegangsdeur en de trap op, zij voorop en hij achter haar, zijn hoofd vol van alle angstaanjagende verhalen over onhygiënische breinaalden, zeepsopinjecties in de baarmoeder of het innemen van levensgevaarlijk grote hoeveelheden kinine. Rita klopte aan. Drie keer, dan een pauze en dan weer drie keer. Op kwakzalverij stond wel acht jaar gevangenisstraf, dat was geen sinecure.

De vrouw deed open en ging hen voor door de smalle keuken naar de woonkamer. Ze voldeed helemaal aan Konrad Simonsens vooroordelen. Ze was van middelbare leeftijd, klein en dik, had een Slavisch uiterlijk en een hebberige blik in haar ogen. Ze gingen zitten en de vrouw eiste haar geld op. Rita overhandigde haar de envelop die de vrouw gretig openmaakte. Ze telde het geld twee keer na, waarbij Konrad Simonsen haar handen en nagels goed kon bekijken. Hij wendde zijn gezicht af en keek naar Rita. Ze was bleek. Toen stond hij vastberaden op, pakte de vrouw het geld weer af en trok Rita met zich mee.

Ze gingen naar een cafetaria om de situatie te bespreken en hij probeerde haar over te halen om voor een andere oplossing te kiezen. Adoptie als ze – zij allebei – het kind niet wilden hebben. Ze weigerde, wees elk ander voorstel dan abortus af en hij beloofde iets uit te zoeken zonder te weten hoe. Illegale abortusartsen – zoiets kon je niet zomaar in een telefoongids opzoeken. Je moest connecties hebben, en die had hij niet. Maar al heel gauw loste het probleem zich vanzelf op.

Een paar dagen later – in zijn herinnering althans, maar misschien was het een week later – was hij naar een zelfmoord door vergassing geroepen. November-december was het hoogseizoen voor zelfmoorden en een populaire methode was de gaskraan open te draaien en vervolgens in de keuken te gaan slapen. Een effectieve, maar niet zo prettige manier om jezelf van het leven te beroven. Als de buren het gas niet op tijd roken, kon één vonkje het hele trappenhuis veranderen in een brandend inferno. Dat had hij zelf twee keer meegemaakt en hij had van veel andere gevallen gehoord. In dit geval, net als in de meeste andere, had de onderbuurman gelukkig lont geroken. Iedereen was geëvacueerd en de brandweer was naar binnen gegaan. Alle deuren en ramen waren geopend en wat klemde werd stukgeslagen.

Konrad Simonsen zat op de bovenste traptrede van het portiek. Zo zat hij een beetje in de luwte. De politie was er uit routine bij geroepen, en van hem werd verwacht dat hij orde hield terwijl de brandweerlieden aan het werk waren, en later – als de ambulancebroeders de dode naar buiten droegen – moest hij de nieuwsgierigen weghouden. Maar er was niemand om in het gareel te houden of weg te jagen. Daarom was hij in de luwte voor de koude wind gaan zitten terwijl hij ongeduldig wachtte tot de brandweer klaar was, zodat hij naar het politiebureau terug kon gaan voor een kop warme koffie.

Er kwam iemand naar hem toe en hij keek op. De man was begin veertig, had scherpe gelaatstrekken, intelligente ogen en een gezaghebbende blik, die maakte dat Konrad Simonsen opstond. De man liet zijn ogen even op hem rusten zonder te verbergen dat wat hij zag hem niet aanstond. Toen stak hij zijn hand in zijn binnenzak, haalde er een politiekaart uit die hij snel liet zien en meteen weer in zijn zak stak, en ritste zijn jas weer dicht.

'Zorg dat jij en je meisje morgen bij jou thuis klaarstaan. Ik haal jullie rond het middaguur op.'

Hij hield zijn hand omhoog.

'En geen vragen alsjeblieft.'

Toen ging hij weer weg. Konrad Simonsen liep hem perplex achterna.

'Maar hoe moet het dan met het geld? We hebben maar vierduizend kronen. En waar breng je ons heen? Dat moet ik weten. En hoe weet je dat we...'

De man stopte en viel hem in de rede.

'In een ziekenhuis natuurlijk, en het is gratis. Ik zag jullie naar die kwakzalver gaan omdat we haar in de gaten houden in verband met een grotere zaak. De rest gaat jou niet aan. En nu terug naar je werk voordat ik melding maak van dienstverzuim. En waag het niet om weer te gaan zitten, je werkt niet voor een vereniging van gepensioneerden.'

De man hield woord. Om twaalf uur de volgende dag stond hij met zijn Opel Record bij Konrad Simonsen voor de deur. Hij begroette Rita netjes en Konrad Simonsen korzelig, en liet hen toen op de achterbank plaatsnemen. Onderweg zei hij niets. Hij reed via de Gammel Køge Landevej zuidwaarts naar Køge, naar het ziekenhuis. Hij reed langs de Eerste Hulp, om een grote fietsenstalling heen en langzaam een pad af waar nauwelijks ruimte was voor de auto voordat hij op een stukje gras voor een laag gebouw stilhield.

Hij toeterde kort, draaide zich om en gaf Rita vriendelijk instructies: 'Je bloedt sterk en onregelmatig...'

Rita onderbrak hem: 'Maar ik bloed helemaal niet.'

'Nee, dat zeg ik, sterk en onregelmatig. Zo dadelijk word je door een vrouw gehaald. Dat is mijn zus en ze is hier gynaecoloog. Zij zal je ambulant curetteren. Wij staan hier om tien uur weer, begrijp je?'

Rita begreep het en bedankte hem. De man voegde eraan toe: 'En zeg "u" tegen haar, mijn zus houdt niet zo van dat getutoyeer van tegenwoordig.'

Vijf minuten later werd Rita inderdaad gehaald en Konrad Simonsen bleef alleen in de auto achter met de man. Diens vriendelijkheid was op slag verdwenen.

Hij gromde kwaad: 'Zeg, heb je nog nooit van condooms gehoord, idioot?'

Dat was de eerste keer dat hij op zijn kop kreeg van Kasper Planck. Maar lang niet de laatste.

Later gaf Rita het ingezamelde geld terug, wat een groot probleem veroorzaakte. Waar moest het geld nu heen? Na veel discussie bleven er twee mogelijkheden over: een organisatie die de strijd tegen de militaire junta in Griekenland steunde en één die betrokken was bij de strijd tegen de fascistische onderdrukking van Spanje door Francisco Franco. De hele kersttijd werden er vergaderingen gehouden en werd er vurig gedebatteerd. Uiteindelijk won de junta. Konrad Simonsen had de actiegroep 'Wij vrouwen eisen' voorgesteld, maar geen gehoor gevonden.

*

Konrad Simonsen werd in de aankomsthal van de luchthaven Kastrup opgewacht door de Freule. Het was bijna twee weken geleden dat ze elkaar voor het laatst hadden gezien, en de hereniging was warm. Hij kreeg een klapzoen als dank voor een klein beeldje dat hij voor haar had meegenomen, en nog een voor de prachtige bos bloemen die voor haar klaarstond toen ze terugkwam uit Esbjerg. Konrad Simonsen stuurde Maja Nørgaard in gedachten een hartelijk bedankje, en nam de complimenten van de Freule in dank aan.

De Freule zei: 'Arne, Pauline en Klavs zitten allemaal klaar op HS als je vandaag wilt vergaderen. Maar ze zijn ook allemaal bereid om het uit te stellen als je moe bent van de reis.'

Hij was niet moe, integendeel, hij was in geen jaren zo uitgerust geweest; dat gevoel had hij in elk geval.

Ze glimlachte: 'Prima, dan rijden we naar HS. Er is in je zaak ook een hoop gebeurd in de week dat je weg was.'

Konrad Simonsen zat zongebruind en verwachtingsvol tussen de Freule en Pauline Berg in toen Arne Pedersen de bespreking opende die op zijn kantoor plaatsvond. Achter in het kantoor bediende Malte Borup de computer van Arne Pedersen.

Die wekte een zenuwachtige indruk, wat Konrad Simonsen verbaasde. Hij had toch vaak genoeg besprekingen van onderzoeksteams voorgezeten, en alle vijf zijn toehoorders waren oude bekenden, behalve Klavs Arnold natuurlijk, maar die was toch geen reden om zenuwachtig te zijn. Misschien was Pauline Berg op oorlogspad; hij had geen tijd gehad om tijdens de rit naar het hoofdbureau met de Freule over haar te praten.

'Allereerst welkom thuis, Simon. Ik hoop dat je een goede en nuttige reis hebt gehad.'

Konrad Simonsen antwoordde kort, ja, zijn reis was nuttig geweest. Hij merkte tegelijk dat Arne Pedersen moeite had hem in de ogen te kijken. En het werd nog erger toen hij belachelijk veel tijd nodig had om Konrad

Simonsen ervan te overtuigen dat hij diens onderzoek in de postbodezaak zeker niet aan het overnemen was. Absoluut niet! Tijdens zijn afwezigheid had de afdeling Moordzaken alleen de informatie die Konrad Simonsen al had gekoppeld aan de informatie die er bijgekomen was. Dat kon niet voldoende worden benadrukt. Voordat Arne Pedersen dit nog eens herhaalde en het bijna wantrouwen zou wekken, onderbrak Klavs Arnold hem op tijd.

De Jutlander zei tegen Konrad Simonsen: 'Het is nog steeds jouw onderzoek, maar het moet even in een hogere versnelling. We hebben waarschijnlijk met een dubbele moord te maken, dus je wordt geacht ons ook in te zetten, en sowieso alle middelen waarover je beschikt. Dat heeft Arne van boven te horen gekregen, en dat kan ik ook wel begrijpen.'

Arne Pedersen bevestigde dit, maar in iets diplomatiekere bewoordingen. Toen keek hij Konrad Simonsen aan, en na een paar lange seconden kreeg hij het antwoord waar iedereen op hoopte: 'Dat is geen probleem, zolang ik zelf de lakens maar mag uitdelen. Ik wil niet worden overvleugeld, Arne. Als jij ook aan het onderzoek meewerkt, ben ik de baas en niet andersom.'

Het was niet moeilijk om die afspraak met Arne Pedersen te maken, wiens zenuwachtigheid daarna verdween. Hij zei: 'Wij hebben Klavs Arnold voor een tijdje geleend. De zaak speelt, zoals jullie weten, voor een deel in Esbjerg, en dat is zijn terrein. Verder heb ik, zoals jullie zien, een nieuw whiteboard. Het is een *smartboard* en functioneert niet alleen als beeldscherm maar ook als gewoon whiteboard. Net als die in de grote vergaderzaal, maar niet helemaal zo geavanceerd. Malte bedient het vandaag want zelf kan ik het nog niet.'

Iedereen grinnikte toen Malte Borup een foto van zichzelf tevoorschijn toverde precies op het moment dat Arne Pedersen zijn naam noemde. De ernst was echter snel terug toen die foto plaatsmaakte voor een foto van Lucy Davison.

Lucy Selma Davison werd op 20 april 1952 geboren in Liverpool. Haar vader heette George, en was een nu gepensioneerde machinebankwerker, haar moeder heette Margaret en was serveerster geweest. Het gezin omvatte nog twee andere kinderen, een jongere broer en een jongere zus van Lucy. Het meisje verliet het ouderlijk huis op 28 mei 1969 en had een klein, nietszeggend briefje achtergelaten. De Merseyside Police in Liverpool had haar verdwijning na de vraag van de Deense politie weer onderzocht – discreet zonder de familie erover in te lichten – en Lucy Davison was inderdaad nooit meer teruggekomen. De politie was bovendien van mening dat niemand in Engeland de afgelopen kleine veertig jaar iets van haar had gehoord.

Arne Pedersen ging door: 'We weten niets concreets over de reden waarom ze is weggelopen, maar een goede gok is dat ze was besmet met het algemene emancipatievirus dat toen onder de jeugd heerste. Haar ouderlijk huis was kleinburgerlijk katholiek en de Beatles-stad had vast dingen te bieden die spannender waren.'

Het stond vast dat Lucy Davison op 14 juni 1969 in Harwich was geweest en waarschijnlijk was ze de zestiende of de zeventiende in Esbjerg aangekomen. Ze wilde naar het noorden van Noorwegen om de middernachtzon te zien, dat bleek uit de ansichtkaart. '*I want to see the midnight sun.*' In Esbjerg ontmoette ze zes leerlingen van het Brøndbyøster Gymnasium, die zich daar in een zomerhuis aan het voorbereiden waren op hun laatste examenonderdeel, namelijk wiskunde mondeling, dat afgenomen zou worden op vrijdag 20 juni.

Arne Pedersen dronk een slokje water, en de Freule zei intussen tegen Konrad Simonsen: 'We noemen ze de Bende van Zes.'

Arne Pedersen vervolgde: 'Onze theorie is dat Lucy in dat zomerhuis doodging en dat de Bende van Zes het lijk vervolgens verstopte. Twee van hen zijn vervolgens naar Lycksele in Zweden gereden – dat ligt in Västerbotten, ongeveer duizend kilometer van Malmö, hemelsbreed dan – en daar, iets buiten de stad, diep in het bos, hebben ze haar tent opgezet. Ongeveer halverwege op de heenweg hebben ze bovendien haar kaart op de bus gedaan, in het stadje Orsa. Wat we niet weten, zijn drie cruciale vragen, namelijk hoe ze om het leven is gekomen, wat er met het lichaam is gebeurd en ten slotte waar het zomerhuis ligt. Vragen?'

Hij keek naar Konrad Simonsen, die er een paar had: 'Leven haar ouders nog?'

'Ja.'

'Ik neem aan dat we de samenstelling van de Bende van Zes kennen?'

'Ja, die kennen we. Daar kom ik zo op terug.'

'Hoe zit het met de andere leerlingen uit die klas? Weten we waar die nu zijn?'

'Nee, daar zijn we nog niet aan toegekomen. Wat wil je daarmee?'

Tot ieders verbazing gaf Klavs Arnold het antwoord: 'Dat is goed gezien, zeg. We krijgen maar één kans bij die klootzakken.'

Pauline Berg zei: 'Ik snap het niet.'

De Freule mengde zich erin: 'Ja, dat klopt. Als we niet goed thuis zijn in de levens van de Bende van Zes tijdens hun middelbareschooltijd, hebben we geen kans om hun verhalen te beoordelen als we ze gaan verhoren. Dus dat was zeker de reden dat ik uren bezig ben geweest met het lezen van de onmogelijke opstellen van die klas en met de jaargangen 1967 tot en met 1969 van het schoolkrantje van het Brøndbyøster Gymnasium, terwijl jij in een modderbad aan de Zwarte Zee lag? Dat had je wel even mogen vertellen toen we elkaar toch spraken.'

Daar kon Konrad Simonsen niets aan doen, zei hij.

'Hoe kon ik nou weten dat je die opstellen ging lezen? Ik kan toch geen gedachten lezen? Heb je trouwens iets interessants gevonden?'

Toen begon iedereen door elkaar heen te praten. Arne Pedersen zat er als een dwaas bij, niet wetend of hij zich in de discussie moest mengen, moest wachten tot het afgelopen was of om stilte moest vragen. Malte Borup loste het probleem voor hem op. Hij liet een tussentitel uit de tijd van de stomme film op het smartboard zien. MOND DICHT EN LUISTER NAAR ARNE, stond er. Maar de ambulancesirene had nog meer effect. Iedereen werd stil en Pauline Berg hield haar handen tegen haar oren.

Arne Pedersen keek Malte Borup dankbaar aan en ging vervolgens door alsof er niets aan de hand was.

'Ik zet een paar man op de rest van de klas, goed, Simon?'

'Oké, maar alleen gegevens. Geen contact, dat doen we zelf.'

'Dat is goed, en laten we nu doorgaan met de foto's.'

Het leed geen twijfel dat Jørgen Kramer Nielsen de fotograaf was geweest aangezien hijzelf slechts op één van de twaalf foto's voorkwam, namelijk een groepsfoto die waarschijnlijk met de zelfontspanner was gemaakt. Bovendien waren de negatieven bij hem gevonden. In tegenstelling tot de postbode stond Lucy Davison op alle foto's, maar dat kon ook zijn omdat Jørgen Kramer Nielsen alleen de foto's met haar erop had gehouden. Dat was een voor de hand liggende gedachte, die gesteund werd doordat nu technisch was vastgesteld dat hij haar gezicht op die twaalf foto's had gebruikt om de posters te maken. Er kon niet met zekerheid worden vastgesteld dat met de Bende van Zes de hele bende was vereeuwigd en dat er dus geen sprake was van een Bende van Zeven of Acht. Theoretisch gezien kon er een extra lid zijn dat niet op de foto was gekomen. Het kon bijvoorbeeld zijn dat die persoon er niet van hield om gefotografeerd te worden of omdat Jørgen Kramer Nielsen die foto niet had bewaard, met of zonder Lucy Davison. Maar hoewel ze de mogelijkheid niet helemaal konden uitsluiten, was dat niet echt waarschijnlijk.

Arne Pedersen dronk weer een slokje water en werd deze keer niet onderbroken door zijn publiek. Hij schraapte zijn keel en zei: 'We kunnen een aantal interessante gegevens uit de foto's afleiden. In de eerste plaats natuurlijk de identiteit van de leden van de Bende van Zes. We hebben al heel wat gegevens en er komen steeds nieuwe bij. Jørgen Kramer Nielsen kennen we al. Dan hebben we deze, maar met hem zijn we snel klaar.'

Malte Borup klikte door naar een foto van een jongen met een puistig gezicht, flaporen en een stomme grijns.

'Dit is Mouritz Malmborg.'

Pauline Berg giechelde zonder aanleiding en Arne Pedersen keek haar verbaasd aan.

'Wat is hier zo grappig aan, Pauline?'

'Sorry. Het is gewoon... Mouritz Malmborg, en dan ziet ie er zo uit! Die arme jongen heeft vast niet veel kansen gehad in zijn leven. Het is echt zielig.'

Ze giechelde weer.

Dat was waar. Hij was niet lang op aarde geweest, hij kwam in 1973 om het leven bij een brommerongeluk. Hij studeerde toen biologie aan de universiteit van Aarhus. Arne Pedersen stelde voor dat ze hem lieten zitten en zich richtten op de nog levenden.

Het beeld veranderde weer. Deze keer was het een meisje, mollig en met een nietszeggend gezicht.

'Zij is lekker gevuld.'

Weer Pauline. Niemand reageerde, maar de Freule keek geïrriteerd.

Hanne Brummersted haalde haar doctoraal geneeskunde in 1977, promoveerde in 1982 met een dissertatie over chromosoomafwijkingen en was nu chef-arts aan de afdeling voor Klinische Genetica van het ziekenhuis in Herlev. Ze woonde in Roskilde, was getrouwd geweest en nu gescheiden. Ze had pas laat kinderen gekregen: twee dochters van respectievelijk vijftien en achttien jaar. Verder had ze een schoon strafblad en haar financiën waren in orde.

'Volgende, Malte.' Er verscheen een ander meisje, deze keer met een grof gezicht en een opvallende uilenbril. Arne Pedersen bladerde in zijn papieren.

'Helena Brage Hansen. Voor zover wij weten geen opleiding. Tegenwoordig heeft ze de Noorse nationaliteit en woont ze in Hammerfest. Ze is ongetrouwd en heeft wisselend werk, in het toeristenseizoen is ze bijvoorbeeld gids. Er is niets bekend over haar financiën of haar strafblad, maar we hebben er wel informatie over opgevraagd. De laatste, Malte.'

Deze keer kwamen er twee foto's op het scherm. Een jongen met vriendelijke ogen die zijn witte tanden bloot lachte. Naast hem een meisje, bleek en ziekelijk.

'Ik doe ze tegelijk omdat ze getrouwd zijn. Maar dat waren ze toen nog niet. Zijn naam is Jesper Mikkelsen en zij heet Pia Muus...'

Pauline Berg lachte schamper, maar nu had Arne Pedersen er genoeg van: 'Nu moet je ophouden. Misschien zijn ze niet zo knap als jij, maar als dat een probleem voor je is, hou dat dan alsjeblieft voor je.'

Pauline Berg gaf hem een middelvinger en vroeg onverstoorbaar: 'Wat is dat op zijn gezicht?'

'Een moedervlek, een *ooievaarsvlek*.'

'Die ooievaar had dan een grote snavel.'

'Kan ik doorgaan?'

'Jazeker.'

Pia Muus heette dus tegenwoordig Pia Mikkelsen en het echtpaar woonde in Aalborg. Beiden waren na hun eindexamen begonnen aan de Sociale Academie, maar al na drie semesters weer gestopt. Ze hadden jarenlang een platenzaak gehad in het centrum van Aalborg, AntiquariPlaat. De specialiteit van de winkel waren elpees uit de jaren zestig en zeventig. De winkel bestond niet meer, maar hun online-verkoop was zeer succesvol, met vorig jaar een omzet van bijna vier miljoen kronen. Ze hadden geen kinderen en met hun financiën was het natuurlijk wel goed gesteld. De politie was in de loop der jaren herhaaldelijk bij hen aan de deur geweest wegens huiselijke ruzies, maar ze hadden nooit aangifte willen doen en de rapporten stelden vast dat ze allebei in gelijke mate schuldig waren aan de handtastelijkheden. Verder waren ze misschien betrokken bij zowel het drugs- als het pornomilieu van Aalborg, maar daarover was men het bij de politie van Aalborg niet eens, wat ze ook heel ontwapenend toegaven. Het echtpaar was echter nooit ook maar ergens van beschuldigd of voor veroordeeld.

Arne Pedersen legde zijn notities neer.

'Dat was dus de Bende van Zes in het kort. Opmerkingen?'

Klavs Arnold stak een vinger op, een opvallende breuk met zijn gedragspatroon tot dan toe. Hij wachtte netjes tot Arne Pedersen hem het woord gaf: 'Klavs, ga je gang.'

'Ja, ik ben een beetje bang voor de ambulance van Malte, maar kun je uitleggen wat je bedoelt met "het pornomilieu van Aalborg"? Gaat het om bordeelactiviteiten of filmopnames of iets heel anders?'

'Om filmopnames, die overigens helemaal legaal zijn. Beiden lijken een zeer grote belangstelling aan de dag te leggen voor piepjonge meisjes, piepjonge, kwetsbare meisjes. Maar de politie van Aalborg heeft niets concreets, het zijn alleen speculaties.'

Konrad Simonsen stond op en zei: 'Even stil allemaal. Malte, heb je een foto waarop we ze alle zes tegelijk kunnen zien? Ook de twee overledenen, maar zonder Lucy Davison.'

De student schudde zijn hoofd, zo'n foto had hij niet.

'Zou je er eentje op je eigen computer kunnen maken en ons die laten zien? Het is prima als je hem uit meerdere foto's samenstelt.'

Dat kon Malte Borup, en hij vertrok.

Zolang hij weg was, zat Konrad Simonsen voor zich uit te staren, terwijl de rest stil was om hem niet te storen in zijn gepeins. Behalve Klavs Arnold, die op een gegeven moment uitriep: 'Ja, natuurlijk!', zei niemand iets. Algauw kwam Malte Borup terug met zijn afbeelding. Hij liet het resultaat zien.

Konrad Simonsen ging weer zitten en vroeg: 'Pauline, zou je ons willen vertellen wat je te binnen schiet als je ze ziet?'

Pauline Berg dekte zich in en antwoordde braaf: 'Nou, eh, ik zie zes gewone gymnasiumleerlingen...'

Konrad Simonsen zat er meteen bovenop: 'Nee, stop. Vertel wat je echt vindt. Probeer niet te netjes te zijn.'

Ze bloosde een beetje. Arne Pedersen kon ze nog wel aan, maar Konrad Simonsen was een ander verhaal.

Ze gehoorzaamde aarzelend: 'Ja, ik weet dat ik een bitch ben, maar de ene is toch echt nog lelijker dan de andere. Kijk toch eens naar die foto's, ja, sorry hoor, maar dat is toch een stelletje losers, niet normaal. Als zij representatief zijn voor wat die zo beroemde jaren zestig hebben voortgebracht, ben ik blij dat ik pas ben geboren in...'

Konrad Simonsen onderbrak haar.

'Dankjewel, Pauline, zo is het wel genoeg, mijn punt is gemaakt.'

'En dat is?'

De Freule legde aarzelend uit: 'Dat ze waarschijnlijk toen ook al buitenstaanders waren. Ik kan er over Jesper Mikkelsen aan toevoegen dat hij in een stukje in de schoolkrant over de eindexamenleerlingen "Yes, yes, yes, yes Jesper" wordt genoemd. Hij stotterde verschrikkelijk toen hij jong was.'

Konrad Simonsen concludeerde: 'Zoek uit hoe hecht ze waren. Vormden ze een groep of niet? En doe dat voordat we met ze gaan praten, als dat überhaupt kan.'

'We doen wat we kunnen.'

Dat was Klavs Arnold. Blijkbaar wilde hij aangeven dat de toon wat hem betrof iets te commanderend werd.

Ze namen tien minuten pauze om koffie te halen, naar de wc te gaan of even de benen te strekken.

Pauline Berg sprak Konrad Simonsen aan op de gang: 'Ik weet dat je net thuis bent, maar zou je binnenkort iets kunnen doen aan de bespreking met Arthur Elvang die je ons hebt beloofd? De groep wordt ongeduldig en ik ook.'

De groep! Hij had gehoopt dat 'de groep' niet meer bestond.

Hij antwoordde, bijna vijandig: 'En hoeveel mensen zijn er lid van deze "groep"?'

'We zijn met z'n vijven.'

'Aha. Nou, je kunt de "groep" vertellen dat je deze week een datum te horen krijgt. Maar "de groep" gaat niet mee naar Elvang. Jij en je vriendin van de Melby Meent, verder niemand.'

De Freule nam de rol van voorzitter over. Ze bleef echter op haar stoel zitten toen ze de vorderingen met betrekking tot het zomerhuis doornam.

Ze had samen met Klavs Arnold Esbjerg en omstreken doorzocht om uit te vinden waar Jørgen Kramer Nielsen overnachtte als hij 's zomers zijn driedaagse reis naar Esbjerg maakte. Na dagen hard werken zonder resultaat was het hun uiteindelijk gelukt de plek te vinden. De postbode had jaar in jaar uit gelogeerd in de jeugdherberg in Nørballe. De eerste keer was in 1980 geweest, maar niemand van de jeugdherberg wist wat de man deed. Zoals altijd was hij erg op zichzelf. Maar hij huurde altijd een fiets, en de Freule nam aan dat hij het graf van Lucy Davison bezocht, hoewel de bloemenwinkels in Esbjerg hem niet kenden. Dus als hij al bloemen meenam, had hij ze zelf geplukt. Ze hadden ook geprobeerd erachter te komen of Jørgen Kramer Nielsen tijdens zijn jaarlijkse uitstapje andere leden van de Bende van Zes ontmoette. De Freule wilde er haar hand niet voor in het vuur steken, maar ze was er vrij zeker van dat dat niet het geval was. En het was honderd procent zeker dat hij er nooit met de hele groep tegelijk was geweest.

Ze wendde zich tot Klavs Arnold. 'Wil jij iets over het zomerhuis vertellen?'

'Nee, doe jij dat maar. Jouw tongval is zo charmant.'

'Dank je, dat is mooi gezegd. Goed, dan doe ik dat, hoewel er niet veel te vertellen is.' Uitgaande van hun wetenschap dat Jørgen Kramer Nielsen een fiets huurde als hij in de jeugdherberg logeerde, hadden ze besloten in een straal van vijftien kilometer te zoeken. Helaas stonden er in die omtrek honderden zomerhuizen en aangezien er maar weinig fysieke informatie uit de foto's te halen was, was er voor de politie geen beginnen aan om alle huisjes een voor een te bekijken. Daarbij kwam dat er op de foto's geen oriëntatiepunten stonden, waardoor het niet genoeg was om naar elk zomerhuis toe te gaan, ze moesten ook vrij grondig worden onderzocht voordat ze konden worden uitgesloten. En alsof dat nog niet genoeg was, was er in de afgelopen bijna veertig jaar in Esbjerg en omstreken aan de zomerhuizen het nodige veranderd. Dus de conclusie was dat het een mega-inzet met navenante megakosten zou vergen om alle huizen stuk voor stuk te checken.

De Freule verduidelijkte nog: 'We kunnen uit de vegetatie op de foto's niet afleiden of de plek midden in het land of aan de kust ligt, dus het ligt het meest voor de hand te onderzoeken of iemand in de omgeving van de Bende van Zes een zomerhuis had bij Esbjerg. Daar wordt nu aan gewerkt. Een andere mogelijkheid is dat Klavs alle aannemers, timmerlieden, houthandels en dergelijke afgaat om vakkundige ogen te laten kijken naar de negen stukjes die we al met al hebben, en die ons een beetje over het huis vertellen.'

Konrad Simonsen vroeg: 'Als je met de foto's in je hand staat en het huis hebt gevonden, kun je dan een match vaststellen?'

Klavs Arnold antwoordde: 'Ja, zeker weten.'

'Dus de huis-aan-huismethode kan resultaten opleveren als de mensen grondig zijn?'

'Ja, zeker, maar het kost tijd, en je kunt het niet iedereen laten doen. Bovendien zou het een fortuin kosten, zoals de Freule zegt. Maar het is een mogelijkheid, absoluut een mogelijkheid.'

'Zou jij zo'n onderzoek kunnen leiden?'

'Ja.'

'Doe dat dan.'

'Ja, als jullie dat dan allemaal regelen met de bazen.'

'Natuurlijk, dat is geen probleem. Zoals Arne in zijn inleiding al zei: we hebben misschien met een dubbele moordzaak te maken, en dan mag je je niet door krenterigheid laten leiden. Wat zou de pers wel niet zeggen als die daarachter kwam?'

Arne Pedersen mopperde iets onduidelijks over menskracht en middelen.

Pauline Berg legde hem het zwijgen op: 'Hier moeten we Simon gelijk geven. De sensatiebladen zouden Gurli afmaken. Oef, dat zouden echt heel vervelende voorpagina's kunnen worden.'

Arne Pedersen gaf het op en keerde terug naar zijn oude rol als voorzitter. Het beeldscherm liet nu een ruwe vergroting zien van een man. Zijn gezicht lachte vrolijk naar de camera. Zijn leeftijd was moeilijk te schatten.

'Ze hebben bezoek gehad. Deze man staat op twee van de foto's, en zoals jullie kunnen zien heeft hij het syndroom van Down. We nemen aan dat hij hier tussen de 25 en 35 jaar oud is. We weten niet of hij van betekenis is, en ook niet of hij een vakantiegast was of uit de buurt kwam. Als dat laatste het geval is, kan hij ons misschien helpen het zomerhuisgebied in te perken. In theorie kan hij met de anderen mee zijn geweest, maar we denken van niet, onder andere vanwege zijn kleding. Meer is er op dit moment niet over hem te vertellen.'

Konrad Simonsen voegde toe: 'Nu ik het me nog kan herinneren wil ik even vertellen dat Jørgen Kramer Nielsen naar de kapper geweest moet zijn kort nadat hij terug was in Kopenhagen en voordat hij begon op het postkantoor van zijn vader. Het heeft waarschijnlijk niks te betekenen, maar dan weten jullie het maar.'

Arne Pedersen deed ook een duit in het zakje en zei: 'Laat mij dan ook een uitstapje maken voordat we naar de laatste en interessantste foto gaan kijken. Wij veronderstellen dat Jørgen Kramer Nielsen en Hanne Brummersted de spullen van Lucy Davison naar Zweden hebben gebracht, omdat ze allebei absent waren bij het laatste examenonderdeel. Hanne Brummersted heeft het later gedaan en Jørgen Kramer Nielsen, zoals bekend, nooit. Bovendien was zij de enige van de Bende van Zes met een rijbewijs.'

De Freule vroeg: 'Hoe lang denken we dat ze in Zweden zijn geweest? Lycksele ligt best een eind naar het noorden.'

'Minimaal drie dagen, en waarschijnlijk vier, tenzij ze dag en nacht heeft gereden of hij het stuur heeft overgenomen, ook al had hij geen rijbewijs. De ouders van Hanne Brummersted hadden trouwens een auto, maar we weten niet of ze die heeft geleend. Ze kunnen er ook een hebben gehuurd, ze was immers achttien. Nog iemand?'

Niemand had nog iets toe te voegen.

'Dan gaan we naar onze laatste foto, die misschien met een zelfontspanner is genomen. Kijk er goed naar en vorm je eigen beeld.'

Zeven tieners verschenen op het scherm. Ze stonden op een rij, met hun arm om hun buurman. De foto was buiten gemaakt. Iedereen was min of meer naakt. Jørgen Kramer Nielsen stond uiterst links en Lucy Davison uiterst rechts. De drie jongens waren helemaal bloot, op hun sandalen of schoenen na. Hanne Brummersted was ook naakt en stond in een scheve pose, weggedraaid van de lens, en met haar hand voor haar schaamstreek. De twee laatste meisjes hadden hun slipjes aangehouden. Ook Lucy Davison stond bloot in haar Afghaanse jas, die ze koket halfopen had laten staan, uitdagend flirtend naar de camera. De anderen keken naar de grond. Het weer was net zo triest als de foto.

De Freule doorbrak het zwijgen.

'Nou, je hoeft geen professor in de psychologie te zijn om te zien dat ze deze opstelling niet fijn vonden. Ach, gossie – arme kinderen, ze schamen zich en zijn preuts, behalve Lucy Davison dan. Maar wat staat er op de buik van de jongens?'

'*No study*. Rode verf, denken we, en kijk eens naar de wijsvinger van Lucy Davison.'

Pauline Berg zei: 'Ik snap best dat ze zich schamen. Ik zou dit ook niet leuk vinden. Wie wel?'

Klavs Arnold bromde in zijn Jutlandse tongval: 'Daar gaat het niet om. Het gaat erom of je het zou doen.'

'Van mijn levensdagen niet, en al helemaal niet voor een camera.'

'Maar zij wel.'

Konrad Simonsen zei zacht: 'Toen ze het mooie kleine hippiemeisje uit het grote buitenland ontmoetten. Welkom in de jaren zestig. Zou ze er met haar leven voor hebben betaald? Jaloezie, uit de hand gelopen seks, drugs?'

Pauline Berg merkte op: 'Paddenstoelen. Misschien hadden ze vliegenzwammen geslikt. Dat deden ze toen toch ook?'

En weer bracht Klavs Arnold haar terug naar de realiteit: 'We hebben niet zoveel vliegenzwammen in juni. Toen ook niet.'

De Freule zei: 'Ik kan me gemakkelijk allerlei mogelijke spanningen voorstellen, en misschien was de Bende van Zes sowieso al gemarginaliseerd ten opzichte van hun klasgenoten, wat de zaak er niet beter op maakte. Het is een interessante invalshoek, die we nader moeten onderzoeken. Maar voordat we daarin blijven steken wil ik even zeggen dat ik niet kan geloven dat zes jonge mensen zomaar een zevende vermoorden. Eén van hen, misschien per ongeluk, of twee, maar zes is volstrekt ondenkbaar. Ik heb hun opstellen gelezen, en ze mogen het dan niet getroffen hebben met hun uiterlijk, in het algemeen gaat het hier om normale Deense gymnasiasten. Ze hebben vast niet besloten om iemand te vermoorden, en als het een van hen per ongeluk is overkomen, zouden de anderen het niet dekken. Niet als ze eenmaal weer thuis waren en tijd hadden gehad om na te denken. Er moet iets anders zijn gebeurd. Iets waaraan we niet hebben gedacht.'

Na deze uiteenzetting zaten ze allemaal bedachtzaam te knikken.

Een beetje laat merkte Konrad Simonsen dat ze allemaal naar hem keken voor een afronding. Ook Arne Pedersen. Hij ging staan en gaf aan dat ze klaar waren, terwijl hij uitlegde wat de lijn voor het vervolg was: 'We moeten zo discreet mogelijk proberen zo veel mogelijk te weten te komen over de Bende van Zes. Het zomerhuis heeft hoge prioriteit. We moeten hun klasgenoten spreken en zien of er dan iets boven water komt. We hebben nog niet genoeg om ze zelf aan de tand te voelen.'

Hier was ook iedereen het mee eens, waarna Malte Borup voor een slotakkoord zorgde in de vorm van een videoclip. Napoleon uit Disneys *Aristocats* herhaalde zichzelf in een eindeloze loop: 'Ho even, ik ben de leider. Ik zeg wanneer we gaan. Ho even, ik ben de leider. Ik zeg wanneer we gaan. Ho even, ik ben de leider. Ik zeg wanneer we gaan.'

Pas toen de Freule hem een nijdig teken gaf, stopte hij, en hij was als eerste de deur uit.

Na de bespreking ging Konrad Simonsen naar huis in Søllerød om zijn koffers uit te pakken. Toen dat gebeurd was en de wasmachine aan stond, ging hij een rondje rennen. Dat ging slechter dan verwacht. Het goede leven in Bulgarije had zijn sporen nagelaten, maar die zouden na een paar dagen regelmatige beweging wel verdwijnen. Het weer was grijs en vochtig, perfect weer om hard te lopen, weer waarbij hij niet oververhit raakte als hij zich extra uitsloofde, maar waarbij hij het ook niet koud kreeg als hij wandelde, zoals nu. Er kwam een auto naast hem rijden, hij keek er zonder veel belangstelling naar. Het was een blauwe Jaguar en hij dacht dat die wel zou parkeren op de oprit waar hij net langs liep. Pas toen de auto hem bleef volgen keek hij beter, en hij herkende de bestuurder: Helmer Hammer, een man van midden veertig, directeur-generaal van het ministerie van Algemene Zaken, dus een van de invloedrijkste mensen bij de rijksoverheid. Iemand die zijn agenda verborgen kon houden, als het nodig was. De auto stopte en het raam gleed naar beneden.

'Stap in. Ik heb maar een halfuurtje, dan moet ik terug zijn. Welkom thuis overigens.'

Een beetje verbouwereerd ging Konrad Simonsen op de achterbank zitten. Helmer Hammer zei: 'Ik ben gekomen om de galerie te zien waar iedereen het over heeft, en om je iets te vertellen.'

Helmer Hammer liep op z'n gemak rond en nam de tijd om alle posters te bestuderen. Toen hij klaar was stelde hij vragen over het meisje.

Konrad Simonsen vertelde: 'Haar naam is Lucy Davison, ze kwam uit Engeland en ze is waarschijnlijk dood.'

Helmer Hammer knikte verdrietig, alsof dat precies het antwoord was dat hij had verwacht. Toen zei hij: 'Ik heb een vriend die advocaat is, hier in het centrum; hij is in zijn vakgebied aardig aan het opklimmen. We squashen een keer per week en vorige week vertelde hij mij dat een Engelse *officialis* contact met hem had opgenomen. Dat is de voorzitter van de kerkelijke rechtbank in een katholiek bisdom, mocht je je dat afvragen. Een vrij belangrijke positie dus.'

Konrad Simonsen bromde wat en luisterde.

'De Engelse officialis vroeg mijn vriend de griffier te benaderen bij de boedelrechter in Glostrup en een bod uit te brengen op jouw posters. En hij moest hem ook duidelijk maken dat de griffier – als anderen meer bieden – contact moet opnemen met mijn vriend voordat de posters worden verkocht. De Engelse parochie heeft mijn vriend gemachtigd om zo nodig een aanzienlijk bedrag te bieden. Een zeer aanzienlijk bedrag.'

'Wil het Vaticaan mijn... de posters van Jørgen Kramer Nielsen kopen?'

'Het Vaticaan? Nee, dat denk ik niet. Maar wel iemand binnen de katholieke kerk.'

'Wie en waarom?'

'Dat weet ik niet.'

'Kun je dat uitzoeken? Dat zou ik heel graag willen weten.'

'Dat denk ik niet. De katholieke kerk laat zich niet zomaar in de kaart kijken. En dat wil ik ook niet. Er kunnen makkelijk problemen ontstaan als ík me ermee ga bemoeien.'

Konrad Simonsen accepteerde de weigering en vroeg: 'Hoeveel willen ze betalen?'

'Niet veel om te beginnen. Zou je ze zelf willen houden?'

Hij gaf eerlijk antwoord: 'Ja, in elk geval één, maar het liefst allemaal.'

'Dat begrijp ik, ze zijn inderdaad mooi.'

'Je geeft geen antwoord, hoeveel willen ze bieden?'

'Vijfhonderd per poster, dus in totaal vijfentachtighonderd kronen voor alle zeventien.'

'Achttien, het zijn er achttien. Dat wil zeggen negenduizend kronen... Tja, dat is misschien wel redelijk.'

'Ze zijn zoals gezegd bereid om hoger te gaan als het nodig is. Maar zeg nou niet dat ik niet kan tellen, Simon. Het zijn er zeventien, en dat laat ik aan mijn vriend weten, want hij vroeg me om het aantal te achterhalen. Dat weet hij namelijk niet.'

Toen Helmer Hammer weg was, maakte Konrad Simonsen zelf een ronde langs de posters. Hij bedacht dat het ophangen ervan toch geen verspilde moeite was geweest. Niet alleen was hij zelf blij met de ruimte, iets wat hij bagatelliseerde en misschien een beetje onderschatte, als hij eerlijk was. Maar nu had de galerie hem in elk geval een concrete inlichting opgeleverd die ook niet oninteressant was. Hij besloot de priester bij gelegenheid te bellen en gewoon eens te vragen wat er gaande was. Misschien moest hij hem zelfs uitnodigen om naar Søllerød te komen als het hem een keer uitkwam. En er was nog altijd Madame – zijn helderziende consulente – dus al met al was het te vroeg om het ophangen van zijn posters als een fiasco af te doen. Nee, niet zíjn posters... de posters van de boedel, dat was correct, hij had ze geleend. Helaas. Hij lachte gemeen naar de deur waardoor Helmer Hammer naar buiten was gegaan. Geleend... alle zeventien.

De rest van de week zat er maar weinig vooruitgang in Konrad Simonsens onderzoek. De herfst werd weer nat en grijs, terwijl rechercheurs methodisch de omgeving van de jeugdherberg Nørballe doorzochten en zomerhuisjes vergeleken met de afdrukken die ze bij zich hadden. Het was moeizaam werk en het leverde niets op. Klavs Arnold liet hen nog een keer rondgaan, en nog een keer.

Het papiertype van Jørgen Kramer Nielsens posters werd met Duitse gründlichkeit onderzocht. De eerste met Lucy Davison erop dateerde uit 1973, een wetenschap die veel inspanning had gekost en er nu bijna niet meer toe deed. Hetzelfde gold voor een rapport van Kurt Melsing, dat de inrichting van de zolder van de postbode herleidde tot omstreeks het jaar 2000, onder andere op basis van de lijm waarmee de spiegels waren bevestigd. Dat was nog een gegeven waar ze niet van opkeken en dat Konrad Simonsen schouderophalend opborg in het almaar groeiende dossier.

De afdeling Moordzaken werkte intussen verder aan het verzamelen van informatie over de Bende van Zes: wanneer was die gevormd? Was er een formele of een informele leider? Waren er vergaderactiviteiten of iets dergelijks en, zo ja, met welk doel? En nog talloze andere vragen waarop de verzamelde antwoorden een beeld konden vormen van het leven van die zes jonge mensen in 1969.

Konrad Simonsen ging bij vroegere klasgenoten op het Brøndbyøster Gymnasium langs, in een steeds groter wordende straal rond Kopenhagen, maar er was nog steeds niets bruikbaars uit gekomen. De middelbareschooltijd was voor iedereen een vergeten tijd, afgezien van een paar onbruikbare flashbacks, waarin de Bende van Zes niet voorkwam. Zijn laatste gesprek was in Ringsted geweest en het volgende was in Nykøbing Falster. Als hij zo doorging, zou hij eindigen in steden als Detroit en Wellington, een uitzichtloos karwei. Zelfs al ging het om een dubbele moord. In plaats daarvan moest hij zich met een irritante keelontsteking en met het gevoel dat zijn zaak helemaal vastzat door een paar werkdagen zwoegen. Maar op maandag 21 oktober reed hij dan toch naar Falster.

De vrouw die de deur openmaakte was in de vijftig, en ze stak haar boosheid niet onder stoelen of banken. Hij had zich amper voorgesteld of hij kreeg een vuilnisbak vol vloeken naar zijn hoofd. Aan scheldwoorden had ze geen gebrek.

'Nu moet het toch eens een keer ophouden. Stop die stomme politiekaart maar in je reet, en als je geen huiszoekingsbevel hebt, rot op. Hij is al tien jaar vrij en toch komen jullie hier te pas en te onpas. Rot op.'
Ze had haar armen in de zij gezet en vormde een niet te onderschatten barrière.
Binnen riep een mannenstem: 'Wie is het?'
'De politie.'
'Zeg dat ik het niet gedaan heb.'
'Ik heb hem weggestuurd, maar die idioot staat er nog steeds.'
De man kwam de gang in.
Konrad Simonsen vertelde de Freule later: 'Toen ik hem zag, dacht ik dat het gezichtsbedrog was, maar dat was het dus niet. Daar stond hij goddomme, en nog net zo charmant als altijd. Stel je voor, Pelle Olsen himself, ik bedoel dus Pelle de Profiteur, de koning van de Elmegade.'
'Ik kan me hem heel goed herinneren. Ik mocht hem wel.'
'Iedereen mocht Pelle, zelfs de mensen die hij had opgelicht. Kijk, dat was nou een oplichter van formaat. Ze zeiden dat hij bij iedere man geld uit de zak kon toveren, en bij iedere vrouw haar slipje uit.'
'Nu je het zegt, ik krijg nog driehonderd kronen van hem.'
'Hm, dan heeft hij toch een uitzondering gemaakt.'
Konrad Simonsen kreeg een scherpe elleboog in zijn zij als dank voor die opmerking.
'Is hij met pensioen?'
'Bijna, maar nog niet helemaal. Als je me niet slaat, vertel ik het graag. Hij vroeg me natuurlijk binnen...'

Het was snel gezellig geworden. De kenau van de voordeur veranderde in een vriendelijke gastvrouw met een betoverende lach en warme uitstraling. Ze maakte een lunch klaar, terwijl de twee mannen over vroeger praatten. Konrad Simonsen doorbrak alle regels en dronk een kleine aquavit bij de haring. Pelle Olsen zei: 'Ik zie wel aan je dat je denkt dat er iets niet pluis is, maar ik ben gecertificeerd hypnotiseur en ik heb het certificaat niet zelf gemaakt. Het heeft me drie jaar hard en eerlijk werken gekost, en dat ondanks dat ik talent heb. Geloof je me?'
Konrad Simonsen lachte.
'Natuurlijk geloof ik je. Dat is nou juist het probleem, iedereen gelooft je.'
Zijn vrouw steunde hem. Zonder agressie legde ze uit: 'We helpen mensen die stoppen met roken, behandelen fobieën – als ze niet ernstig zijn – en we hebben een paar transcendentalen. De laatsten willen in contact komen met hun vroegere levens en ze krijgen een geluidsfile mee met wat ze tijdens de trance hebben gezegd. Niet meer en niet minder. Alles wat maar een beetje naar genezing riekt, wijzen we af. Wij willen die mensen, die het toch al

moeilijk hebben, niet voor de gek houden. Je kunt het geloven of niet, maar zo is het.'

Nu klonk Konrad Simonsen oprechter: 'Zo was het altijd al met jou, Pelle. Daarom vonden we je ook zo aardig. Jij lichtte de rijken op, nooit de kleine man.'

'Ach ja, je hebt moraal of niet, hè? Zal ik je eens vertellen over het hoerentrucje dat we ooit met twee rechters van de Hoge Raad hebben uitgehaald? Dat was volgens mij in 1984 of 1985. Ik geloof dat jullie daar nooit iets van hebben gehoord.'

Na lang en aangenaam gekeuvel kwam Konrad Simonsen aan het eigenlijke doel van zijn bezoek toe. De vrouw wilde wel helpen, maar net als bij haar klasgenoten was haar herinnering geromantiseerd en vaag.

'Ja, we zaten er middenin. Mijn middelbareschooltijd was één aaneenschakeling van hoogtepunten. In de vierde, in 1967, het jaar van *Summer of Love* en *Sergeant Pepper*, de ultieme elpee. 1968, in de vijfde, kwam de studentenopstand in Parijs, en in 1969 deden we eindexamen met maanlanding en Woodstock. Het had niet beter getimed kunnen zijn, gave tijden van begin tot einde, maar je was er zelf toch ook bij?'

'Ja, dat is zo.'

'Je moet toch toegeven dat het heerlijk was?'

'Vast wel, ik weet het niet. Persoonlijk ben ik een beetje van "enerzijds, anderzijds". Als iemand zoals jij verrukt zegt "Parijs 1968", dan denk ik: Praagse Lente. Maar tegen mensen die zeuren over "freaks" en "geitenwollensokken", zeg ik "liefde" en "cultuuromslag". In feite ken ik mezelf niet goed.'

Pelle Olsen wilde hem meteen wel helpen: 'Kom op de bank, dan kunnen we dat probleem vast wel verhelpen.'

'Ik denk dat ik dat maar oversla.'

'Dat dacht ik al. Ja, niet dat ik me wil voordoen alsof ik iets van al dat academische gedoe afweet, maar één ding weet ik wel, en dat is dat het in die jaren erg gemakkelijk was om je zakken te vullen. Ik liep in de slipstream van die papegaaienman die met zijn kinderwagen op Strøget liep.'

'Sigvaldi. Hij verkocht *Limonade en hanenpoten*, kinderverhalen in schriftjes.'

'Dat klopt, en ik verkocht armbanden van houten kralen die ik voor niks inkocht bij een speelgoedwinkel in Østerbro. Tibetaanse kunstnijverheid uit Lhassakya, het hoogst gelegen klooster in de Himalaya. Als het op de pastoor regent, drupt het op de koster. Sigvaldi en ik deden allebei goede zaken. De mensen waren zo heerlijk naïef in die tijd. Het was alsof iedereen probeerde zijn weg naar de nieuwe tijd te vinden en niemand het kaf nog van het koren kon scheiden. Ik had zelfs een pruik en een gitaar. Daarmee ging ik naar de plaatsen waar de studenten waren, om te zingen. Het klonk zo verschrikkelijk dat ik het zelf haast niet kon aanhoren, maar het regende geld in mijn hoed.'

Hij deed alsof hij gitaar speelde en zong zo vals als een kraai: 'Arbeiders, o, verenigt uuuuuuu!'

De Freule lachte om Konrad Simonsens verslag, ook al omdat hij zo genoot van zijn verhaal.

'Maar kon ze zich iets herinneren, zijn vrouw?'

'In de verste verte niet. Als het over concrete gebeurtenissen ging, was ze net zo blanco als alle anderen die ik heb gesproken. Geen van de namen van de Bende van Zes zei haar iets, en ook de foto's hielpen niet.'

'Dus het was weer een tegenvaller? Eigenlijk denk ik dat je dit project moet opgeven, Simon.'

'Nee, wacht even. Ik reed er dus eigenlijk voor iets anders naartoe, maar toen bedacht ik dat ik de gok wel kon wagen en kijken of ze thuis was, nu ik toch in de buurt was. En dat was ze dus. Daarna ben ik doorgereden naar Rødby.'

'Wat moest je daar dan?'

'Dat vertel ik je later, maar luister nou. Op het politiebureau in Rødby kon ik even achter een computer gaan zitten en bekeek ik de hypnosewebsite van Pelle. Het was niet meer dan een vage belangstelling, nu ik toch aan het wachten was. En toen moest ik denken aan wat hij had gezegd over "mezelf vinden", en onderweg naar huis reed ik er nog een keer langs.'

'Je gaat me toch niet vertellen dat je je toch hebt laten hypnotiseren?'

'Nee, ben je gek? Maar zijn vrouw misschien wel, dacht ik.'

Pelle Olsen had het voorstel zorgvuldig overwogen. Uiteindelijk antwoordde hij: 'Het wordt niet goedkoop. Dat soort hypnose vereist intensieve voorbereiding en ik kan natuurlijk niets garanderen over wat ze zich herinnert, dus je geld is misschien verspild.'

'Ik had op een beetje korting gehoopt.'

'Maar natuurlijk, Simonsen, natuurlijk – oude vrienden hè? Maar ver onder de vierduizend kronen kan ik niet gaan, dan zou ik een dief zijn van mijn eigen portemonnee. Vijfentwintighonderd handje contantje, als je begrijpt wat ik bedoel. O nee, dat gaat natuurlijk niet.'

'Dat klinkt wel als een redelijke prijs, maar dan wil ik er ook een potje van je nicotineontwennende ginsengtabletjes bij hebben. Ik ben namelijk niet zo lang geleden gestopt met roken en kan best wat gecertificeerde biologische en homeopathische hulp gebruiken. Zo staat het toch op je website?'

'Aan de andere kant, Simonsen, weet je, ik ben zo blij om je te zien en je hebt me altijd netjes behandeld, jij krijgt het voor...' – hij keek zijn gast aan – '... duizend?'

Konrad Simonsen keek naar het plafond.
'Gratis en voor niets, geen probleem, gratis en voor niets.'
'Dat is echt heel erg aardig van je.'
'Nou ja, dat spreekt toch voor zich. Daar zijn we vrienden voor. Wat dacht je van woensdagmiddag? Dan heb ik ook tijd om mijn vrouw aan het idee te laten wennen.'

*

Op het politiebureau van Rødby was Konrad Simonsen over een psychologische grens heen gegaan, waarvan hij niet zeker wist of hij er wel goed aan deed.
Het ging om Rita's achternaam. Ze was in zijn jeugd meer dan twee jaar zijn vriendin geweest. Met ups en downs, soms intiemer, soms minder intiem. Hij vond het geen probleem dat hij de laatste maanden na zijn operatie vaak aan haar had gedacht, in bepaalde situaties zelfs over haar had gedagdroomd, en over het algemeen prettig. Of liever, prettig en vrijblijvend. Er was namelijk een reden waarom ze slechts een herinnering bleef, een stem uit zijn jeugd en niet weer een deel van zijn leven: hij wist alleen haar voornaam nog, hoe hij ook probeerde op de rest te komen.
Hij verhulde niet dat hij voor een privéaangelegenheid kwam, maar de dienstdoende agent bij de politie van Rødby nam hem mee naar een kantoor achter de balie.
'Mag ik je ID nog even zien? En wil je even herhalen waarvoor je kwam?'
Hij liet zijn kaart zien.
'Het is helemaal voor mezelf. Ik wil geen speciale behandeling.'
'Ja, ja, dat is prima, hoor. Wie wilde je zoeken?'
'Een vrouw, en ik weet alleen haar voornaam, Rita. Haar achternaam is een heel gewone naam op -sen, Jensen, Nielsen, Hansen, Petersen of zoiets. Verder had ze een vreemde tussennaam, die ik me helemaal niet meer kan herinneren. Ze is in november of december 1972 gearresteerd wegens poging tot valutasmokkel.'
'1972, dat is echt lang geleden.'
'Helaas wel, ja. Maar ik ben alleen in haar naam geïnteresseerd. De zaak is niet van belang.'
'Misschien heb je heel veel mazzel. Vorig jaar hadden we hier twee archivarisstudenten stage lopen – ja, niemand anders wilde ze – en die hebben een deel van ons prehistorische archief gerenoveerd. Ik weet het niet... Het ligt in de oude kelder.'
'Ik heb drie flessen goede rode wijn bij me als dat helpt.'
Hij was al na tien minuten terug.
'Dat was echt een makkie: Rita Metz Andersen. De Veiligheidsdienst was er trouwens ook bij betrokken, maar ze is niet vervolgd.'

*

De priester kwam dinsdagochtend naar Søllerød, en hij nam de zon mee. Het was prachtig weer, met een blauwe lucht en een zachte wind, die met de dorre bladeren speelde die overal op hopen lagen in de straten van de villawijk die de looproute van Konrad Simonsen vormden. Hij had de hele route gewandeld, rustig, als een eerbiedwaardige oude man, en af en toe was hij stiekem door de bladhopen gelopen zoals hij deed toen hij klein was. Je kon het eigenlijk geen sporten noemen, maar zijn humeur werd door de wandeling nog beter dan het al was, en men zei toch dat een goed humeur ook levensverlengend werkte? Thuis had hij net tijd om een kleine vierkante tuintafel en een paar stoelen naar zijn galerie te dragen en er een schaakbord en stukken bij te halen voordat de priester aanklopte. De man was uit Hvidovre komen fietsen en had een gezonde blos op zijn wangen. Ze gaven elkaar een hand, en Konrad Simonsen meende het toen hij zei dat hij blij was dat de priester wilde komen. En de priester was blij er te zijn, beweerde hij. De banale waarheid was dat de twee mannen elkaar mochten. De priester trok zijn windjack uit en legde het op de hometrainer van Konrad Simonsen.

Toen zei hij: 'Ik ben benieuwd wat je vandaag weer voor me in petto hebt. Vorige keer heb je me er behoorlijk tussen genomen.'

Zijn woorden klonken niet bitter. Konrad Simonsen antwoordde op dezelfde lichte toon: 'Vandaag doen we geen gekke dingen. Zoals ik door de telefoon al zei, dacht ik dat je de posters van Jørgen Kramer Nielsen weleens echt goed zou willen bekijken. En ik heb in dat verband ook een paar vragen voor je, maar dat had je vast zelf ook al bedacht, of niet?'

'Ja, dat is zo. Maar ik ben blij dat ik mag kijken. Ik wilde niet helemaal naar boven gaan, naar Jørgens zolder, hoewel ik moet toegeven dat ik een tijd met mijn hoofd vlak boven het luik heb staan kijken toen we ze net hadden gevonden.'

Hij wees naar de tafel midden in de ruimte.

'Je hebt het schaakspel klaargezet, zie ik. Jullie hebben goede research gedaan want het is best lang geleden dat ik voor het laatst heb geschaakt.'

'Tweede bij de Britse universiteitskampioenschappen in 1985. Dat word je niet zomaar. Daarom heb ik ook Arne Pedersen uitgenodigd, dat is de rechercheur die je op het hoofdbureau heeft verhoord. Hij kan stukken beter schaken dan ik, maar hij is zeker ergens opgehouden, dus je moet het met mij doen. Heb je er zin in? Of wil je liever eerst naar de platen kijken?'

De priester ging zitten, ze lootten om de kleur, de priester trok wit. Konrad Simonsen zei: 'Ik heb er geen schaakklok bij gezet. Ik dacht dat we intussen een beetje konden kletsen.'

'Graag.'

Ze begonnen en tijdens de opening was er niet veel tijd om te kletsen. Zoals Konrad Simonsen al had verwacht, was de priester veel te goed voor hem, ook al speelde hij erg defensief en voorzichtig.

Na een stuk of twintig zetten, toen hij al behoorlijk zwak stond, zei Konrad Simonsen: 'Jouw kerk wil de posters kopen, heb ik gehoord. Dat idee kan eigenlijk alleen van jou afkomstig zijn, toch?'

De priester deed een zet en antwoordde: 'Dat is het ook.'

'Waarom?'

'Dat zal ik je vertellen als de posters vrijgegeven zijn en we ze hebben gekocht.'

'Mag je het me nu niet vertellen?'

Konrad Simonsen deed een zet en de priester meteen een tegenzet. Hij zei zacht: 'Ja, dat mag op zich wel, maar ik vind het beter om te wachten.'

'Een officialis, er is niets mis met je contacten.'

'Ja, dat lijkt op het eerste gezicht natuurlijk wel zo, maar de positie van de man als officialis heeft er niets mee te maken. Dat heeft heel andere redenen.'

'Je weet toch dat de posters pas vrijkomen als mijn onderzoek is afgerond. Dat kan een tijdje duren.'

'We zijn geduldig, we hebben de tijd om te wachten.'

Arne Pedersen kwam binnen. Hij gaf de priester een hand en verontschuldigde zich voor zijn vertraging. Zijn auto wilde niet starten. Na een blik op de stelling van de schaakstukken legde hij zijn hand op Konrad Simonsens schouder.

'Dat wordt lastig, Simon.'

Ze speelden nog tien zetten en toen gaf Konrad Simonsen het op.

De drie mannen liepen langzaam de galerie rond en bekeken de posters. Aanvankelijk zeiden ze geen van drieën iets. De priester nam zijn tijd en stond lang bij elke poster stil, zodat hij die vanuit alle hoeken kon bekijken. Het duurde lang, maar geen van drieën had haast.

Bij de vierde poster zei Arne Pedersen uitdagend: 'd4.'

De priester antwoordde meteen: 'd5.'

Arne Pedersen, snel: 'Paard, c3.'

Konrad Simonsen ging een stapje achteruit. Dit was niets voor hem, blind snelschaken lag ver boven zijn niveau.

De schaakpartij was al afgelopen voordat de priester bij de laatste poster was. Arne Pedersen won, de priester feliciteerde hem zonder teleurstelling. Konrad Simonsen daarentegen genoot een beetje, maar deed zijn best om het niet te laten merken. Arne Pedersen maakte het allemaal niet uit.

Ze gingen naar de woonkamer om thee en koffie te drinken. De priester vertelde over zijn sociale werk en Konrad Simonsen en Arne Pedersen vertelden over de Groenlandse ijskap waar ze samen ongeveer een jaar geleden voor een zaak waren geweest. Het werd gezellig, vooral omdat beide politiemannen hun huidige zaak behendig ontweken.

Toen de priester weg was, gaf Arne Pedersen toe: 'Hij heeft me laten winnen. Ik weet het zeker. Wat denk jij?'

Konrad Simonsen schudde zijn hoofd. 'Geen idee. Ik kon het niet volgen.'

'Op het laatst had ik paard en pion tegen zijn toren, en hij had mijn paard kunnen pakken met een simpele schaak, maar in plaats daarvan aasde hij op de pion en kwam hij in de tang. Wil je het zien?'

Dat wilde Konrad Simonsen graag. Ze speelden de partij door en kwamen tot de conclusie dat de priester waarschijnlijk met opzet had verloren.

Dat verbaasde Arne Pedersen: 'Joost mag weten waarom!'

Konrad Simonsen zei: 'Hij had er geen zin in om twee keer achter elkaar te winnen. Ik denk dat hij zo in elkaar zit.'

'Rare man.'

'Het is een aardige man, maar je moet hem niet onderschatten.'

Als de priester al een rare man was, zoals Arne Pedersen beweerde, dan was de volgende gast van Konrad Simonsen in de galerie zo mogelijk nog vreemder. Hij had Madame, zijn helderziende consulente, overgehaald om naar Søllerød te komen. Normaal ging hij naar haar toe in haar huis in Høje Taastrup. Dan had hij een of ander voorwerp bij zich, vaak kleding, die verband hield met de zaak waarmee hij op dat moment bezig was. Bijvoorbeeld een horloge van iemand die vermoord was. Maar in dit geval kon dat niet, omdat hij niets had wat van Lucy Davison was geweest.

Pauline Berg mocht erbij zijn om te zien hoe Madame werkte. Dat wilde ze heel graag, en Konrad Simonsen was gezwicht voor haar aandringen. Ze kwam net toen Arne Pedersen wegging. Konrad Simonsen zag dat ze hem nauwelijks groette, er kon alleen een kort, kil 'Hoi' vanaf. Híj kreeg daarentegen een knuffel met een brede glimlach erbij.

Hij liep met Arne Pedersen mee naar het tuinhek. Toen ze buiten het gehoor van Pauline Berg waren, vroeg hij: 'Hebben jullie weer ruzie?'

Arne Pedersen aarzelde met zijn antwoord. 'Ruzie, ruzie. Elke keer dat ze haar zin niet krijgt, gaat ze mokken. Ik ben er al bijna aan gewend.'

'Waar heb je dan nee tegen gezegd?'

'Dat jouw occulte vriendin haar helpt in de niet-zaak-Juli. Ik heb verdorie problemen genoeg om jouw grillen te financieren, dus ik ga er niet aan beginnen om voor haar ook nog eens geld te zoeken. En dat voor een niet-bestaande zaak.'

Hij had gelijk. De diensten van Madame waren nu eenmaal moeilijk in een post onder te brengen. Ook Konrad Simonsen vond het niet prettig als duidelijk zichtbaar was dat de afdeling Moordzaken kronen van brave belastingbetalers aan geestenbezwering uitgaf, dus hij boekte hier wat bij en daar wat af, zodat Madames honorarium niet te prominent in de boekhouding te zien was. Nu moest Arne Pedersen dat doen. Maar Konrad Simonsen had geen zin om dieper op dat onderwerp in te gaan.

Dus hij zei: 'Wat een kleding, trouwens. Ze is haast nog erger dan de hoofdcommissaris.'

Pauline Berg had een grijs mantelpak aan, dat een oudere boekhouder geweldig zou staan. Misschien om haar ouderwetse uiterlijk te compenseren had ze een goedkoop, kleurrijk sjaaltje om.

Arne Pedersen vroeg verbaasd: 'Wat is er mis met Gurli's kleren? Ik vind dat ze er altijd zo fris uitziet.'

Tien minuten later arriveerde Madame in een Mercedesbusje dat omgebouwd was zodat er een rolstoel in kon. De bestuurder van de auto was haar man. Zijn naam was Stephan Stemme, en Konrad Simonsen mocht hem niet. Er waren sowieso niet veel mensen die hem mochten, áls die er al waren.

Konrad Simonsen en Pauline Berg zagen vanuit het raam in de woonkamer dat Stephan Stemme uitstapte en naar het huis keek.

Konrad Simonsen zei: 'Ik hoop niet dat hij mee naar binnen wil. Goed, kom mee, we kunnen haar maar beter gaan halen.'

Buiten gaf Stephan Stemme hun een hand en vertelde: zijn vrouw had een gecompliceerde heupbreuk gehad en na de operatie was haar heupgewricht ontstoken. Nu mocht ze niet lopen totdat de ontsteking weg was en ze weer naar het ziekenhuis kon. De auto was overigens speciaal voor vandaag gehuurd, de kosten daarvan waren ook op de rekening gezet, en hij gaf Konrad Simonsen een envelop. Toen ging hij naar de achterkant van de auto, maakte de achterklep open en liet met behulp van een afstandsbediening een plateaulift zakken. Moeizaam klom hij naar binnen en reed zijn vrouw op het plateau. Toen hij de rolstoel zorgvuldig had vastgemaakt en de lift nog verder naar beneden had gedirigeerd, vertrouwde hij zijn vrouw toe aan Konrad Simonsen.

Konrad Simonsen reed Madame zijn galerie binnen nadat hij samen met Pauline Berg de rolstoel over de stenen trap in de tuin had getild. Het perceel van de Freule liep schuin en het tuinhuis lag een niveau hoger dan de villa zelf, dus je kon niet om de trap heen.

Madame was een gortdroge vrouw met een toonloze stem en doordringende grijze ogen die dwars door mensen heen leken te kijken. Haar man bleef in de auto, en dat vond Konrad Simonsen prima. Toen ze het vervoer van zijn vrouw hadden overgenomen had hij Pauline Berg vastgepakt en vrij onbeschaamd koffie geëist, en zij had gesneerd: wat hij wel niet dacht en of hij zijn handen thuis wilde houden. Hij vluchtte beteuterd terug naar de auto. Madame had niet op het voorval gereageerd, misschien was ze het gewend.

Net als de andere bezoekers die Konrad Simonsen in zijn galerie had ontvangen, nam Madame de tijd om de posters te bekijken. Pauline Berg en

Konrad Simonsen gingen een stapje naar achteren om haar niet uit haar concentratie te halen en wachtten af. Ze reageerde al bij de eerste poster. De geesten waren blijkbaar al gekomen.

Ze schudde geïrriteerd haar hoofd en zei: 'Wat is dat voor kind dat huilt? Zo kan ik geen woord verstaan.'

Ze hield haar handen een tijdje tegen haar oren. Plotseling trok ze aan een van de wielen van de rolstoel, zodat die draaide. Ze wees beschuldigend naar Pauline Berg.

'Weg met dat sjaaltje. Weg ermee! En wel onmiddellijk.'

Pauline Berg verliet de galerie snel en zonder protesteren.

Toen ze weg was, vroeg Madame: 'Waar is de achttiende poster?'

Konrad Simonsen probeerde het met een leugen: 'In mijn slaapkamer, ik ben het nader aan het onderzoeken. En ik moet hem nog inlijsten. Zal ik hem halen?'

'Geklets, je wilt hem jatten. Nee, dat hoeft niet.'

Toen Pauline Berg zonder sjaal terugkwam, ging Madame door met het bekijken van de posters. Na een tijdje zei ze: 'Het meisje heet Lucy, ze is Engels en ze is dood. Dat is lang geleden, vele jaren. Ze kwam naar Denemarken achter op een motor, of nee, ze heeft ook gevaren. Ik denk naar Esbjerg.'

Konrad Simonsen bevestigde dit en Madame ging door: 'Ze is er blij mee dat de kerk de foto's van haar heeft gekocht, maar ze vindt het ook goed met die ene die weg is.'

Pauline Berg vroeg: 'Hoezo, één weg?'

Madame was blijkbaar nog steeds boos op Pauline Berg omdat ze op slinkse wijze haar hulp had getracht te krijgen door een sjaal om te doen die van Juli Denissen was geweest. Ze beval Konrad Simonsen: 'Zeg tegen haar dat ze stil moet zijn, Konrad.'

Konrad Simonsen keek Pauline Berg veelzeggend aan en hoopte dat ze zich daardoor zou inhouden. Toen vroeg hij Madame: 'Waarom wil de katholieke kerk de posters kopen? Weet Lucy dat?'

Het duurde even voordat Madame antwoord gaf. Ze keek voor zich uit, toen naar boven en weer naar beneden, en ten slotte zei ze: 'Het gebeurt maar zelden dat ik ze zo duidelijk zie. Wat is ze mooi. Haha, ze plaagt je. "Dat zou je wel willen weten, hè?" Dat zegt ze. En ze lacht.'

Konrad Simonsen voelde een hitte in zijn lichaam die hij al jaren niet meer had ervaren, en hij bloosde bijna toen Madame op ernstige toon doorging: 'Ja, er zijn veel jonge vrouwen om je heen op dit moment. Maar misschien zie je de allerbelangrijkste over het hoofd. En dat wordt je fataal.'

Na deze niet erg nauwkeurige waarschuwing liet ze een hand over de poster glijden waar ze naast zat en zei zoekend: 'Lucy is begraven in zwart zand. Zwart Deens zand, ja, dat is wat ze zegt... zwart zand. Ze is in haar tent vermoord.'

Ze stopte en staarde met lege ogen voor zich uit. Even later ging ze door: 'Het was niet haar tent, ze had hem geleend van een vriend. De vriend met de motor.'

Konrad Simonsen vroeg: 'Is ze vermoord door haar vriend?'

Maar Madame luisterde niet. Ze zei zacht: 'Ze is verkracht... of nee, ja... Ik geloof dat ze verkracht is. Hoewel, dat weet ik niet zeker, maar ze is wel aangerand. Maar wat een puinhoop, twee dode meisjes en dan dat huilende rotkind.'

Ze rolde een meter naar achteren en zat erbij als een generaal die een defilé afnam: afstandelijk belangstellend.

'Luister naar de christenman die je niet mag, Konrad. Beloof me dat.'

'Ja, ja, dat doe ik, maar hoe is ze gestorven?'

'Dat weet ik niet. Ik voel ineens angst. Panische angst, afschuwelijk.'

Konrad Simonsens aandacht werd getrokken door geluiden die Pauline Berg maakte. Ze was midden in een beweging verstard en stond nu doodsbleek te kokhalzen alsof ze moest overgeven. Ze keek hem met uitpuilende ogen aan zonder hem te zien en hield haar handen voor haar hals alsof ze met een belager aan het vechten was. Ze stak een hand naar hem uit, wanhopig, zielig.

Hij schreeuwde: 'Wat gebeurt er met je?' En meteen daarna: 'Pauline, wat gebeurt er? Zeg iets tegen me. Moet ik een ambulance bellen?' Ze reageerde niet.

Madame zei kalmerend: 'Het helpt niet als jij ook in paniek raakt. Doe rustig, ze gaat niet dood.'

Dat hielp. Maar het behoefde geen uitleg dat de seance met Madame beëindigd moest worden; dat vond ze zelf ook. Pauline Berg eiste zijn aandacht op, dat was duidelijk. Hij reed Madame naar buiten, kreeg haar met moeite de trap in de tuin af en liet haar weer over aan haar man. Toen snelde hij terug naar de galerie waar hij Pauline Berg zittend tegen een muur aantrof. Ze zat ineengekropen met haar knieën tegen haar kin en haar schouders opgetrokken in een onnatuurlijk krampachtige houding. Bij haar haargrens en op haar bovenlip glinsterden zweetdruppeltjes. Ze reageerde niet op zijn vragen. Hij legde een beschermende hand op haar schouder maar ze kroop meteen weg alsof hij haar had verbrand. Hij vroeg zich weer af of hij een ambulance moest bellen, maar besloot haar de kalmerende pil te geven die hij in zijn portefeuille had. Hij haalde gauw een glas water en dwong haar bijna om de pil in te nemen.

Even later kreeg hij weer contact met haar. Hij zag aan haar ogen dat ze weer bijkwam. Hij vroeg voorzichtig: 'Werkt de pil al?'

Ze schudde haar hoofd.

'Wat moet ik doen?'

Dat was eenvoudig. Ze wilde naar huis. En nee! – ze verzette zich hevig –

hij moest geen arts bellen, gewoon bij haar blijven. Ze pakte zijn hand.

'Je mag niet weggaan, ik wil niet alleen zijn. Dat moet je me beloven.'

Hij beloofde haar dat hij niet weg zou gaan. Meer kon hij niet doen. Al had ze, voor zover hij het kon inschatten, eerder een psychiater nodig of moest ze misschien zelfs worden opgenomen. Maar wat kon hij doen als ze zelfs niets van een dokter wilde weten?

Onderweg in de auto werd ze moe, en de angst verdween langzaam. In de lift naar haar appartement leunde ze met haar hoofd tegen zijn schouder, en bij haar voordeur gaf ze hem de sleutels. Haar benen werden slap en hij moest haar ondersteunen terwijl hij de deur openmaakte.

Het was de eerste keer dat hij bij haar thuis was. Haar appartement was netjes opgeruimd, bijna te keurig, het deed hem denken aan een bibliotheek. Hij had gedacht dat ze slordiger was. Het uitzicht uit het raam was triest, twee andere betonnen appartementsgebouwen van hetzelfde type als dat waarin zij woonde, lagen naast het terrein van de metro tussen Rødovre en Brøndbyøster, dat dacht hij tenminste. Hij bracht haar naar haar slaapkamer, hielp haar haar schoenen uit te doen en stopte haar in bed. Ze dwong hem weer een belofte af dat hij niet zou weggaan, met onduidelijke stem maar toch niet moeilijk om te begrijpen, en weer beloofde hij te blijven. Ze viel in slaap zodra haar hoofd haar kussen raakte, met haar hand nog vastgeklemd in de zijne, terwijl hij op de rand van haar bed zat.

Hij haalde een fauteuil uit haar woonkamer, zette een kleine televisie aan die op een ladekastje aan het eind van haar bed stond en zette het geluid uit. Ze zou waarschijnlijk echter van een kanonschot nog niet wakker geworden zijn.

Op een gegeven moment belde hij de Freule. Ze zouden naar de bioscoop gaan, maar dat werd die avond niets meer. Ze gaf hem adviezen. Hij moest eraan denken om Pauline Berg op haar zij te leggen, dat was belangrijk. Naar de verstandige adviezen die ze daarna nog gaf, luisterde hij niet eens meer. Veel meer zei ze niet, behalve dat ze aanbood hem te komen vervangen, wat hij echter weigerde.

Hij luisterde lang naar Paulines regelmatige ademhaling terwijl hij nadacht over wat Madame tegen hem had gezegd. Niet over het onderzoek, daar wilde hij tot de volgende ochtend mee wachten, maar over haar opmerking dat hij veel jonge vrouwen om zich heen had. En dat hij de allerbelangrijkste over het hoofd zag. Lucy, Rita, Anna Mia, misschien moest hij ook Maja Nørgaard erbij rekenen, en zelfs – hij keek naar het bed in het halfduister – Pauline Berg. Hij zag de belangrijkste over het hoofd? Hij dacht en peinsde. De belangrijkste, wie was de belangrijkste?

Het werd een lange avond en een nog langere nacht.

*

Door de hypnosesessie maakte Konrad Simonsen kennis met een kant van Pelle Olsen die hij niet eerder had gezien. De man had die donderdag zijn joviale kant opzijgezet ten gunste van een wat vakmatiger aanpak van de sessie. Zijn vrouw ging in een fauteuil zitten en in een paar minuten tijd had hij haar naar een toestand van mentale ontspanning geleid, die Konrad Simonsen deed denken aan doezelen. Toen leidde Pelle Olsen haar terug naar haar middelbareschoolklas alsof de afgelopen veertig jaar niet meer dan een oogwenk waren geweest.

'Waar ben je nu?'

'Ik zit in onze klas. We hebben wiskunde van "De Vlieger".'

'In welke klas zit je?'

'In een hartstikke leuke klas.'

'Welke dag is het?'

'Donderdag 14 maart 1968.'

Pelle Olsen zei zachtjes tegen Konrad Simonsen: 'Ik praat even een tijdje met haar over wat ze meemaakt, dan kun jij daarna vragen stellen, maar het liefst via mij. Is dat goed?'

Konrad Simonsen zei ja, een beetje sceptisch, alsof hij slachtoffer was van een goed geregisseerd toneelstuk. Hij vroeg voorzichtig: 'Kun je haar vragen of er dieren in de klas zijn?'

Als Pelle Olsen al het gevoel had dat hij niet werd geloofd, dan liet hij het niet merken: 'Zie je dieren in de klas?'

'Nee, Uffe is ziek en dan is Silver er natuurlijk ook niet.'

Konrad Simonsen was tevreden, Pelle Olsen vroeg door: 'Is "De Vlieger" jullie docent?'

'Rector Henderson. We noemen hem "De Vlieger" vanwege zijn hobby. Hij is een meester in het vliegeren en daarom hebben we Japanners op bezoek. Hij is een grote naam in Japan.'

Ze giechelde als een tienermeisje en ging door: 'Misschien houdt hij ons voor de gek. Hij schept soms op, maar is verder wel oké. Ze zeggen dat hij streng is bij examens, maar dat geloof ik niet. Dat zeggen ze in de examenklas alleen maar om ons bang te maken.'

'Vertel me eens wat over de Japanners.'

'Ze zijn er nu niet, ze maken een uitstapje naar Kronborg. "De Vlieger" heeft hun reis naar Denemarken georganiseerd. Thuis gaan ze naar een artiestenschool waar ze acrobatiek leren, maar ook gewone vakken net zoals wij. Het zijn er zeven, zes jongens en een meisje en ze logeren bij sommigen van ons. We vinden ze wel aardig, hoewel hun Engels slecht is en het moeilijk is om met ze te praten. Zaterdag gaan we een voorstelling met ze maken voor iedereen die wil komen kijken.'

Er verscheen een verwachtingsvolle glimlach op haar gezicht.

'Verheug je je daarop?'

'Het wordt fantastisch. Wat een show maken ze. Ze springen op de trampoline en jongleren tegelijk met fakkels. Met echt vuur. En ze staan boven op elkaar alsof de zwaartekracht voor hen niet geldt. Het is een eerbetoon aan "De Vlieger", dus hij zit met zijn gezin op de eerste rij. Wij gaan ook optreden, dat wil zeggen sommigen van ons, we dansen de Quadrille des Lanciers, maar dan maar drie onderdelen: de bruggen, de vrouwenmolen en de herenmolen.'

'Ga jij ook dansen?'

Ze giechelde weer.

'Tuurlijk m'n paard.'

'Wat zeg je nou?'

'Dat zeggen we altijd, soms te vaak, dan wordt het te veel. Het komt door onze leraar Engels, hij geeft ook muziek. Hij zegt alsmaar *of course my horse*, en dat hebben we dus vertaald. Een tijdje noemden we hem "Het Paard", maar dat werd niet echt populair, dus nu zeggen we gewoon "Henry" en "jij". Dat mag niet bij alle leerkrachten maar Henry is niet zo oud als de rest. Hij oefent de Lanciers met ons en zaterdag gaat hij zelf de Weense wals dansen met zijn vrouw. Ze doen aan wedstrijddansen. Dat is meteen na ons optreden.'

Pelle Olsen knikte naar Konrad Simonsen.

'Vraag haar of ze Jørgen ziet.'

Ze haalde zonder belangstelling haar schouders op en gaf antwoord zonder op haar man te wachten.

'Jørgen Kramer Nielsen. Er valt niets over te vertellen. Hij is er gewoon. Hij is lid van "De Hartjes".'

'Wat is "De Hartjes"? Ben jij ook lid van "De Hartjes"?'

Ze snoof verontwaardigd.

'De Eenzame Hartenclub. Het is gewoon te banaal, en we noemen ze gewoon "De Hartjes". Helena heeft ze bij elkaar gebracht. Jørgen, Jesper, Hanne, Pia en nog een paar uit andere klassen. Mouritz ook, als hij er is, ik bedoel Mouritz de Kluns.'

'Wat doen "De Hartjes"?'

'Niks, behalve bij elkaar zijn. Hoewel ze natuurlijk liever bij ons zouden willen zijn, denk ik. Maar wij hebben geen zin in ze.'

'Waarom hebben jullie geen zin in ze?'

Het duurde even voordat ze antwoord gaf.

'Helena is anders. Niemand mag haar. Ze gaat drie weken naar de Verenigde Staten omdat ze een of andere stomme wedstrijd van de Amerikaanse ambassade heeft gewonnen. We schrijven USA OUT op haar tafel en pesten haar ermee dat haar vrienden een pak slaag van de Vietcong krijgen bij het Nieuwjaarsoffensief. De Heilige Helena. Ik heb een hekel aan haar. We noemen haar ook "de Maagd Helena", en dan wordt ze helemaal rood, gegarandeerd omdat het waar is. Ze is lelijk en ingedroogd, maar ze is niet dom, dat moet ik toegeven.'

'Hoe zit het met de rest van "De Hartjes"?'

Ze negeerde de vraag en ging door op haar eigen spoor. Een beetje opgewondener dan net, en haar man gebaarde dat hij het weer overnam.

'Ze heeft die brievenbus waarin ze de draak met ons steekt. En haar haar is model bloempot. Ze draagt ook een beha, hoewel ze borsten heeft als eierdoppen. Een keer hebben we haar beha bij het gymmen verstopt, en stel je voor, ze had er nog een in haar tas!'

'Wil je ook over de anderen vertellen?'

Weer gaf ze geen antwoord. Konrad Simonsen had het gevoel dat het niet helemaal liep zoals het moest. Er was iets gejaagds in haar stem gekomen. Pelle Olsen liet dan ook met zijn duim en wijsvinger zien dat de tijd bijna om was.

'Bij de schoolmusical kwam haar vader in uniform met medailles en weet ik wat allemaal. Het was te gênant voor woorden en we zaten allemaal met kromme tenen. Dan heb ik toch liever mijn eigen ouders, ook al zijn die vaak dronken. Ook toen we de voorstelling gaven en...'

Pelle Olsen onderbrak haar door haar een beetje heen en weer te schudden. Ze keek even verward om zich heen en zei toen: 'Het was afschuwelijk, Pelle, op het eind was het afschuwelijk. Ik vond het niet fijn. Dat had ik toch gezegd.'

'Rustig maar meisje, ik ben bij je.'

'Dit doe ik niet meer. We wisten wat er ging gebeuren.'

Hij hield haar vast en wuifde zijn gast weg. Konrad Simonsen sloop de deur uit. In de auto maakte hij wat aantekeningen over wat hij had gehoord en op weg naar huis wist hij niet of hij nu blij of triest moest zijn.

8

De herfst was tot nu toe geen fijne tijd geweest. De werkloosheid was gestegen, de huizenmarkt in elkaar gestort en de prijzen van elementaire levensmiddelen hadden miljoenen mensen in de hele wereld tot de bedelstaf gebracht. Het nieuws bracht louter ellende.

In Søllerød deed de Freule de televisie uit en ging in de keuken een ijsthee voor haar vriend maken. Ze had een nieuw recept gevonden in een lifestylemagazine: kweeperenthee, biologische vlierbloesemlimonade, versgeperste citroen- en sinaasappelsap – ze mat de hoeveelheden af, vulde drie hoge glazen en versierde ze met een paar schijfjes aardbei en een handje blauwe bessen. Ten slotte een lang, zilverkleurig rietje en de thee was klaar om op te dienen.

In de serre zat Konrad Simonsen in de problemen. Alweer.

Zijn hoofd schommelde van de ene kant naar de andere, terwijl hij wanhopig een uitweg probeerde te vinden. Hij stond twee pionnen achter en kon zijn torenlinie onmogelijk houden. Een fantasievolle en messcherpe aanval op zijn koning had zijn stelling uiteengescheurd en hem achtergelaten met het vooruitzicht van een verloren eindspel. Hij nam zijn beperkte mogelijkheden nog een keer door en constateerde dat ze geen hoop boden.

Toen leunde hij achterover en zei ernstig: 'Ik hou zo van schaken. Het is alsof je binnenwereld en de buitenwereld in een universele – ja, zo durf ik het wel te noemen – liefde voor het spel worden verenigd.'

Arne Pedersen grijnsde, terwijl Konrad Simonsen hoogdravend doorging: 'Ja, ik heb het ook over de mensen die zich achter een muur van illusies verschuilen en die nooit een glimp van de waarheid zullen opvangen voordat het veel en veel te laat is. Wij moeten delen in dit leven, delen met anderen, zodat iedereen wint en iedereen verliest, want alleen dan krijgen we gemoedsrust. Dat is waar schaken over gaat. Dat is de ziel van het schaken.'

De Freule kwam de serre binnen met haar dienblad en zette dat naast het schaakbord. Ze vroeg Konrad Simonsen: 'Waar heb je het in godsnaam over?'

Arne Pedersen legde uit: 'Hij probeert er met praten een remise uit te slepen, maar dat is niet genoeg.'

'Als je gemoedsrust wilt verkrijgen, heb je er niets aan al win je de hele wereld, als je intussen je ziel verliest. Ben jij er zó een, nee, Arne dat geloof ik toch niet...'

'Goed dan, jij je remise. Ik kreeg de vorige keer dat ik hier was een partij cadeau, dus dan staan we gelijk.'

Ze gaven elkaar een hand en Konrad Simonsen haastte zich om schaakbord en stukken op te bergen.

'Wat is dit? Modder met aardbeien?'

'Koude kweeperenthee. Is goed voor je.'

'Daar was ik al bang voor. Ik weet niet eens wat een kweepeer is.'

Arne Pedersen dronk wat. Konrad Simonsen keek hem nieuwsgierig aan. Ook de Freule pakte haar glas. Arne Pedersen zei: 'Wow, dit is lekker, zeg. Proef maar, Simon, daar krijg je geen spijt van.'

'Zijn er precedenten? Ik bedoel: hebben mensen voor ons kweeperen ingenomen, wat het ook mogen zijn?'

Ondanks zijn grote mond nam hij een klein slokje en daarna een iets grotere. Arne Pedersen had gelijk. Het smaakte fantastisch. Toen ving hij een blik van de Freule op, en zag dat ze hem een tekentje gaf. Hij dronk nog een slok, zette zijn glas neer en zei: 'Ik was gisteren voor controle naar het ziekenhuis, Arne. En als alles gaat zoals de artsen verwachten kan ik na kerst weer in mijn vroegere functie beginnen, of anders gezegd – ik kan de functie weer overnemen die jij hebt waargenomen.'

'Ik ben blij om dat te horen. Dat het goed gaat én dat je weer op volle kracht terugkomt.'

'Ja, maar het hoeft niet per se zo te gaan.'

'Hoe bedoel je?'

Hij had het al diepgaand met de Freule besproken en er ook zelf veel over nagedacht. De conclusie was dat hij het eigenlijk niet erg zou vinden als Arne Pedersen doorging als chef van de afdeling Moordzaken. Natuurlijk waren er voor- en nadelen bij zo'n beslissing, en vooral het verlies van aanzien vond hij moeilijk te verkroppen. Maar er was ook heel veel werk dat hij dan niet hoefde te doen, werk waar hij nooit echt blij mee was geweest. Financiën, leidinggeven, representatie, om nog maar te zwijgen van de mails van de chef Nationale Recherche. Dat was de reden dat de Freule en hij Arne Pedersen deze avond hadden uitgenodigd, het schaken was in dit geval maar een afleidingsmanoeuvre.

'Al met al vind ik het prima zoals het op het ogenblik loopt, dus als je wilt, mag je doorgaan als chef, als ze het boven ook goedkeuren, maar dat zal geen probleem zijn, vermoed ik.'

Arne Pedersen zei niets. Konrad Simonsen en de Freule gunden hem de tijd om na te denken. Uiteindelijk vond Arne Pedersen woorden: 'Ik kan niet ontkennen dat ik me gevleid voel door dit aanbod. Weten jullie het zeker, of ik bedoel, weet je het zeker?'

'Ja, we weten het zeker.'

Weer zweeg Arne Pedersen een tijdje voordat hij antwoord gaf.

'Tja, ik heb langzamerhand het gevoel dat ik het wel goed doe, maar al met al wil ik toch bedanken. Het is te snel. Ik wil liever wachten tot je met pensioen gaat, en zonder je te willen beledigen, dat duurt natuurlijk niet zo heel lang meer.'

Dat was dat. De beslissing was genomen en er viel niets meer over te zeggen.

Konrad Simonsen zei: 'Ik stop als ik 64 word, dat hoeft geen geheim te zijn. Ik ben op mijn vijfentwintigste op het HS begonnen, ik ben naar de afdeling Moordzaken overgeplaatst toen die werd opgericht, toen was ik 36, en ik ben chef van de afdeling geworden toen ik 49 was.'

Arne Pedersen zag er opgelucht uit. Het was geen gemakkelijke beslissing geweest. Het was verleidelijk om ja te zeggen. Hij zei: 'Ik wist niet dat je ook numeroloog was, maar dan neem ik de troon van je over op het moment dat je stopt, als ze me tenminste willen hebben. Dat klinkt veel aantrekkelijker. Ik moet eerlijk zeggen dat de dagen waarop ik met jou samenwerk, of onder je, zoals met de postbodezaak, de dagen zijn dat ik me het lekkerst voel. Ik kijk bijvoorbeeld erg uit naar onze bespreking morgen, en dat is toch vreemd. Drie maanden geleden was dat een dag geweest als alle andere, maar nu verheug ik me er gewoon op. Daar leid ik uit af dat het gezond is dat het nog een paar jaar duurt voordat ik aan wat dan ook leiding moet geven.'

De Freule dronk haar ijsthee op en zette haar glas terug op het dienblad, naast dat van Konrad Simonsen, dat allang leeg was gedronken. Toen zei ze: 'Nu we toch bezig zijn met de organisatie, wat vind je van Klavs Arnold? En om te voorkomen dat je je gemanipuleerd voelt, zal ik je maar meteen vertellen dat Simon en ik het over hem hebben gehad en het eens zijn.'

'Je bedoelt of we hem een baan moeten aanbieden?'

'Ja, wat vind jij?'

Arne Pedersen keek naar Konrad Simonsen.

'Niet alleen dienstverband, je wilt hem bij de inner circle halen, dat is het, hè?'

'Ja, dat was het idee.'

'Ik vind het een goed plan, zonder meer. Hij moet alleen Deens leren.'

'Ik geef toe, hij praat nogal Jutlands.'

'Hij moet vooral leren de woorden goed te verbuigen. Hij zegt "het vlag" en "de huis".'

De Freule merkte op: 'En jij zou wat over grammatica moeten leren. Want dat heeft niets met verbuiging te maken. Maar je bent positief, dus?'

'Hij is aangenaam gezelschap, methodisch goed, actief, scherp, en niet te gezagsgetrouw, ja, ik ben positief. Maar met Pauline weet ik het niet. En heeft zij nog iets in te brengen?'

Konrad Simonsen zei koeltjes: 'Ja, zij heeft ook iets in te brengen. Net zoveel als jullie, niet meer en niet minder, zo is dat. Ik had overigens bedacht dat zij binnenkort eens samen met een van jullie naar Esbjerg zou moeten – gewoon even heen en terug – om te kijken hoe het gaat met het doorzoeken van het zomerhuisgebied door Klavs. Het heeft niet echt een praktisch doel, maar het laat hem en de andere deelnemers zien dat we de zaak serieus nemen en...'

'We snappen het, Simon, je bedoelt dat het signaalwaarde heeft. Ik ga wel, Arne heeft er vast geen tijd voor. Het is ook een tijdje geleden dat ik alleen ben geweest met Pauline. Maar als Klavs verder goed onderzoek doet, waar het sterk op lijkt, dan vind ik dat we hem binnenkort moeten laten weten dat we hem genoeg hebben geëvalueerd.'

Konrad Simonsen was het met haar eens; dat klonk redelijk. Toen vroeg hij: 'Heb je nog wat van dat kweeperensap?'

De volgende ochtend ontbeten de Freule en Konrad Simonsen al vroeg. De Freule had de avond daarvoor in alle haast haar uitstapje met Pauline Berg naar Esbjerg georganiseerd, want als ze in één dag heen en terug moesten, konden ze niet te laat vertrekken.

De Freule las de krant van gisteren, die van vandaag was er nog niet. Konrad Simonsen was aan het eten. Hij vroeg ietwat plichtmatig wat ze zou gaan doen met Pauline Berg. Ging ze eerst naar de stad om haar te halen? Hij vroeg het vooral om iets te zeggen wat een beetje op betrokkenheid leek. Ja, dat ging ze doen. De stem van de Freule was koel en ze vouwde de krant op.

'Toen je naar Rødby ging was het om Rita's achternaam op te zoeken die je niet meer wist, hè? Rita Metz Andersen heet ze.'

Hij bevestigde het zonder te begrijpen waar ze heen wilde. Pas in de daaropvolgende stilte besefte hij dat ze dingen wist die ze onmogelijk kon weten tenzij...

'Zeg, ga je achter mijn rug om mijn gangen na? Hoe weet je de achternaam van Rita?'

De Freule ging door in haar eigen spoor, nogal dreigend en als een inquisiteur, vond hij.

'Je wilt haar opzoeken, hè? Waar gaat dit over?'

Ze gooide hem met een minachtend gebaar een foldertje toe. Hij pakte de folder en bekeek het niet-begrijpend. Toen wist hij het weer. Het was de folder die hij had gekregen bij het bureau voor toerisme in Frederiksværk, toen hij onderweg was van Frederikssund naar de Melby Meent om Pauline Berg te zoeken. Midden in de folder stond een plattegrond, die hij had gebruikt om de weg te vinden. De folder had hij daarna in het dashboardkastje gelegd, niet opzettelijk – hij zou hem de volgende keer dat hij de auto opruimde hebben weggegooid. Nu lag hij beschuldigend voor hem.

'Kijk maar eens bij *Liedjes voor oma*, pagina 3.'

Gisteren was er nog niets aan de hand geweest, ze was lief geweest, had gekookt en lekkere thee voor hem gezet en dan nu plotseling vanmorgen... Hij begreep niets van vrouwen en al helemaal niet wat hij met die folder aan moest. Hij negeerde de folder en probeerde haar tot rede te brengen. Zo ging dit niet. Wilde hun relatie werken, dan moest ze hem vertrouwen. 'Dan moest hij haar vertrouwen' – hij proefde die woorden en voelde zich volwassen. En hij wilde helemaal niet weten hoe ze aan haar informatie over hem was gekomen. Of over Rita, trouwens. Hij hield van haar, hij hield ervan met haar samen te wonen en hij begreep best dat ze bang was om hem te verliezen. Hij had het niet expliciet over het kind dat ze ooit had verloren, hij sprak daarentegen indirect en met inlevingsvermogen over haar 'verhaal', haar 'achtergrond'. Hij begreep haar heel goed, dat moest ze geloven, maar... de woorden kwamen steeds weer terug, met versterkte intensiteit en gebaar.

Ze wachtte tot hij uitgesproken was. Toen zei ze kalm, melodieus, bijna liefdevol alsof niet zij maar hij een probleem had: 'Ja, dat is zo. Dat weten we.'

Wat ze wisten werd niet verder verklaard en hij vroeg er niet naar. Ze vervolgde: 'Je moet natuurlijk doen wat je niet laten kunt. Zo is dat.'

Toen ging ze staan, dronk haar thee staande op en gaf hem een zoen alsof er niets aan de hand was. De deur viel met een klap achter haar dicht, harder dan normaal, vond hij.

Daar zat hij dan met lauwe thee en het gevoel dat hij nog niet tot tien kon tellen.

Later, op weg naar het hoofdbureau, zette hij zijn tomtom aan, hoewel hij de weg wel kon dromen. De vrouwenstem vulde de auto. 'Houd rechts aan.' Commanderend, gezagwekkend, beheerst. 'Na zeshonderd meter links afslaan.' Hij schreeuwde. 'Hou je bek stomme trut.' Heerlijk om eens lekker te schelden. 'Kop dicht, ik heb geen zin om naar je te luisteren.' Hij genoot een kilometer of vijf van zijn getier, tot het hem begon te vervelen. Toen deed hij de stem uit en dwong hij zijn gedachten terug in de tijd. Hij bepaalde zelf wel aan wie of wat hij wilde denken. Of wie hij wilde ontmoeten.

*

'Zullen we maar niet gewoon naar Vordingborg gaan?'

Hij herinnerde zich die vraag nog heel goed. Het was een zondag in april 1973, een vroege, grijze ochtend op de zevende verdieping van het studentenhuis Grønjordskollegiet. Hij dacht dat ze nog sliep. In elk geval had hij geprobeerd stil te zijn toen hij was opgestaan om zich aan te kleden. Er was geen reden om haar wakker te maken. Hij moest werken en wilde graag eerst langs zijn eigen huis, dus hij had de wekker op vijf uur gezet, maar was uit zichzelf wakker geworden voordat de wekker ging. Hij had alleen zijn sokken aan en ging weer even bij haar van de warmte liggen genieten, al was het geleende tijd.

'Bedoel je voor het 1 meifeest?'

Ja, dat bedoelde ze.

Haar voorstel verbaasde hem. Hij vroeg het voor de zekerheid nog een keer. De avond daarvoor hadden ze een discussie gehad over wat te doen op 1 mei. Geen ruzie, gewoon gepraat, wat op zich al een heel verschil was met vorig jaar. Toen was hij niet eens in beeld geweest. Het 1 meifeest, de trotse feest- en strijddag van de arbeiders, moest samen met de kameraden worden gevierd met de eenheidsdemonstratie in het Fælledpark, en niet met hem. Maar dit jaar was anders. Haar enthousiasme over de dag was behoorlijk geluwd, misschien konden ze gewoon ergens in het park gaan zitten met een paar biertjes erbij en dan de demonstratie zelf overslaan.

En nu wilde ze er helemaal niet heen, nu wilde ze liever naar Vordingborg.

Het was een rare tijd voor hen, dat halve jaar tussen de curettage en haar emigratie, waarna hij het contact met haar had verloren. In bepaalde opzichten was hun verhouding slecht of, nauwkeuriger gezegd, beangstigend geworden, in zekere zin waren ze echter juist dichter tot elkaar gekomen. Hun ideologische meningsverschillen deden er niet meer zoveel toe. Ze hadden zelden ruzie en als ze ruzie hadden ging het nog zeldener over politiek. Zijn traditionele ironische vraag raakte haar ook niet meer.

'Rita, wat gaat er eigenlijk met mij gebeuren als de revolutie voltooid is?'

Een jaar geleden zou hij blij geweest zijn als hem een nekschot bespaard zou blijven en hij alleen heropgevoed hoefde te worden. Toen kon de vraag ook leiden tot een lang dispuut, waarbij ze nooit merkte dat hij haar voor de gek hield.

'Hoe lang duurt zo'n heropvoeding eigenlijk?'

Dat verschilde per persoon, maar stond niet vast.

'Zou ik jou als docent kunnen krijgen? Dat zou gezellig zijn.'

Ze twijfelde maar wilde het niet helemaal uitsluiten.

Humor was niet het sterkste punt van de revolutionairen.

Maar als hij het nu vroeg, zei ze alleen dat ze dat niet wist. Triest, zonder blijdschap over haar revolutie. Bijna alsof ze geen zin had om erover na te denken.

Ze hadden een vrijplaats in de buurt van Vordingborg gevonden, elf kilometer buiten de stad, een commune in een voormalig boerenbedrijf halverwege Knudshoved Odde. Daar konden Rita en hij – en alle anderen – naar believen komen en gaan. In het begin kende Rita een van de bewoners, maar hij was allang verhuisd, en nu kwamen ze gewoon, en dat vond niemand raar. Konrad Simonsen had van die plek gehouden. Een hippievrijplaats, bevroren in de tijd van vijf jaar daarvoor, een anarchistisch rijkje. Het was er een grote bende, niets verliep volgens plan, maar iedereen had het geweldig.

Als je er was, deed je het geld dat je kon missen in de gemeenschappelijke pot van het collectief, die op de boekenplank boven de grote eettafel stond. Als je geld had tenminste, anders was het ook goed. Daarna mocht je dan als je honger had eten wat er in de koelkast lag, en 's ochtends een paar schone sokken uit de sokkenmand van het collectief halen. Daarbij was het onmogelijk twee gelijke sokken te vinden en moest je blij zijn als de maat een beetje in de buurt van de jouwe kwam.

Naast de commune woonden de filiaalchef van de supermarkt en zijn vrouw, de districtvroedvrouw, allebei in de veertig, die hand in hand liepen als ze een wandeling maakten en elkaar gênante koosnaampjes gaven. Ze bezaten een voormalige boerderij die van onder tot boven was gerenoveerd. Hij was een joviale dikzak die bijna elke dag levensmiddelen waarvan de datum verlopen was, mee naar huis nam voor de jongelui naast hem. Goede nabuurschap was belangrijk, en hij kon ze toch niet verkopen. Dat zei hij bijna elke keer als hij met zijn dozen aankwam, en hij lachte luidkeels en verwachtte een kopje thee aangeboden te krijgen. Zij was een geblokte vrouw met stevige armen en benen en een eigenaardige vorm van vriendelijkheid, die verrassend was als je haar voor het eerst ontmoette. Ze werd alleen boos als de hippies – zoals ze hen consequent noemde – naakt aan het zonnebaden waren op het gazon voor het huis. Dan kwam ze woest aangebanjerd. Wat was dat voor gedrag, daar naakt te liggen luieren als Arnold het huis aan het schilderen was? Ze konden toch op zijn minst achter gaan liggen.

Konrad Simonsen hield van dat echtpaar. Hij kon uren naar hun mooie woning zitten kijken terwijl Rita naast hem lag te lezen. Dan stelde hij zich voor dat Rita en hij later zo zouden wonen. Rustig, mooi en vreedzaam. Zij kon docent worden aan het gymnasium in Vordingborg, en hij kon... ach, smeris was toch ook goed genoeg. Wat moest hij anders? En ze zouden kinderen krijgen, drie vrolijke kinderen, die op blote voeten rondliepen en vreugde verspreidden met hun blije lach. Mettertijd kon hij misschien ook leren zeilen en dan zouden ze een zeilbootje kunnen aanschaffen waarmee ze in de weekends op het Smålandsfarvand konden rondvaren.

Rita keek op van haar boek: 'Waar denk je aan, Konrad? Je zit zo te staren.'

Hij vertelde het haar. Ze zuchtte en antwoordde: 'Ja, dat zou fijn zijn, dat is zo.'

Toen zuchtte ze weer, pinkte tersluiks een traantje weg waarvan ze dacht dat hij het niet had gezien en probeerde haar concentratie te hervinden.

Als het mooi weer was maakten ze lange wandelingen op de landtong. Daar hadden ze misschien hun beste tijd samen beleefd. Langzaam slenterden ze door het heuvelachtige morenelandschap en de laaggelegen smeltwatervlaktes. Ze zagen visarenden en wouwen, en hoorden het geluid van de zeldzame roodbuikvuurpad in de kleine waterpoeltjes, terwijl de meidoorn om hen heen bloeide en Kopenhagen heel ver weg was.

*

Vergeleken met de goed uitgeruste Konrad Simonsen zag Arne Pedersen er vrij vermoeid uit toen de twee mannen bij elkaar kwamen in het kantoor van Arne Pedersen. De tijdelijke chef van de afdeling Moordzaken was de hele nacht bezig geweest met de budgetten en maakte een wat gejaagde indruk toen hij, zodra hij Konrad Simonsen zag, zei: 'Laten we meteen beginnen, Simon.'

Hij had de woorden amper uitgesproken of Malte Borup kwam zonder kloppen binnengestormd. Hij onderbrak hen, buiten adem en tegelijk verontschuldigend: 'Ik wil jullie niet storen, maar je schreef dat het erge haast had.'

Arne Pedersen friemelde aan zijn stropdas. Toen zei hij vermoeid: 'Ik had gehoopt dat jij er eerder zou zijn dan Simon.'

'Het spijt me. Ik ben zo snel mogelijk gekomen, maar ik moest eerst de afwas doen, anders wordt Anita laaiend als ze thuiskomt. Want ik had het beloofd.'

'Het is goed. Dan moeten jullie mijn blunder maar zien, ik weet wel dat het gênant is, maar ik wist niet hoe ik dat stomme smartboard aan de praat moest krijgen, en toen...'

Hij ging staan en haalde de doek weg die over het smartboard hing.

'Toen heb ik met een gewone viltpen geschreven, en nu krijg ik het er niet meer af.'

Konrad Simonsen bekeek het smartboard belangstellend. Er stonden drie korte punten op:

- Brievenbus = Vraag-en-antwoordrubriek? / Waarin?
- Wat voor uniform had de vader?
- Zit Simon te veel op één spoor?

De eerste twee punten herkende hij: die kwamen uit zijn eigen rapport van een paar dagen geleden.

Arne Pedersen maakte zijn bekentenis af: 'Ik heb het met van alles en nog wat geprobeerd, maar het hielp niet.'

Konrad Simonsen vroeg spottend: '"Van alles en nog wat" wil alleen maar zeggen: "water"?'

'En afwasmiddel. Ja, ik weet wel dat spiritus waarschijnlijk wonderen zou doen, en het spijt me, Malte, maar toen het gebeurde, vond ik dat het haast had. Je hebt geen tijd gehad om cola te kopen, zeker?'

'Nee, daar was geen tijd voor.'

'Doe dat dan nu maar, en neem meteen een fles spiritus mee. Als Simon en ik klaar zijn, maak jij het smartboard schoon en laat je het filmpje zien met Mouritz Malmborg dat je hebt gevonden. Duidelijk?'

Malte Borup snapte het en hij vertrok. Arne Pedersen schakelde een versnelling hoger.

'Ja, het was natuurlijk niet de bedoeling dat je het onderste punt zou zien, maar nu het toch gebeurd is, laten we het dan ook als laatste punt nemen. Ik heb je notities van de hypnosesessie gelezen en dat Helena Brage Hansen, ik citeer, "haar eigen brievenbus" had, betekent misschien dat ze ergens een eigen "lieve Litarubriek" heeft, maar dat had jij ook al bedacht. Haar vader droeg een uniform, dat is ook duidelijk geworden uit de hypnose. Wat voor uniform weten we niet en ik vraag me eerlijk gezegd af of het relevant is, maar ik ben wel achter één ding gekomen: Helena Brage Hansen heeft een broer, en ik weet dat je vindt dat ze niet mag weten dat we met haar bezig zijn, maar... je kent hem goed, het is Finn B. Hansen.'

'Dé Finn B. Hansen?'

'De griffier bij de rechtbank in Næstved, ja. Ik heb natuurlijk geen idee hoe zijn relatie met zijn zus is, maar ik vermoed eigenlijk dat hij niets tegen haar zal zeggen als we hem dat vragen. Aan de andere kant wil hij ons misschien helemaal niets vertellen. Dat is dan een ander probleem.'

Konrad Simonsen was het met hem eens: 'Het is het proberen waard. Ga je mee?'

'Als je wilt. Ik wil graag, maar ik heb weinig tijd. Als ik meega, moeten we deze bespreking heel kort houden.'

'Dat doen we dan. Hoe bedoel je dat ik op één spoor zit?'

Arne Pedersen legde uit wat hij bedoelde zonder Konrad Simonsen te sparen. Konrad Simonsen had allang bevestigd gekregen dat de zes leerlingen waar het om ging, nou niet direct populair waren geweest in hun klas. Hij lichtte toe: 'Op het ogenblik lijkt het alsof geen detail te klein voor je is om je ermee bezig te houden. Een ouder in een uniform en een brievenrubriek, waarom laat je ze niet ophalen voor een verhoor?'

'En wat nou als geen van de vier nog iets weet? Collectief geheugenverlies? Wat doen we dan?'

'Dan doen we wat we altijd doen in dat soort situaties, namelijk ze tegen elkaar uitspelen. Zoeken naar kleine scheurtjes in hun verklaringen, waar we vervolgens in blijven boren tot hun verdediging in elkaar stort. We dreigen, houden ze voor de gek, lokken ze uit – alles waar wij allebei zo goed in zijn.'

'En wanneer heb jij voor het laatst een misdrijf onderzocht dat bijna veertig jaar geleden werd gepleegd?'

Arne Pedersen begon een beetje te twijfelen, maar zwichtte niet.

Misschien had Konrad Simonsen wel een punt met betrekking tot de tijd. Daarom waren ze het er in eerste instantie over eens geweest om de achtergrond van de Bende van Zes zo goed mogelijk te onderzoeken. Maar dat was nu wel gebeurd, sommigen zouden misschien zelfs zeggen dat ze er wel mee klaar waren.

'Je moet op een gegeven moment accepteren dat je niet meer overzicht krijgt. Maar jij blijft maar treuzelen. En wat bijna nog erger is – je hebt helemaal geen zekerheid dat de moord op Jørgen Kramer Nielsen iets te maken heeft met de verdwijning van Lucy Davison. Het is een aanname en niet eens een solide aanname. Roep ze nou op voor een verhoor in plaats van in de jaren zestig te blijven hangen tot je zelf zeventig wordt.'

Konrad Simonsen stemde ermee in, en zonder boosheid. Het was hetzelfde deuntje dat hij de laatste tijd ook steeds van de Freule had gehoord. Hoewel het uit haar mond wat milder klonk.

'Goed, we gaan naar Næstved, naar Finn B. Hansen dus. Ik probeer al voor vandaag een afspraak te regelen. En na hem voelen we de overgebleven leden van de Bende van Zes aan de tand, tenzij er iets schokkends opduikt. Afgesproken?'

'Afgesproken, als ik mag bepalen wat schokkend is.'

'Dat vind ik best. Ik ga naar mijn eigen kantoor om de mail te lezen. Bel me maar als je klaar bent met je smartboard en ik mijn filmpje kan zien.'

Toen Konrad Simonsen het filmfragment zag moest hij toegeven dat de interviewer best charme had. Achter het lange haar en de bril met stalen montuur ging een subtiele humor schuil, die moeilijk te weerstaan was, ondanks het feit dat de man zijn humor meedogenloos botvierde op de twee tieners die hij als slachtoffer had uitgekozen. Achter hem stonden Mouritz Malmborg en een onbekend meisje. De interviewer begon welbespraakt:

'We worden er op de jeugdredactie vaak van beschuldigd dat we geen belangstelling hebben voor gewone jonge mensen, maar alleen voor provo's, verslaafden, vredesactivisten en dat soort tuig. Ik ben daarom naar het stadion in Hvidovre gegaan, waar ik twee heel gewone jonge mensen heb gevonden. Een heel gewone jongeman en een heel gewone jonge vrouw. En jij lijkt me de meest gewone van jullie te zijn. Hoe heet je?'

'Susanne.'

'En jij, Susanne, schijnt het stadion in heel korte tijd één keer rond te kunnen rennen en in iets meer tijd twee keer. Klopt dat?'

'Eh, ja.'

'En je hoopt op een dag net zo snel te worden als de meisjes uit Oost-Duitsland. Dat zij zoveel sneller lopen dan jij, komt dat doordat de Oost-Duitse staat in tegenstelling tot de Deense zijn jeugd prachtige trainingsfaciliteiten en een gezonde socialistische opvoeding verschaft of komt het doordat de banen in Oost-Duitsland korter zijn?'

'Ik weet niet... ik bedoel, de banen zijn in het buitenland niet korter.'

'Fijn dat we dat hebben kunnen vaststellen. En nu over naar jou, Mouritz. Zeg, hoe heet je?'

'Mouritz.'

'Dat dacht ik al. Jij doet aan speejwejpen. Zou je eens aan de kijkers willen laten zien hoe je zo'n speej wejpt? Nee, blijf maar gewoon staan. Doe maar alsof je een speej in je hand hebt en wejp die vervolgens.'

Mouritz Malmborg deed als gevraagd. Het leek wel of hij spijkers in het plafond aan het timmeren was.

'Een beetje sneller, zodat we echt wat speejen kunnen wejpen.'

Hij verhoogde het tempo en mocht zijn worp heel wat keren herhalen voordat de interviewer doorging: 'Dat was echt geweldig, Mouritz, en zo gewoon. Susanne, zou je even voor Mouritz willen applaudisseren, terwijl ik iets tegen de kijkers zeg?'

Het meisje applaudisseerde en de interviewer beëindigde het gesprek.

Konrad Simonsen was onder de indruk en zei tegen Malte Borup: 'Ongelooflijk, een echte rode lakei. Van wanneer is dit?'

'10 april 1969. Ik heb het via Google gevonden. Heb je er iets aan?'

'Jazeker, het is heel bruikbaar, dus dankjewel.'

'Waarom deed hij zo flauw? Waarom spreekt hij "speerwerpen" zo bekakt uit? En er was toch geen reden om ze zo stom te laten lijken? Ze hadden hem toch niks misdaan?'

'Ik weet niet waarom. Misschien omdat hij een eikel was, misschien omdat hij het kón. Het waren andere tijden, Malte.'

Dat was zijn standaardopmerking als hij een dialoog over het verleden wilde afsluiten, 'het waren andere tijden'. En zo was het maar net, maar wanneer waren de tijden níét anders? In dit geval werkte zijn antwoord echter niet. Malte Borup dacht na, maar begreep het nog steeds niet, ondanks de andere tijden. Hij vroeg verbaasd: 'Was dat dan grappig toen? Ik bedoel, anderen pesten?'

Wat moest hij antwoorden? Ja, op een bepaalde manier was het wel grappig. Het was moeilijk uit te leggen.

In de auto onderweg naar Næstved verdiepte Arne Pedersen zich in een stapel rekeningafschriften en spreadsheets, die hij doornam met behulp van rekenmachine en balpen. Zo nu en dan zuchtte hij, maar hij zei verder niets. Ook Konrad Simonsen was ergens in verdiept. In het verleden, net als die ochtend. Hij dacht aan de laatste periode met Rita.

Rita was soms een tijdje weg. Hij wist dan niet waar ze was, en van tevoren wist hij vaak ook niet dat ze wegging. Als ze terug was, wilde ze zijn vele vragen niet beantwoorden, en het duurde lang voordat hij erachter kwam dat ze geldkoerier was. Ze vervoerde geld uit Denemarken naar Duitsland of Frankrijk, geld dat in Scandinavië was ingezameld met het doel de Palestijnse vrijheidsstrijd te ondersteunen. Hij kwam nooit met zekerheid te weten voor welke organisatie ze dat deed. Hij dacht dat het de PFLP was, het Volksfront voor de Bevrijding van Palestina, maar zeker was hij daar niet van, toen niet en nu nog steeds niet. Er waren zoveel organisaties en zoveel bruikbare idioten die geen idee hadden voor wie ze in werkelijkheid werkten. Rita was een klein pionnetje in een groot spel, dat in die jaren steeds grimmiger werd. Vliegtuigkapingen, beschietingen, gijzelingen, de terreur nam steeds meer toe, maar ook de reactie was gewelddadig: de Mossad, de Israëlische inlichtingendienst, spoorde de terroristen achter het gijzeldrama tijdens de Olympische Spelen in München systematisch een voor een op en liquideerde hen.

In het voorjaar van 1973 was Rita bijna twee weken weg. Toen ze terugkwam, was ze gebruind en gedeprimeerd. Zoals gewoonlijk wilde ze hem niet vertellen wat ze had gedaan. Het was een onhoudbare situatie. Hun relatie had wel vaker een pauze, maar kwam na een tijd weer op gang. Ze konden uiteindelijk niet zonder elkaar. Dachten ze.

In datzelfde voorjaar kreeg hij de schok die hem tot het harde besef bracht hoe ver zijn vriendin al was afgegleden. Als hij het zich goed herinnerde, was het op een cultureel festival van de communistische partij in het Fælledpark, dat duizenden deelnemers trok en een toonbeeld van perfecte organisatie was. Maar misschien had hij het mis en waren die festivals pas van later tijd. Hij wist eigenlijk ook niet meer welk jaargetijde het was. Hoe dan ook, hij was opgeroepen om orde te houden bij een of ander door de Deense communisten georganiseerd evenement. Dat was een makkie, want hoezeer hij die partij ook verafschuwde, hij moest toegeven dat er binnen hun kaders discipline heerste. Er was nooit trammelant met de communisten, hij kreeg niet eens scheldwoorden naar zijn hoofd geslingerd, meestal werd hij gewoon genegeerd en hij kreeg zelfs weleens een kop koffie.

Er kwamen twee mannen naar hem toe, arbeiders van middelbare leeftijd, rustige types. Ze gingen op een bankje bij een tafel in een tent zitten, meende hij zich te herinneren. Alleen het tafelkleed stond hem nog duidelijk voor de geest. Dat was rood-wit geruit, zoals in de goedkopere restaurants van Kopenhagen. De mannen lieten hem twee bijna identieke foto's zien. Ze toonden allebei Rita, die een vliegtuigtrap op liep. Ze liep met krukken en haar been zat in het gips. Het vliegtuig was van El Al en ging naar Tel Aviv.

De twee mannen waren vriendelijk, maar wilden niet vertellen waar ze de foto's vandaan hadden of hoe ze van zijn relatie met Rita afwisten. Hun stille advies aan hem was dat hij zijn vriendin uit de stront moest halen waarin ze was beland. Of de mannen door hun eigen partij waren gestuurd – als het überhaupt communisten waren – of zelfstandig handelden vanuit algemeen fatsoen was hij nooit te weten gekomen.

Twee dagen en nachten overdacht hij het probleem van alle kanten en toen ging hij met zijn kennis naar de Nationale Inlichtingen- en Veiligheidsdienst. Hun hoofdkantoor zat toen op de eerste verdieping van het politiebureau in Bellahøj. Drie van zijn collega's spraken met hem, noteerden zijn verklaringen en vroegen door over zijn relatie met Rita. Hij kreeg een lijstje mee met nog meer vragen, die hij moest beantwoorden als hij kon. Voordat hij wegging kreeg hij paradoxaal genoeg hetzelfde advies als van de communisten: haal haar uit de stront, hoe eerder, hoe beter. Dat waren hun afscheidswoorden. Daarna ging hij naar de kroeg, hij voelde zich beroerd. Het verhoor bij de inlichtingendienst was akelig geweest, en hij had het gevoel dat hij Rita verraden had, hoe vaak hij ook tegen zichzelf zei dat hij het enige juiste had gedaan. En waarschijnlijk was hun relatie ook ten einde, trouwens.

*

Griffier Finn B. Hansen was jarenlang dagelijks leider geweest van de vijftiende afdeling van het Gerechtshof voor West-Denemarken, waar hij verantwoordelijk was voor de voorbereiding van de civiele rechtszaken van de rechtbank. Ongeveer tien jaar geleden was hij overgeplaatst naar het kantongerecht van Næstved, na een halfjaar gedwongen verlof vanwege een enorm alcoholprobleem. Sindsdien was het hem gelukt zijn leven weer op de rails te krijgen, maar zijn carrière had een deuk opgelopen, en hij moest onder ogen zien dat hij nooit rechter zou worden. Het was een lange man met dun wit haar en zware gelaatstrekken. Hij heette de rechercheurs vriendelijk welkom en liet hen voor zijn bureau plaatsnemen, in een paar Bauhaus-stoelen. Konrad Simonsen aarzelde. Hij vond de meubels mooi, maar ging er liever niet op zitten. Soms deed hij dat wel, maar dan was het altijd met een zekere scepsis vanwege de dunne stalen buizen en de ontbrekende achterpoten.

'Goed, laat eens horen waarmee ik jullie van dienst kan zijn. Ik ben toch een beetje nieuwsgierig.'

Konrad Simonsen nam het risico en ging zitten. Toen legde hij uit waarvoor ze gekomen waren. Finn Hansens zusje was jaren geleden met een aantal klasgenoten naar de Noordzeekust geweest om zich voor te bereiden op haar eindexamen, en daar was een Engels meisje op bezoek geweest dat later verdwenen was. Hij liet de man een paar foto's zien, maar niet de foto waar de leerlingen vrijwel naakt op stonden.

De gezichtsuitdrukking van de griffier veranderde van joviaal in terughoudend. Hij bestudeerde de foto's een tijdje, hoewel dat snel kon, en vroeg vervolgens: 'Jullie denken dat het Engelse meisje dood is?'

De conclusie was voor de hand liggend, ze kwamen tenslotte van de afdeling Moordzaken. Konrad Simonsen bevestigde hun vermoeden dat Lucy Davison dood was. Finn B. Hansen knikte bedachtzaam en zei tegen niemand in het bijzonder: 'Het is lang geleden. Zeg, kan ik jullie iets inschenken, koffie of water?'

Het was duidelijk dat de griffier een pauze wenste om hun informatie tot zich te kunnen nemen. Arne Pedersen sloeg de drankjes af en legde de man zo voorzichtig mogelijk uit hoe zijn zusje mogelijkerwijze bij de zaak was betrokken. Daarna vertelde hij kort over de moord op Jørgen Kramer Nielsen. Zodra Arne Pedersen klaar was, nam Konrad Simonsen het over: 'Wij hebben er uiteraard begrip voor als je ons niet wenst te helpen. Ik weet niet hoe ik in jouw plaats zou reageren, maar je moet weten: wat je ook doet, er wordt nergens iets vastgelegd. Niet officieel en niet intern. Maar we zouden je dankbaar zijn als je niet aan je zus vertelt dat we je hebben gesproken.'

De griffier schudde zijn hoofd alsof hij de situatie weg kon schudden. Zijn witte haar stond alle kanten op. Na een tijdje zei hij: 'En er zijn twee mensen dood?'

'Ja, daar bestaat geen twijfel over.'

'In het ergste geval kan het voor mijn zus leiden tot een aanklacht wegens doodslag?'

'In het ergste geval wel, ja. Maar het is met betrekking tot Esbjerg niet waarschijnlijk. We geloven niet dat het met voorbedachten rade is gebeurd, en bijna alle andere mogelijkheden zijn allang verjaard, maar dat weet je zelf beter dan wij. Wat de postbode betreft, is het daarentegen duidelijk dat...'

'Helena heeft geen nek van een postbode gebroken. Jullie weten dat ze in het noorden van Noorwegen woont?'

'Ja, dat weten we.'

'Willen jullie even een ommetje gaan maken? Ik moet hier even over nadenken.'

Hij stond op, dus ze hadden geen keus. Onderweg naar buiten verzekerde hij hun: 'Jullie hoeven er niet bang voor te zijn dat ik contact met haar opneem, want dat doe ik niet.'

Ze verlieten zijn kantoor en Arne Pedersen ging weer verder met zijn boekhouding. Dat was het voordeel als je het druk had, er was altijd iets zinvols om de wachttijd mee te doden. Konrad Simonsen dwaalde wat rond door de gangen van het gerechtsgebouw. Het was vrij recent gebouwd en er hingen een paar schilderijen op de ruwe, rode bakstenen, misschien een initiatief van de kunstvereniging van het personeel. De schilderijen waren moeilijk te begrijpen en bovendien een beetje saai.

Een klein halfuur later had Finn B. Hansen zijn besluit genomen.

'Ik zal jullie helpen, als ik kan. Uiteindelijk is dat het beste voor Helena. Dat hoop ik in elk geval. Wat zijn jullie concrete vragen?'

Arne Pedersen begon: 'Je vader droeg op een gegeven moment op het Brøndbyøster Gymnasium een uniform, vermoeden we. Gaat er dan een belletje bij je rinkelen of hebben we het niet goed begrepen?'

'Dat zal wel kloppen. Hij was opperhoofd bij de padvinderij. Ik weet niet meer of het groen, blauw, grijs of gestreept was, alleen dat hij zijn uniform een tijdlang te pas en te onpas droeg. Meestal te onpas. Wat hebben we in die tijd een ruzies gehad! Ik studeerde rechten en mijn vader kon er helemaal niet tegen dat we toen staakten en het kantoor van de rector bezetten, of op de universiteitstrap zaten te blowen met die schrijvers.'

Konrad Simonsen gaf Arne Pedersen een schop tegen zijn schenen toen hij commentaar wilde geven. Na zijn uitstapje naar de herinneringen aan de jaren zestig op het Brøndbyøster Gymnasium, wist hij dat de meeste mensen zich verbeeldden dat ze zelf aan van alles hadden meegedaan. Doordat gebeurtenissen een paar jaar naar voren of naar achteren werden geschoven, werden de feiten een beetje vloeibaar, zodat ze samenvloeiden met de herinneringen, liefst nog een beetje aangepast. De griffier was blijkbaar geen uitzondering.

'... dus mijn vader droeg zijn uniform als een soort protest tegen de tijdgeest. Tegenwoordig vind ik het eigenlijk wel getuigen van lef, toen vond ik hem idioot.'

'Was je zusje ook padvinder?'

Hij dacht lang na voordat hij antwoord gaf.

'Ik weet het niet meer, maar het kan heel goed. In elk geval waren wij heel verschillend. Misschien omdat we een jongen en een meisje waren, maar ook omdat ik tegen mijn ouders protesteerde en mijn zus tegen mij. Als ze ouder was geweest dan ik, was het mogelijk andersom geweest. In je jeugd zijn het toch vaak toevalligheden en kleinigheden die bepalen waar je terechtkomt.'

'Maar je weet het niet meer zeker?'

'Nee, het spijt me. Het was mijn kleine zusje, dus ik had maar beperkt belangstelling voor haar vrienden en hobby's.'

'Tijdens haar middelbareschooltijd was ze redacteur van een brievenrubriek. Zou dat een blaadje van de padvinderij geweest kunnen zijn?'

'Dat zou best kunnen. Ik heb thuis wat spullen van mijn ouders liggen, en daar kan ik vast wel zien van welke padvindersorganisatie mijn vader lid was en dan kunnen jullie van daaruit verder zoeken.'

'Daar zouden we heel blij mee zijn. Wat is er na het eindexamen met je zus gebeurd?'

'Ze werd psychisch ziek. Of het meteen na haar eindexamen was, weet ik niet, maar wel rond die tijd, en het duurde jaren voordat ze weer een beetje normaal kon functioneren, als je het zo wilt noemen. Als ik terugdenk, herinner ik me van haar, afgezien van een paar dingetjes uit onze jeugd, vooral hoe slecht ze eraan toe was. Ze ging instelling in en instelling uit, en legde een zwaar beslag op het gezin, maar het was natuurlijk het ergst voor mijn ouders. En voor haar natuurlijk.'

Weer pauzeerde hij. Ze wachtten geduldig. Konrad Simonsen was verbaasd.

Tijdens het in kaart brengen van Helena Brage Hansen was er niets naar voren gekomen over haar psychische ziekte. Dat was een duidelijke blunder, waar hij uiteindelijk zelf de verantwoordelijkheid voor moest nemen. Finn B. Hansen ging door: 'Ik voel jullie niet-gestelde vraag wel, maar ik weet niet of haar ziekte is veroorzaakt door dat uitstapje naar Esbjerg waar jullie het over hadden, of dat misschien de katalysator voor de ziekte is geweest, dus mijn gok is net zoveel waard als die van jullie. Hoe dan ook, uiteindelijk is ze redelijk stabiel geworden. Ik geloof dat dat aan de farmacologische vooruitgang te danken is. De psychiaters hebben een paar pilletjes gevonden die haar duivels in bedwang konden houden. In de jaren tachtig woonde ze in een boerderijwoongroep, en daar heb ik haar een paar keer bezocht, hoewel het op Bornholm was. Toen onze ouders overleden – dat was in 1984 en 1986 – erfden we heel wat geld, en dat heeft ze gebruikt om zich in Noorwegen te vestigen. Eerst in Bergen en daarna helemaal in Hammerfest, waar ze als natuurgids en reisleider werkt. Op een gegeven moment heeft ze zelfs de Noorse nationaliteit aangenomen. Ik weet niet meer wanneer.'

'Heeft ze geen familie of kinderen?'

'Geen van beiden, maar ze heeft wel een vriend, geloof ik.'

'Heb je contact met haar?'

'Zo nu en dan, we mailen soms, maar er kan maanden tussen zitten, soms halve jaren.'

'Jullie zien elkaar nooit?'

'Ze was hier ter gelegenheid van mijn zestigste verjaardag en mijn jongste zoon heeft haar opgezocht toen hij een paar jaar geleden in Lapland was. Als ik eraan denk, bel ik haar met kerst, en dat is het wel zo ongeveer.'

De rechercheurs hadden geen vragen meer, op één na, die vrij belangrijk kon blijken te zijn. Ze hadden van tevoren afgesproken dat degene die tijdens het gesprek de beste klik met de griffier had, het zou proberen. Het stond buiten kijf dat dat Konrad Simonsen was. Hij zei: 'Zoals je begrijpt, moeten we je zus spreken. Als dat gesprek in Denemarken plaats kan vinden is dat voor iedereen misschien het beste, want we kunnen niet naar Noorwegen en we kunnen geen Noorse staatsburger ondervragen buiten de Noorse politie om. Maar dat hoeven we jou niet uit te leggen.'

'Ik zal kijken wat ik kan doen. Wanneer moet dat gebeuren?'

'We bellen je. Het duurt waarschijnlijk wel een week of twee, want we beginnen met haar klasgenoten en dan kan het zelfs zijn dat het helemaal niet meer hoeft.'

'Laten we het hopen.'

De mannen van de afdeling Moordzaken waren het gerechtsgebouw in Næstved net uit toen Konrad Simonsen stopte en doodstil bleef staan.

Arne Pedersen vroeg bezorgd: 'Wat is er? Voel je je niet goed?'

'Nee, mijn hoofd wordt steeds trager. Kom, we moeten weer terug.'

Finn B. Hansen nam hen de storing niet kwalijk toen ze zijn kantoor weer binnenkwamen. Konrad Simonsen zei een beetje buiten adem: 'Ik vergat één ding. Die padvindersvereniging waar je vader lid van was, had die een vakantiekamp in de omgeving van Esbjerg?'

'De Noordzeehoeve. Ik kan me de Noordzee herinneren en ik weet nog dat we er als kind een paar keer zijn geweest, maar of het bij Esbjerg of bij Blokhus lag, weet ik niet meer.'

De mannen bedankten hem voor de informatie. De griffier kromp plotseling ineen alsof hij zich nu pas realiseerde wat zijn informatie kon betekenen. Toen zei hij zacht: 'Helaas ligt het wel op een vrij groot stuk land. In mijn herinnering in elk geval.'

De Noordzeehoeve bleek een gouden tip te zijn, hoewel het kamp nu eigendom was van de gemeente Esbjerg en bovendien een andere naam had gekregen. Uit de foto's van Jørgen Kramer Nielsen was niet af te leiden dat de verblijfplaats van de Bende van Zes een vakantiekamp was, maar uitsluiten konden ze het ook niet. De agenten die in de buurt van jeugdherberg Nørballe aan het zoeken waren, hadden bovendien opdracht gekregen om naar een zomerhuis te kijken, wat ze dus ook deden. De vakantiekampen hadden ze overgeslagen, totdat Konrad Simonsen Klavs Arnold belde.

De foto's klopten. Klavs Arnold had zelf een camera meegenomen en meteen een foto naar Konrad Simonsen gemaild. Er was geen twijfel mogelijk: dezelfde houten wand, hetzelfde stukje van het huis en dezelfde achterliggende helling als veertig jaar geleden. Het uiteinde van de gevellijst was uitgesneden in de vorm van een gestileerde drakenkop, waarschijnlijk met een padvindersmes, en die kop zat er in 1969 ook al, zij het dat hij niet scherp op de zwart-witfoto te zien was. De man met het syndroom van Down was ook opgespoord. Hij had tot 1991, toen hij overleed, op de boerderij ernaast gewoond, maar oudere streekgenoten herinnerden zich Dwaze Dennis nog heel goed – een onschuldige, blije ziel, die dus niet meer leefde. De enige domper op de feestvreugde was dat griffier Finn B. Hansen de grootte van het bijbehorende land beslist niet had overschat. Dat bestond uit meer dan dertig hectare heuvelachtig terrein, met gras, brem, heide, naaldbomen en ondoordringbare bramenstruiken.

Konrad Simonsen en Pauline Berg zoomden met behulp van Google Earth in op het gebied. Dat was geen pretje, als je op zoek was naar een lijk. Pauline Berg schudde haar hoofd toen ze het kamp vanuit de lucht zag.

'Dat kunnen we toch niet gaan omspitten als we niet weten waar ze zou moeten liggen. Ze kunnen haar toch overal hebben verstopt.'

Konrad Simonsen zei: 'Ik denk niet dat ze meer met haar hebben gesjouwd dan hoogstnoodzakelijk was.'

'Misschien niet, maar als we niet weten waar ze is begraven kan ze tien meter van de voordeur liggen zonder dat we een kans hebben.'

'Dat klopt, op het ogenblik hebben we geen kans op succes.'

'Er bestaan toch van die scanapparaten die botten en zo kunnen vinden? Een soort metaaldetector maar dan voor lijken. Heeft Kurt Melsing niet zoiets?'

'Niet eentje die op zandgrond werkt en al helemaal niet na zo lange tijd.'

'Jammer. Wat doen we dan?'

'We gaan lezen.'

Hij had ergens drie jaargangen van *De Jonge Padvinder* opgediept, van 1967 tot 1969, en die lagen op zijn bureau. Helena Brage Hansen was redacteur van de brievenrubriek en Konrad Simonsen had het idee dat de blaadjes een mooie kans boden om haar persoonlijkheid te leren kennen.

Pauline Berg gehoorzaamde met tegenzin. Ze had niet veel zin om veertig jaar oude padvindersblaadjes te gaan lezen, maar voor de verandering deed ze wat haar gevraagd werd.

Wat laat realiseerde Konrad Simonsen zich dat hij zijn jonge collega een onmogelijke taak had gegeven. Dat gebeurde toen ze na anderhalf uur lezen plotseling zei: 'Ik weet niet zeker of ik heb begrepen wat ik eigenlijk moet doen.'

Hij keek op van zijn eigen blaadje.

'Je moet je uit haar adviezen aan de vragenstellers een beeld vormen van hoe ze is als mens, wat haar overtuigingen, meningen, moraal, visies, dromen zijn, enzovoort. Ze gebruikt zichzelf vaak als referentiekader als ze de jongeren in de brievenrubriek antwoord geeft.'

'Ze was zelf jong.'

'Ja, en?'

'Dan vind ik het raar dat ze al die adviezen geeft. Meestal doet een ouder iemand dat toch? Ze schrijft overigens wel goed.'

'Ze wilde journalist worden.'

'Hoe weet je dat?'

'Uit het antwoord dat ik net heb gelezen, en jij tien minuten geleden.'

Pauline Berg wreef in haar ogen.

'Ik geloof niet dat ik hier echt goed in ben. Kun je een voorbeeld geven?'

'Waarvan?'

'Van iets wat je zelf gevonden hebt en wat belangrijk is.'

Konrad Simonsen keek in zijn notitieblok en vond een blaadje.

'Luister maar. Ze geeft een meisje antwoord dat geen vriendje kan vinden en zich buitengesloten voelt door haar eigen klas. Ik citeer: "Je moet jezelf blijven. Dat kan moeilijk zijn, ik weet het. Maar het is het niet waard om een gemeenschap binnen te komen als de toegangsprijs is dat je niet mag zijn wie je bent. Dat is een te hoge prijs, hoe aanlokkelijk het ook soms lijkt."'

Pauline Berg zei: 'Ja, natuurlijk, maar wat is daarmee?'

Hij liet het voorbeeld vallen en vond een ander: 'Dit is een jongen die door zijn hopman is gecorrigeerd, omdat hij de oorlog in Vietnam niet goedkeurt.'

'Er is toch niemand die oorlog goedkeurt?'

'Hij bedoelt de bemoeienis van de VS met Vietnam. Luister wat ze hem onder andere als antwoord geeft. Ik citeer: "Je mag vinden wat je wilt, dat is je goed recht, en dat moet je tegen je hopman zeggen. Maar bedenk wel: Noord-Vietnam is een dictatuur, Zuid-Vietnam is een dictatuur, China is een dictatuur, de Sovjet-Unie is een dictatuur. Probeer je voor te stellen dat de VS ook een dictatuur waren. Een moeilijke gedachte, maar probeer het zo goed mogelijk, en vertel me dan hoe het in Denemarken zou zijn. Er is niet veel moed nodig om tegen een bolwerk te spugen als je weet dat het toch wel blijft staan."'

'Dat klinkt toch redelijk. Ben je het niet met haar eens?'

'Het doet er niet toe wat ik vind. Het gaat erom wat haar klasgenoten van haar vonden.'

'Hoe zou ik dat moeten weten? Het zijn toch alleen maar padvinders die haar schrijven?'

'Ze moet op hen hebben gewerkt als een rode lap op een stier.'

Pauline Berg gaf geen antwoord en Konrad Simonsen concludeerde tevreden dat hij eindelijk haar gedachten in de juiste banen had geleid, een aanname die hij snel weer liet vallen toen hij haar overwegingen hoorde: 'Misschien begrijp ik het nu. Ze had wat meer aandacht aan haar uiterlijk moeten besteden. Ik bedoel, ze kon er natuurlijk niets aan doen dat ze er zo uitzag, maar ze had zich een beetje kunnen opknappen en zichzelf wat beter kunnen verkopen. Dat hoeft niet duur te zijn. Maar... toen dachten ze er misschien anders over, dat weet ik niet.'

'Vergeet het maar, Pauline, laat maar zitten.'

'Hoe zit het met de anderen? Waarom ben je zo in haar geïnteresseerd?'

'Omdat zij de enige is over wie we echt iets hebben kunnen vinden en omdat ze een soort informele leider voor hen was.'

'Leider van de Eenzame Hartenclub.'

'Ja, iets in die richting, denk ik.'

'Hoe kwamen ze eigenlijk aan die stupide naam?'

Konrad Simonsen liet haar verder met rust.

Maar toch niet helemaal, want toen ze haar blaadjes netjes had opgeraapt en op volgorde had gelegd, vroeg hij: 'En Klavs Arnold, moet die zich ook een beetje opknappen?'

Hij had haar er allang over willen aanspreken – niet over zijn uiterlijk, maar over zijn mogelijke aanstelling – als de gelegenheid zich voordeed, en die was er nu. Toen hij haar antwoord hoorde, ergerde het hem dat hij het haar niet veel eerder had gevraagd.

'Daar zorgen de Freule en ik wel voor als je hem in dienst neemt.'

'Hoe weet je dat ik hem in dienst neem? Heeft de Freule daar met je over gesproken? Of Arne?'

'Nee, maar dat zit er al een tijdje in. Of niet soms?'

'Jazeker, en het duurt ook niet lang meer, als hij tenminste wil.'

*

Zaterdag deden Konrad Simonsen en de Freule boodschappen in winkelcentrum Lyngby. De Freule vulde de kar. Haar gedrag in supermarkten was ongestructureerd en impulsief; ze pakte spullen waar ze toevallig zin in had van de schappen als ze er langsliep. En dat ook nog met een gezicht alsof ze diep nadacht over elke keuze die ze maakte. Deze houding had Konrad Simonsen in het begin om de tuin geleid, maar nu niet meer. Zo nu en dan pakte hij iets uit haar boodschappenwagen en zette het weer terug, zonder dat het haar leek te storen. Soms deed hij het zonder iets te zeggen en soms zei hij: 'De keukenkast staat bol van de koffie, wat moeten we met nog drie pakken?' Zij maakte een onverschillige handbeweging en liep door. Na de kassa namen ze de kar mee naar de lift en duwden hem naar de auto van de Freule, die in de parkeergarage van het winkelcentrum stond, en zetten de tassen in de kofferbak. Terwijl ze dat deden, zei de Freule: 'Ik weet dat ik onredelijk was over die folder van Frederiksværk en ook toen ik je verweet dat je in Rødby was geweest. Sorry. Het was niet mijn bedoeling en het spijt me.'

Hij bromde wat als antwoord, en zij herhaalde het verhaal dat hij langzamerhand zo goed kende. Toch had hij het idee dat ze deze keer beter had nagedacht over wat ze wilde zeggen: ze was nog niet over haar scheiding heen, hoewel dat nu bijna vijf jaar geleden was. Natuurlijk was ze niet meer verliefd op hem, helemaal niet, maar ze was nog steeds jaloers op zijn gezinsleven, op zijn kinderen. Soms kostte het haar moeite ergens rond te lopen zonder een constant gevoel van onbehagen bij het idee dat ze zijn nieuwe gezin weleens zou kunnen tegenkomen, en, het ergste van alles, hen kon zien rijden met de kinderwagen. Ze gaf graag toe dat dat overtrokken was en misschien ook kleingeestig, maar zo was het nou eenmaal.

Hij begreep haar, zei hij, en hij bedacht dat hij de reden wel kende maar er niet over mocht praten. Lang geleden had ze een kind verloren, haar enige, meer wist hij niet, alleen dat, maar dat was ook meer dan genoeg. Nu raakte de schaduw van haar overleden kind hun relatie, maar wat kon hij daaraan doen? Niets, alleen maar hopen dat het met de tijd over zou gaan.

Hij vroeg met een stem waarvan hij zelf vond dat die vast was: 'Hoe wist je dat ik op het politiebureau van Rødby was geweest om te informeren naar Rita?'

Ze glimlachte ironisch.

'Dat kon ik afleiden uit het bericht dat ik donderdagochtend, terwijl jij onder de douche stond, op het antwoordapparaat van de vaste telefoon hoorde, van iemand van de politie van Rødby. Hij had je blijkbaar verteld dat de Inlichtingendienst erbij was toen Rita Metz Andersen in 1972 wegens valutasmokkel werd gearresteerd, maar dat klopte niet: zij werd er pas een paar maanden later bij betrokken. Of zoiets, maar je kunt het zelf nog afluisteren.'

Dat was fijn om te horen. Hij was al bang geweest voor een veel negatiever bericht. De rest zouden ze later wel uitvinden.

In de auto zei ze kort: 'Ik zou het fijn vinden als je haar snel ging opzoeken zodat het achter de rug is, Simon.'

Ongetwijfeld bedoelde ze Rita. Hij beloofde niets, maar knikte nadenkend, een beetje hoofdschuddend, en dat was voor velerlei uitleg vatbaar.

Toen ze bijna thuis waren, was de gespannen sfeer tussen hen weg. Dat bleek uit kleine, alledaagse opmerkingen over het verkeer of het weer. Ze zei: 'Ik ben trouwens uitgenodigd om mee te gaan naar het theater, zondag. Goethes *Faust*, een gastoptreden van het Deutsches Theater in het Koninklijk Theater.'

Konrad Simonsen rook problemen, zij het meer hanteerbaar dan een halfuur geleden.

'Ik niet. Ik heb die avond een afspraak met mezelf om nergens naartoe te gaan.'

'Rustig maar, je mag helemaal niet mee, ik ga met Stella.'

'Wie is Stella? Ik ken geen Stella.'

'Stella is een energieke vrouw, moeder van vijf kinderen – zelf zegt ze zes – en aankomend lid van de parlementaire commissie voor cultuur, en die krijgen blijkbaar vrijkaarten voor dit soort dingen. Haar man is waarschijnlijk net zo anticultureel als jij, dus de uitnodiging is doorgestuurd naar mij.'

'O, op die manier. Van welke partij is ze eigenlijk?'

'Geen idee, dat heb ik nooit gevraagd. Dat maakt toch ook niet uit?'

'Nee, misschien niet. Neem je de uitnodiging aan?'

'Ja, ik mag haar wel.'

'Nog even over Klavs, hoe had hij het onderzoek eigenlijk georganiseerd, was het deugdelijk?'

'Zeer, en hij was blij dat we langskwamen. Hoewel Pauline erg terughoudend was, om niet te zeggen stil.'

'Dus al met al is jouw inschatting dat hij competent is? En dan bedoel ik niet alleen gisteren, maar ook vorige week toen je met hem samenwerkte.'

'Hij is prima om mee samen te werken, beslist. Alleen in het begin was het een beetje onrustig. Hij moest er eerst even aan wennen dat samenwerking twee kanten op gaat. Zelfs met vrouwen. Maar daarna waren er geen problemen meer.'

'Dat klinkt wat defensief. Is dat het beste wat je over hem kunt zeggen?'

'Hij is goed, methodisch en creatief. Is dat beter?'

'Veel beter.'

'Er was één ding dat echt indruk op me maakte en volgens mij heb ik je dat nog niet verteld. De eerste keer dat ik er was, had ik een bewerkte foto van Jørgen Kramer Nielsen meegekregen. Die was niet slecht gemaakt, hoor. Je kon haast niet zien dat hij dood was, maar zijn ogen waren raar, een beetje eng haast.'

'De beeldtechnicus moest hem van open ogen voorzien. Dat wil zeggen boven op zijn oogleden.'

'Ja, en dat was op zich prima, in anatomisch opzicht, maar het bemoeilijkte ons werk in de praktijk. De potentiële getuigen die we vroegen naar de foto te kijken, keken snel weer weg. Velen waarschijnlijk zonder dat ze het zich bewust waren. Dat zag Klavs, en toen heeft hij een tekening laten maken die we in plaats van de foto hebben gebruikt, en dat zorgde ervoor dat de beheerster van jeugdherberg Nørballe Jørgen Kramer Nielsen herkende, wat ze in eerste instantie niet had gedaan. En nu niet meer over werk vandaag, Simon, ik heb er gewoon geen zin in.'

'Goed, afgesproken. Dan bel ik Klavs om te vragen of hij vanavond even naar HS komt als hij kan.'

'Vanavond? Kan het niet wachten? Moet hij trouwens langskomen, je kunt toch gewoon aan de telefoon met hem praten?'

'Ja, natuurlijk kan het wachten of via de telefoon. Maar daar heb ik gewoon geen zin in. Je mag gerust meegaan als hij komt en als je wilt.'

Ze ging ermee akkoord dat hij de Jutlander belde nu hij daar kennelijk aan toe was. Het was vandaag niet makkelijk om onenigheid met haar te krijgen.

Ook niet toen daar een paar uur later alle aanleiding toe was. Hij was de auto's aan het stofzuigen en schoonmaken en zij zat vlakbij met een boek op een klapstoel. Hij deed de stofzuiger uit en ze maakte van de gelegenheid gebruik.

'Als je Rita wilt opsporen...'

Hij onderbrak haar: 'Ik heb toch gezegd dat dat nog helemaal niet zeker is.'

'En ik heb toch gezegd dat je er beter snel vanaf kunt zijn.'

'Het is niet eens zeker dat ze in Denemarken is. Eigenlijk denk ik dat ze er niet is.'

'Waarom denk je dat?'

'Ze is naar de Verenigde Staten gegaan. Het was haar droom om naar San Francisco te gaan.'

'En weg uit Denemarken?'

'Ook dat, ja, ook dat.'

*

Hij had Rita verteld dat hij wist dat ze in Israël was geweest. Met een gebroken been. En hij was hard geweest. Vliegtuigkapingen waar onschuldige mensen werden vermoord alleen omdat ze Joden waren of Amerikanen, vanwege gebeurtenissen in het Midden-Oosten waar ze niets mee te maken hadden – deed ze mee aan dat soort smerige dingen? Ja, ze kon huilen wat ze wilde, dat kon hem niet schelen. Wilde ze echt verantwoordelijk zijn voor de dood van onschuldige mensen, toevallige passagiers, die haar of iemand anders niets hadden gedaan? Hij had haar ook geslagen. Met de platte hand tegen haar schedel terwijl ze met haar hoofd in haar handen zat te huilen. Meerdere keren, hard – hij had antwoorden geëist. Uiteindelijk had hij er een paar gekregen. Ze wist niet voor wie ze werkte; het waren twee mannen, een Deen en een buitenlander, een Syriër dacht ze. Ze ontmoetten elkaar in verschillende cafés en daar kreeg ze te horen wat ze moest doen. Op haar reis naar Israël moest ze de veiligheidscontrole in de luchthaven in de gaten houden en vooral testen of het gips om haar been werd onderzocht.

Hij hoorde haar uit en vroeg maar door, terwijl hij aantekeningen maakte en zonder zich erom te bekommeren wat ze daarvan dacht. Uiteindelijk had hij geen vragen meer, en ze was gestopt met huilen, zat als versteend met een lege blik voor zich uit te staren.

Toen zei ze plotseling: 'Je kunt je niet zomaar afmelden. Zo werkt het niet.'

Hij wist niet meer wat hij had geantwoord. Ook niet toen ze er even later aan toevoegde: 'Laten we weggaan, Konrad. We kunnen naar de Verenigde Staten gaan en opnieuw beginnen. Daar vinden ze me nooit.'

De dag erna belde hij de inlichtingendienst en rapporteerde. Ze bedankten hem voor de informatie, maar wilden nog meer. Hij zei nee.

De nuchtere stem van de Freule bracht hem terug in het heden.

'Ik denk toch dat Rita terug is gekomen.'

Hij leegde de asbakken van de auto in een plastic zak die hij voor dat doel had meegenomen. De peuken waren oud, van toen hij nog rookte.

'Vertel me nou niet dat jij haar hebt gezocht.'

'Rustig maar, ik heb helemaal niks gezocht. Zoals jij het zegt, klinkt het trouwens alsof het heel moeilijk is. Maar misschien moet je gewoon even in de telefoongids kijken.'

'Misschien, maar ik weet dus nog niet zo zeker of ik dat wel wil. Waarom denk je dat ze in Denemarken is?'

'Ze had toch geen broers of zussen?'

'Nee, en?'

'Heb je die folder die je toen in Frederiksværk meekreeg ooit bekeken?'

Hij schudde van nee. Hij had hem woedend weggegooid en daarna niet meer bekeken. Ze haalde de folder en bladerde naar de betreffende pagina.

'Ik denk dat haar kleinkind morgenmiddag een optreden heeft in het cultureel centrum in Frederiksværk. De muziekscholen hebben daar hun jaarlijkse gemeenschappelijke uitvoering en een van de bijdragen heet *Liedjes voor oma*, met Teresa Metz Andersen, en het bestaat uit drie nummers van Joan Baez. Het zou heel goed kunnen dat jouw Rita die oma is.'

Konrad Simonsen bekeek de folder en zei langzaam, alsof hij elk woord proefde: 'Tja, dat zou zomaar kunnen.'

*

Klavs Arnolds benoeming werd zaterdagavond onofficieel bevestigd. Konrad Simonsen had de Jutlander naar het hoofdbureau gelokt onder het voorwendsel dat hij de strategie voor het onderzoek van het padvindersterrein met hem wilde bespreken. Veel strategie was er niet te bespreken, wat de Jutlander ook een paar keer liet weten, maar de man uit Kopenhagen bleef bij zijn verhaal. De bespreking vond plaats om acht uur, eerder kon niet. Arne Pedersen protesteerde er ook tegen dat hij op een zaterdagavond moest komen: de zaak had toch niet zo'n haast dat het de week daarop niet in gewone werktijd gedaan kon worden? Konrad Simonsen trok zich er niets van aan. Hij had de bespreking spontaan georganiseerd, maar niemand gedwongen om deel te nemen. Hij had gewoon het gevoel gehad dat het belangrijk was om de aanstelling van de Jutlander nu rond te krijgen. 'Gevoel', een nieuw woord in zijn woordenboek, maar het was nu eenmaal zo, en dan moesten zijn medewerkers zich gewoon voegen, of niet.

Pauline Berg kwam in feestkleding en zag er fantastisch uit. Ze had meteen na de bespreking een afspraak, maar waar en met wie wilde ze niet vertellen. Het was fijn haar weer zo te zien, blij en extravert. Zolang het duurde.

Het was al donker voordat Klavs Arnold er was. De dagen waren duidelijk korter geworden en de deprimerende, regenzwangere deken die nu al een week lang op de stad drukte, deed de rest.

Toen de hoofdpersoon er eindelijk was, stak Konrad Simonsen meteen van wal. Klavs Arnold zat nog maar net of Konrad Simonsen vroeg: 'Wat zou je ervan vinden om hier vast in dienst te komen in plaats van in Helsinge?'

Iedereen had gedacht dat hij deze vraag wel had verwacht. Pas toen zijn mond van verbazing openviel en hij verbouwereerd rondkeek, begrepen ze dat dat niet het geval was. Tenzij hij een geweldige acteur was.

'Menen jullie dat?'

Pauline Berg zei kattig: 'Nee, dat zeggen we gewoon voor de grap, en we zitten hier ook alleen maar omdat we niks anders te doen hebben op zaterdagavond.'

Ze smolt toch een beetje toen Klavs Arnold haar aankeek en haar spot met een compliment terugbetaalde: 'Wat ben je mooi. Wie is de uitverkorene?'

'Eh... dank je. Een man die ik ken.'

'Een man met veel geluk, en ja – ik wil heel graag hier werken als jullie me willen hebben.'

Veel meer viel er niet te zeggen. Arne Pedersen en Pauline Berg liepen om het hardst naar de deur en ook de Freule ging ervandoor. Nu ze er toch was, wilde ze een paar zaakjes regelen. Konrad Simonsen wachtte op haar. Hij besefte opeens dat, indien en wanneer Arne Pedersen chef werd, de inner circle waaraan hij zelf zoveel plezier beleefde, niet meer zou bestaan. Een minuut later kwam Pauline Berg terug.

'Het lukte me niet om het goed te zeggen, daarnet, omdat ik allerlei andere dingen aan mijn hoofd had. Maar ik ben blij met je benoeming. Echt blij.'

Toen ging ze weer.

De beide mannen keken haar na zonder iets te zeggen. Toen vroeg Konrad Simonsen: 'Hoe lang blijf je in de stad?'

'Tot morgen. Ik dacht dat we het padvindersland de hele nacht moesten bespreken, ook al is het onderwerp snel opgedroogd.'

'Omdat we haar niet kunnen vinden?'

'Ik ben er maar een uurtje geweest. Mijn vrouw heeft het op het moment erg druk, dus ik moet thuis helpen met de kinderen. Gisteren was een van de meisjes ziek, dus ik moest een halve dag thuisblijven. Dat heb ik nooit eerder gedaan.'

'Wat is je indruk?'

'Dat we geen enkele kans hebben als we niet weten waar we moeten zoeken.'

'Dat is de tweede keer in heel korte tijd dat ik dat hoor. Ik ga morgen met je mee naar Esbjerg. Ik wil die plek zien.'

9

Het concert vond onder de mooist denkbare omstandigheden plaats. Het Gjethus in Frederiksværk lag er op deze zondagmiddag mooi bij in het koude herfstzonnetje. Oorspronkelijk was het gebouw van de drie vleugels een kanongieterij geweest, en de concertzaal was een spannende mengeling van een ruwe fabriekshal uit de achttiende eeuw en een modern theaterpodium met een voortreffelijke akoestiek.

Konrad Simonsen en Klavs Arnold waren samen naar Frederiksværk gereden. Na het concert zouden ze samen naar Esbjerg gaan, zodat ze een lekker lange maandag zouden hebben op het land rondom de Noordzeehoeve. Ze stonden op de parkeerplaats voor het cultureel centrum en zagen de mensen binnenstromen. Konrad Simonsen vroeg voor minstens de derde keer: 'Weet je nou zeker dat je niet mee naar binnen wilt?'

Dat wist Klavs Arnold zeker. Met vijf kinderen, van wie drie in de leerplichtige leeftijd, had hij inmiddels een grote aversie ontwikkeld tegen optredende kinderen, of het nu ging om schooltheater, kerstspel, kindercircus of muziek en zang. Konrad Simonsen voelde zich schuldig dat de Jutlander moest wachten.

'Wat ga je dan doen in de tussentijd?'

Klavs Arnold lachte.

'Dag, Simon. Tot over een paar uur.'

Het publiek was talrijk en de concertzaal was vol, voornamelijk met ouders die hun muzikale kroost kwamen bewonderen. Al toen hij aankwam besefte Konrad Simonsen dat hij heel wat geluk moest hebben wilde hij Rita zien. Als ze er überhaupt was en hij haar herkende als hij haar zag. Hij was in elk geval niet van plan om haar te zoeken. Kleine stapjes, steeds kleine stapjes, en hij kreeg vast nog wel een keer een kans om haar te ontmoeten.

Hij ging op zijn plek in de zaal zitten, ver achterin aan de linkerkant van het podium en hij voelde zich aangenaam anoniem in de mensenmenigte.

Het programma werd ingeleid door de burgemeester, Helge Friis, een kalende man van in de vijftig. Deze sprak het publiek ongedwongen en bedreven toe, met een aparte intensiteit in zijn stem, die Konrad Simonsen raakte, hoewel hij van tevoren had gedacht dat de inleiding gewoon iets was waar hij doorheen moest. De burgemeester beschreef het gebouw: de fabriek waar arbeiders generaties lang hadden gezwoegd op het gieten van kanonnen, was nu een plaats voor cultuur, verbondenheid en muziek, de taal die iedereen begreep.

De toespraak was aangenaam kort en het applaus vulde de zaal. Luid, omdat het publiek zin had om te klappen en niet omdat het moest. Konrad Simonsen klapte ook mee, de man had het verdiend. Daarmee was de toon gezet, en het concert kon beginnen.

Teresa Metz Andersen trad al als tweede op met haar *Liedjes voor oma*, en Konrad Simonsen viel bijna van zijn stoel toen het meisje het podium opkwam. Zijn reactie was zo heftig dat hij zich voor het eerst sinds maanden zorgen maakte over zijn hart en in het begin een andere kant op moest kijken. Of zijn herinneringsbeeld zich nu aan haar aanpaste of dat ze echt als twee druppels water op haar oma leek, kon hij niet bepalen. De gelijkenis tussen Rita in het begin van de jaren zeventig en het meisje op het podium was in elk geval beangstigend.

Pas toen het eerste nummer al een tijdje aan de gang was, had Konrad Simonsen zichzelf weer zo ver onder controle dat hij kon luisteren. Het meisje had een heldere, zuivere sopraan en begeleidde zichzelf op een twaalfsnarige, akoestische gitaar, die ze zeer vakkundig bespeelde. *Sweet Sir Galahad* klom weer door het raam naar binnen bij het zusje van Joan Baez, deze keer in een prima, zij het een beetje magere versie, die vervolgens een verdiend applaus kreeg van de zaal. Het programma gaf aan dat ook de volgende twee nummers van Joan Baez waren, maar dat klopte niet helemaal. Desondanks nam Teresa Metz Andersen Konrad Simonsen in haar volgende lied mee naar het verleden. Zij droomde van Joe Hill, Konrad Simonsen droomde van Rita. De versie die haar kleinkind zong van het lied over de gerechtelijke moord op een Zweedse werkman was netjes, helder en soepel. Maar ook ongevaarlijk, bloedeloos en ver verwijderd van oma. En plotseling overvielen de herinneringen hem weer, zoals zo vaak de afgelopen maanden.

In 1972 hadden Rita en hij de februarikou getrotseerd en waren naar het Reprise Theater in Holte gefietst om naar de film te gaan, twee films van Bo Widerberg op één avond. Eerst zagen ze *Ådalen '31* over het Zweedse arbeidsconflict in 1931 in Ådalen, dat zo tragisch eindigde met de dood van vijf arbeiders, toen het Zweedse leger een stoet demonstranten onder vuur nam. Al in de pauze tussen de twee films waren ze het oneens geweest. Rita sprong gemakkelijk over de afgelopen veertig jaar heen en beweerde zelfverzekerd dat iets dergelijks met gemak kon gebeuren in het Denemarken van hun eigen tijd. Een militaire onderwerping van de Deense vakbonden was zeker een scenario waar je rekening mee moest houden. Zelf vond hij de film fantastisch, maar niet actueel. Hij hield zijn vriendin het onwelkome feit voor, dat de Deense vakbeweging regelmatig georganiseerd overleg voerde met de regering en dat het onwaarschijnlijk was dat ze zouden worden neergeschoten, zelfs al zou er een machtswisseling plaatsvinden. Ze legden geld bij elkaar voor vier worstjes, waarvan zij er drie at. 'Omdat hij zo dom was.' Hij protesteerde. Werd hij soms wijzer van hongerlijden? Ze at haar mond leeg en gaf hem een zoen als antwoord. Hun relatie was nog jong, dus dat was beter dan de worst.

Maar na de volgende voorstelling ging het mis. De tweede film was *Joe Hill*, en Bo Widerbergs schildering van de Zweeds-Amerikaanse vakbondsagitator was aangrijpend. De syndicalist, maatschappijcriticus en satirische liedjesschrijver werd in 1915 in Utah terechtgesteld na een politiek schijnproces. Daarna droeg Rita haar emoties aan de buitenkant van haar Afghaanse jas. Het leek wel of ze onenigheid zócht, zodat ze haar verontwaardiging ergens op kon projecteren. Namelijk op hem. Hij werd boos. Zij en haar linkervleugel waren toch verdomme niet de enigen die eerlijke rechtszaken wensten, hij had er geen zin in om gerechtelijke moorden te verdedigen, en bovendien voelde hij zich helemaal niet verantwoordelijk voor de executie van Joe Hill, of hij nou smeris was of niet.

Op die manier hadden ze op de terugweg geruzied dat de stukken ervan afvlogen en bij Sorgenfri had ze kans gezien om zijn fietsband leeg te laten lopen, door er vals misbruik van te maken dat hij even moest plassen. De volgende kilometer fietste ze langzaam aan de andere kant van de weg en zong voor hem over Joe Hill.

I dreamed I saw Joe Hill last night,
alive as you and me.
Says I 'But Joe, you're ten years dead.'
'I never died' said he,
'I never died' said he.

Haar mooie, krachtige stem sneed door de winternacht, en hij had haar graag gearresteerd wegens het verstoren van de openbare orde als hij haar te pakken had kunnen krijgen. Een boze stem riep door een open raam om stilte, zij zong nog harder. Het was begonnen te sneeuwen. Toen fietste ze weg en hij moest met de fiets aan de hand verder alleen naar huis lopen, razend over haar gemene streek en verdrietig dat ze weg was. Maar ook jaloers op haar maatschappelijke betrokkenheid, al zou hij dat nooit toegeven. En plotseling was ze toch niet weg. In Lyngby kreeg hij een sneeuwbal in zijn nek. Ze had zich verstopt bij een bushalte en had besloten medelijden met hem te hebben. Hij was een smeris die niet beter wist, en het was niet zijn schuld dat hij aan waanideeën leed. Hij mocht toch met haar mee naar huis, omdat het zo koud was. Ze waren samen verder gelopen met de fiets aan de hand, elkaar vasthoudend en condens ademend naar de straatverlichting, en ze waren de kou vergeten. Ze waren de Klampenborgheuvel af gefietst. Dat wil zeggen, hij had gefietst met Rita achterop en zijn eigen fiets naast zich, terwijl hij hoopte dat er geen collega's in de buurt aan het surveilleren waren. Het moest wel fout gaan, en dat ging het ook. Bijna onder aan de heuvel, in een bocht, slipte de fiets onder hen weg. Ze gleden over de rijbaan in een cascade van sneeuw. Geen van beiden mankeerde iets en ze bleven lang liggen en lachten dat het galmde door het bos. Toen pakte Rita zijn hoofd in haar handen en zong weer. Deze keer zachtjes en mooi, alleen voor hem.

From San Diego up to Maine,
in every mine and mill,
Where working men defend their rights,
it's there you'll find Joe Hill,
it's there you'll find Joe Hill!

Nu zong haar kleinkind hetzelfde lied, foutloos, geen muziekpedagoog in de hele wereld kon er iets op aan te merken hebben, en intussen ging Konrad Simonsens associatiereeks door in een akelige cocktail van verborgen emoties en een naargeestig heden. De mooie Amerikaanse en Zweedse landschappen van Bo Widerberg waren even in zijn gedachten, maar maakten meteen weer plaats voor het slechts een paar dagen oude beeld van de zanderige bosgrond bij de Noordzee, van een foto die Klavs Arnold hem had gestuurd toen hij het padvinderskamp had gevonden. Een kwaadheid waarvan hij de oorzaak niet begreep, kreeg vat op hem, misschien gericht tegen het meisje op het podium dat zo correct zong, misschien tegen haar oma die zijn band had laten leeglopen, misschien tegen Lucy Davison die zich in de zandgrond verstopte. Misschien tegen alle drie.

Teresa Metz Andersen zong haar laatste lied. *We shall overcome* diskwalificeerde haar definitief als protestzanger. Keurig en beschaafd liet ze iedereen merken dat haar enige band met een katoenveld haar goedzittende Patrizia Pepe-tuniek was. Ze maakte een verlegen buiging toen ze klaar was. Het applaus was overweldigend en het volgende talent kwam het podium op.

In de pauze overwoog Konrad Simonsen weg te gaan. Hij besloot toch te blijven en dronk een kopje waterige koffie in een hoekje waar hij zich kon verschuilen en tegelijk het overige publiek in het oog kon houden. Hij keek zo nu en dan vluchtig rond, maar bemoeide zich verder met niemand.

Toen hij terugkwam naar zijn plaats had iemand zijn programma uitgevouwen en over de rug van de stoel gelegd. Hij pakte het en ontdekte het snel neergekrabbelde, maar goed leesbare adres en tijdstip in de rechterhoek. Toen kwam hij terug van zijn beslissing en ging weg. Het programma nam hij mee.

*

Op maandagochtend begonnen Konrad Simonsen en Klavs Arnold hun zoekactie naar het lichaam van Lucy Davison. In het stadhuis van Esbjerg voorzag een welwillende maar zwijgzame vice-gemeentesecretaris hen van een voor de gelegenheid gemaakte milieuplattegrond van de technische dienst en kregen ze het recht om het land rondom de Noordzeehoeve te controleren op eventuele verontreiniging van de grond – een dekmantel die Klavs Arnold overbodig vond, maar waar Konrad Simonsen dankbaar voor was. Het laatste wat hij op dit moment zou willen was de boulevardpers achter zich aan, en hij wist uit bittere ervaring hoe weinig er maar hoefde te gebeuren voordat een of twee journalisten zich ineens materialiseerden en vervelende en tijdrovende vragen stelden.

Drie uur lang sjokten ze rond op het terrein van het vakantiekamp, dat in alle richtingen doorsneden werd door kleine en grotere paden, onderhouden door de talloze kindervoeten die er generaties lang overheen hadden gebanjerd. Er verbleven mensen in het kamp, en er kwamen regelmatig op de meest onverwachte plekken nieuwsgierige hoofdjes tevoorschijn, tot de kinderen er genoeg van hadden om hen te bespioneren en hen met rust lieten.

Zo nu en dan, als Klavs Arnold het wilde, praatten ze, maar meestal waren het niet meer dan een paar zinnetjes.

Konrad Simonsen was naar binnen gericht en geconcentreerd, alsof hij het graf van het meisje kon ontdekken als hij de grond maar goed genoeg bekeek. Zijn partner was duidelijk meer gewend aan de natuur en wist steeds precies waar ze zich bevonden ten opzichte van het kamp en de omliggende grindwegen. Na verloop van tijd, toen ze voor de derde of vierde keer hun eigen voetstappen achtervolgden, begon Konrad Simonsen de verschillende plaatsen ook een beetje te herkennen.

De Jutlander stelde vast: 'We kunnen hoe dan ook alle plekken met grote dennenbomen uitsluiten. Daar wordt het graven bemoeilijkt door de wortels, dus dat is niet de moeite waard.'

'Weet jij dan hoeveel een dennenboom in veertig jaar groeit?'

'Dat hangt een beetje van de soort af, maar ga maar uit van ongeveer tien centimeter per jaar.'

'Hoe weet je dat?'

'Ik heb het op internet opgezocht, vanmorgen, toen jij nog lag te snurken.'

Konrad Simonsen had bij de Jutlander thuis in een logeerkamer geslapen en toen hij was gewekt voor het ontbijt, werd hij bekeken door de nieuwsgierige kinderogen van twee jongens van een jaar of zeven, die hem uitvoerig ondervroegen, toen hun verlegenheid was verdwenen en hun vader in de keuken lunchpakketten stond klaar te maken. Is het waar dat jij op televisie bent geweest? Ben je de baas van papa? Heb je geen auto? Klavs Arnold kwam terug en joeg ze allebei naar hun kamer om hun schooltassen te halen en naar buiten voor de fietsen. Pas toen kon Konrad Simonsen aan zijn ontbijt beginnen.

Later – na nog een halfuur wandelen – zei Klavs Arnold: 'Open, zanderig terrein op minder dan vijftig meter van het kamp, dat is mijn gok.'

'Daar zijn er heel wat van.'

'Helaas wel, ja. Veel te veel.'

Konrad Simonsen opperde: 'Wat dacht je van onder een van de huizen? Ze staan op een fundament. Dat moet zonder al te veel moeite kunnen, als je niet helemaal naar binnen kruipt.'

'Nee, dat zou nog lang daarna te zien zijn. Open zandgrond is beter, veel beter.'

Ze gingen onder een paar dennenbomen zitten en aten met smaak de boterhammen op die Klavs Arnold had klaargemaakt. Het was zonnig, maar als er een wolk voor de zon kwam, werd het snel koud. Konrad Simonsen keek naar boven om het volgende gat in de wolken te ontdekken. Hoog in de hemel trokken vogels in langgerekte zwermen naar het zuiden. De zwermen veranderden soms ineens van vorm, onvoorspelbaar, maar perfect gecoördineerd, alsof ze door een en hetzelfde brein werden aangestuurd.

Konrad Simonsen ging staan. Ze gingen door met hun werk.

En toen, na drie uur, leverde hun min of meer willekeurige dwalen ineens iets op. Klavs Arnold zag het als eerste. Zo ongeveer in de verste hoek van het terrein, bij de stenen wal langs het pad dat naar de grote weg leidde, stopte hij abrupt, als een roofdier dat lucht krijgt van een prooi. En daar, tussen kraaiheide, veenmos en andere mossen, boven een klein, verdrukt polletje dopheide, dat met zijn droevige paarse bloemetjes bescheiden heen en weer wuifde, zag Konrad Simonsen het ook: de steen in de wal, die onregelmatig naar buiten stak en het licht op een matte en verkeerde manier reflecteerde. Beide mannen bukten, en Klavs Arnold schraapte er met een vinger overheen.

'Kaarsvet.'

Het duurde niet lang voordat ze een tas vonden. Die was ingepakt in een sterke, doorzichtige plastic zak en in een holte in de stenen wal geduwd, een paar meter van de steen met kaarsvet. Ze deden handschoenen aan en Klavs Arnold nam een paar foto's.

'Moeten we de technische recherche laten komen?'

'Nee, maar wees voorzichtig.'

'Ik ben altijd voorzichtig met dit soort dingen.'

En dat klopte. Het duurde een tijd voordat de tas geopend was en de inhoud ervan kon worden opgeborgen in de meegebrachte bewijszakjes: een pakje theelichtjes, drie glazen buizen om de lichtjes tegen de wind te beschermen, een rolletje met plastic zakjes, een bijbel en een klein kussentje.

Een kleine twintig meter verderop vonden ze tussen de frambozenstruiken een bos verwelkte bloemen, bij elkaar gehouden met rood elastiek.

Klavs Arnold merkte deskundig op: 'Die is meer dan een jaar oud, eerder twee of drie. Ik vermoed dat we meer bloemen kunnen vinden als we de struik doorzoeken. De westenwind heeft ze daarheen geblazen.'

Konrad Simonsen wees op de grond voor de steen met kaarsvet en vroeg: 'Denk je dat ze hier ligt?'

'Nee, ik denk dat dit zover is als hij durfde te gaan. Hier kon hij knielen en bidden, ongezien vanuit het huis of vanaf het pad. Maar hebben we een keuze?'

'Nee.'

De graafmachine groef de grond tergend langzaam stukje bij beetje uit. Grijperbak na grijperbak werd een paar meter achteruit gereden en moeizaam op de hoop aarde gelegd die achter hen aangroeide in de richting van de frambozenstruiken. Elke keer dat de grijperbak zich nog tien centimeter naar beneden krabde, dwongen de twee mannen zichzelf naar de zandgrond te kijken en hielden ze even hun adem in. Ze stonden met gebogen hoofd bij de rand van het gat en hoopten, maar hoopten tegelijk ook niet dat de stoffelijke overblijfselen van Lucy Davison tevoorschijn zouden komen. Een vermoeiende ervaring, die bijna twee uur duurde en er alleen maar toe leidde dat de zenuwen van beide mannen bloot kwamen te liggen. Uiteindelijk staakten ze het werk en lieten ze het aan de bestuurder van de graafmachine over om het gat weer te vullen.

Konrad Simonsen was realistisch genoeg om onder ogen te zien dat zijn mogelijkheden bijna op waren. De vondst van het bedevaartsoord van Jørgen Kramer Nielsen bleek geen definitieve doorbraak. Het gastenboek van het padvinderskamp uit 1969, dat op zijn bureau lag toen hij dinsdagochtend op het hoofdbureau op zijn werk kwam, zonder dat hij wist wie het hem had bezorgd, evenmin. Weliswaar hadden de leden van de Bende van Zes zich op zondag 15 juni 1969 stuk voor stuk keurig met hun handtekening ingeschreven en bleek uit het boek dat er die week niemand anders was geweest, toch bracht het hem niet dichter bij het graf van Lucy Davison. Geen van deze beide omstandigheden kon verder uitstel van een confrontatie met de vier verdachten rechtvaardigen. Bovendien waren er drie goede argumenten voor zo'n stap, namelijk de Freule, Arne Pedersen en Pauline Berg. Hij had Arne Pedersen plechtig beloofd met de verhoren te beginnen en het was de hoogste tijd die belofte na te komen.

Steun om nog een week of twee door te gaan met het in kaart brengen van de Bende van Zes kwam uit onverwachte hoek. Konrad Simonsen had iedereen weer opgetrommeld voor een vergadering, maar sloeg de samenvatting deze keer over omdat iedereen toch al alles wist. Hij kondigde noodgedwongen zijn lang verwachte besluit aan: 'We gaan ze nu aanpakken. Eerst Hanne Brummersted, daarna Pia en Jesper Mikkelsen. Apart, als het kan. Als laatste Helena Brage Hansen, als we haar naar Denemarken kunnen krijgen. Ik heb gisteren haar broer gesproken en hem gevraagd haar te bellen en met haar te praten.'

Arne Pedersen bracht de stemming duidelijk onder woorden: 'Dat werd tijd, maar beter laat dan nooit.'

De Freule en Pauline Berg waren het hoorbaar met hem eens. Maar Klavs Arnold niet, integendeel, hij maakte bezwaar: 'Het is fout. Hebben we een plan B? Ik bedoel, wanneer ze weigeren zich te laten verhoren?'

De Jutlander zag eruit als iemand die wel een week vakantie kon gebruiken. Hij had Denemarken de afgelopen tijd ook alsmaar rondgereden om zijn verhuizing te regelen en op al zijn kinderen te passen.

De Freule antwoordde: 'Waarom zouden ze dat doen?'

'Waarom zouden ze dat niet doen? Een goede advocaat zou zonde van het geld zijn want zelfs een slechte zou gehakt van ons maken. We hebben niets. Helemaal niets.'

De manier waarop Klavs Arnold dingen zei, had iets prettig directs, vond Konrad Simonsen. Hoewel hij nieuw was in de groep, werd er naar hem geluisterd.

Maar de Freule was niet overtuigd.

'Als we altijd met verhoren moesten wachten tot we onbetwistbare bewijzen hadden, zouden we niet veel zaken ophelderen. Maar wat willen jullie dan doen? Ja, ik zeg "jullie", want we weten hoe jij erover denkt, Simon. En dan ligt de vraag toch weer open, hè?'

Pauline Berg zuchtte: 'Nu moeten jullie verdomme 's een keer ophouden.'

Konrad Simonsen keek haar vermoeid aan. Haar humeurschommelingen waren een bron van ergernis, maar hij had langzamerhand aan haar leren aflezen hoe ze zich voelde. Als ze veel ging vloeken was het bijna altijd omdat ze in een... periode zat of onderweg was ernaartoe. Eerder die ochtend had hij een afspraak gemaakt met haar en die vrouw uit haar irritante groep – hij wist niet meer hoe die heette – om de volgende dag naar Arthur Elvang te gaan op het Forensisch Instituut. Zoals hij haar had beloofd op de Melby Meent. Hij had min of meer gehoopt dat ze niet meer wilde, dat het niet meer uitmaakte, maar die hoop was vervlogen. En nu vloekte ze en was ze chagrijnig. Hij vroeg zich af of die twee dingen met elkaar te maken hadden, de afspraak met Arthur Elvang en haar slechte humeur. Het sloeg in eerste instantie nergens op, maar dat was ook een beetje typerend voor haar. Toen keek hij om zich heen en hakte de knoop door.

'We pakken ze op.'

Klavs Arnold accepteerde het. Hij was geen kniesoor. De beslissing was genomen; of die goed of slecht was zou de tijd wel uitwijzen.

Nu had Konrad Simonsen het voorrecht te mogen aanwijzen wie welke verhoren zou afnemen. Met Arne Pedersen hoefde hij geen rekening te houden; die had het te druk. Bleven over: de Freule, Pauline Berg en hijzelf, tenzij hij er collega's bij wilde betrekken die niet tot zijn inner circle behoorden, wat hij maar uiterst zelden deed.

Als hij een maand geleden had moeten kiezen, was het makkelijk geweest, maar de geruchten gingen al rond door het hoofdbureau dat de reconvalescent van de afdeling Moordzaken een dubbele moord onder handen had. Wat begonnen was met een struikelende postbode en een klus met weinig prestige, was langzaam maar zeker in rangorde gestegen: het was nu een aantrekkelijk onderzoek voor alle rechercheurs met een ambitie. Meewerken aan de oplossing van een bijna veertig jaar oude moord was niet iedereen vergund. De Freule had thuis ook al een paar hints gegeven dat ze wel mee wilde doen aan de verhoren. Ze had het een paar keer zo tussen neus en lippen door laten vallen, zodat hij geen antwoord hoefde te geven, maar de bedoeling was duidelijk. En zelfs Arne Pedersen had geprobeerd met zijn tijd te goochelen en een paar gaatjes te maken om mee te kunnen doen, maar het was hem niet gelukt.

De toehoorders waren dan ook behoorlijk gespannen toen ze Konrad Simonsens beslissing afwachtten. Hij had er al goed over nagedacht en geprobeerd zich door strikt vakmatige overwegingen te laten leiden. Zijn keuze was logisch en niet voor discussie vatbaar.

'De Freule en ik nemen Hanne Brummersted en Helena Brage Hansen als ze terugkomt uit Noorwegen. Klavs en ik gaan overmorgen naar Aalborg om Pia Mikkelsen en Jesper Mikkelsen nader te bekijken. Als we de gelegenheid krijgen om ze apart te verhoren nemen de Freule en ik Pia Mikkelsen, en ik neem Jesper Mikkelsen alleen, tenzij Arne tijd heeft.'

Pauline Berg protesteerde hevig: 'Dat is godverdomme niet eerlijk! Ik ben er vanaf het begin bij geweest, en als het een beetje leuk begint te worden, mag ik niks. Ik werk thuis ook nog als een gek en ik lees allerlei stomme boeken over de jaren zestig en dat soort onzin.'

Konrad Simonsen probeerde haar te kalmeren: 'Maar Pauline, daar gaat het niet om. Het is belangrijk dat jij ervoor zorgt dat je alles weet, als een van ons onverhoopt uitvalt of als er een tweede ronde komt en ik de Freule wil vervangen. Of misschien moet je mij wel vervangen.'

Pauline Berg maakte met een obsceen gebaar duidelijk wat ze van zijn preek vond. Klavs Arnold wist haar reactie te neutraliseren.

'Wacht nou effe, Pauline. Simons voorstel is redelijk en we kunnen het toch als volwassen mensen bespreken?'

De Freule grijnsde en Konrad Simonsen keek de Jutlander verbaasd aan. Voorstel? Bespreken? Er viel niets te bespreken, hij had toch net gezegd hoe het moest? Hij legde zijn nieuwe medewerker uit: 'Kijk, Klavs, het zit zo, ik heb jou niet eens meegenomen in mijn overwegingen. Ik weet niets van jouw verhoortechniek af en dit is geen zaak om mee te experimenteren. Bovendien zijn we nog niet op elkaar ingespeeld.'

Weer liet Klavs Arnold zien dat hij de dingen gescheiden kon houden.

'Dat is helemaal in orde. Dat zou ik zelf ook hebben gedaan, maar is het een idee als Pauline en ik nog iets doorgraven in Hanne Brummersted? En je vergat te zeggen dat Pauline natuurlijk meegaat naar Aalborg.'

'Eh... vergat ik dat?'

Klavs Arnold had goede argumenten. Het echtpaar in Aalborg, en vooral Jesper Mikkelsen, had belangen in het discotheek- en clubmilieu in de Jomfru Ane Gade in het centrum van de stad. Financiële belangen – ze waren voor vijftig procent eigenaar van de club Rainbow Six, een club die populair was bij de jeugd van Noord-Jutland – maar mogelijkerwijs ook andere belangen, criminele en/of seksuele... Dat gingen ze nu juist uitzoeken. En in dat verband zou het niet zo gek zijn om Pauline Berg mee te nemen: zij paste beter in de clubomgeving dan Konrad Simonsen en hij. Vond de Jutlander.

Konrad Simonsen gaf toe. Ja, dat was zo... Hij was vergeten te zeggen dat Pauline Berg meeging naar Aalborg.

Pauline Berg draaide om als een blad aan de boom, binnen een seconde van boos naar blij, ze glimlachte bijna. Hij bedacht dat ze haar ziekte, of wat het ook was, soms gebruikte om zich te gedragen als een verwend kind. En dat zou hij haar bij gelegenheid vertellen ook.

De Freule vroeg Klavs Arnold: 'Wat bedoelde je met "iets doorgraven in Hanne Brummersted", en waarom juist in haar?'

'Zij was met Jørgen Kramer Nielsen naar Zweden, en van de vier heeft zij het meeste te verliezen.'

De Freule pakte hem meteen terug.

'Waarom? Het echtpaar in Aalborg heeft een miljoenenzaak.'

'Zij kunnen hun platen ook van huis uit verkopen, nagenoeg zonder menselijk contact. Terwijl voor een chef-arts haar imago, het respect van haar dochters en misschien ook haar aanstelling op het spel staan, dus zij ziet zichzelf waarschijnlijk niet graag op de voorpagina's. Alleen al voor haar twee bestuursfuncties zouden de gevolgen ernstig zijn.'

'Misschien, maar ik denk dat je onderschat wat er voor de familie Mikkelsen te winnen valt. Dat wil zeggen, vooropgesteld dat ze niet hebben meegewerkt aan de moorden op het meisje en hun vroegere klasgenoot.'

'Te winnen? Wat valt er te winnen?'

'Alles wat ik over hen heb gehoord wijst op een slechte relatie, die de uiterste houdbaarheidsdatum allang is gepasseerd. Wat houdt hen bij elkaar?'

Klavs Arnold legde zich erbij neer: 'Je bedoelt dat ze wel willen praten als ze de kans krijgen? Om het verleden en het heden op te ruimen? Tja, dat is ook geen oninteressante invalshoek.'

Konrad Simonsen zei zoekend: 'Misschien heeft Jørgen Kramer Nielsen een of andere eed verbroken waar de rest zich nog wel aan houdt, en misschien hebben de vier toch onderling contact gehad.'

'Misschien heb jij te veel "misschiens".'

Dat was Klavs Arnold.

Pauline Berg schudde moedeloos haar hoofd. Maar niet boos. Ze zei: '"Als", "wanneer", "in het geval dat" en tien keer "misschien". Ik begrijp gewoon niet waarom we die ansichtkaart die we uit Engeland hebben gekregen, niet voor DNA-analyse naar Kurt Melsing sturen om te kijken of we een match krijgen met die chef-arts. Er is toch vijftig procent kans dat zij aan de postzegel heeft gelikt.'

Iedereen werd stil en keek haar aan alsof ze een rondje door het kantoor had gevlogen. Haar oude onzekerheid van voor de overval kwam weer terug: 'Wat kijken jullie nou? Heb ik iets stoms gezegd? Kan dat niet na zoveel jaar? Ik heb de literatuur inderdaad niet zo bijgehouden de laatste tijd. O, ja, sorry, nu zie ik het ook – we hebben niets om mee te vergelijken en Hanne Brummersted kan natuurlijk gewoon weigeren een monster af te staan. Sorry, ga maar gewoon door.'

De Freule doorbrak het stilzwijgen. Ze keek Klavs Arnold aan.

'Daar is je plan B.'

Konrad Simonsen grijnsde: 'Je bent geniaal, Pauline, gewoon ge-ni-aal.'

Weer zei de Freule wat niemand wilde horen: 'Maar is het überhaupt mogelijk om na veertig jaar nog DNA te vinden?'

Konrad Simonsens grijns werd nog breder. 'Dat weet ik niet.'

'Waarom lach je dan?'

'Omdat, als ík het niet weet, dan weet Hanne Brummersted het zeker niet.'

'Dat is waar. Als overtuigingsmiddel werkt het misschien wel. In een rechtszaak zou het onbruikbaar zijn, tenzij ze vrijwillig een monster afstaat om mee te vergelijken.'

'Fout, Freule. We zorgen voor materiaal dat bewijsbaar van haar afkomstig is, bij voorkeur buiten haar medeweten, en dan lezen we haar DNA af. En dat gaat standhouden tot het einde.'

'Wat is dat voor onzin? Iedere rechter zou dat afwijzen.'

'Iedere Déénse rechter, ja. Maar hoe zit dat met een Zweedse of een Engelse? De onwettigheid zit vast aan de jurisdictie, niet aan het materiaal.'

'Hm... slim, misschien een beetje té slim.'

'Zou kunnen, maar als ze aan die postzegel heeft gelikt, denk ik dat onze vriendin op de een of andere manier vrij grote problemen krijgt. En, stel dat ze het niet heeft gedaan. Dan is er nog altijd een redelijke kans dat ze niet meer weet of ze het wel of niet gedaan heeft.'

Die avond recapituleerde de Freule de positieve uitkomsten van de bespreking. Dat wil zeggen die op het persoonlijke vlak, want op het ogenblik mocht het werk niet mee naar huis. Dat wilde ze soms, en Konrad Simonsen respecteerde dat. Zoals hij ook respecteerde dat ze, als het haar zo uitkwam, haar eigen verbod mocht negeren.

Ze stonden in de keuken. Konrad Simonsen sneed de wittekool, een discipline waarin hij langzamerhand expert was, de Freule sneed de bieten en Anna Mia zat op een stoel morele ondersteuning uit te stralen.

De Freule zei: 'Wat goed dat je Pauline Berg vandaag een complimentje gaf. Ze kikkerde er erg van op, zeg ik je, en dat had ze nodig.'

'Ze verdiende het. Gek dat niemand eerder aan dat DNA heeft gedacht.'

'Ik vind het fijn dat zij op het idee kwam. Ze heeft het niet makkelijk gehad sinds Klavs Arnold erbij is gekomen. Nog afgezien van alle andere problemen waar ze op het ogenblik mee te kampen heeft.'

'Klavs Arnold doet haar toch niks?'

'Nee, hij is al prima aangepast, maar ik denk dat ze het gevoel heeft dat ze de minste is, ook al is ze niet meer het kortst in dienst.'

'Dat is ze ook.'

'Ja, dat is misschien wel zo, maar ze had toch een complimentje nodig.'

'Waarom hebben jullie er haar dan geen gegeven? Complimenten kosten niks.'

'Konrad Simonsen, je kletst uit je nek.'

Anna Mia viel de Freule bij. Ze knabbelde aan haar tweede wortel en richtte het resterende stuk daarvan beschuldigend op haar vader.

'Tevreden medewerkers werken beter. Dat tonen alle onderzoeken aan.'

'Nee, ze laten zien dat medewerkers die goed werken tevreden zijn. Maar die conclusie past niet bij het alomtegenwoordige vrouwelijke sentiment op de werkplek, dus oorzaak en gevolg zijn omgedraaid. En het heeft bovendien duizenden overbodige administratieve functies opgeleverd die die onzin meten, wegen en bijhouden.'

De Freule legde haar hoofd op zijn schouder.

'Daar meen je niks van en daar trappen we niet in. We kennen je veel te goed. Zeg, hoeveel kubieke meter wittekool denk je dat we eten?'

'Ik geniet van het snijden. De kool en het mes nemen de macht van me over.'

'Pauline voelt zich al een tijd niet zo goed. Nadat je haar van de brievenrubriek af hebt gehaald, is ze begonnen de jaren zestig te bestuderen, via internet en boeken. 's Avonds, in haar vrije tijd.'

'Ja, dat begreep ik van haar. Maar dat ik haar van de brievenrubriek van Helena Brage Hansen af heb gehaald, heeft niets met de jaren zestig te maken, maar alles met haar ontbrekende vermogen om zich in de persoonlijkheid van iemand anders in te leven.'

De Freule negeerde hem en ging door met haar eigen verhaal: 'Ze is teleurgesteld dat ze zelf moest vragen of ze erbij mocht zijn toen Madame jouw fotogalerie kwam bekijken, die overigens binnenkort terug moet naar de overige inboedel. Alle anderen waren uitgenodigd om te komen kijken, alleen zij niet. Ze komt overigens binnenkort weer kijken. Haar psychiater heeft gezegd dat ze dat moet doen.'

'Ik vind het prima. Maar jij had haar toch ook allang mee naar huis kunnen nemen en mijn... de foto's kunnen bekijken?'

'Dat zou niet hetzelfde zijn, dombo. Soms weet je niet hoe je overkomt.'

Anna Mia pikte nog een wortel en zei: '"Soms" oftewel "altijd". Er gaan geruchten dat je een hondengeleider een schouderklopje hebt gegeven. Er is een collega uit Glostrup die daarover opschept. Wist je dat?'

De Freule deed er nog een schepje bovenop: 'Zelfs de leiding is blij met jouw complimenten. Om nog maar te zwijgen van Arne. Hij straalt als een zonnetje als je hem eens een keer laat weten dat hij goed is.'

Konrad Simonsen haalde zijn schouders op. De Freule keek gelaten naar Anna Mia, die haar hoofd schudde en zei: 'Hij leert het nooit. Kunnen jullie nog wat wortels schrappen? Ze zijn bijna op.'

'Je kunt wat wittekool krijgen.'

Konrad Simonsen keek de Freule aan en vroeg verrassend serieus: 'Je hebt het over alle anderen. Vind jij het ook... ik bedoel, als ik jou een compliment geef?'

Als antwoord legde ze haar armen om hem heen en hield ze hem vast.

Anna Mia floot. 'Hoor ik bruiloftsklokken?'

'Je bedoelt of je vader een eerbare vrouw van me wil maken? Tja, hij heeft nog geen aanzoek gedaan.' Haar stem was licht en vrolijk. Toch stonden de antennes van beide vrouwen op ultragevoelig om Konrad Simonsens reactie op te vangen. Maar dat was niet nodig. Zijn antwoord was eerlijk en eenvoudig.

'En als ik straks met pensioen ga? Heb je me dan nog steeds nodig? Dat ik hier ben terwijl je zelf moet werken?'

Ze omhelsde hem weer.

'Ik zou het geweldig vinden. Je kunt de kelder opknappen, gras maaien, onkruid wieden. Misschien heb je zelfs tijd om het stopcontact in het schuurtje te repareren, wat je me nu al twee weken belooft. En je moet niet vergeten dat ik ook ouder word. Ik ga in de schommelstoel naast de open haard zitten om een muts voor je te breien, een mooie warme, die over je oren heen valt en verbergt dat je je haar kwijt bent.'

Anna Mia juichte.

'Je moet gewoon de magische woorden zeggen, papa, dan kun je hier voor altijd blijven.'

De Freule keek naar Anna Mia, maar hield haar hoofd tegen Konrad Simonsen aan en glimlachte plagerig.

'Nee, wacht even, dat is helemaal fout. Ik brei een truitje voor je derde kleinkind.'

Konrad Simonsen draaide zich met een ruk om en keek naar zijn dochter. Of eigenlijk naar de buik van zijn dochter. Anna Mia ging staan, ongelukkig over de wending die het gesprek nam.

'Hoho, jullie hebben geen recht om je met mijn privéleven te bemoeien. Ik ga de tafel dekken.'

*

Finn B. Hansen, de broer van Helena Brage Hansen, was naar Kopenhagen gekomen, om precies te zijn naar het kantoor van Konrad Simonsen. Hij had zijn bandrecorder meegebracht, en die stond nu op de tafel tussen hen in. Het was een lomp en prehistorisch ding, maar hij werkte.

'Ik hoop niet dat je aan Helena vertelt dat ik haar heb opgenomen, mocht je haar ooit spreken.'

'Nee, hoor. Dat blijft tussen ons.'

'Ik neem het bandje mee als ik wegga. En ik vernietig het.'

'Het is jouw bandje.'

'Ja, dat weet ik, ik wilde je alleen informeren.'

'Waarom heb je haar opgenomen?'

'Omdat ik dacht dat, als ze op de een of andere manier zou vertellen waar dat arme meisje is begraven... als ik het niet zou kunnen onthouden...'

'Ik begrijp het.'

'We beginnen een stukje verderop in de opname. Het begin is privé en heeft voor jou geen betekenis.'

'Oké.'

De man herhaalde, een tikkeltje agressief: 'Je mag alleen horen wat relevant is. Zo is dat, en niet anders.'

'Natuurlijk.'

Hij drukte een knop in en Konrad Simonsen luisterde naar de stem van de griffier op het bandje.

'Helena, er is iets wat ik je moet vertellen. De recherche in Kopenhagen doet op het ogenblik onderzoek naar een uitstapje naar Esbjerg dat jij en een aantal van je klasgenoten lang geleden hebben gemaakt.'

De pauze was lang voordat ze antwoordde: 'O... ja?'

Zelfs aan die twee woordjes was te horen dat haar stem trilde.

'Zegt dat je iets, Helena, een uitstapje naar Esbjerg?'

Weer was het een tijd stil.

'Helena, ben je er nog?'

'Nee.'

'Nee, hoezo nee?'

'Nee, wat Esbjerg betreft.'

'Ze hebben foto's van je. Oude foto's waar jij ook op staat. Jullie logeerden in een padvinderskamp dat jullie van papa mochten gebruiken en bereidden jullie voor op het eindexamen. Je was mee met een groep.'

'Ik ben nooit lid van een groep geweest. Ik ben nooit op padvinderskamp geweest. Ik ben nooit naar Esbjerg geweest. Ik sta niet op een foto. Ik heb niemand vermoord!'

'Waarom zeg je dat? Dat je niemand hebt vermoord?'

'Omdat het waar is.'

'Denk je niet dat het een goed idee zou zijn om naar Kopenhagen te komen, Helena?'

'Ik wil niet naar Kopenhagen. Ik heb de Noorse nationaliteit, jullie kunnen me niet dwingen.'

'Het was een meisje dat doodging. Een meisje van jullie leeftijd. Ze is maar zeventien jaar geworden.'

'Ik wil niet naar je luisteren.'

'Helena, je kunt dit niet negeren.'

'Ja, dat kan ik wel. Denemarken bestaat niet meer.'

'Denemarken bestaat wél. Je moet...'

Hij stopte de bandrecorder en zei: 'Toen verbrak ze de verbinding.'

Konrad Simonsen keek naar de bandrecorder. De griffier volgde zijn blik.

'Je krijgt het niet.'

'Nee, dat begrijp ik.'

'Het zou je ook niet verder helpen.'

'Waarom niet?'

'Nou, als bewijs is het natuurlijk onbruikbaar en als je haar onder druk zet, stort ze in en daarna krijg je geen contact meer met haar. En geloof me, ik weet waar ik het over heb, want ik heb het meerdere malen meegemaakt toen ik jong was. Dat willen we geen van allen.'

'Nee, het zou niets opleveren. Dus wat je me eigenlijk vertelt is dat ik haar met rust moet laten.'

'Ja, dat denk ik.'

'Ze zei dat ze niemand had vermoord voordat jij iets over Lucy... ik bedoel Lucy Davison, het Engelse meisje, had gezegd. En... ja, je weet toch wat dat betekent.'

De griffier knikte moeizaam en zei bijna smekend: 'Kun je het niet eerst met haar klasgenoten proberen?'

'Jawel.'

'Ga je om haar uitlevering vragen?'

'Liever niet. Alleen als het moet.'

'Ik hoop dat het niet nodig zal zijn. Ze is mentaal al onevenwichtig genoeg.'

Konrad Simonsen zei dat het hem speet. Hij kon er niets aan doen als ze bleef reageren zoals nu. Toen zei hij: 'Ik moet het bandje hier houden, maar dat weet je vast wel.'

'Ja, dat weet ik. Ik hoopte alleen dat het niet nodig was.'

*

Als het aan Konrad Simonsen had gelegen waren ze niet naar het Forensisch Instituut gegaan, en hij had elke gedachte eraan tot nu toe vermeden. Geërgerd opende hij zijn onderste bureaula, pakte de papieren die daarin lagen en las met grote tegenzin vlug een paar bladzijden door. Zoals hij al had verwacht werd de tragische dood van Juli Denissen zo gedraaid dat het een samenzwering leek tussen de politie in Frederikssund, de ambulancebroeders en gewoon gezond verstand. Een volstrekt hopeloze notitie die eindigde met tien vragen – natuurlijk tien, niet negen of elf – die in twijfel trokken dat de vrouw een natuurlijke dood was gestorven. Hij nam de lijst door en vond hem belachelijk. Toen ademde hij eens diep door en belde toch de hoofdcommissaris van politie in Frederikssund maar op. Van hem kreeg hij meteen logische antwoorden op de meeste vragen. *Waarom was nooit vastgesteld hoe de vrouw en haar dochter naar de Melby Meent waren gekomen?* Het antwoord lag voor de hand. Dat was wel gebeurd. Ze had de auto van een vriendin geleend en had bovendien de aandacht van twee andere weggebruikers getrokken vanwege haar langzame en onzekere rijden. Ze had dan ook pas twee dagen voor haar overlijden haar rijbewijs gehaald. *Hoe was het mogelijk dat de boswachter die de overleden vrouw vond 112 kon bellen als er geen bereik was op de Melby Meent?* Dat kon omdat zijn provider daar een prima bereik had in tegenstelling tot de bekendere providers.

Slechts één vraag vond ook Konrad Simonsen vreemd, namelijk waarom Juli Denissen van de parkeerplaats weg was gegaan en zo'n twee kilometer op de Meent had gelopen. Dat was vreemd als je bedacht dat ze een tweejarig kind bij zich had. Vreemd, maar ook niet meer dan dat, en hij kon slechts vaststellen dat ze dat dus had gedaan. En dat de vraag verder niet interessant was als je hem bekeek in de wetenschap dat ze door een hersenbloeding was overleden. Hij keek op zijn horloge, nog steeds geïrriteerd, ja, eigenlijk nog geïrriteerder dan net. Hij was oorspronkelijk van plan geweest om naar het Forensisch Instituut te lopen, maar hij was de tijd vergeten en nu moest hij met de auto gaan. Hij smeet de papieren terug in de la, schopte die dicht en ging weg.

Hij had het geluk een parkeerplaats te vinden in de Trepkasgade en was tien minuten voor het afgesproken tijdstip bij het instituut. Op de trap naar de ingang stonden drie mensen op hem te wachten. Hij begroette Pauline Berg kort, die lachte en blij was hem te zien. Toen gaf hij de vrouw die hij al op de Melby Meent had ontmoet een formele en koele hand, en hij wist ineens haar naam weer: Linette Krontoft. Ze zag eruit alsof ze beter in bed had kunnen blijven liggen: ongezond rood bij haar neus en op haar wangen, en waterige ogen, alsof ze een kater had. Haar hand was slap. Hij veegde zijn hand af aan zijn mouw en hoopte dat hij niet besmet zou worden. Daarna wendde hij zich tot de man.

Die was in de dertig, slank en van gemiddelde lengte, een alledaags, wat saai voorkomen. Hij stak met een joviaal gebaar zijn hand uit naar Konrad Simonsen.

'Jij moet Simon zijn. Mijn naam is Augustus, en ik ben lid van de groep die moet ophelderen waarom Juli overleed.'

Konrad Simonsens groet was meer dan terughoudend. Hij nam de man van top tot teen op zonder iets te zeggen. Augustus ging een beetje gejaagd door alsof hij de onuitgesproken vraag aanvoelde.

'Ja, ik woon eigenlijk in Helsinge, maar ik heb een kaaswinkel in Frederiksværk. Aan het spoor, aan de linkerhand als je met de trein uit Hillerød komt, tussen de bloemenwinkel en de delicatessenwinkel in, je kunt hem niet over het hoofd zien.'

Konrad Simonsen dacht dat dat hem tot nu toe heel goed was gelukt en hij zou zijn best doen om dat ook in de toekomst zo te houden, maar hij zei niets. Zijn zwijgen dwong de man tot verdere uitleg.

'Juli werkte een paar dagen per week bij mij. Ze woonde dichtbij, zo'n driehonderd meter verderop, dus dat was erg handig...'

Hij hield samenzweerderig een vinger voor zijn mond en ging onsympathiek door: 'Ja, zwart natuurlijk, dus dat mag je niet doorvertellen. En een tijd kende ik haar goed... heel erg goed, als je begrijpt wat ik bedoel.'

Hij gaf Konrad Simonsen een smerige knipoog en die vond dat hij zelden zo'n onaantrekkelijk iemand had ontmoet. Hij keek naar de trouwring aan de vinger van de kaasboer en zei: 'Juli en Augustus, wat grappig. Daar moeten jullie wel erg om hebben gelachen toen jullie elkaar voor het eerst ontmoetten. Juli en Augustus, dat past goed bij elkaar... Ik vraag me af of je vrouw dat ook zo leuk vond. Maar misschien krijg ik de gelegenheid haar dat te vragen als de zaak tegen mijn verwachting in wordt heropend.'

De man kreeg een kleur, deed een stap achteruit en ging achter Linette Krontoft staan alsof hij zich wilde verstoppen. Dat lukte ook goed, ze was breed genoeg. Toen versteende Konrad Simonsen ineens. De kaasboer stond daar met zijn windjack en een paar knoopjes van zijn overhemd open, wellicht om heel mannelijk aan iedereen te laten zien dat hij het niet koud had. Om zijn nek hing een zilveren ketting met een vis, een van de drie symbolen van het christendom, samen met het kruis en het Christusmonogram. De woorden van Madame in zijn galerie dat hij moest luisteren naar de christenman die hij niet mocht, galmden in zijn oren. Misschien was dit uur toch niet verspild. Hij lachte inwendig, wees naar Linette Krontoft en zei gemaakt kwaad: 'De afspraak was dat jullie met z'n tweeën zouden komen, en dat heb ik ook tegen de professor gezegd. Nu zijn jullie met z'n drieën, en als hij daar iets over zegt, ben jij degene die weggaat. Begrepen?'

Ze stemde beteuterd toe.

De ruimte waarin Arthur Elvang zijn gasten ontving was nagenoeg leeg. De wanden waren pas geschilderd, wit, en de vloer was duidelijk kort geleden geschuurd en daarna gelakt. Het rook er nog steeds naar verf, lak en vurenhout. Het uiterst spaarzame meubilair contrasteerde erg met de pas opgeknapte ruimte. Vijf oude schooltafels – onhandig en van hout, tafel en bank uit één stuk, zoals Konrad Simonsen ze uit zijn eigen schooltijd kende – stonden in een halve cirkel om een wat nieuwere lessenaar heen. Op de lessenaar lag een stapel papieren, netjes op een stapeltje en parallel aan de rand van het meubel neergelegd. Ernaast stond een cilinderachtig voorwerp van ongeveer dertig centimeter hoogte, met een zwarte doek eroverheen, waardoor je niet kon zien wat het was. Achter de lessenaar zat Arthur Elvang.

De professor begroette hen uit de hoogte en vroeg hun plaats te nemen. Ze gingen zijdelings en met moeite op de bankjes zitten. Vooral voor Konrad Simonsen en Linette Krontoft was het lastig om voldoende ruimte te creëren. De professor zei niet waar hij die archaïsche meubels vandaan had, waarschijnlijk uit de achterste kelder van het instituut. Toen iedereen zat, nam de professor het woord.

Konrad Simonsen twijfelde er geen seconde aan dat Arthur Elvang de tafels zo had laten neerzetten om hem te kleineren. Dat was het ironische commentaar van de professor op de situatie. Maar hij was er van tevoren bang voor geweest dat Arthur Elvang niet zijn best zou doen om indruk te maken op zijn kleine publiek. Het tegendeel was echter het geval. De professor stelde zich voor en noemde daarna een reeks titels en bestuursfuncties op die hij had. Dat had Konrad Simonsen nog nooit van hem gehoord, want je kon veel van de oude man zeggen, maar een snob of een ijdeltuit was hij niet. Maar de reeks maakte indruk. Linette Krontoft stak respectvol een hand op en wachtte netjes tot ze het woord kreeg van Arthur Elvang.

'Hebt u er bezwaar tegen als we uw analyse opnemen met een dictafoon? We kennen een paar mensen die het ook graag willen horen.'

Konrad Simonsen probeerde het tegen te houden, maar zonder resultaat. De professor overstemde hem door te zeggen dat ze zoveel mochten opnemen als ze wilden. Toen Linette Krontoft haar toestemming had, klom ze uit haar bank en zette de dictafoon op de tafel van Arthur Elvang, waarna de analyse van het obductierapport van Juli Denissen kon beginnen.

De dunne stem van de professor doceerde: 'Juli Denissen, vierentwintig jaar, overleden in de namiddag van 10 juli 2008 op de Melby Meent in de gemeente Halsnæs. Obductie vond plaats op 11 en 12 juli in het Forensisch

Laboratorium van het ziekenhuis in Hillerød, door chef-arts Hans Arne Tholstrup.'

Hij kneep zijn ogen even dicht om het rapport beter te kunnen zien en legde tot Konrad Simonsens genoegen uit dat alle obducties voor het oosten van Denemarken normaal gesproken werden uitgevoerd in het Rigshospital, maar dat er bij piekbelasting uitgeweken kon worden naar onder andere het ziekenhuis in Hillerød. Dat was een van de tien als raadselachtig bestempelde punten op het lijstje van de groep.

Arthur Elvang keek op en probeerde zijn dikke brillenglazen tevergeefs scherp te stellen op zijn toehoorders. Toen zei hij met nadruk: 'De validiteit van dit rapport is boven elke twijfel verheven.'

Daarna knikte hij een paar keer alsof hij zichzelf wilde bevestigen en ging door met zijn analyse, terwijl hij in zijn papieren bladerde: 'Er is een reeks monsters afgenomen. Vaginaal, anaal, oraal, zowel uit de farynx als het *cavum oris*, dat wil zeggen keelholte en mondholte. Verder is er een biopsie uitgevoerd op haar huid, haar lever en haar nieren en haar schildklier, en zijn er bloed- en haarproeven gedaan. De reden voor al deze monsters was dat er twee studenten aan de obductie meededen in het kader van hun opleiding. We kunnen dus vaststellen dat deze vrouw bijzonder grondig is onderzocht, veel grondiger dan normaal. Maar de analyses die daarna volgden, wijzen niet op vergiftiging of iets anders... abnormaals.'

De professor keek sceptisch naar een plek in het rapport – waar kon Konrad Simonsen niet zien – en schudde geërgerd zijn hoofd. Een zeker teken, dat had Konrad Simonsen vaker meegemaakt, dat iemand broddelwerk had verricht. Geen van de overige aanwezigen merkte de irritatie van Arthur Elvang op, en zijn conclusie was dan ook zonder aarzeling: 'De vrouw is dus niet vergiftigd. Bovendien bestaat er geen vergif of andere chemische stof die kan veroorzaken waaraan de vrouw is gestorven, namelijk een zeer krachtige *subarachnoïdale* bloeding, een hersenvliesbloeding dus.'

Hij legde omslachtig uit hoe de bloeding in de hersenen van de vrouw op haar ademhalingscentrum had gedrukt, waardoor ze was opgehouden met ademen. Daarna gebruikte hij enige tijd om uit te leggen dat ongeveer één procent van de bevolking geboren werd met een aneurysma – een uitstulping van de slagader in de hersenen – en dat zo'n abnormaliteit kon barsten bij sterke fysieke of psychische belasting, bijvoorbeeld sport of geslachtsgemeenschap.

'De symptomen zijn sterke hoofdpijn, stijve nek en braken, vaak gevolgd door bewusteloosheid en de dood. In dit geval is de dood zeer snel ingetreden, waarschijnlijk binnen een paar minuten. Dat kwam doordat de bloeding ongewoon krachtig was; dat is niet normaal, maar komt wel vaker voor.'

Hij keek weer naar zijn toehoorders en zei: 'Ik heb de beelden van de obductie in Hillerød gekregen, en nadat de schedel van de vrouw is geopend en een gedeelte van haar hersenen verwijderd, is de bloeding duidelijk zichtbaar. Maar ik weet niet of jullie die beelden wel willen zien, dus ik heb ook een gelijkwaardig, anoniem voorbeeld meegebracht.'

Hij wees naar de cilinder met de zwarte doek erover.

'Wat willen jullie? Willen jullie de originele beelden van Juli Denissen zien of liever het preparaat?'

Konrad Simonsen lachte inwendig. De professor had echt besloten wat terug te doen nadat hij zijn gazon had geharkt. Toen geen van de aanwezigen antwoord gaf, nam Arthur Elvang het besluit voor hen, en hij trok de zwarte doek van de cilinder. Het hoofd in het glas was gespleten, zodat de hersenen zichtbaar waren. Konrad Simonsen verkneukelde zich een beetje toen hij zag hoe kaasboer Augustus zo bleek werd als brie. Ook de twee vrouwen moesten even slikken.

De professor pakte een balpen uit de zak van zijn doktersjas en gebruikte die als aanwijsstok terwijl hij uitlegde: 'Deze man was twintig jaar oud toen hij overleed. Dat was overigens in 1903, en de oorzaak was net zo'n ernstige hersenbloeding als...'

Het kostte hem een kwartier om het stervensproces door te nemen, en het was je reinste effectbejag, dat slechts één doel diende, namelijk de dood van Juli Denissen definitief als natuurlijk te bestempelen.

Toen de professor klaar was, keek hij vermoeid zijn klasje rond.

'Zijn er vragen?'

Zijn hele houding nodigde niet echt uit om vragen te stellen, maar toch vroeg de kaasboer voorzichtig: 'Vanaf dat *eurisma* of hoe heet het tot ze... tot Juli was overleden, had ze toen tijd om te denken of iets te voelen?'

Arthur Elvang bekeek hem vanachter zijn dikke brillenglazen nadenkend aan.

'Hoe zou ik dat in godsnaam moeten weten? Ik heb nog nooit geprobeerd dood te gaan aan een hersenbloeding.'

De oude man had een punt, dat zagen ze allemaal wel in, en een kort optimistisch ogenblik dacht Konrad Simonsen dat ze klaar waren. De zaak kon worden afgesloten, de groep, of hoe ze zich ook noemden, kon zichzelf opheffen, en – bovenal – Pauline Berg kon onder ogen zien dat haar privébemoeienis met de dood van Juli Denissen een misser was geweest.

Het was hem vergund ongeveer vijf seconden in zijn illusie te blijven, want net toen hij de les wilde afsluiten en Arthur Elvang wilde bedanken, vroeg Linette Krontoft: 'Hoe weet u nou dat Juli na de hersenbloeding nog maar twee minuten heeft geleefd? U zei dat dat ongewoon was.'

'Dat weten we uit metingen van het adrenalinegehalte, zowel in haar gewone bloed als in het bloed dat zich in haar hersenen ophoopte. Adrenaline verdwijnt snel uit het bloed als het wordt geoxideerd, maar de bloeding in de hersenen wordt niet geoxideerd omdat die niet in het lichaam circuleert.

Dan kun je er vervolgens een paar berekeningen op loslaten en zo is vrij precies de periode tussen de hersenbloeding en het overlijden in te schatten, en deze berekeningen wijzen op maximaal twee minuten.'

'Maar waarom had ze adrenaline in haar bloed, is dat gewoon?'

Die vraag kwam van Pauline Berg. Arthur Elvang antwoordde: 'Dat is gewoon als je bang wordt, zoals jullie vast wel weten. Normaal wordt het adrenalinegehalte in de urine gemeten, en het adrenalinegehalte van Juli Denissen komt overeen met 11,55 *micromol* adrenaline per liter urine, wat enorm hoog is, meer dan 75 keer hoger dan het gemiddelde, en een van de hoogste die ik ooit heb gezien. Ze heeft dus een zeer sterke angstaanval gehad en dat heeft wellicht de breuk in haar aneurysma veroorzaakt. Maar ze zou vast en zeker vroeg of laat toch zijn overleden vanwege haar aangeboren gebrek.'

'Maar waar was Juli dan bang voor?'

De kaasboer vulde aan: 'Ja, dat is waar. Niemand is toch expres bang?'

De professor keek Konrad Simonsen vermoeid aan, die het antwoord voor hem moest geven. Hij zei: 'Dat is geen medische vraag. En bovendien is daar niets over te zeggen, dat kan van alles geweest zijn.'

Pauline Berg leek wat op te fleuren en vervolgde: 'Maar iets moet haar bang hebben gemaakt, dat hebben we toch net gehoord.'

'Dat kan toch echt van alles geweest zijn. Iets wat haar te binnen schoot waardoor ze van streek raakte, een adder die te dicht bij haar dochter kwam, een donderslag... nou ja, van alles. Dat weet niemand.'

Konrad Simonsen zag dat de kaasboer Linette Krontoft aankeek en dat ze allebei hun hoofd schudden. De analyse van de professor was blijkbaar effectief geweest. Maar niet voor Pauline Berg. Hij keek haar gelaten aan. Ze doorstond zijn blik vastberaden en herhaalde zichzelf: 'Er was toch iets, Simon. Iets heeft haar bang gemaakt, maar wat?'

Hij schudde zijn hoofd en dacht dat ze nu tenminste haar zogenoemde groep kwijt was. Toen dacht hij na over wat de kaasboer had gezegd. 'Niemand is toch expres bang.' Dat was het enige verstandige dat de man had gezegd, als je dat verstandig kon noemen. 'Niemand is toch expres bang' – wat moest hij daar nou mee?

*

De chef-arts Klinische Genetica van het ziekenhuis van Herlev, Hanne Brummersted, ontving de Freule en Konrad Simonsen op haar werk, in een spreekkamer die leek op wat Konrad Simonsen van het Rigshospital kende. Hier stuitten de twee rechercheurs op een muur van geheugenverlies. Hanne Brummersted wist niet meer dat ze in Esbjerg was geweest. Ze kon zich haar klasgenoten niet herinneren. Ze kon zich helemaal geen Engels meisje herinneren. Ze wist niet of ze in Zweden was geweest, maar wist zeker niets van een tent. Of van een ansichtkaart. Dat ze haar wiskunde-examen later had gedaan wegens ziekte was ze ook vergeten. Ze wist ook niet waarom ze niet naar het oorspronkelijke examen was geweest. Ze dacht dat ze na de middelbare school geen contact meer had gehad met oud-klasgenoten, maar zeker wist ze het niet. Ze wist niet wie Jørgen Kramer Nielsen was. En ze had geen idee waarom hij ook niet bij het wiskunde-examen was geweest.

Ze dreunde haar ontbrekende geheugen op als een lang ingestudeerd riedeltje, dat de twee rechercheurs vertelde dat ze zich waarschijnlijk al jaren op een gesprek als dit had voorbereid. En op de vraag van de Freule, toen ze eindelijk klaar was, of er iets anders was wat ze zich wel kon herinneren, was haar antwoord gewoon, zonder de minste ironie, dat ze zich dat helaas niet kon herinneren.

Konrad Simonsen legde vier van de foto's van de Noordzeehoeve voor haar neer.

'Je staat op deze foto's. Helpt dat je geheugen?'

'Ik ontken niet dat ik er geweest ben. Ik weet het alleen niet meer.'

Ze sprak tegen hem alsof ze een kind iets moeilijks moest uitleggen.

'Als je de foto's even bekijkt, weet je het misschien weer.'

'Dat hoeft niet. Ik ken mezelf en weet dat dat niet helpt.'

'Zegt de naam Lucy Davison je iets? Lucy Selma Davison?'

'Helemaal niets.'

'Zo heette het Engelse meisje met wie je op de foto staat.'

'Als jij het zegt. Ik kan me geen Engels meisje herinneren.'

'Jij hebt haar samen met je klasgenoten vermoord en het lijk begraven.'

'Dat kan ik me niet herinneren en daar geloof ik niets van.'

'Je hebt ook Jørgen Kramer Nielsen vermoord, door hem de nek te breken.'

'Ik heb Jørgen Kramer Nielsen niet vermoord, wie het ook moge zijn.'

Konrad Simonsen wees haar op het merkwaardige feit dat ze niet meer wist of ze Lucy Davison had vermoord maar zich heel goed wist te herinneren dat ze Jørgen Kramer Nielsen niet had vermoord. Ze legde koel en ontspannen uit dat het geheugen een bijzonder fenomeen was. En wat ging hij daaraan doen?

'Vertel eens wat over je jeugd.'

'Nee, dat wil ik niet.'

De Freule zei hard: 'Ja, dat wil je wel. Tenzij je wilt dat we een wagen met twee agenten in uniform laten komen die je arresteren en in handboeien afvoeren.'

Konrad Simonsen en de Freule zagen haar bovenlip even trillen. Toen zei ze tegen Konrad Simonsen: 'Mijn jeugd was heel gewoon. Ik ben opgegroeid in Vallensbæk. Mijn vader was bakker en mijn moeder hielp in de winkel. We woonden in een huurwoning. We waren met twee kinderen, mijn broer en ik.'

'Op welke school zat je?'
'Op de Oude Vallensbæk School.'
'Hoe heette je mentor?'
'Dat waren er twee, juffrouw Juncker van de eerste tot de zesde klas en daarna juffrouw Guldbrandsen.'
'Kwam je goed mee op school?'
'Ja, redelijk.'
'En na de negende klas ging je naar het gymnasium?'
'Ja. Dat was toen de tweede klas van het lyceum.'
'Het Brøndbyøster Gymnasium, bèta.'
'Ja, maar ik weet niets meer van mijn tijd daar.'
'Je weet niets meer van de tijd op het gymnasium, maar wel van je lagereschooltijd?'
'Ja, dat is correct.'
'Van wanneer af begin je je weer iets te herinneren?'
'Vanaf mijn medicijnenstudie.'
'En je tijd op het gymnasium is een zwart gat?'
'Dat is heel goed uitgedrukt.'
'Je was lid van een groep die zich de Eenzame Hartenclub noemde, ook wel afgekort tot "De Hartjes".'
'Dat kan ik me niet herinneren.'
'Het komt volstrekt ongeloofwaardig over dat je uitgerekend van je middelbareschooltijd niets meer weet.'
'Dat moet dan maar. Ik kan me niets herinneren. Ik denk dat ik een beetje veel blowde in die jaren. Maar zelfs dat weet ik niet echt meer.'
Konrad Simonsen stond geïrriteerd op.
'Zeer vindingrijk, dat heb je goed bedacht, en nu zit je je vast af te vragen wat ik hiermee ga doen.'
Hij liep naar de vensterbank en deed alsof hij erover nadacht wat hij nu moest doen. Toen deed hij het raam open en stak een sigaret op. Die smaakte naar zeep, sterk en onaangenaam. De chef-arts zei: 'Je mag hier niet roken.'
'Te laat, ik rook al.'
Hij zag dat ze zich geen raad wist, maar ten slotte besloot onnodige confrontaties uit de weg te gaan. Toen opende ze haar bureaula, zette een asbak op tafel en stak zelf ook een sigaret op. Konrad Simonsen ging weer zitten.
'Eentje maar, daarna moet je je beheersen.'
'Ik rook zoveel als ik wil. Kijk eens even naar deze foto.'
Ze keek. Na een tijd vroeg ze: 'Wat is de vraag?'
De Freule antwoordde haar.
'Er is geen vraag.'
'Hoezo, zijn we klaar?'
'Nee, we zijn niet klaar. Ik denk dat je bang bent.'

Ze gaf geen antwoord en de Freule ging door: 'In je hart weet je heel goed dat al je prestige, je langdurige studie, al je lidmaatschappen van mooie verenigingen, je relaties, je vrienden – die gaan je helemaal niets helpen. De enige strohalm die je hebt, is je slechte geheugen.'

'Ik ben helemaal niet bang.'

'Dat geloof ik niet. Je bent onder andere doodsbang dat dat geheugenverlies dat je nu zo van pas komt algemeen bekend wordt.'

'Hoe zou dat kunnen? Jullie mogen niet...'

'Oeps, daar raakte ik een gevoelige snaar, geloof ik. Je stem trilt. Maar net zoals wij niets kunnen doen aan jouw geheugenverlies, heb jij geen invloed op wat de kranten schrijven.'

'Jullie hebben het lef niet...'

Nu ging de Freule staan. Ze pakte de asbak en hield hem uit het raam.

'Poeh, wat stinkt dat. Goed, waar waren we? O ja, jij denkt dat wij nette, betrouwbare mensen zijn, die er niet over zouden peinzen onze vrienden van de boulevardpers te tippen over een mooi schandaaltje rond een beroemde chef-arts. Ik zeg je dat je naïef bent. De grote vraag is natuurlijk of dat effect heeft op je geheugen.'

'Zeg, is dat een dreigement?'

'Jazeker.'

De vrouw zat een poosje met haar kaken stijf op elkaar in het niets te staren. Toen zei ze: 'Ik kan me niets herinneren.'

De Freule probeerde het van een andere kant.

'Lucy Davison is maar zeventien geworden. Doet dat je niks?'

'Ik weet niet over wie je het hebt.'

'Haar ouders leven nog, ze wonen in Liverpool. Ze hebben heel lang rondgereisd op zoek naar hun dochter. Ze baden tot God en spaarden voor de volgende reis. Nu zijn ze te oud maar ze hopen nog steeds haar stoffelijk overschot naar huis te krijgen voordat ze zelf sterven.'

'Iemand zou hun moeten vertellen dat God blijkbaar heeft besloten dat hun dochter op een andere plek moet liggen dan zij graag zouden willen.'

De ogen van de Freule spuwden vuur. Toen stak ze haar gezicht een stuk over de grens van de persoonlijke zone van de chef-arts, keek haar in de ogen en zei ijzingwekkend kalm: 'Die opmerking zul je nog betreuren, daar zul je nog om gaan huilen.'

10

'Zouden jullie zo vriendelijk willen zijn om mij aan mensen voor te stellen die wel iets van Jesper en Pia Mikkelsen af weten?'

Konrad Simonsens stem klonk gedecideerd en een beetje vermoeid. Hij zat in een geleende vergaderruimte in Hotel Budolfi in Aalborg, met aan één kant uitzicht op de Limfjord en aan de andere kant twee agenten van de politie van Aalborg. De agenten hadden een halfuur lang over het nachtleven van Aalborg gesproken, waar ze zeer goed in waren ingevoerd. Van wat Konrad Simonsen echt interesseerde, namelijk het echtpaar Mikkelsen, wisten ze echter niets. Naast hem zat Pauline Berg onderuitgezakt in een fauteuil. Ze verduidelijkte: 'Het heeft niets met jullie te maken. Het is niet jullie schuld dat je opdracht hebt gekregen om hiernaartoe te komen, en ook niet dat je niets weet van de mensen in wie wij geïnteresseerd zijn. Maar er is ons een gesprek beloofd met collega's die het wel zouden weten, en dat zijn jullie duidelijk niet.'

Ze had eraan kunnen toevoegen dat het haar niet verbaasde dat Aalborg, de op drie na grootste stad van het land, met ongeveer 125.000 inwoners, te maken had met geweld, drugs en prostitutie. Maar dat deed ze niet. Integendeel, ze wachtte even en legde toen ten overvloede uit: 'Dus is het een goed idee als jullie teruggaan naar je bureau en aan je baas vertellen dat hij een herkansing krijgt. En dat als er niet een beetje vaart in komt, jullie er rekening mee moeten houden dat de chef van de Nationale...'

Konrad Simonsen viel haar in de rede.

'Dank je, Pauline. Dat is wel genoeg. Ik denk dat iedereen heeft begrepen wat je bedoelt.'

Hij bedankte de twee agenten weinig gemeend voor hun toelichting en liet hen uit. Voordat ze weggingen zei de ene: 'Als jullie van plan zijn om je in het nachtleven te begeven en mensen vragen te stellen is het verstandig om backup te hebben. Zijn jullie vanavond zoiets van plan?'

'Ja, en bedankt voor het aanbod, als we behoefte hebben aan hulp zullen we er zeker op terugkomen. Maar op dit moment hebben we vooral behoefte aan achtergrondinformatie over Jesper en Pia Mikkelsen.'

'Als we een razzia moeten houden in de Rainbow Six, dan kan dat niet eerder dan morgen of zaterdag. Maar dan zijn er ook veel meer jonge mensen in de discotheek, donderdag is geen grote avond.'

Pauline Berg zwengelde haar benen over de armleuning van de fauteuil en zuchtte overdreven. Toen zei ze: 'Jullie doen ons geen plezier met een razzia. Wil het nou niet tot jullie botte hersens doordringen dat het enige wat wij van jullie willen hebben een beetje betrouwbare informatie is?'

De agenten gingen weg, Konrad Simonsen bedacht dat hij dit niet goed had aangepakt. Welwillendheid en ondersteuning van de lokale politie was doorslaggevend, en niemand hield van arrogante lui uit Kopenhagen die dachten dat het hele land van hen was. Hij had als excuus dat hij een beetje moe was, en beloofde zichzelf dat hij straks de dienstdoende commandant van Aalborg-Oost zou bellen om zijn excuses aan te bieden voor zijn gedrag. Toen keek hij naar Pauline Berg en corrigeerde zichzelf: voor het gedrag van zijn collega.

Hij vroeg zachtjes: 'Hoe gaat het eigenlijk met je?' Hij had het haar al in het vliegtuig willen vragen. Dat had hij zich voorgenomen, maar ze hadden niet bij elkaar in de buurt gezeten, en de taxi naar het hotel was ook niet de meest geschikte plek. Nu had hij de kans. Het zou nog een tijdje duren voordat Klavs Arnold er was. Hij was met de auto onderweg uit Esbjerg en zou er pas rond de lunch kunnen zijn.

Pauline Berg keek omhoog en richtte haar blik op hem, en een tijdje dacht hij dat ze helemaal geen antwoord wilde geven, maar toen zei ze langzaam: 'Niet zo goed, geloof ik. Maar bedankt dat je het vraagt.'

Er volgde een lange pauze. Op de kade onder het raam was een kraan bezig een scheepscontainer te lossen. Een man in miniatuur maakte armgebaren zonder dat Konrad Simonsen begreep waarom.

Ten slotte ging ze uit zichzelf door: ''s Nachts droom ik dat ze me roept.'

Hij verstijfde en schudde onmerkbaar zijn hoofd.

'Ik zou zo graag willen dat je die... zaak achter je kon laten.'

'Dat zou ik ook wel willen. Soms. Soms weet ik ook zeker dat er iets mis is. Dat er het een of ander is wat niet klopt, maar wat nooit is onderzocht.'

Geen van beiden noemde de naam, alsof ze het allebei wilden vermijden. Maar ze wisten heel goed waar ze het over hadden. De zaak-Juli Denissen, de niet-zaak-Juli Denissen, de jonge, overleden vrouw, die Pauline Berg blijkbaar nog steeds niet kon loslaten.

Konrad Simonsen had er spijt van dat hij het had gevraagd. Pauline Berg zei triest: 'Die zaak gaat me lang achtervolgen, dat voel ik. Ik kan het niet loslaten, ook al zou ik het graag willen, maar als ik je er een plezier mee doe, ik sta er nu alleen voor. Niemand anders heeft er zin in om hier zijn tijd aan te verdoen.'

'Ik bedoelde eigenlijk meer hoe het in het algemeen met je gaat.'

'Dat weet ik. En het antwoord is dat het vaak slecht gaat. De afgelopen weken ben ik op het werk bijna aldoor bang geweest dat ik moest huilen. Gewoon huilen om niks. Nu ook.'

'Nou en? Dat is toch niet erg?'

Ze lachte droog en met een ernstige blik.

'Hypocriet. Je hebt een hekel aan huilende vrouwen.'

Dat was waar. Hij lachte haar toe en dacht precies het tegenovergestelde van twee seconden geleden, namelijk dat ze zo nu en dan eigenlijk best goed contact hadden. Zij ging door: 'Ik lees van alles over de jaren zestig en ik kijk naar films uit die tijd. Dat houdt ook mijn... zaak op afstand, als je begrijpt wat ik bedoel. Zaterdag was ik naar de bibliotheek om kranten uit 1969 te lezen die op microfilm staan. Het was in de kelder en er was een neonbuis die alsmaar knipperde. Heel irritant.'

'Omdat ik je niet kon gebruiken voor de brievenrubriek van Helena Brage Hansen?'

'Nee, eigenlijk niet.'

Ze staarde een tijdje voor zich uit, en ging toen door: 'Als ik iets doe, overdrijf ik het vaak, en soms heel extreem. Ook met mannen, maar daar wil je niks over horen, hè?'

'Nee, dat wil ik zeker niet.'

Wat moest hij anders zeggen? Hij wilde er echt niets over horen.

'Ik weet wel dat ik een lastpak ben. Maar ik zal je vertellen hoe ik me voel. Mijn leven is als een nare droom, een donkere storm waaruit ik maar niet wakker kan worden. 's Nachts kan ik zelden slapen, in elk geval niet langer dan twee minuten achter elkaar, tenzij ik pillen slik, en ik heb er steeds meer nodig. Bovendien kan ik me moeilijk concentreren, ik vergeet alles. En dan is er de angst, die is er altijd, meer of minder erg. Ik denk dat die nooit meer weggaat.'

Ze stopte, en voegde er toen zonder zelfmedelijden aan toe: 'Ik kan er niets aan doen.'

'Nee, natuurlijk kun je er niets aan doen. Niemand is expres bang.'

Ze ging niet op zijn ondersteunende woorden in.

'Ik denk weleens... ik bedoel, al die nostalgie van je, waar je zo mee bezig bent, maar hoe zit het dan met mij, in 2008, hier en nu?'

Konrad Simonsen vouwde zijn armen over elkaar, keek haar aan en vloekte inwendig.

Ze huilde. Toch was haar stem heel kalm toen ze zei: 'Ga maar, laat me maar even alleen. Wij zien elkaar bij de lunch.'

Toen hij de deur achter zich dichttrok, bedacht hij dat hij misschien een zakdoek voor haar moest halen. Maar bij nader inzien... Ze had gezegd dat ze alleen wilde zijn. Hij had zin in een sigaret en hij voelde zich laf. Maar gek genoeg ook opgewekter. 'Niemand is expres bang.' Zo had die kaasboer het gezegd in het Forensisch Instituut en nu wist hij ineens wat het betekende.

'We kunnen haar van haar angst verlossen, Lucy. Die kwelt haar nu al bijna veertig jaar, dus ze zal ons met open armen ontvangen als we komen. Jij en ik gaan naar Noorwegen, natuurlijk, daar wilde je de hele tijd al naar toe. Ik had gewoon wat eerder naar je moeten luisteren, diamantmeisje van me.'

Het was de eerste keer dat hij tegen haar sprak en het voelde goed.

Na de lunch kwam er een andere agent van de politie van Aalborg, een die aanzienlijk beter op de hoogte was van Jesper en Pia Mikkelsen. De collega werkte bij een speciale afdeling van de jeugdpolitie, die zich bezighield met zaken als toezicht op en controle van kwetsbare jongeren in Aalborg-stad en de rest van het district Aalborg. Ze had daardoor diepgaande kennis van het nachtleven van de stad en vooral van de cafés, clubs en discotheken in en in de buurt van de Jomfru Ane Gade, waar de voornaamste late attracties van Aalborg waren gevestigd. En dus ook de Rainbow Six, de discotheek waarvan Jesper en Pia voor de helft eigenaar waren. Deze agent had zich bovendien voorbereid.

Het echtpaar Mikkelsen trouwde in 1973 en verhuisde naar Aalborg in 1978, het jaar waarin ze ook hun platenantiquariaat startten. In 1986 kochten ze een villa in de voorstad Hasseris, waar ze nog steeds woonden, en in 1993 hadden ze een klein maar exclusief zomerhuisje gekocht in Gammel Skagen. Geen van beiden had een strafblad en afgezien van de huiselijke ruzies nu en dan die nooit tot vervolging hadden geleid, waren ze niet in aanraking geweest met de politie. In 1994 kochten ze de helft van de discotheek en club Rainbow Six en het appartement daarboven, waar Jesper Mikkelsen kantoor hield. De rest van het appartement werd als opslagruimte voor de platenwinkel gebruikt. Hun financiën, zowel privé als zakelijk, en ook de belastingen, hielden de echtelieden kennelijk gescheiden.

Pia Mikkelsen was vaak in Kopenhagen, waar ze haar broer of diens kinderen bezocht. Ze was fan van de Oostenrijkse schlagerzanger Hansi Hinterseer en ging graag naar zijn concerten, minstens een paar keer per jaar. Jesper Mikkelsen had geen hobby's voor zover de politie wist, maar hij werd geregeld in zijn discotheek of elders in het nachtleven van de stad gezien, ongeveer elke donderdag-, vrijdag- en zaterdagavond, en niet zelden in gezelschap van heel jonge vrouwen. Maar of er in dat verband iets strafbaars aan de hand was, was moeilijk te zeggen en nog moeilijker te bewijzen, dus echt interessant was hij niet voor de politie. Er waren zoveel andere, ernstiger situaties die om aandacht vroegen.

De meeste informatie die de agent gaf, was al bekend bij de afdeling Moordzaken, maar toch liet Konrad Simonsen haar praten. In reactie op haar laatste opmerking zei Pauline Berg verontwaardigd: 'Als die man jonge meisjes misbruikt, is dat verdomme toch niet niks.'

Klavs Arnold was het met haar eens. Hij zat achterstevoren op een stoel, met zijn achterhoofd tegen de wand geleund en viel af en toe bijna in slaap.

De vrouwelijke agent legde uit: 'Nee, natuurlijk niet, als dat zo was, was het niet niks. Maar niets wijst op misbruik in strafrechtelijke zin. Absoluut niets. Ik betwijfel zelfs of Jesper Mikkelsen überhaupt een seksueel motief heeft voor de omgang met zijn jonge partners, en als dat al zo is, is het óf vrijwillig en dus legaal óf – en dat is waarschijnlijker – koopseks. Maar we hebben dus andere bestemmingen voor onze middelen.'

Konrad Simonsen had de aarzeling van de agent opgemerkt toen ze over de escapades van Jesper Mikkelsen sprak – als dat woord dekte waar de man zich mee bezighield – en vroeg: 'Dus je gelooft niet dat hij de meisjes misbruikt waar hij contact mee heeft?'

De agent antwoordde niet direct.

'Ik hoor allerlei verhalen over vernedering, bruutheid en ander slechts. Allemaal even akelige en angstaanjagende verhalen, elke maand weer. Maar ik heb nog nooit gehoord dat Jesper Mikkelsen in een daarvan voorkwam, niet één. En ik loop toch al bijna zeven jaar in het milieu rond. Het zou me verbazen als ik het niet had gehoord en hij toch...'

Haar zin stierf weg.

'Zijn er drugs in zijn club?'

'Vast, die troep is toch overal, maar de club heeft op alle mogelijke plaatsen videocamera's hangen en de manager en het personeel gaan er niet lichtvaardig mee om als ze iets ontdekken. Ik geloof dat geen van beiden in de drugs zit. Absoluut niet. Maar ik ken wel de geruchten die op een gegeven moment de ronde deden. Die zijn waarschijnlijk in de wereld gekomen doordat Jesper Mikkelsen zich graag door een lijfwacht, liefst twee zelfs, laat begeleiden als hij 's nachts door de binnenstad loopt, en trouwens ook vaak overdag.'

Klavs Arnold werd wakker: 'Lijfwachten, kun je dat nader omschrijven?'

'Gorilla's, grote mannen met dikke spierballen, motortypes, maar dan zonder motoren. Of bikers of hoe het ook heet.'

'Professionals?'

'In de verste verte niet.'

'Bewapend?'

'Denk ik niet. Nee, dat zijn ze niet. Hooguit een boksbeugel of zoiets.'

Ze praatten nog een halfuurtje met de agent door zonder verder te komen. Daarna ging Klavs Arnold naar zijn kamer om een dutje te doen.

Pauline Berg vroeg haar chef: 'Wat ga jij nu doen?'

Konrad Simonsen ging niets bijzonders doen, misschien een ommetje maken. Tot zijn ergernis wilde Pauline Berg mee.

De Rainbow Six lag centraal in de Gabrielsgade, een zijstraat van Jomfru Ane Gade. Konrad Simonsen, Pauline Berg en Klavs Arnold keken naar de gevel van de club. Het was ongeveer elf uur 's avonds en Pauline Berg had het koud.

Ze had al herhaaldelijk uiting gegeven aan haar ongeduld, maar dat had Konrad Simonsen genegeerd. Hij keek naar de overkant van de straat, naar de ingang van de discotheek. De bovenverdieping was uitgebouwd tot half over de straat; daar was een knipperende lichtreclame op bevestigd in de vorm van een regenboog, die oplichtte en weer uitdoofde, elke kleur een kwart seconde na de andere, lelijk maar effectief als aandachttrekker. Onder dit portaal, iets naar achteren ten opzichte van de reclame, was de toegangsdeur, en daarvoor stonden twee portiers in een blauwig licht dat aan een zwaailicht deed denken. Het licht gaf de portiers een ongezonde, bijna giftige schijn. Ze waren allebei in het zwart gekleed, met het woord SECURITY in grote witte letters op de rug.

Er kwamen kleine groepjes jongeren aan die onder het portaal netjes in de rij gingen staan wachten om te worden binnengelaten. Konrad Simonsen zag dat sommige gasten door werden gewuifd en de club binnen mochten zonder gecontroleerd te worden. Van de anderen werden tassen en legitimatiebewijzen nauwkeurig bekeken voordat ze langs de portiers mochten. Twee keer werden er gasten geweigerd. De ene keer was toen twee meisjes probeerden de rij over te slaan en prompt met boze handbewegingen door de ene portier werden weggestuurd. Bij de andere keer waren er meer mensen bij betrokken en dat had uit de hand kunnen lopen. In een groep van acht tot tien jonge knullen, van wie zelfs Konrad Simonsen kon zien dat het relschoppers waren, werden er drie de toegang ontzegd. De discotheek hanteerde een dresscode, en capuchons en baggy trousers vielen daar blijkbaar niet onder. Er ontstond een luidruchtige discussie, maar de portiers kregen razendsnel versterking van vier collega's, en de jongens dropen af.

Konrad Simonsen zei: 'Ze zijn erg jong.'

Pauline Berg legde uit: de club had op donderdag, vrijdag en zaterdag verschillende groepen klanten. Donderdag was de leeftijdsgrens zeventien jaar, vrijdag twintig en zaterdag drieëntwintig. En aangezien geen enkele jongere wilde feesten met mensen die jonger waren dan zijzelf, maar liever met ouderen, waren er die avond niet veel gasten van boven de zeventien.

Ze voegde er richting Konrad Simonsen aan toe: 'Mag ik nu in de rij gaan staan? Ik heb zowat drijfijs tussen mijn tenen.'

Konrad Simonsen vond het goed, ze mocht naar binnen gaan. Toen ze weg was zei hij droogjes tegen Klavs Arnold: 'Zei jij niet dat ze beter in dit milieu zou passen dan wij? Nou, ze past hier echt niet beter dan wij.'

'Wist ik dat het op donderdag tieneravond was?'

'Nee, dat kon je niet weten. Zeg, ben je bewapend?'

'Ja.'

'Als die spierballen je willen fouilleren, legitimeer je dan als politieagent. Ik wil geen gedoe. We vallen toch al zo op dat het bijna niet uitmaakt of ze weten wie we zijn.'

Konrad Simonsens plan was dat ze zich eerst anoniem een beeld van de club zouden vormen voordat ze naar de eerste verdieping gingen om Jesper Mikkelsen te spreken. Als hij er was; dat wisten ze niet zeker. Maar dat deel van het plan was nu min of meer mislukt. Toch hield hij vast aan zijn agenda, en tien minuten nadat Pauline Berg binnen was gelaten, stak Konrad Simonsen de straat over voor zijn eerste discotheekbezoek sinds dertig jaar. Klavs Arnold volgde hem op de hielen.

De portiers hadden hen natuurlijk allang gezien. Ze werden naar voren gewuifd nog voordat ze in de rij waren gaan staan.

De jongste vroeg aan Konrad Simonsen: 'Wat willen jullie hier?'

'Naar binnen.'

De man besprak het met zijn collega, die zich omdraaide, hen bekeek en hen toen met een vinger naar de deur stuurde, buiten de rij om.

Ze kwamen binnen in een ruimte met gedempt licht en een hoge, zwarte balie aan de linkerkant. Daarachter stond een vrouw die het entreegeld inde, tachtig kronen, ontdekte Konrad Simonsen. Als de gasten hadden betaald, kregen ze een stempel op hun pols. Hij betaalde voor hen beiden en schudde van nee, ze hoefden geen stempel. In de garderobe gaf Klavs Arnold hun jassen af, terwijl Konrad Simonsen een certificaat van de brandweer bestudeerde dat in een lijstje aan de muur hing. De ruimtes waren goedgekeurd voor maximaal honderdvijftig mensen. De man in de garderobe keek hem bezorgd aan. En nog meer toen Konrad Simonsen de Jutlander even achterhield en ze samen een tijdje bij de zwarte balie bleven hangen, terwijl ze de jonge mensen bekeken die de brede korte trap naar de wc's op en af liepen. Meestal meisjes die hun lipgloss of mascara moesten verversen.

Even later liepen ze door een gewelfde deuropening een grote, halfvolle zaal binnen. De clientèle bestond uitsluitend uit jongeren. De meisjes in superkorte jurkjes, met blote benen en op naaldhakken waarop de meesten amper konden lopen. De jongens droegen jeans, een halfopen overhemd, wax in het haar en liefst ook nog een beetje blingbling om de nek. Het interieur was vrij saai: bruin behang met gestileerde gouden bloemen en gedempt licht uit een reeks kristallen kroonluchters die in overvloed aan het plafond hingen. De ene kant van de zaal was een loungegebied met leren meubels en zware, massief houten tafels. Klavs Arnold liep voorop en vond een lege bank in de verste hoek van de zaal. Ze gingen zitten en hadden de tafel al snel voor zich alleen, omdat een paar tienerjongens meteen vertrokken toen zij kwamen. Konrad Simonsen keek de zaal rond. Tegenover waar ze zaten sneed de dansvloer zich naar binnen als een donkere grot in de muur. Een dj, die hij niet kon zien maar wel horen wanneer hij een nummer introduceerde, hield de muziek aan de gang, maar het geluidsniveau was veel lager dan hij had gevreesd. Een handvol jongeren was aan het dansen, sommigen met een partner, anderen zonder. Zo nu en dan werden de dansers gehuld in witte rook met een eigenaardige, walgelijke geur, die Konrad Simonsen niet kon thuisbrengen.

Een reusachtige uitsmijter kwam naar hen toe. Hij droeg een witte smoking en was beleefd, maar zijn ogen stonden kil.

'Wensen jullie iets?'

De jongeren moesten zelf naar de bar aan de andere kant van de zaal lopen als ze iets wilden, maar voor hen was het serviceniveau blijkbaar anders. Klavs Arnold poeierde hem af: 'Ja, rust.'

De man ging weg, nog altijd met een gezicht als van steen.

Konrad Simonsen vroeg: 'Zie jij een deur naar de eerste verdieping?'

Klavs Arnold wees met een duim direct achter zich. De deur was behangen en viel met de muur samen. Moeilijk om te zien. Konrad Simonsen glimlachte. Toen pakte hij de cocktailkaart, een in plastic gelamineerd, zwart papiertje met witte letters dat onder de lamp, een namaakkaars, lag. Hij wilde zien of ze alcoholvrije drankjes serveerden. Meer dan de helft van de aanwezige jongeren was onder de achttien. Hij las de exotische namen, maar begreep ze niet.

Klavs Arnold verklaarde deskundig: 'Deze tieners kopen geen *Mai Tai* of *Capirinha* voor honderd kronen als ze voor de helft een *Tequila Sunrise* of een *Sex on the Beach* kunnen krijgen. Hun cocktails moeten mooi en kleurrijk zijn, en grappige namen hebben...'

Konrad Simonsen onderbrak hem en wees naar de ingang, waar Jesper Mikkelsen net tevoorschijn was gekomen, in gezelschap van een jonge vrouw. Klavs Arnold zweeg, en ze zagen hoe de clubeigenaar zijn partner meenam naar de bar. Daarna kwamen ze hun kant op, zij met een blauwige cocktail in een hoog glas met een rietje en hij met een biertje. Konrad Simonsen vond dat de man er ouder uitzag dan hij had verwacht, ouder en vermoeider. Het ongelijke paar liep door de zaal. Klavs Arnold pakte zijn mobiele telefoon en filmde hen openlijk. Jesper Mikkelsen keek even verbaasd op, maar negeerde hem verder. Het paar stopte voor de deur in de muur achter hen en het meisje kreeg een zoen op haar wang voordat de clubeigenaar met het biertje in zijn hand door de deur verdween.

Het meisje stond slechts twee meter bij hen vandaan en zag er haast verloren uit. Konrad Simonsen bekeek haar. Haar jurk met korte mouwen was zwart en kort zonder ordinair te zijn, hij zat losjes en had twee grote zakken aan de voorkant, wat nog wat extra volume gaf. Haar haar was los en dik door veel te veel haarlak. Ze was vast niet ouder dan zestien. Hij keek haar achterna toen ze weer naar de bar liep. Haar hakken waren zo hoog dat ze er niet goed op kon lopen. Of ze was dronken. Ze ging op een barkruk aan de bar zitten, en Konrad Simonsen knikte bij zichzelf, alsof hij wilde laten merken dat hij het ermee eens was, toen hij zag dat Pauline Berg naast haar ging zitten.

Klavs Arnold zei: 'Smokey eyes, glitter op de wangen, trashy en bimbo.'

Hij antwoordde verstrooid: 'Het is toch niet te geloven zoveel als jij van discotheken af weet.'

Klavs Arnold grijnsde: 'Twee seizoenen portier geweest in Esbjerg. Het voelt bijna als thuiskomen.'

'Agent, portier, fitnessinstructeur, zeg, hoeveel banen had jij tegelijkertijd?'

Het antwoord kreeg Konrad Simonsen nooit. De uitsmijter die hun net had gevraagd wat ze wilden, kwam samen met een collega van dezelfde afmetingen naar hun tafeltje toe. De vriendelijke houding van net was verdwenen, zijn kille ogen niet. Hij commandeerde: 'Jullie gaan met ons mee, nu!'

De andere man deed de deur in de wand open en wachtte daar tot Konrad Simonsen en Klavs Arnold erdoor waren gedreven. Toen kwam hij achter hen aan, waarbij hij Konrad Simonsen een stevige duw tussen de schouderbladen gaf en iets onverstaanbaars snauwde. De twee agenten werden een trap op geduwd die slechts breed genoeg was voor één persoon tegelijk. De ene portier liep voorop en de andere achter hen. De trap kwam uit op een korte gang en aan het einde daarvan werden ze door een deur geleid.

De ruimte waar Konrad Simonsen en Klavs Arnold naartoe werden gebracht was niet groot, hooguit zo groot als een kleine woonkamer. Er waren geen ramen en de ruimte werd verlicht door twee felle neonlampen aan het plafond. De wanden waren aan drie kanten bedekt met stalen boekenkasten met mappen en ringbanden in alle kleuren en afmetingen. Aan de andere kant van de ruimte, tegenover de deur, zat Jesper Mikkelsen achter een bureau. Hij keek zijn gasten misprijzend aan. Voor hem stond zijn biertje nog onaangeraakt.

De volgende vijf seconden kon Konrad Simonsen bijna niet volgen wat er gebeurde. Klavs Arnold deed zoekend, alsof hij niet echt begreep wat er aan de hand was, een stap naar voren in de richting van het bureau en werd meteen gevolgd door de twee oppassers. Toen ineens, bliksemsnel en volkomen verrassend, draaide hij zich half om en hamerde een vuist op de neus van de ene uitsmijter. De neus brak met een krakend geluid. Vrijwel in dezelfde beweging schopte hij naar achteren en raakte met de zijkant van zijn voet de andere man in diens kruis. De man zakte op zijn knieën en rolde daarna op de grond omver. Met zijn volgende beweging schopte hij de benen onder de eerste man weg, die niet eens de tijd had gehad om zijn handen naar zijn bloedende neus te brengen voordat ook hij op de vloer lag.

'Stil blijven zitten. Héél stil.'

Klavs Arnold had zijn pistool in zijn hand. Alsof hij het tevoorschijn had getoverd, vertelde Konrad Simonsen later. De loop wees naar Jesper Mikkelsens borst en er klonk een kleine, metaalachtige klik toen hij het pistool ontgrendelde. Klavs Arnold herhaalde zijn bevel. Kalm en onheilspellend, terwijl hij zijn uitgestrekte rechterarm ondersteunde met zijn linkerhand.

'Rustig, geen plotselinge bewegingen. En haal je hand uit de la. Langzaam.'
Jesper Mikkelsen gehoorzaamde. Zijn hand kwam tevoorschijn, en hij legde allebei zijn handen achter zijn hoofd zonder dat het tegen hem was gezegd. Klavs Arnold ging naast hem staan, trok hem aan zijn stropdas op de vloer, fouilleerde hem snel op wapens en dwong hem om tussen zijn twee jammerende uitsmijters te gaan liggen. Daarna zekerde hij zijn pistool weer en stopte het terug in zijn schouderholster.
Konrad Simonsen liep om het bureau heen en keek in de open la. Er lag een mobiele telefoon. Hij keek op het display: Jesper Mikkelsen had het nummer van de politie van Aalborg ingetoetst. Toen werd er op de deur geklopt. Klavs Arnold deed open en Pauline Berg kwam binnen. Na haar volgde de jonge vrouw. Het meisje keek verschrikt om zich heen en toen ze ontdekte dat Jesper Mikkelsen op de vloer lag, ging ze naast hem zitten en begon te huilen.
Ook Pauline Berg keek om zich heen, en ze zei: 'Shit!'

Konrad Simonsen helderde de kwestie op. Met de twee mishandelde mannen waren ze snel klaar. Hij was het algauw met Jesper Mikkelsen eens dat er over en weer fouten waren gemaakt en dat het voor beide kanten voordeliger was als ze het voorval gewoon zouden vergeten. De mannen strompelden de kamer uit. Intussen keek Konrad Simonsen Klavs Arnold kwaad aan. De Jutlander keek naar de grond. Hij besefte dat hem een onaangenaam gesprek onder vier ogen te wachten stond vanwege zijn overreactie. Pauline Berg spoorde het meisje aan haar verhaal te vertellen, wat ze onzeker en hakkelend deed.
Ze had anderhalf jaar geleden diep in de ellende gezeten. Ze was aan het einde van de achtste klas met school gekapt, was van huis weggelopen en na wat omzwervingen in het buitenland in Aalborg beland, waar ze bij haar vriend was ingetrokken. Ze was op dat moment aan de drugs en bij haar vriend werd dat nog veel erger. Het drugsmisbruik kostte veel geld en binnen de kortste keren tippelde ze een paar keer per week in en rondom de Gøglergade of werkte ze als invaller in een massagekliniek in Nørresundby, als ze niet te stoned was. In november vorig jaar was ze met alcoholvergiftiging in het ziekenhuis opgenomen en daar was ze voor het eerst in contact gekomen met Jesper Mikkelsen, maar ze had zijn hulp toen nog afgewezen. Drie weken later was ze terug in het ziekenhuis na een halfhartige zelfmoordpoging. Jesper Mikkelsen was weer langsgekomen en na een lang gesprek had ze de hulp van hem en zijn vrouw aanvaard.
Twee mappen in de boekenkast bevestigden het verhaal van het meisje. Ze was niet de eerste. Vóór haar hadden ook anderen hulp gekregen van Jesper en Pia Mikkelsen. Vele anderen. Konrad Simonsen en Klavs Arnold bladerden allebei een map door. Jonge vrouwen, meestal uit de omringende dor-

pen, die in Aalborg of op weg daarheen in de goot waren beland. Waar nodig liet het echtpaar hen opnemen in een privéafkickkliniek in Viborg. Daarna hielpen ze hen aan een goede woning, aan een opleiding of aan werk en – heel vaak – herhaalden ze het proces als de meisjes een terugval hadden naar hun oude leven. Maar als ze een meisje eenmaal hadden uitgekozen, waren ze blijkbaar buitengewoon volhardend om er een succes van te maken. Daarbij letten ze niet op de kosten.

Klavs Arnold zette als eerste zijn map terug. Even later volgde Konrad Simonsen zijn voorbeeld. Toen keek hij Jesper Mikkelsen aan en zei: 'Indrukwekkend.'

De clubeigenaar zei niets, en Konrad Simonsen ging door: 'De Noordzeehoeve, juni 1969, examenvoorbereiding.'

De man keek hem aan zonder angst in de ogen.

'Morgenochtend om acht uur, hier op mijn kantoor, met mijn vrouw en mijn advocaat.'

'Lucy Davison, ik heb foto's van haar samen met jullie.'

Jesper Mikkelsen antwoordde niet. Konrad Simonsen veranderde de locatie voor het gesprek van de volgende dag naar het hoofdbureau van politie in Aalborg en zei dat ze zichzelf er wel uit lieten.

Pia en Jesper Mikkelsen kwamen de volgende dag zoals afgesproken om acht uur voor het verhoor, en ze werden vergezeld door een advocaat die aan het begin van het gesprek meedeelde dat ze een verklaring namens haar cliënten wilde afleggen. Konrad Simonsen en de Freule wachtten die hoopvol af. Misschien was de vliegtocht van de Freule van die ochtend niet tevergeefs geweest. Dat was een vergissing. De advocaat pakte een vel papier en las voor: 'Pia Mikkelsen en Jesper Mikkelsen willen niet met de politie praten. Mochten ze later – alleen of samen – in verband met deze zaak worden vastgehouden, dan is het hun uitdrukkelijke wens dat er meteen contact met mij wordt opgenomen voordat er vragen aan hen worden gesteld.'

Konrad Simonsen zei verbaasd: 'We hebben niet eens verteld waar de zaak over gaat.'

Hij werd genegeerd, en de advocaat ging op eentonige stem door: 'Mijn cliënten laten weten dat Lucy Davison, het Engelse meisje dat ze in 1969 op hun studiereis hebben ontmoet, in de namiddag van woensdag 18 juni van dat jaar met een bus naar Varde is gegaan. Sindsdien hebben ze haar niet meer gezien en verder hebben ze geen commentaar. Worden mijn cliënten vastgehouden?'

De Freule schudde van nee: 'Maar we willen graag...'

De advocaat ging staan en het echtpaar eveneens.

'Kom, we gaan.'

En dat deden ze.

*

Het was moeilijk andere mensen te complimenteren, zo op commando. Konrad Simonsen voelde zich net een acteur die zijn tekst was vergeten. Hij gaf het voorlopig op en volgde in plaats daarvan Pauline Berg op haar rondje. Ze liep zonder iets te zeggen rond en nam de tijd om elke poster goed te bekijken, als een inkoper bij een echte galerie-eigenaar. Konrad Simonsen had het eigenaardige gevoel dat het zijn eigen werk was dat hier gekeurd werd en hij werd bevangen door verlegenheid.

Hij probeerde die te verdringen: 'Je vertelde gisteren dat je over de jaren zestig aan het lezen bent. Wat steek je daarvan op?'

Pauline Berg had blij gereageerd toen hij vroeg of ze zin had zijn galerie nog eens te bekijken, en ze waren direct van de luchthaven naar Søllerød gereden.

Ze zei: 'Niets concreets, maar er is wel een heleboel dat ik niet wist.'

'Zoals?'

'Dat jullie muziek fantastisch was en jullie boeken saai waren.'

Jullie muziek, *jullie* boeken. Konrad Simonsen accepteerde de eigendom. Hij dacht dat hij dat een maand geleden niet zou hebben gedaan.

Pauline Berg ging naast de afbeelding staan die ze net had bekeken. Ze staarde naar de plek op de vloer waar ze bijna tien dagen geleden had gezeten toen ze die angstaanval kreeg. Na een tijdje zei ze: 'Toen ik voelde dat mijn keel werd dichtgeknepen, dacht ik dat het Juli Denissen was die gewurgd werd, maar nu weet ik dat het Lucy Davison was.' Ze klonk kalm, alsof ze een banaal maar vaststaand feit naar voren had gebracht. Konrad Simonsen zei niets; hij wist niets te zeggen en beantwoordde haar blik met een schouderophalen.

Toen keek ze een andere kant op, ging voor de volgende poster staan en zei op conversatietoon: 'Ik weet welke poster jij op je kamer had toen je jong was.'

'Nee, dat weet je niet.'

Hij probeerde tevergeefs weer oogcontact te maken.

'Marilyn Monroe, met korengeel haar, paarse mond en cyaanblauwe oogschaduw, Andy Warhol, 1967.'

Konrad Simonsen kromp ineen. Hij herinnerde zich die poster heel goed, en ook dat hij destijds had overwogen de poster aan te schaffen, maar hij had het nooit gedaan. Vast vanwege geldgebrek.

'Ik moet toegeven: je bent er ongelooflijk dichtbij.'

'Je dacht zeker dat ik Che Guevara zou zeggen, hè? Die arts die zo'n waardeloze guerrillasoldaat was.'

'Ja, dat was mijn gok.'

'Wat had je dan aan je muur hangen?'

'Niet iets wat typerend was voor die tijd, voor zover ik me kan herinneren. O ja, ik had een verkiezingsposter voor het referendum over toetreding tot de EEG. Maar die was niet echt artistiek, er stond gewoon met grote, rode letters EEG NEE DANK JE op.

'Het EEG-referendum was toch niet in de jaren zestig? Was dat niet in 1972?'

'Ik was een laatbloeier.'

Het gesprek verstomde toen ze zich een tijdje concentreerde op de poster waar ze voor stond en Konrad Simonsen geen onderwerp wist te vinden om de leegte mee te vullen. Toen zei ze: '*Nee dank je* was typisch. Alles was *Nee dank je*; *nee dank je* voor dit en *nee dank je* voor dat. Overigens had ik ingeschat dat jij vóór Europa was.'

'Dat klopt. Maar ik was een tijdje tegen. En een meisje dat ik kende had de poster opgehangen.'

'Rita?'

Hij kon zich niet herinneren dat hij die naam in haar bijzijn had genoemd, maar dat had hij blijkbaar toch gedaan. Tenzij ze met de Freule had gepraat. Hij dacht er niet verder over na. Het maakte niet uit. Hij bevestigde kort: 'Ja.'

'Stemde zij tegen?'

'Zij stemde helemaal niet.'

Weer stonden ze stil, maar er waren nu nog maar drie foto's over, dus dat was te overzien. Toen ze klaar was, ging ze terug naar een van de afbeeldingen. Toen zei ze: 'Er is één ding waar ik niet tegen kan. Het is alsof geen enkele andere generatie in jullie ogen iets waard is, alles wordt afgewogen tegen jullie heilige jaren zestig en te licht bevonden.' Ze zei het zonder agressie, slechts concluderend.

Konrad Simonsen lachte plagerig. 'Over driehonderd jaar zijn wij de enige generatie die men zich nog herinnert, tenzij er de komende twintig jaar grote veranderingen komen. En let op dat ik "de enige" zeg. Het lijkt erop dat wij volstrekt uniek en zonder precedent blijven.'

Als hij al had gehoopt haar te provoceren was dat mislukt. Ze antwoordde gelaten: 'Zie je wel. Het is onuitstaanbaar.'

'Wij zijn de eerste generatie in de Deense geschiedenis die geen oorlog of honger heeft meegemaakt. Ik hoop van harte dat er meer volgen, maar ik kan er niet zeker van zijn.'

Eindelijk keek ze hem aan en hij zag dat ze tranen in haar ogen had. Even was hij bang dat ze weer een angstaanval zou krijgen. Toen begreep hij dat ze gewoon onder de indruk was van wat ze had gezien. Ze deed niets om haar ontroering te verbergen toen ze zei: 'Ik begrijp heel goed dat je haar heel graag wilt vinden, en ik ben blij dat ik mocht komen. Het is goed deze ruimte weer te zien, en natuurlijk ook... nou ja, dat ik niet bang werd.'

'Dacht je dat je bang zou worden?'

Dat was een domme vraag, en ze gaf er dan ook geen antwoord op.

Ze gingen op een paar stoelen zitten die Konrad Simonsen in een van de vele kamers van de Freule had gescoord. De hometrainer stond ernaast. Verstrooid tikte hij een paar keer tegen een trapper, die goed gesmeerd ronddraaide terwijl Pauline Berg de tranen uit haar ogen wiste.

Toen zei hij: 'Een collega uit Aalborg belde net. Zij stond in voor het verhaal van Pia en Jesper Mikkelsen, dus daar bestaat nu geen twijfel meer over.'

'Ze rapen jonge vrouwen op die in de goot zijn beland of die op weg zijn daarnaartoe. En dan helpen ze ze op het rechte pad?'

'Ja. En het maakt ze blijkbaar niet uit wat het kost. Afkicken, opleiding, woning, eventuele schulden en nog veel meer. Hun projecten, als je het zo kunt noemen, zijn zeer succesvol.'

'En de gorilla's van Jesper Mikkelsen?'

'Gewoon bescherming. Niet iedereen gunt de meisjes die hij en zijn vrouw helpen een nieuwe start.'

Pauline Berg knikte; dat had ze zelf ook bedacht. Toen zei ze: 'Maar over Lucy wilden ze niet praten? Denk jij dat ze Jørgen Kramer Nielsen hebben vermoord?'

'Misschien, ik weet het niet. Maar een van de vier heeft het gedaan, daar ben ik van overtuigd.'

'We hebben nog niet met die in Noorwegen gesproken.'

'Helena Brage Hansen. Nee, zij ontbreekt nog.'

*

Het tweede verhoor van Hanne Brummersted vond op vrijdag 31 oktober om vijf uur 's middags plaats op het hoofdbureau in Kopenhagen, en de fluwelen handschoenen waren deze keer uitgetrokken. De Freule en Konrad Simonsen waren benieuwd of ze alleen zou komen of met een raadsman. Konrad Simonsen gokte op 'met' en de Freule op 'zonder', en zij kreeg gelijk, de arts kwam zonder begeleiding. Ze nam plaats met strak opeengeklemde kaken en wachtte hun vragen af. Ze zag er niet uit alsof ze van de situatie genoot, maar ook niet alsof ze op de rand van instorten stond.

Konrad Simonsen begon door een plastic zakje voor haar gezicht te houden.

'Weet je wat dit is?'

'Een peuk.'

'Goed zo. Om precies te zijn: jouw peuk.'

Ze had niet veel tijd nodig om te begrijpen hoe het zat.

'Dat mag niet. Die peuk was van mij. Dit is onwettig.'

'Flauwekul, en te laat ook. Dit is jouw DNA-profiel van de peuk, en dit is een vergelijkbare analyse van het spuug dat we van de postzegel hebben kunnen isoleren, de postzegel op de ansichtkaart die op 21 juni 1969 naar de ouders van Lucy Davison is gestuurd. Door jou.'

'Denk je nou echt dat je me daar bang mee kunt maken? Ik heb geen toestemming gegeven om mijn DNA-profiel te laten bepalen. Mag ik jullie rechterlijk besluit zien?'

'Nee, want dat hebben we niet, maar je mag wel de analyseresultaten zien. Je bent arts, dus jij begrijpt dat soort dingen wel.'

Hij legde twee documenten voor haar neer.

'Daar heb ik geen zin in om naar te kijken. Jullie hebben geen toestemming en dan is het in feite non-existent.'

'O nee, het bestaat wel degelijk, kijk maar waar het onderzoek heeft plaatsgevonden.'

Ze keek en riep verbaasd uit: 'In Zweden!'

'Juist, en om precies te zijn aan de universiteit van Lund, waar ze een prima laboratorium hebben, net zo goed als welk Deens lab dan ook, en nu willen de Zweden je heel graag spreken. De juristen zijn de zaak op het ogenblik aan het bespreken, dat hoeft geen geheim te zijn, maar alles duidt erop dat onze buren je uitlevering zullen eisen. Je weet dat moordzaken nooit verouderen.'

De chef-arts gaf geen antwoord. Ze konden aan haar zien dat ze de informatie, die overigens grotendeels verzonnen was, aan het verwerken was. Ze probeerde de beste zet te vinden. Helaas vond ze de enige goede.

'Ik ga graag vrijwillig naar Zweden, en als hardgemaakt kan worden dat ik aan die postzegel heb gelikt, dan heb ik dat gedaan. Ik kan daar allerlei natuurlijke verklaringen voor bedenken, maar dat is niet mijn taak. Zoals ik laatst al zei, toen jullie me verhoorden, ik kan me niets herinneren. Dat vertel ik jullie nu weer, en dat zal ik de Zweden ook vertellen.'

'Het postkantoor van Orsa ligt meer dan vijfhonderd kilometer naar het noorden in Zweden. Dat is geen uitstapje dat je vergeet.'

'Pas nou op dat je geen te vergaande conclusies trekt. Mijn DNA brengt mij in verband met de postzegel en niet met de stad Orsa, tenzij ik daar ook aan iets heb gelikt.'

'Zou je een van je vele "natuurlijke verklaringen" met ons willen delen hoe het gebeurd zou kunnen zijn? Wij kennen er namelijk maar één.'

'Nee, dat wil ik niet. Dat zouden speculaties zijn en die laat ik graag aan jullie over.'

Konrad Simonsen merkte dat zijn arsenaal snel kleiner werd zonder dat de vrouw echt werd geraakt.

Hij had de waarheid al twee keer een beetje naar zijn hand gezet, en nu greep hij nog een keer naar een leugen.

'De Engelse politie heeft destijds vingerafdrukken gevonden in het postkantoor. Natuurlijk waren dat er heel wat, maar er waren verklaringen voor allemaal. Op één na. We zouden graag je vingerafdrukken willen nemen.'

Weer dacht de vrouw goed na voordat ze antwoordde.
'Dat is best. Ga je gang.'
'Er zijn in de entree aan de Johannes Lindevej in Hvidovre ook afdrukken gevonden die we niet kunnen thuisbrengen.'
'Ik heb geen idee waar je het over hebt.'
'Weet je dat nou zeker? Gaat er geen klein belletje rinkelen? Jørgen Kramer Nielsen woonde op dat adres tot februari van dit jaar, toen jij hem hebt vermoord.'
'Dat klopt niet. Ik heb niemand vermoord.'
'Je bent anders een grote, sterke vrouw en een vrouw met verstand van anatomie. Een arm van achteren om zijn hoofd heen, een krachtige ruk schuin naar boven en je kon het lijk de trap af duwen.'
'Ik heb niemand vermoord en mijn vingerafdrukken staan niet op de ansichtkaart en niet op de trap.' Ze hield een hand omhoog en ging door: 'En voordat je nou triomfantelijk gaat zeggen dat ik per ongeluk zei dat ik geen vingerafdrukken op de ansichtkaart heb achtergelaten, hoewel ik me daar niets van kan herinneren, wil ik je erop attenderen dat je mij zojuist van moord hebt beschuldigd. En dat kan iedereen uit zijn evenwicht brengen.'
Konrad Simonsen probeerde het met nog een paar vragen. Ze pareerde ze allemaal. De Freule nam het over: 'We spelen een spelletje, lieve Hanne. Je liegt; jij weet dat je liegt, wij weten dat je liegt en jij weet dat wij weten dat je liegt. En doe nou niet alsof je het niet begrijpt, want je begrijpt het best.'
'Ik begrijp het prima, maar ik lieg niet. Ik ben een hoop vergeten, dat geef ik toe, maar ik heb niemand vermoord, en wil je zo vriendelijk zijn om te stoppen met dat "lieve Hanne"? Het is "Hanne Brummersted" of "Dokter Brummersted" voor jou.'
'Dokter Brummersted, hoe voed jij je kinderen op?'
'Mijn kinderen zijn hier niet relevant.'
'Ik denk dat je ze heel normaal opvoedt. Goed en veilig, met liefde en gezonde normen en waarden. Niet liegen, lief zijn tegen andere mensen, verantwoordelijkheid nemen voor je eigen acties, je fouten onder ogen zien en ervan leren. Heb ik gelijk?'
'Mijn kinderen zijn hier niet relevant.'
'En ondertussen draag jij de zware last van je eigen afschuwelijke geheim, dat je niet van je af kunt zetten, wat je ook doet. Je bent zelf precies het tegenovergestelde van wat je je kinderen hebt geleerd. Elke dag was een leugen. Je moraal, je ethiek, je ratio, ja zelfs de gevoelens die je nu met de oudste bent beginnen te delen – het is allemaal een grote leugen.'
'Mijn kinderen zijn hier niet relevant.'
Haar stem trilde. Ze merkten het alle drie op. De Freule drukte door: 'Het wordt onmogelijk voor je om het uit te leggen, en als de waarheid uitkomt, is

de prijs enorm. Je verliest je kinderen en de enige kans die je hebt om nu nog iets uit je verleden recht te zetten, verspil je op dit moment.'

De Freule liet een zwaarbeladen pauze vallen, maar die miste zijn uitwerking.

'De keuze is eenvoudig. Je kunt nu vertellen wat er op dat examenuitje is gebeurd of je kunt het aan ons overlaten om het uit je te halen, en later aan je kinderen uitleggen waarom je niets hebt gezegd.'

Er trilde een spiertje onder een van Hanne Brummersteds ogen. Verder reageerde ze niet.

'Hel is gewend raken aan de hel.'

De dokter vermande zich en zei: 'Daar heb je lang over nagedacht, hè? Het klinkt ook goed, maar het is in feite onzin. Je brengt gradaties aan in een absoluut begrip, en dat kan niet.'

'Vast niet. Ik twijfel niet aan je intelligentie, maar aan je moraal.'

'Als jullie niet aan mijn intelligentie twijfelen, hoe kunnen jullie dan in vredesnaam denken dat ik hier zonder advocaat naartoe kom als ik Jørgen Kramer Nielsen heb vermoord?'

'Wij stellen hier de vragen, dat moesten we je de vorige keer ook al uitleggen. Je was over je moraal aan het vertellen.'

'Nee, dat was ik niet, maar laat ik het toch doen. Mijn hele volwassen leven heb ik hard gewerkt... elke dag... altijd... Wat ik aan mijn kinderen zou vertellen? Misschien dat je je moet houden aan je beloftes... Ik heb een eed gezworen...'

Eindelijk brak ze. Een snikje, toen nog een en daarna biggelden de tranen haar over de wangen. Haar eyeliner ging mee. Konrad Simonsen stond op het punt om het over te nemen. Een eed – daar wilde hij graag meer over horen. Maar nog voordat hij zijn mond zelfs maar open had kunnen doen, nam ze hem de wind uit de zeilen. Hanne Brummersted richtte haar betraande gezicht tot de videocamera, die Konrad Simonsen demonstratief had laten opstellen om haar onder druk te zetten en zei tegen de Freule: 'De vorige keer dreigde je dat je dit verhaal naar de pers zou lekken als ik geen dingen zou toegeven die ik me niet kan herinneren. Je zei ook dat je me aan het huilen zou krijgen. Dat is je gelukt. Zijn we dan nu klaar?'

*

Het adres dat Konrad Simonsen tijdens zijn concertbezoek in Frederiksværk had ontvangen, bleek een parkeergarage te zijn. Omdat hij niet wist waar hij moest zijn, zocht hij de portier op. Die was heel vriendelijk en zei, toen hij de naam en de reden van zijn bezoek hoorde: 'Ze verwacht je. Een ogenblik, dan kijk ik of ik haar kan vinden.'

Hij keek naar een aantal flikkerende monitoren links van hem.

'Ze is op dek 4, ik zal haar proberen te bereiken, maar ik weet niet of dat lukt. We hebben wat gedoe met de communicatie; die valt steeds weg sinds ze het pand hiernaast hebben gesloopt. Begrijpen doe ik het niet.'

Konrad Simonsen onderbrak hem.

'Dat geeft niet, ik ga wel naar boven.'

De man keek sceptisch. Toen antwoordde hij: 'Als je haar niet kunt vinden, kom dan weer naar beneden. We hebben opdracht gekregen je te helpen als je zou komen. Bevel, mag je wel zeggen.'

'Is zij hier dan de baas?'

'Klopt. Ze is de eigenaar van deze garage. De lift is daar rechts, volg de borden.'

'Ik denk dat ik ga lopen. Dan doe ik meteen een beetje aan mijn conditie.'

'Ik vind het best, maar denk erom: er rijden auto's, dat vergeten de mensen weleens.'

Tot zijn voldoening kon Konrad Simonsen in een redelijk tempo naar dek 4 wandelen zonder buiten adem te raken. Vandaar ging hij het parkeerdek op, dat uitgestorven was. Hij kreeg het al snel een beetje benauwd, stopte en keek om zich heen. Het witte daglicht van de kleine ramen in de buitenmuur vermengde zich met het koude gele van de plafondverlichting, en verleende het beton een smerige, onwerkelijke schijn. Hier en daar doorbrak een zinken buis de monotonie, en de sporadische auto's leken wel sieraden in deze stille, dorre wereld. Rita was nergens te zien. Pas na een deprimerend lange rondgang, toen hij net overwoog toch maar terug te gaan naar de portier, ontdekte hij haar. Ze stond met een klein, wit schrijfblokje in haar hand achter een zwarte Volkswagen Passat een formuliertje in te vullen. Als een ijverige parkeerwachter. Konrad Simonsen nam de tijd om haar te bekijken.

De jaren hadden haar geen goed gedaan. Haar gezicht was scherp, bijna strak, haar mond stond bars, alsof ze de wereld wilde vertellen dat zij niet klaagde. Haar ooit zo weerbarstige vlashaar was getemd en zag er nu moe en glansloos uit. Zelfs haar ogen waren niet gracieus ouder geworden. Ze hadden gezien wat er te zien was, en hadden geen puf meer voor herhalingen. Haar legergroene, ponchoachtige jas, die tot op haar enkels hing, deed in combinatie met haar grijze schoudertas denken aan een afgedankte officier.

Konrad Simonsen stond ontzet te kijken. Het meisje uit zijn jeugd was weg. Ze had alleen in zijn gedachten bestaan, gestold in de tijd, als een dierbare illusie, en was nu uitgegumd door een vrouw die hij niet kende. Hij deed voorzichtig een stap achteruit en keek naar de uitgang. Ze keek op en zag hem. Toen gebeurde het wonder: haar lach schoof alle jaren opzij alsof ze onbeduidend waren, en Rita stond voor hem.

'Dag, Konrad. Wat ben ik blij dat je gekomen bent.'

Dezelfde rauwe, sensuele stem als vroeger. Woorden uit zijn jeugd vonden plotseling de weg.

'Hallo, prachtige Rita. Wanneer heb je tijd voor een kopje thee met mij?'

Ze lachten en ontdekten pas hoe stevig ze elkaar vasthielden toen er een auto langsreed en de bestuurde hen blij toelachte. Hij nodigde haar mee uit eten. 'Als je tijd hebt tenminste.'

'Ik heb zeeën van tijd. Eigenlijk doe ik niets, maar ik hou ervan om hier rond te lopen, te kijken en de benzinelucht op te snuiven, hier en daar een notitie te maken, kleinigheden die anderen ook best zouden kunnen doen.'

'Ja, ik heb gehoord dat dit gebouw van jou is.'

'Voor de helft van jou, Konrad. Dat weet ik heel goed.'

Hij deed een hand voor haar mond, zette een vinger voor zijn eigen mond en bracht haar stil maar vastberaden tot zwijgen.

'Weet je het zeker? Ik heb al met mijn belastingadviseur gesproken en...'

Hij herhaalde het gebaar van zwijgen. Ze begreep het. Even later vroeg ze: 'Heb je ooit met iemand gesproken over wat er toen gebeurd is?'

'Nee.'

'Ik ook niet, maar een paar keer had ik het wel heel graag wíllen doen. En jij?'

'Eén keer maar. Nog niet zo lang geleden.'

'Aan je vrouw of je vriendin? Je kinderen?'

Het was duidelijk dat ze aan het vissen was.

'Nee, geen van allen, maar laten we het daar niet over hebben. Er zijn zoveel andere dingen.'

'Ja, natuurlijk... hoewel ik daar ook graag... nou ja, over wil praten.'

Hij antwoordde niet.

De Freule hoorde hem uit toen hij thuis was. Hij wilde liever niet liegen en het was moeilijk om haar halve waarheden te vertellen.

'Wilde ze je de helft van dat gebouw geven? Waarom?'

'Niet letterlijk, natuurlijk, maar ja. Ik heb haar ooit wat geld gegeven, zodat ze naar de Verenigde Staten kon gaan. Ze zat toen in een lastig parket. Ik weet niet helemaal waarom.'

'Hoeveel geld heb je haar gegeven?'

'Dat weet ik niet meer, maar het was veel.'

'Hoe kwam je daaraan?'

'Ik speelde toen vaak mee in de toto. Dat deed iedereen.'

'En jij had er dertien goed?'

'Twaalf moest je er toen hebben.'

'Je bent een ongelooflijke gulle geluksvogel, Simon. Gaan jullie elkaar weer zien?'

'Nee, daar hebben we geen van beiden behoefte aan. Dat bleek tijdens het eten.'

Ze hadden veel gelachen in het restaurant. En tegen elkaar gezegd dat ze elkaar nog weleens wilden zien, wel wetend dat dat toch niet zou gebeuren.

Hij vroeg: 'Ben je ooit in San Francisco aangekomen?'

'Eerst kwam ik Ryan tegen in New York. Zijn vader was beurshandelaar en schatrijk. Hij hielp me bij het investeren van mijn geld, vooral in aandelen IBM, en dat was precies op het goede moment. Later zijn Ryan en ik naar het westen gegaan, en toen was ik in verwachting. We woonden een tijd in Tiburon, dat is een voorstad van San Francisco, en genoten van het leven op kosten van Ryans vader, terwijl mijn buik groeide. Dat was een mooie tijd. Ja, ik dacht natuurlijk ook vaak aan jou, maar ik mocht niet schrijven, en toen... ja, langzamerhand vergat ik je. Pas toen ik weer in Denemarken terug was, werd je weer een deel van mijn leven; op afstand dan, toen je in de media verscheen.'

'In welk jaar ben je teruggekomen?'

'Veel later, pas in 1993.'

'Vertel.'

'We sloten ons aan bij *The Rainbow Family*, je weet wel, *People's Temple* en Jim Jones?'

Konrad Simonsen wist het niet zeker.

'Ik geloof het wel. Die collectief zelfmoord pleegden?'

'Ja, die collectief zelfmoord pleegden, maar dat was pas later. Nou ja, dat spreekt voor zich, maar toch... Toen we begonnen, waren er veel goede dingen: demonstraties, betrokkenheid en een heleboel sociale initiatieven. We waren ook raciaal gemengd en eigenlijk was dat waar ik altijd van had gedroomd, maar toen, stukje bij beetje, ontdekte ik omstandigheden en relaties waar ik niets van moest hebben: religieuze, autoritaire, seksuele – en toen werd het me te veel. Ik wilde weg, maar Ryan wilde blijven.'

Ze stopte.

'Dat was zeker niet makkelijk?'

'Mijn schoonvader – ja, zo noemde ik hem, hoewel Ryan en ik niet getrouwd waren – kwam geregeld in het kamp om ons eruit te krijgen, en volgens mij had hij ook de helft van de bodyguards van Californië ingehuurd. Hij haatte People's Temple. Maar Jim Jones hield ons niet met geweld tegen. Toch ben ik uiteindelijk teruggegaan naar New York en daar bevallen van mijn dochter. Ryan is helaas gebleven, helemaal tot aan Guyana.'

De rest was minder interessant. Konrad Simonsen luisterde beleefd. Ze vestigde zich, onder auspiciën van haar schoonvader, in Sleepy Hollow, haar dochter werd groot en kreeg zelf een kind, de koers van haar aandelen – verhalen uit een ondramatisch leven, rijk aan dollars.

Hij was alleen in haar terugkeer geïnteresseerd: 'Waarom ben je teruggekomen?'

'Ik miste Denemarken. Al die tijd al... Ja, in mijn familie hebben we een slechte traditie aan de vrouwenkant. Weet je nog dat ik mijn moeder niet mocht, maar gek was op mijn oma?'

'Ja, dat weet ik nog heel goed.'

'Zo is het ook met mijn dochter en haar dochter weer. Nu woont Teresa bij mij, al bijna twee jaar. En stel je voor: ze spreekt al vloeiend Deens.'

'Ik dacht niet dat dat zo makkelijk was. Ik bedoel gezinshereniging.'

'Mijn familie heeft bepaalde connecties, onder andere in Washington. In het begin was ze een ambassadekind zonder dat iemand vroeg van wie, maar nu heeft ze een echte verblijfsvergunning. Het is een heerlijk meisje. Nou ja, je hebt haar toch zelf horen zingen. Vond je het niet geweldig?'

'Ja, geweldig. Absoluut.'

Rita betaalde de rekening.

*

Het was zondag, de tweede dag van de laatste herfstmaand en de Freule was in een betuttelende bui.

'Het kan 's morgens glad zijn in november, zeker verder in het noorden.'

Konrad Simonsen wilde haar tegenspreken. Het was hem niet opgevallen dat er een nieuwe maand was begonnen. Maar hij keek nog net op tijd op zijn horloge en de woorden bleven in zijn keel steken. Ze ging moederend door: 'Ik heb al je internetreserveringen verzameld en in het dashboardkastje gelegd, dan kun je ze laten zien als je problemen hebt met de hotels.'

'Het zijn jeugdherbergen en pensions. Kleine gelegenheden.'

'Met de kleine gelegenheden dan. Rij voorzichtig en niet meer dan je aankunt.'

'Daar hebben we het al over gehad, schat.'

Zelfs toen hij in de auto zat, klaar om te vertrekken, kwam ze weer: 'Heb je je pillen bij je?'

'Ik heb mijn pillen bij me.'

'Beloof je te bellen, elke dag?'

'Elke dag. Geef me nou maar een zoen, dan kan ik vóór de spits weg.'

'Het is zondag, er is geen spitsuur en dat weet jij ook wel. Maar goede reis dan, jullie.'

Hij glimlachte. De meervoudsvorm kwam door de poster op de achterbank. Na lang nadenken had hij de poster gekozen waarbij Pauline Berg was begonnen te huilen en die ook een van zijn eigen favorieten was. Hij had hem ingelijst. De afbeelding die hij eerst voor zichzelf had gekozen had hij teruggehangen en ze zouden terwijl hij weg was alle zeventien naar de inboedel worden geretourneerd. Dat had de Freule beloofd.

Hij zei: 'Komt er wat van die zoen?'

Er kwam wat van, en hij vertrok.

Pas toen hij over de Øresundbrug was gereden, had hij het gevoel dat de reis was begonnen. Na Malmö volgde hij de Kattegatkust naar het noorden, naar Gothenburg. Vandaar ging het schuin landinwaarts. Hij deed zijn trimrondje aan het Vänermeer. Daarna volgde hij de westelijke oever daarvan naar Karlstad, van waaruit hij naar het oosten reed en in Gävle, ten noorden van Stockholm, incheckte voor de nacht. Hij had besloten om de eerste dag een vrij lange rit te maken. Het voelde goed om met een zware etappe te beginnen. Bovendien wist hij dat de Zweedse bossen vanuit de auto gezien snel benauwend konden worden, in elk geval eentonig. Lange, kaarsrechte wegen met aan beide kanten bos, bos en nog eens bos, kilometer na kilometer zonder huizen en alleen een klein lichtpuntje aan het einde van de weg dat steeds verder wegging als je er dichter bij kwam. Die nacht sliep hij als een roos.

De volgende dag reed hij langs de Botnische Golf naar Sundsvall en Umeå. De loofbomen maakten plaats voor naaldbomen die ook steeds spaarzamer werden en lager werden. Twee keer zag hij arenden. De tweede keer stopte hij en zat hij lang te kijken naar de majestueuze glijvlucht van de vogel hoog in de lucht. Bijna aan het einde van de Botnische Golf stopte hij voor de nacht in een klein stadje waar hij een kamer had gehuurd.

Hij praatte vrij veel met haar. In het begin alleen kleine, onbenullige dingetjes om wat variatie in zijn dag te brengen, later langere zinnen over het landschap en over hoe ver ze al waren. Als hij pauzeerde nam hij haar graag mee uit de auto en zette haar naast zich neer. Vooral dan had hij het gevoel alsof ze samen waren.

'Ik hou van je, Lucy, daar is niets aan te doen en het heeft geen zin om het te ontkennen. We zouden elkaar zijn tegengekomen in Kopenhagen, daar is geen twijfel over mogelijk. Toevallig, in een winkel, op straat, in de metro of misschien in een park, ja een park is goed, dat past bij ons. Jij met je rugzak en je mooie lach, ik met de moed om jou zonder nadenken achterna te gaan. We hadden hiernaartoe kunnen liften, een week, twee weken, wat maakte het uit? Tijd hadden we genoeg en uiteindelijk waren we er gekomen. Maar ze hebben je vermoord, ze hebben jou je toekomst afgepakt, maar mij ook de mijne.'

Hoe banaler, hoe beter, hij kreeg tranen in zijn ogen en genoot van elke seconde.

Op de derde dag reden ze verder naar het noorden richting Lapland. Toen ze de poolcirkel passeerden, zei hij: 'Zo, nu ben je er, meisje. De middernachtzon krijg je dit jaar niet. Je moet wachten tot volgende zomer en je moet je voorbereiden op een lange, donkere winter. Daar kan ik niets aan veranderen.'

In Karesuando stopten ze en zagen ze de noordelijkste kerk van Zweden. Daarna volgden ze de weg langs de grens met Finland. De natuur was adembenemend: berkenbomen die in deze noordelijke streken hardnekkig standhielden langs razende beken, weidse vlaktes waar mijlenver geen mens te zien was, een hemelboog die een mens nederig maakte. Ze bereikten het drielandenpunt. Als een volleerde reisgids legde hij zijn imaginaire passagier uit: 'Hier kun je met één been in Noorwegen, één in Zweden en één in Finland staan. Tegelijkertijd, zoals mijn oude aardrijkskundedocent zei zonder dat we durfden te lachen. Nu gaan we kijken of hij gelijk had.'

De volgende ochtend stonden ze vroeg op en het laatste stuk reden ze door Noorwegen, waar de weg zich van de ene naar de andere grootse fjord kronkelde. Toen ze aan de laatste kilometers naar Hammerfest begonnen, probeerde hij haar verwachtingen te temperen: 'Ze hebben gezworen dat ze nooit over jou zouden praten. Dat weet ik zeker. Geen van mijn collega's begrijpt hoe sterk zo'n eed kan zijn, maar ik wel. In het begin onthou je nog elk woord. Daarna wordt het langzaam een innerlijke stem waarvan alleen de betekenis blijft hangen. Jaar na jaar verankert het zich dieper en dieper in je bewustzijn. Uiteindelijk is het een deel van jezelf geworden. Een gegeven. Niet goed of slecht, maar onmogelijk te verbreken. Zoals je ook niet je voornaam verandert, of je het nou leuk vindt hoe je heet of niet. Nu moeten we een van hen helpen om van haar angst af te komen, zodat ik erachter kom waar ze jou begraven hebben, en dan zorg ik dat je naar huis komt. Maar als we samenwerken komt het wel goed.'

Daarna sprak hij niet meer met haar.

Helena Brage Hansen leek verbazingwekkend op degene zoals Konrad Simonsen die van de foto's kende.

Alleen was haar haar wit geworden. Hij kreeg haar donderdagochtend te pakken voor haar huis, toen ze met haar fiets aan de hand de heuvel op kwam. Hij stapte uit en wachtte haar op. Hij stelde zich voor, en ze antwoordde kalm: 'Ik had dit verwacht, maar helaas heb ik je niets te vertellen, dus ik ben bang dat je voor niets helemaal hierheen bent gekomen.'

'Het was een mooie rit.'

'Dat geloof ik graag, maar het spijt me, ik wil niet met je praten.'

'Ik kom ook niet alleen om te praten; ik ben hier ook omdat ik hoop dat je me ergens mee wilt helpen.'

Hij liet haar de poster zien. Ze stond lang te kijken en hij kreeg een lamme arm van het vasthouden. Toen zei ze: 'Och, gut.'

Meer niet, alleen die korte, trieste verzuchting. Konrad Simonsen had het gevoel dat hij het wel uit zijn hoofd kon zetten dat hij met haar kon praten over de maker van de poster en wat daar verder mee te maken had. Misschien wist ze het al, misschien zou het hun prille contact verbreken.

'Zou je me willen helpen een plek te vinden waar ze kan hangen? Ik ken hier namelijk niemand. Het liefst in een ruimte met veel ramen.'

'Ben je dáárom gekomen?'

'Ja, en ook om met jou te praten, maar daar rekende ik niet echt op.'

'Wacht.'

Even later was ze terug in een windjack en met een rugzak. Hij ging met haar mee de stad uit en de berg op via een kronkelig pad dat hem al snel naar adem deed happen. Ze liepen langs een paar rendieren die ongestoord door graasden en ze groette vluchtig een oudere man bij een rek met gedroogde vis. Haar tempo was hoog; hij probeerde haar een tijdje bij te houden, maar gaf het op. Hij moest ook aan de poster denken.

'Het gaat me te snel; we moeten iets langzamer lopen.'

Ze deed wat hij vroeg. Ze wandelden ruim een halfuur door het fantastische landschap. Naakte, zwart-grijze rotsen, hier en daar onderbroken door schaarse stukjes met mossen of glinsterende witte sneeuw. Algauw waren ze hoog boven de stad en het uitzicht was zo uniek, zo helder en schoon dat zijn ogen bijna pijn deden van het rondkijken. Uiteindelijk kwamen ze bij drie huizen die in een kloof lagen. Ze koos het grootste uit, ging zonder te kloppen naar binnen en leidde hem een trap op. De kamer waar ze binnenkwamen, was licht, mooi ingericht, en comfortabel. Achterin zat een man geconcentreerd achter een toetsenbord en toen hij hen ontdekte, stond hij vrolijk op en gaf haar een zoen. Daarna begonnen ze een nogal lang gesprek in gebarentaal. Toen ze uitgesproken waren, gaf hij Konrad Simonsen zwijgend een hand.

Helena Brage Hansen zei: 'Kaare is financieel journalist, freelance, gespecialiseerd in Zwitserland. Hij is overal ter wereld geweest, maar tegenwoordig blijft hij het liefst hier.'

'Dat begrijp ik heel goed, met deze plek.'

'Ja, nu is het mooi, maar over een maand is het naar mijn smaak te donker.'

Na lang beraad vonden ze een plek voor Lucy Davison. Dat duurde even. Alle drie hadden ze er een mening over, maar uiteindelijk werden ze het eens over het voorstel van Kaare. Hij haalde gereedschap en algauw hing de poster aan de muur.

Konrad Simonsen vroeg: 'Wat zegt hij?'

'Dat je zijn bosbessenaquavit moet proeven.'

'Dat wil ik graag, maar alleen proeven. Ik heb niet zo lang geleden een hartinfarct gehad en daarom moet ik bepaalde genotsmiddelen laten staan.'

Zij vertaalde het en kreeg als antwoord: 'Kaare zegt dat bosbessenaquavit goed is voor het hart.'

Het werd gezellig en de uren verstreken. Kaares huis was een plek waar je je snel thuisvoelde.

Op een gegeven moment zei Helena Brage Hansen terloops: 'Ik heb twee plaatsen naar Kopenhagen geboekt morgenochtend om 10.30 uur, maar we moeten een paar keer overstappen. Als je me vroeg ophaalt, zal ik je helpen je auto terug te laten brengen.'

Meer werd er niet over gezegd en het was laat in de middag voordat ze weer vertrokken. Konrad Simonsen zag dat haar afscheid van de man niet leek alsof ze verwachtten dat ze elkaar lang niet zouden zien.

De volgende dag was ze zwijgzaam, maar niet opgewonden of nerveus. Onderweg naar de luchthaven praatten ze niet veel, en pas in het vliegtuig vroeg hij haar: 'Wat ga je doen als we in Kopenhagen zijn?'

'Ik ga naar mijn hotel om een dutje te doen, denk ik.'

'En morgen?'

'Met de andere vijf praten.'

'Mouritz Malmborg en Jørgen Kramer Nielsen zijn overleden.'

'Ja, dat kun je verwachten. Statistisch gezien, bedoel ik.'

'Wat ga je tegen ze zeggen?'

'Een vergadering afspreken.'

'Weten ze waar je woont?'

'Nee, maar jij wel.'

'Ja. Waar gaan jullie vergaderen?'

'In de Noordzeehoeve.'

'Je weet de naam nog?'

'Ik herinner me nog elke seconde en dat doen de anderen ook.'

'Jullie hebben een eed gezworen.'

'Ja, maar dat hadden we nooit moeten doen, nooit. En dit had veel eerder moeten gebeuren. Veel eerder, dan had ik misschien een leven gehad dat de moeite waard was.'

Daar reageerde hij niet op, maar even later zei hij: 'Jørgen Kramer Nielsen is vermoord.'

Haar reactie was rustig. Hij dacht dat ze misschien iets kalmerends had ingenomen.

'Ik denk dat een van jullie vieren hem heeft vermoord. Of hem misschien heeft laten vermoorden.'

'Dat denk ik niet.'

'Waarom niet?'

'Dat weet ik niet.'

'Was jij de leider?'

'Dat zou je kunnen zeggen. Totdat Lucy kwam. Ze nam het met gemak over.'

'Hebben jullie haar vermoord?'

'Dat moet je later maar bepalen.'

'Ik vraag het nu aan jou.'

'Ja.'

11

Konrad Simonsen regelde een afspraak met de priester op zaterdag, de dag nadat hij terug was gekomen uit Noorwegen.

De Freule vond het niet verstandig: 'Denk je niet dat je het een beetje rustig aan moet doen? Het kan toch wel wachten tot volgende week? Vergeet niet dat je een lange rit voor je hebt.' Ze had gelijk. Het kon makkelijk wachten, en ook best helemaal niet plaatsvinden. De afspraak had geen betekenis voor het onderzoek, waarschijnlijk zelfs helemaal geen betekenis. Toch had hij tot zijn eigen verbazing gebeld en een afspraak gemaakt. De priester daarentegen leek niet verbaasd. Hij had niet eens gevraagd waarom Konrad Simonsen hem wilde spreken, maar had het gewoon in zijn agenda gezet, hoewel hij die woorden niet had gebruikt.

De Freule vroeg: 'Waar ga je het met hem over hebben?' Ze had een goed ontwikkeld vermogen om precies de dingen te benoemen waar hij zich onzeker over voelde. Soms was dat fijn en hielp het hem om de dingen helder te zien. Maar soms kon het ook irritant zijn en voelde hij zich blootgesteld. Zoals nu. Hij probeerde eerlijk te zijn: 'Ik weet het niet. Ik heb gewoon zin om met hem te praten, misschien vertellen hoe ver ik met Lucy ben gekomen, vertellen dat we haar morgen gaan opgraven.'

Helena Brage Hansen had, nadat ze op de luchthaven van Kopenhagen waren geland, een kamer geboekt in een hotel in Christianshavn. Een paar uur nadat ze uit elkaar waren gegaan, had ze contact opgenomen met Konrad Simonsen en hem kort gemeld dat zij en de anderen zondag naar de Noordzeehoeve zouden komen. De anderen: Jesper en Pia Mikkelsen en Hanne Brummersted – hij had het niet eens gevraagd, zich er alleen maar van vergewist dat ze zonder advocaten of andere buitenstaanders zouden komen, en dat was zo, beloofde ze. Hij had Klavs Arnold aan het werk gezet om eventuele kinderen uit het vakantiekamp te laten vertrekken.

De Freule zei: 'Je bent erg zeker van jezelf.'

Dat was hij. Morgen zou ze worden gevonden. 'Na bijna veertig jaar in het zand.' Hij hoorde zelf wel hoe pathetisch het klonk en hij ging snel door: 'Ik wil de priester vertellen dat ik een van zijn posters heb gestolen. Of wie de eigenaar ook moge zijn.'

Er was nog iets wat hij graag met de priester wilde bespreken. Iets wat hij graag wilde bekennen... ja, dat was het woord dat hij zelf gebruikte, bekennen, dat was het, zo moest hij het zien, als hij kon. En die bekentenis had niets met zijn zaak te maken. Ook niet met de priester, trouwens. Maar dat was een man met wie je goed kon praten, meende Konrad Simonsen, ook over moeilijke onderwerpen.

De Freule zei: 'Dat klinkt redelijk.'

Ja, dat was zo, dat vond hij ook. Zij ging er niet verder op door. Hij had net tijd voor een rondje hardlopen voor het eten.

De Freule had zich uitgesloofd met het eten, en dat was lief van haar, hoewel haar talenten op culinair gebied niet veel voorstelden. Garnalencocktail met avocado en eigengemaakte kwarksaus. Daarna kalfsstaartstuk met gesauteerde groenten en precies vier aardappelen ieder. Ze had ook iets nieuws gekocht: een fles alcoholvrije rode wijn. Ze proostten voor het eten, proefden als twee sommeliers en Konrad Simonsen besloot zijn mond te houden; ze had het natuurlijk met de beste bedoelingen gedaan.

Ze velde zelf het vonnis: 'Het smaakt naar oud vruchtensap. Ik maak een echte fles open en dan moet je morgen maar een extra kilometer hollen. Hoe gaat dat trouwens? Heb je het hele stuk hardgelopen?'

Hij schudde zijn hoofd. Hij moest nog een klein stukje gewoon lopen, maar dat werd steeds kleiner.

Even later, toen ze aan de wijn zaten, zei hij ineens: 'Ik had Rita nooit moeten opzoeken. Dat was een fout, een grote fout.' Hij nam een slokje rode wijn en legde uit: 'Als ik nu aan haar denk, is het alleen maar negatief. De laatste tijd die we samen hadden, was... speciaal. En ik ben kwaad over die parkeergarage. Ik bedoel, als ze dan zo nodig ergens in wilde investeren, had ze verdomme toch...' Hij onderbrak zichzelf zonder zijn zin af te maken en zei zoekend: 'Misschien ben ik eigenlijk kwaad op haar omdat ze oud is geworden.'

'Je bent zelf ook oud geworden.'

'Ja, en daarom kan ik het me niet veroorloven dat mijn dromen kapotgaan. En als alles gaat zoals we hopen, krijg ik ook Lucy te zien... zoals ze nu is. Maar dat kan niet anders. Is ze trouwens weg?'

Hij wees met zijn hoofd naar het gastenverblijf. De Freule bevestigde het; ja, ze was weg. Al een paar dagen.

*

De priester had hem een adres gegeven in een straatje in Valby, niet ver van Søndermarken. Hij had de metro gepakt en vanaf station Valby gelopen. De plaats bleek een koffiehuis van de ouderwetse soort te zijn, waar je een kopje koffie kon krijgen voor een euro, en voor vijftig cent nog een keer kon bijvullen, en waar suiker en koffiemelk niets extra kostten. Veel meer was er niet te koop in de kleine ruimte met zes tafels en een toog waarachter een vrouw van dezelfde leeftijd als het etablissement koffie schonk uit haar koffiepot, en hem, voordat ze zijn geld aannam, verzekerde dat de koffie vers was. Hij ging aan het dichtstbijzijnde tafeltje zitten en nipte aan zijn koffie, die eigenlijk thee had moeten zijn uit consideratie met zijn hart, maar dat zou op een plek als deze heiligschennis zijn. Hij was de enige gast en had de ruimte dus voor zichzelf, en aangezien hij niets had meegenomen om te lezen, hield hij het bij uit het raam kijken. Er scheen een bleek zonnetje en de straat maakte een vriendelijke, rustige indruk. Hij dacht nergens aan, maar na een tijdje begon hij eraan te twijfelen of hij het tijdstip wel goed had begrepen.

Toen kwam de priester. Hij verontschuldigde zich voor de vertraging en ging aan de andere kant van de tafel zitten. De oude vrouw bracht hem een kopje koffie zonder dat hij erom had gevraagd. Konrad Simonsen dacht dat ze hem er wel zouden kennen, misschien was hij wel stamgast op deze bescheiden plek.

Hij vroeg, omdat hij niets anders kon verzinnen: 'Kom je vaak hier?' Hij wees naar het koffiekopje van de priester en voelde zich opdringerig.

'Ik ken twee mensen hier in de buurt die ik bezoek als ik tijd heb. Dan ga ik meestal hier even een kopje koffie drinken. Het is de enige plek waar ik koffie drink, anders drink ik altijd thee, maar het is een soort traditie geworden.'

'Ik begrijp het.'

Konrad Simonsen vond de situatie ongemakkelijk en de pauze die volgde veel te lang. Maar het was alsof de priester zijn onzekerheid aanvoelde. Hij vertelde over de mensen die hij had bezocht. Eenzame mensen, mensen die hun tijdgenoten hadden overleefd en nu in het verleden leefden. 'Wat wil je van me?', de voor de hand liggende, zakelijke vraag, die hem in verlegenheid zou brengen, kwam niet. Toen de priester uitgesproken was, nam Konrad Simonsen het over. Hij vertelde over Helmer Hammer, hoewel hij zorgvuldig vermeed de naam van de directeur-generaal te noemen. De priester luisterde geïnteresseerd, het waren mooie verhalen, leuk om over te praten.

Konrad Simonsen zei: 'Maar goed, nadat deze topambtenaar had verteld dat jouw kerk de foto's van Lucy wilde kopen bedachten we daar heel snel allerlei redenen voor. De ene nog gekker dan de andere. Zo is het op mijn werk, alles – het maakt bijna niet uit wat – wordt bekeken met een flinke dosis scepsis. Dat zit in onze genen.'

De priester knikte instemmend. Het was vanzelfsprekend dat de recherche niet alles voor zoetekoek slikte. Konrad Simonsen vertelde hoe Pauline Berg – hij noemde haar 'een van mijn jongere medewerkers' – genoeg had gekregen van al het gespeculeer en gewoon de telefoon had gepakt en de Engelse officialis had gebeld, de katholieke ambtenaar die een bod op de inboedel van Jørgen Kramer Nielsen had gedaan, althans op de posters van Lucy Davison. Ze had gewoon om uitleg gevraagd en die ook gekregen.

De priester nam het weer lachend over: 'Onze organisatie, Missing Children, in Liverpool erft zoals je weet over enige tijd anderhalf miljoen kronen van Jørgen, en dat is een aanzienlijk bedrag. Het geld komt als een geschenk uit de hemel. Op het ogenblik is de afdeling Liverpool van Missing Children gehuisvest in een gebouw dat rijp is voor de sloop, een achterhuis aan de Romer Road in Kensington, waar ook nog weinig ruimte is. Nu hebben ze een prachtig en centraal gelegen pand gekocht aan Rydal Avenue in Formby, en dat wordt nu ingericht. En toen bedacht ik dat dat de juiste plaats zou zijn voor de posters met Lucy. Dus nam ik contact op met de Engelse officialis, zoals jij hem noemt. Ik ken hem persoonlijk en weet dat hij jaren geleden zelf aan het hoofd stond van Missing Children in Liverpool, en – ja, ik kan ook wel mijn zegje doen.'

Konrad Simonsen legde zijn onderarmen op tafel en leunde een beetje naar voren.

'Lucy!'

De priester volgde zijn voorbeeld door zijn ellebogen op de tafel te zetten en zijn handen te vouwen met de duimen onder zijn kin. Zijn blik was direct en bijna vriendschappelijk.

'Ja, Lucy.'

'Morgen krijg ik te horen wat er met haar is gebeurd, lang geleden in Esbjerg.'

'Dat hoop ik. Zeg, wat dacht je van uiensoep?'

Konrad Simonsen lachte.

'Dat is de elegantste manier om van onderwerp te veranderen die ik in tijden heb meegemaakt. En ja, ik hou van uiensoep.'

De priester liep voorop; het was niet ver, zei hij. Ze gingen een kleiner straatje in en meteen daarna rechtsaf een oprit op. De priester legde het uit: 'Mijn broer werkt als kok in de kantine. Mooie plek, vind je niet?'

Konrad Simonsen keek om zich heen. Grote opslaghallen, oude, mooi gerestaureerde gebouwen, moderne paviljoens – en allemaal zorgvuldig op elkaar afgestemd, zodat je het gevoel had dat je in een dorp liep. Een druk dorp: mensen liepen heen en weer, alleen of in kleine groepjes, hoewel het weekend was. Ze liepen langs een groepje toeristen dat door een gids werd rondgeleid die haar informatie in het Engels over hen heen riep.

Hij trok de priester terug aan de arm: 'Zeg, waar zijn we?'

'Nordisk Film. Heb je het bord niet gezien?'

Konrad Simonsen schudde zijn hoofd.

'En ik dacht nog wel dat ik Kopenhagen goed kende. Ik heb zelfs jaren in Valby gewoond. Maar hier ben ik nooit geweest.'

'Het ligt natuurlijk ook een beetje verscholen. Misschien is het daarom zo charmant. Wist je dat Nordisk Film de oudste nog bestaande filmmaatschappij ter wereld is? Ik zal je het verhaal straks vertellen, nu halen we eerst onze soep. Wacht even.'

De priester verdween door een deur en kwam even later met twee kommetjes soep balancerend weer naar buiten. Hij gaf er een aan Konrad Simonsen en de twee mannen liepen langzaam door een steegje achter twee gebouwen langs, de priester nog steeds voorop. Het steegje kwam uit op een gazon met drie kleine hutjes dicht bij elkaar. De hutjes deden denken aan speelhuisjes, van het soort dat vaak bij zandbakken staat. En veel groter waren ze ook niet. Elk hutje had zijn eigen naam, die boven de deur stond op een uitgesneden houten bord: GELOOF, HOOP en LIEFDE.

Konrad Simonsen mocht kiezen, en hij wees de middelste aan: 'Laten we dan de HOOP nemen. Waar worden ze voor gebruikt?'

'Meestal door scenarioschrijvers die een paar uur alleen willen zijn.'

De mannen wurmden zich naar binnen en gingen zitten. Het ging, al was er niet veel ruimte. Konrad Simonsen ging op de enige stoel in het hutje zitten, de priester op een bankje daarnaast. Ze aten terwijl de priester over Ole Olsen vertelde, de oprichter van de filmmaatschappij – handelaar, ondernemer, kunstverzamelaar en straatartiest.

Konrad Simonsen luisterde. Ineens zei hij: 'Ik heb een van de Lucy-posters achtergehouden. Missing Children in Liverpool heeft er zeventien gekregen, maar er waren er achttien.'

Hij was bang geweest voor de reactie. De priester zou in het uiterste geval zelfs aangifte van diefstal kunnen doen, dat was het per slot van rekening. Maar hij had zich geen zorgen hoeven maken. De man zei rustig: 'Tja, negen plus negen is meestal achttien, maar zou zeventien in dit geval niet ook correct kunnen zijn?'

Natuurlijk wist hij het. Negen posters aan de ene achterwand en negen aan de andere kant, hij had tenslotte een tijd op de trap naar de spiegelkamer van Jørgen Kramer Nielsen staan kijken; dat had hij zelf gezegd. Konrad Simonsen vertelde over zijn rit naar Hammerfest en zei dat de poster nu in de werkkamer van Kaare hing. De priester vond het een mooie plek en vroeg naar de reis. Toen hij jong was, was hij zelf naar Tromsø geweest. Ze waren algauw heel ergens anders, en de ontbrekende poster was vergeten. Hij vertelde voorzichtig over Rita, gewoon om het te proberen. De priester luisterde zonder veel commentaar.

'Er is een verhaal van toen dat ik je graag zou willen vertellen.'

'Ga je gang.'

'Nee, liever een andere keer. Ik ben... er nog niet aan toe, zo heet dat, geloof ik. Maar als de gelegenheid zich een keer voordoet?'

'Er komt zeker nog een gelegenheid.'

Ze namen op straat voor de filmstudio afscheid van elkaar. Konrad Simonsen, die geen enkele vraag had gesteld die verband hield met zijn onderzoek, begon op de valreep toch een beetje te vissen: 'Ik had eigenlijk vier foto's bij me van de leerlingen die samen met Jørgen Kramer Nielsen en Lucy in Esbjerg waren. Nu heb ik geen tijd gehad om ze aan je te laten zien.'

'Dat geeft niet. Ik ken ze toch niet.'

'Eén van hen heeft Jørgen Kramer Nielsen vermoord.'

'Je bent een goede rechercheur. Ik hoop en vertrouw op je beoordelingsvermogen.'

Ze gaven elkaar een hand. Onderweg terug naar het station was Konrad Simonsen in een stralend humeur. Hij was blij dat hij er de tijd voor had genomen en nog blijer met wat hij had verteld. Hij liep in gedachten verzonken en was bijna het station voorbijgelopen. Alleen doordat er onder hem een trein het perron op reed, draaide hij zich om en ging terug. Jesper Mikkelsen, Pia Mikkelsen, Hanne Brummersted, Helena Brage Hansen – 'ik hoop en vertrouw op je beoordelingsvermogen'. Een vreemde formulering. En optimistisch. Hij stak de straat over naar de ingang voor de trap naar het perron en voelde dat hij de woorden zou waarmaken. Hij was al ver gekomen, vond hij, en... ja, hij was een goede rechercheur.

*

Het was zondag 9 november ongeveer halfnegen in de ochtend, er stond een straffe wind uit het westen die aan de dennenbomen rukte en snelle wolken langs de hemel joeg. De dag was nog niet echt op gang gekomen en het was koud. Konrad Simonsen huiverde en keek naar Pauline Berg, die naast hem stond. Ze had te weinig kleren aan, maar leek het niet koud te hebben.

Ze vroeg: 'Waarom heb je uitgerekend Arne en mij meegenomen?'

De dag ervoor in de auto onderweg naar Esbjerg had ze dat ook al gevraagd en na het diner in het hotel opnieuw. Beide keren had hij het weggewuifd. Zo was het gewoon gegaan, had hij gezegd, en hij was overgegaan op een ander onderwerp. Later, toen Pauline Berg al naar bed was en Arne Pedersen en hij in de bar zaten met een spa rood, had Arne Pedersen het hem ook gevraagd, en ook hij kreeg geen antwoord.

Konrad Simonsen zei een tikkeltje geïrriteerd: 'Het is nu de derde keer dat je dat vraagt. Het maakt toch niet uit?'

'Voor mij maakt het wel uit, Simon.' Ze gaf hem een arm.

Hij schudde die van zich af en zei: 'De Freule kwam niet in aanmerking vanwege haar slechte relatie met Hanne Brummersted, hoewel ik haar het liefst had meegenomen.'

'Was ze boos?'

'Ik kan het me vandaag niet veroorloven om rekening te houden met persoonlijke voorkeuren, dus daar moet ze mee leven, en dat kan ze ook, want ze is een professional. En jij bent er omdat ik er graag een vrouw bij wilde hebben.'

Dat was niet waar. Hij had de Freule om persoonlijke redenen niet meegenomen. Onprofessioneel, dat gaf hij toe, maar zo was het nu eenmaal. Hij wilde haar niet in de buurt hebben als hij Lucy vond. Eigenlijk had hij een tijd overwogen alleen te gaan, maar dat idee had hij uiteindelijk verworpen. Er moest nog iemand bij zijn om de reacties van de vier mensen in de gaten te kunnen houden, de vier mensen die straks weer bij elkaar zouden zijn na een scheiding van een kleine veertig jaar. Niet de reacties op Lucy Davison, maar op Jørgen Kramer Nielsen.

Pauline Berg vroeg: 'En waarom dan Arne en niet Klavs?'

'Omdat Klavs vandaag naar Kopenhagen verhuist. Onder andere.'

'Daar ben ik blij om.'

Het was hem niet duidelijk waar ze blij om was, maar hij bromde 'mooi zo' en liet zijn blik over de omgeving glijden. Ze stonden in de luwte van een houtschuur voor de hoofdingang van het kampgebouw, waar windstoten met tussenpozen huilend de hoek om kwamen en aan het dak rukten. De wind was toegenomen, dacht hij, in tegenstelling tot wat de meteorologen hadden beloofd. Pauline Berg stampte een paar keer met haar voeten op de zandgrond. Toen zei ze: 'Ik dacht dat het was om mij en Arne een kans te geven weer bij elkaar te zijn.'

'O ja, nou, dat was dus niet zo.'

'Ik denk dat Arne dat ook denkt.'

Hij keek haar aan.

'Kun je nou verdomme proberen de komende paar uren eens niet alleen maar aan jezelf te denken?'

Soms was hij gewoon vergeten hoe ze kon zijn. Vooral als ze weer een tijdje normaal was geweest, zoals ze anderhalf jaar geleden was, dus. Haar stem veranderde. Het klonk alsof ze uit een boek citeerde. Een stukje waar ze geen zin in had, maar dat voorgelezen moest worden.

'Toen je die nacht bij mij thuis zat en ik sliep, had je toen geen zin om bij me te gaan liggen?'

'Hou nou je bek, Pauline. Nee, en dat weet je ook heel goed. Maar op dit moment heb ik vooral zin in je naar huis te sturen.'

Hij maakte een honend, nasaal geluid tegen de wind en ergerde zich aan zijn eigen reactie. Het was duidelijk dat ze provoceerde en hij had geen antwoord moeten geven, dat was veel beter geweest.

Hij vond een andere uitlaatklep voor zijn ergernis: 'Waar blijft Arne nou verdomme?'

'Hij moest plassen.'

'Dat weet ik. En ik weet ook dat er ongeveer tienduizend dennenbomen om ons heen staan; daar had hij er toch een van kunnen nemen?'

Weer gaf ze hem een arm. Verzoenend, met een opmerking over dat zij geen man was en er dus geen mening over had. Daarna gaf ze hem een kneepje in zijn onderarm en trok haar hand weer terug voordat hij tijd had om die weer weg te duwen. Het gesprek verstomde toen ze de auto hoorden aankomen.

Even later knarste een blauwe Citroën het grind van de parkeerplaats links van het kampgebouw op. De afspraak was dat Arne Pedersen haar zou ontvangen. Konrad Simonsen gaf Pauline Berg een duwtje.

'Als Arne er niet is, moet jij...'

Op hetzelfde moment kwam Arne Pedersen weer tevoorschijn om de hoek van het huis. Konrad Simonsen zweeg en zag dat hij de vrouw naar binnen begeleidde, naar de gemeenschapsruimte waar Helena Brage Hansen ook al zat. Die ruimte was de plek waarvan zij en haar klasgenoten in 1969 vooral gebruik hadden gemaakt. Even later kwam Arne Pedersen weer naar buiten.

'Ze wekt de indruk dat ze zich ermee verzoend heeft. Je krijgt er geen problemen mee.'

Konrad Simonsen vroeg: 'Alsof ze zich ermee verzoend heeft?'

Arne Pedersen legde het uit zonder dat het daardoor begrijpelijker werd.

'Hoe was het weerzien?'

'Als vreemden voor elkaar, terughoudend.'

'Praten ze met elkaar?'

'Hoe kan ik dat nou weten? Je hebt me nog niet door muren leren kijken.'

'Ik bedoelde natuurlijk of je denkt dat ze met elkaar praten.'

Arne Pedersen aarzelde en Pauline Berg schudde geïrriteerd haar hoofd alsof ze twee stoute schooljongens waren. Toen liep ze de tien stapjes naar het raam van de gemeenschapsruimte en keek naar binnen. Toen ze terugkwam, meldde ze: 'Nee, ze praten niet met elkaar. Die dokter zit in de lucht te staren. Die kleine dunne zit iets op haar mobiele telefoon te toetsen.'

Arne Pedersen vroeg verontwaardigd: 'Zeg, ken je hun namen niet eens?'

Pauline Berg maakte een vuist, bijna alsof ze hem een stomp wilde geven. Natuurlijk kende ze de namen, wilde hij haar misschien overhoren? Ze was even stil en snauwde toen de namen van de vrouwen, terwijl er in Konrad Simonsens binnenzak iets trilde. Met moeite haalde hij het sms-bericht op, dat van Helena Brage Hansen was. Hij las het en zei: 'Het echtpaar heeft vertraging. Ze zijn er pas over een halfuur.'

Arne Pedersen had de kamer voor de kampleider gevonden, die vanaf de voorkant van het kampgebouw bereikbaar was. Een kamer met verwarming. Hij ging erheen. Terwijl hij wegliep, keek hij Konrad Simonsen aan, sloeg zijn ogen ten hemel en wees met zijn hoofd naar Pauline Berg. Ze keek hem na en vroeg toen poeslief: 'Zullen we even een wandeling over het terrein maken?'

Hij aarzelde en zij babbelde door: 'Vrijdag was ik uit en toen ontmoette ik een gozer in een bar. Weet je wat hij zei? Als openingszin, godbetert, hij complimenteerde me met mijn vruchtbare heupen. Hoe vind je die? Vruchtbare heupen!'

Konrad Simonsen vond helemaal niets en glimlachte flauw als antwoord op haar geëxalteerde lach.

Toen veranderde ze ineens van onderwerp: 'Wat zei die priester gisteren toen je hem verhoorde?'

'Het was geen verhoor. Heb je de Freule gesproken?'

'Ik belde toen je bij hem was. Het was geen verhoor, zeg je. Wat was het dan?'

Konrad Simonsen dacht dat het het best kon worden omschreven als een aanloop om iets te vertellen wat hij jarenlang voor zich had gehouden. Later, als de gelegenheid zich aandiende.

Hij vroeg: 'Zou je alsjeblieft naar Arne toe willen gaan? Ik zou graag even alleen willen zijn.'

Zij verliet hem zonder gemopper of teleurstelling. Gefrustreerd mens. Hij keek haar even na en verzonk toen weer in zijn eigen gedachten.

*

Hij wist niet meer precies wanneer het was, maar het moet tegen midzomer zijn geweest, want toen de film afgelopen was en ze de bioscoop verlieten, was het nog steeds licht. Misschien was het het Grand Theater in Mikkel Bryggers Gade, maar ook dat wist hij niet zeker. Welke film het was, wist hij echter wel heel zeker: *Easy Rider*, de roadmovie met Peter Fonda en Dennis Hopper op de motor dwars door de Verenigde Staten, van de oostkust naar de westkust. Op weg naar buiten had ze zich op een gokmachine gestort, zo een waarbij je een klauw moest besturen en dan proberen een stuk speelgoed te pakken. Ze bleef midden in de menigte staan alsof ze niet anders kon dan geld in de automaat stoppen om er onbenullige kleine pluchen beertjes uit te halen. Ze kreeg er drie te pakken, alle drie groen, twee ervan in één klauw, maar ze reageerde niet op haar winst. Toen ineens stroomden de woorden uit haar.

Ze wilde weg. Naar de Verenigde Staten. Ze zouden samen gaan, opnieuw beginnen, alleen zij tweeën. Dat moesten ze doen – naar de Verenigde Staten, weg uit Denemarken. Zij kon spelen en zingen en hij kon... ergens werken. Ze zouden het daar heel goed krijgen, dat wist ze zeker. Maar wel in de Verenigde Staten, niet hier in Denemarken.

Nu hij aan de gebeurtenis terugdacht, kwam het hem voor dat ze enerzijds rustig en weloverwogen leek, maar anderzijds ook geëxalteerd en manisch. Dat kon niet tegelijk, maar zo herinnerde hij zich haar.

Ze gebruikte haar laatste kwartje. Zonder resultaat, ze deed niet eens haar best. Toen zei ze: 'Volgende week moet ik naar Duitsland met geld. Dan steel ik het en ga weg.'

Hij gaf geen commentaar, schudde alleen maar zijn hoofd, hoewel hij wist dat ze meende wat ze zei. Ze gingen naar zijn huis. De beertjes lieten ze op het apparaat achter.

De dag erna meldde hij zich ziek, de enige keer in zijn carrière dat hij welbewust had gespijbeld. Ze hadden zich opgesloten in zijn flat. De eerste dag had hij nodig om haar ervan te overtuigen dat ze haar hopeloze onderneming moest opgeven. Toen ging hij naar de kantoorboekhandel, kocht zes schriftjes en de volgende vier dagen schreef ze. Personen, namen, data, plaatsen, gesprekken – alles wat ze zich kon herinneren, tot in het kleinste detail. Als ze met geld op stap was: hoeveel, van wie had ze het gekregen, waar en aan wie moest ze het geven, wie deed de boekhouding... enzovoort, enzovoort. Wanneer hij eraan terugdacht, zag hij het als zijn eerste verhoor. Zijn eerste en moeilijkste. Toen ze klaar was, las hij haar verslag nauwkeurig door, stelde vervolgvragen en schreef de antwoorden op. Ook in de schriftjes. Ze werkte gewillig mee, gedesillusioneerd, maar zonder iets te verbergen.

Voor hem werd het een les die hij nooit zou vergeten: hoe belangrijk het was dat je als verhoorleider onder de huid van je getuige kon kruipen, de gevoelens van de getuige kon begrijpen en accepteren, ja, in het uiterste geval ze zelf kon voelen.

Grappig genoeg bracht Rita, in een van hun schaarse pauzes, als eerste ooit zijn talent onder woorden: 'Je bent hier echt goed in, Konrad.' Ze zei het constaterend en nuchter, maar ook bedroefd. Wanneer hij haar niet ondervroeg, was er een opmerkelijke afstand tussen hen. Ze sliepen apart.

Toen ze klaar waren, ging hij naar Kasper Planck. Hij had hen al een keer geholpen en wilde misschien nog een keer helpen. Wie anders? Hij wist niemand.

Bevend en onzeker kreeg hij de man buiten het politiebureau in de Store Kongensgade te pakken. Ze maakten een wandelingetje op Larsens Plads bij de Kvæsthusbrug, steeds weer hetzelfde rondje op dezelfde straatstenen terwijl hij het uitlegde. Kasper Planck nam de schriftjes met een geïrriteerd gegrom mee, als een leraar die een te laat ingeleverd werkstuk in ontvangst neemt. Twee dagen later ontmoetten ze elkaar weer op dezelfde plek, deze keer op een bank. Het miezerde. Kasper Planck had een paraplu bij zich.

Hij begon met de cruciale vraag aan Konrad Simonsen: 'Wil jij ook naar Amerika?'

'Nee.'

Hij had er de halve nacht over nagedacht, wakker gelegen, de voors en tegens tegen elkaar afgewogen, en nu wist hij zomaar het antwoord. En zodra hij het had gezegd wist hij ook dat het echt zo was.

'Dat gevoel had ik al.'

En dat liet Kasper Planck ook zien. Hij gaf hem de schriftjes terug samen met een klein stapeltje documenten: drie getypte pagina's met nog meer vragen, een visumaanvraag voor de Verenigde Staten – maar één – en een formulier waarmee Konrad Simonsen om overplaatsing naar de recherche vroeg.

Kasper Planck zei: 'Ik breng acht dagen in mindering op je vakantiedagen als je bij ons komt. Ik accepteer geen gespijbel.'

'Acht dagen? Ik ben er toch maar vijf weggeweest?'

'De laatste drie is om het spijbelen af te leren.'

Kasper Planck gaf hem vervolgens instructies over wat hij moest doen, en die voerde hij keurig uit. Hij kocht bij de kantoorboekhandel nog twee schriftjes, waarin Rita's antwoorden op de vragen op Kasper Plancks lijstje kwamen te staan. Ze vulde de visumaanvraag in en hij kreeg haar paspoort. Toen wist ze al dat ze alleen op reis zou gaan, maar ze praatten er niet over.

Hij gaf de helft van de schriftjes en de papieren van Rita op het politiebureau in Bellahøj af aan een man van de inlichtingendienst, een oudere man met een uilenbril en een neutraal gezicht. De man nam een paar minuten de tijd om het materiaal door te kijken. Hij zei niets over de visumaanvraag, knikte alleen haast onmerkbaar toen hij die zag en maakte een afspraak met Konrad Simonsen voor de week daarna. Alsof hij naar de tandarts moest.

Hij gaf haar haar pas en visum in het studentenhuis Grønjordskollegiet op een mooie zomeravond, geschikt voor melancholie. Ze huilde een beetje en vroeg toen bedroefd: 'Zullen we vrijen?' Het hing in de lucht: een laatste keer. Hij weigerde. Ze vroeg: 'Wat nu?'

'Nu hebben we alleen nog geld nodig.'

*

Hij had een beetje rondgelopen en was onbedoeld helemaal achter op de parkeerplaats terechtgekomen. Hij draaide zich bijna verschrikt om toen een BMW links van hem zachtjes de parkeerplaats op reed en niet ver van hem voor het kampgebouw parkeerde. Pia Mikkelsen stapte uit vanaf de achterbank en haar man volgde vanaf de bestuurdersstoel. De advocaat was er niet bij. Konrad Simonsen draaide zich om en vervolgde zijn pad de andere kant op zonder de moeite te nemen hen te begroeten. Toen hij na een kleine omweg weer bij de hoofdingang terugkwam, stonden Arne Pedersen en Pauline Berg op hem te wachten. Hij keek hen allebei even aan, toen concentreerde hij zich en ging hen voor naar binnen.

De vier vroegere klasgenoten waren zo ver mogelijk uit elkaar gaan zitten. Zelfs het echtpaar zat uit elkaar. Hanne Brummersted zat zonder veel overtuiging te lezen in een tijdschrift op de tafel voor haar, de anderen zaten in de lucht te staren. De ernst hing zwaar in de kamer. Achter hen was er een ontbijt klaargezet en Konrad Simonsen stuurde in gedachten een bedankje naar de gemeente Esbjerg.

Toen ging hij midden in de kamer staan en begon op een lichte toon die bijna provocerend aandeed: 'Goedemorgen, goedemorgen, en bedankt voor jullie komst. Ik zie aan jullie gezichten dat jullie de ernst van de situatie begrijpen. Het goede nieuws is dat ik zeker weet dat jullie je over een tijd, als jullie je hart hebben kunnen luchten, stukken beter zullen voelen en ook nog weer zullen gaan lachen. Vooral als jullie ook nog besluiten een uitstapje te maken naar de oude school...'

Helena Brage Hansen onderbrak hem. Haar woorden waren zo scherp en doelgericht als een zweepslag. 'Leg dat tijdschrift weg, Hanne, wat denk je wel.'

De chef-arts deed meteen wat haar werd gezegd en kreeg een kleur.

Konrad Simonsen zei: 'Ik zie dat er niets veranderd is en dat alles als vanouds is. Ik heb voor nu niets meer te zeggen, want nu zijn jullie aan de beurt, behalve nogmaals goedemorgen, goedemorgen.'

Zoals hij had verwacht, begon Helena Brage Hansen.

'We moeten eerst tien minuten voor onszelf hebben, ik hoop dat je ons dat wilt toestaan.'

Hij had geen keuze en algauw stond hij weer met Arne Pedersen en Pauline Berg buiten, op hun oude plek. De wind was een beetje gaan liggen en twee legerhelikopters vlogen over hen heen. Ze keken onwillekeurig naar boven.

Toen de helikopters weg waren, vroeg Arne Pedersen: 'Waarom provoceerde je hen? Was dat nou wijs?'

'Het was heel bewust.'

'Ja, dat zag ik ook wel, maar waarom?'

'Ik wil niet dat ze denken dat ik er ben om het gezellig te maken. Er zijn een paar sterfgevallen op te helderen. Ze zijn niet op vakantie.'

Pauline Berg ondersteunde Arne Pedersen.

'Dat denken ze heus niet, geloof mij maar. Maar je loopt het risico dat ze kwaad worden en niet met ons willen praten.'

'Nee, hoor. Ze zijn hier helemaal naartoe gekomen en ze weten in hun hart best dat ze hier niet kunnen weggaan voordat ze hebben verteld wat er is gebeurd en waar Lucy is begraven. Dat zouden ze geen van allen psychisch aankunnen, niet nadat ze twee dagen lang hebben geworsteld om het idee te accepteren. Ik ben ervan overtuigd dat het ook voor hen bevrijdend is, of in elk geval voor drie van hen.'

Arne Pedersen wisselde van standpunt: 'Die analyse deel ik. Maar als je drie zegt, is dat dan omdat je denkt dat degene die Jørgen Kramer Nielsen vermoordde andere belangen heeft?'

'Ja, en ik wil nu alles weten. Ik wil het onderste uit de kan en ik wil het vandaag.'

'Dat lijkt me ook wel realistisch. Wat denken jullie dat ze nu aan het doen zijn?'

Pauline Berg haalde haar schouders op, hoe kon je dat nou weten?

Konrad Simonsen zei: 'Ze ontheffen elkaar van de gelofte die ze elkaar veertig jaar geleden hebben gedaan.' Even later voegde hij eraan toe: 'Denk erom dat je goed let op de twee mensen die ik je heb opgegeven. De hele tijd, onafgebroken.'

De afspraak was dat Pauline Berg Helena Brage Hansen en vooral Hanne Brummersted zou observeren en dat Arne Pedersen de reacties van het echtpaar zou volgen. Een onvrijwillige lichaamshouding, een verkeerde blik, een snelle verspreking, een nerveuze trilling. De moordenaar van de postbode zou de façade niet kunnen ophouden, daar was Konrad Simonsen van overtuigd.

Helena Brage Hansen verscheen in de deuropening en riep hen naar binnen.

Er heerste een bedrukte sfeer. De drie vrouwen huilden stilletjes en Jesper Mikkelsen zat als versteend. Hij zette zich er toch toe om tegen Konrad Simonsen te zeggen: 'We willen je alles vertellen, maar we hebben je hulp nodig. We dachten dat jij ons misschien in het begin vragen kunt stellen en dat we dan later meer uit onszelf kunnen vertellen. Het is niet...' Zijn stem brak en hij keek even weg voordat hij zijn zin afmaakte: '... zo makkelijk voor ons.'

Dat klonk redelijk. Konrad Simonsen ging niet zitten en wees naar de man. Hij deed geen poging om vriendelijk te klinken.

'In dat geval wil ik graag dat jij begint door me te laten zien waar jullie Lucy Davison hebben begraven.'

'Er is geen reden om naar buiten te gaan, we hebben haar op de vuurplaats onder het kampvuur begraven.'

'Nu!'

Jesper Mikkelsen gehoorzaamde, terwijl de vrouwen bleven zitten. Konrad Simonsen volgde hem. De man huilde niet, maar zo nu en dan ontsnapte hem een snik en spreken kon hij niet. Toch was de wandeling meer dan machtsvertoon van Konrad Simonsen: vuurplaatsen konden in veertig jaar tijd vaak zijn verplaatst.

Ze liepen een kleine twintig meter over een pad en bereikten hun doel algauw. De man wees naar het midden waar as en verkoolde stukken hout lagen, met een ring van stenen eromheen.

'Is het daaronder?'

Hij knikte.

'Weet je het heel zeker? Misschien was de vuurplaats toen op een andere plek.'

Jesper Mikkelsen keek rond en stamelde moeizaam: 'Ik weet het zeker.'

'Hoe diep hebben jullie haar begraven?'

Hij gaf met een hand boven zijn hoofd een afstand aan die Konrad Simonsen inschatte als iets tussen de twee en drie meter.

Ze liepen terug.

De vrouwen huilden nog steeds stilletjes, maar Hanne Brummersted en Helena Brage Hansen hadden een broodje genomen en Jesper Mikkelsen pakte een glaasje jus d'orange voordat hij ging zitten.

Konrad Simonsen zei: 'Even om dit helder te hebben – jullie kunnen huilen, janken, smeken en jammeren zoveel als je wilt, maar jullie moeten hoe dan ook de waarheid vertellen en dat geldt ook voor alle kleine smerige beetjes. Dus ik wil jullie ten zeerste aanraden jezelf te vermannen, dat zou het voor iedereen wat makkelijker maken. Laten we bij het begin beginnen. Jullie zaten dus van 1967 tot 1969 in dezelfde gymnasiumklas en jullie vormden op school een club die jullie "De Eenzame Hartenclub" noemden. De andere scholieren noemden de club "De Hartjes". Deden jullie dat ook?'

Helena Brage Hansen antwoordde: 'Ja, wij hebben de naam zelf ingekort. Die andere was te lang.'

'Was jij de oprichter van de club?'

'Ja.'

'Wie van jullie klas waren er lid van?'

'Wij, die hier zitten en verder Jørgen, Mouritz en Bendt.'

'Bendt, was dat Bendt Schultz?'

'Ja, zo heette hij, geloof ik. Ik weet het niet zeker.'

'Zo heette hij.'

Dat was Hanne Brummersted, wier geheugen duidelijk beter was geworden sinds de eerste twee ondervragingen.

Konrad Simonsen zei er niets van, maar zei: 'We gaan even verder met jou. Was Bendt Schultz ook mee hierheen?'

'Nee, hij was ziek.'

De arts klonk zielig, bijna smekend. Konrad Simonsen ging onaangedaan door: 'Toen jullie terug waren, hebben jullie hem toen verteld wat er was gebeurd?'

'Nee, natuurlijk niet.'

Hij richtte zich weer tot Helena Brage Hansen.

'Oké, terug naar De Hartjes. Waarom zette je die club op?'

'Zodat wij als buitengeslotenen ook een groep zouden hebben.'

'Buitengesloten waarvan?'

'Van de klas, van feestjes, gesprekken... alle bewegingen, hoe los ze ook waren, de hippies, de provo's, de liedjes, de concerten, de tijd... alles.'

'Jullie werden gepest?'

'Dat bestond toen nog niet. Laten we het zo zeggen: hoewel onze klasgenoten liefde en gemeenschappelijkheid predikten, konden ze zó kwaadwillend en gemeen zijn, dat kun je je niet voorstellen. We hebben allemaal verhalen en situaties meegemaakt die we de rest van ons leven niet meer kwijtraken... net als dit.'

Konrad Simonsen draaide zich snel om en wees Hanne Brummersted aan.

'Vertel me jouw verhalen eens.'

Maar het schokeffect bleef uit, de vrouw deed gewoon wat hij vroeg. Ze prevelde zonder na te denken met trieste stem: 'In de eerste klas probeerde ik een tijd net zo te zijn als de anderen, en op een dag kwam ik zonder beha naar school. Toevallig de dag waarop de schoolfotograaf er was. Toen schreef iemand een brief naar de minister van Justitie en deed zijn beklag over mij. Bijna iedereen uit de klas ondertekende de brief. Het was vóór de opheffing van het verbod op pornografie – dat was pas een paar jaar later – dus ze beschuldigden mij van ontucht op de klassenfoto. Ze hingen het antwoord van het ministerie op in de klas en stuurden ook nog een kopie naar mijn ouders. Een hele tijd noemden ze me ook Nia, dat was een afkorting van *nipples in agony*, maar dan was ik even van andere scheldnamen af, zoals *Dikzak*, *Bolletje* of *Juffrouw Speklap*. En er waren vele andere vervelende dingen, maar de meeste pijn deed het toen ze me een koekenpan gaven voor mijn achttiende verjaardag. Ik heb toen bijna de hele dag gehuild, ook al kreeg ik steun van de anderen.'

Ze wees naar haar drie klasgenoten.

Het was moeilijk voor Konrad Simonsen om geen medelijden te voelen. Hij zei: 'Dus om een buffer te vormen tegen dit soort dingen vormden jullie De Hartjes.'

Pia Mikkelsen reageerde ongevraagd: 'Het ergste was dat wij eerst ook hadden gepest om erbij te horen. Ik had bijvoorbeeld wel de brief ondertekend waar Hanne het over had, maar in het laatste jaar durfde ik wel mijn mond open te trekken tegen de mensen die de koekenpan hadden bedacht, en heb me meteen afgemeld voor de gezamenlijke cadeaupot. Toch is er geen twijfel over dat De Hartjes een noodoplossing was, een plek waar we heen konden omdat niemand anders ons wilde.'

De andere drie knikten, zelfs Helena Brage Hansen was het ermee eens, en ze voegde eraan toe: 'Het was niet alleen ons uiterlijk, hoewel dat natuurlijk ook een rol speelde, maar je moest hetzelfde denken, doen, voelen en vinden als zij. Als je dat niet deed had je het moeilijk, ook met de jongere docenten. Het was heel onrechtvaardig en heel... verkeerd.'

Konrad Simonsen dacht dat hij de essentie wel begreep. Het verschilde ook niet erg van het beeld dat hij zich al had gevormd, hoewel je niet zeker kon weten of ze de waarheid spraken. Ze hadden er in deze situatie belang bij om te overdrijven en zichzelf als slachtoffers voor te doen om te verzachten wat er ging komen.

Hij ging verder: 'Op vrijdag 13 juni 1969 waren jullie alle zes klaar met je op een na laatste vak voor het mondelinge examen, en daarna zouden jullie klaar zijn. Jullie moesten alleen wiskunde nog doen, een week later, om precies te zijn op vrijdag 20 juni. Wie wil doorgaan?'

Jesper Mikkelsen wilde wel. 'We hadden al een tijd afgesproken om ons samen voor te bereiden op wiskunde. Geen van ons liep gevaar om te zakken, dus dat was niet de reden, maar het was ons belangrijkste vak en het was belangrijk voor welke vervolgopleidingen we zouden kunnen doen. Hanne wilde bijvoorbeeld graag geneeskunde studeren, dus zij moest minimaal een acht halen en het liefst hoger...'

Konrad Simonsen onderbrak hem.

'Dat herinner je je nog na al die jaren?'

'Ik herinner me elke minuut van die reis nog, en er is sindsdien geen dag voorbijgegaan dat ik er niet aan heb gedacht. Ik weet nog wat ik 's nachts droomde en hoe duur onze treinkaartjes waren.'

'Prima, ga door.'

'Helena had het vakantiekamp geregeld via haar vader. De padvinders maakten er alleen in het weekend gebruik van – buiten de vakantieperiodes, dan – en we hoefden niets te betalen. Het was de bedoeling dat Jørgen als een soort docent functioneerde, omdat hij heel goed was in wiskunde. Pia en hij hadden een strakke planning gemaakt, dus het was geen vakantietrip. Wij kwamen zondagavond aan bij de Noordzeehoeve, dat moet dus 15 juni zijn geweest, en we waren met de bus van Esbjerg naar Nørballe gekomen.'

Hij stopte.

'Ga door.'

'Mag iemand anders het nu niet overnemen?'

'Ga door, zei ik.'

'Maandag studeerden we de helft van de dag, zoals gepland. We werkten heel efficiënt en lagen voor op het schema... Toen gingen Jørgen en Mouritz naar Esbjerg om boodschappen te doen terwijl de rest nog opdrachten maakte. Integraalrekenen, weet ik nog. Ze gingen op twee fietsen van de padvinders.'

'Moest Mouritz niet studeren?'

'Hij had van ons allemaal het minst goede cijfers nodig. Hij zou in het bedrijf van zijn vader gaan werken en daar kon hij beginnen ongeacht welke cijfers hij haalde. Bovendien waren het te veel boodschappen voor één persoon.'

'Er was een kruidenier dichterbij. Waarom deden jullie daar geen boodschappen?'

'Die was veel duurder, dat wist Helena, en we hadden al niet veel geld.'

'Oké, en toen?'
Jesper Mikkelsen mocht van Konrad Simonsen stoppen en Helena Brage Hansen werd aangewezen om door te gaan. Ze zei zachtjes: 'Ze kwamen even na drieën terug met een Engels meisje dat ze in Esbjerg hadden ontmoet. Ze zat bij Jørgen achter op de fiets. Dat was Lucy.'
'Lucy Selma Davison?'
'Ja, Lucy Selma Davison, maar we noemden haar natuurlijk gewoon Lucy.'
Konrad Simonsen zei overbodig: 'Natuurlijk.' Geen van de anderen zei iets. Toen vroeg hij: 'Heeft er iemand behoefte aan een pauze?'
Ze waren nog maar tien minuten bezig en toch wilde iedereen graag even een pauze. Pauline Berg en Arne Pedersen keken Konrad Simonsen verrast aan. Maar hij negeerde hun verholen protest en gaf zijn twee ondergeschikten opdracht te blijven. Zelf ging hij even naar buiten; daar had hij behoefte aan.
Het weer was nu helemaal omgeslagen, de wind was gaan liggen en uit het oosten naderde er snel een opklaring. Het leek een zonnige herfstdag te worden. Hij slenterde langzaam naar de vuurplaats, waar hij zich een paar minuten met gevouwen handen stond te ergeren dat hij geen gebeden kende. Hij bleef een tijdje staan.
Weer terug in het hoofdgebouw koos hij Pia Mikkelsen uit om door te gaan. Ze had tot nu toe niet veel gezegd, en hij wilde dat iedereen meedeed.
Het duurde lang voordat ze op gang kwam, maar er was geen hulp te verwachten, van hem noch van de anderen, dus haar smekende blik was tevergeefs. Eindelijk was ze zover: 'We waren allemaal erg door haar gefascineerd. Ze had alles wat wij niet hadden: ze was mooi – om niet te zeggen prachtig – vrij en impulsief, Engels – en dan ook nog uit Liverpool – maar het belangrijkste was dat ze bij ons wilde zijn. Ze was lief en had echte belangstelling voor ons allemaal, en dat waren we helemaal niet gewend. Mouritz, bijvoorbeeld, die kon nauwelijks wat zeggen als hij zenuwachtig werd en die werd alleen maar rood en bijna stom. En het werd er natuurlijk niet beter op dat hij nu Engels moest praten en dan met haar... ik bedoel, zoals zij eruitzag... begrijp je?'
Konrad Simonsen begreep het.
'We zaten buiten op het gras. Nou ja, niet iedereen geloof ik.'
'Jørgen en Helena waren aan het koken, speklapjes met peterseliesaus.'
Dat was Jesper Mikkelsen.
'Ja, dat kan best, maar toen vertelde hij over het bedrijf van zijn familie en wat hij na de zomervakantie ging doen, en – nou ja, zo goed en zo kwaad als het ging. Met lange, gênante pauzes, veel erger dan normaal, maar toen legde Lucy haar hoofd op zijn schoot, zonder iets te zeggen, ze deed het gewoon. Daar ging hij natuurlijk niet beter van praten, volgens mij stopte hij er toen helemaal mee, maar het was... gewoon wat hij op dat moment nodig had. Het maakte hem zo blij.'

Helena Brage Hansen onderbrak haar.

'In no time ging alles over haar. Niemand had het meer over wiskunde, ons eindexamen was op slag onbelangrijk, alleen Lucy was belangrijk. Het was bijna alsof ze ons in haar macht had. Niet omdat zij dat wilde, maar omdat wij het wilden. Natuurlijk hadden we daar geen formele afspraak over, maar meestal had ik het laatste woord als we het oneens waren, en nu volgden we allemaal het eerste het beste Engelse meisje. Vijftien minuten voordat het eten klaar was, stelde ze voor om even te gaan wandelen, en dat deden we dan allemaal. We hielden elkaars handen vast. Dat was ook nieuw en klinkt misschien onschuldig of onbelangrijk, maar voor ons was het... hoe zal ik het zeggen... spannend, beter dan op tijd te eten.'

Konrad Simonsen vroeg: 'Hadden jullie het erover hoe lang ze zou blijven?'

'Voor zover ik me herinner niet, maar ze zette haar tent op, dus het was duidelijk dat ze bij ons wilde overnachten.'

'Waarom sliep ze niet binnen? Er was toch ruimte genoeg?'

Helena Brage Hansen schudde haar hoofd. Iedereen keek naar Jesper Mikkelsen, die zei: 'Ze wilde liever buiten slapen omdat het frisser was.'

Enigszins verrassend ging Hanne Brummersted ongevraagd verder: 'Het is logisch dat we die dag niet meer aan studeren toe kwamen. 's Avonds speelde ze voor ons op haar mondharmonica en zong ze bij het kampvuur. Ja, wij zongen soms ook mee, en ze leerde ons een paar nummers die we niet kenden, kinderliedjes geloof ik dat het waren. Op een gegeven moment – niet al te laat – ging ze slapen, ze was moe van de overtocht. Wij probeerden daarna te studeren, maar niemand kon zich concentreren, dus in plaats van door te gaan, besloten we de volgende ochtend vroeg op te staan. Zonder dat ik me kan herinneren dat het hardop werd gezegd, wisten we allemaal dat onze wiskundige inspanningen de volgende dag aan een zijden draadje hingen. In elk geval zodra Lucy wakker was.'

Pia Mikkelsen vulde aan: 'Ik had ook veel meer zin in Lucy dan in wiskunde, en zo voelden de jongens het gegarandeerd ook. Dat was duidelijk.'

'Zo voelden we het allemaal.'

Dat was Hanne Brummersted, pinnig omdat ze was onderbroken. Konrad Simonsen vroeg: 'Praatten jullie over haar toen ze naar bed was gegaan? Weet iemand dat nog?'

Ze schudden allemaal hun hoofd. Zelfs Jesper Mikkelsen moest het antwoord schuldig blijven. Hij zei: 'Waarom vraag je dat? Dat doet er toch niet toe?'

Konrad Simonsen antwoordde scherp: 'Ik vraag, jullie geven de antwoorden, en het waarom van mijn vragen gaat jullie niets aan. Jullie moeten je alleen concentreren op het vertellen van de waarheid, zo goed mogelijk. We komen nu bij de volgende dag, neem ik aan. Dat was dinsdag 17 juni, en om jullie geheugen te helpen, kan ik jullie vertellen dat het weer in Esbjerg en omstreken typisch Deens zomerweer was: zwaarbewolkt, regenbuien afgewisseld met zon, een temperatuur van negentien graden, maar iets kouder aan de kust. Dus geen al te warme dag om zonder kleren rond te lopen. Ik wil graag dat jij doorgaat.'

Hij wees Hanne Brummersted aan.

'We waren allemaal vroeg opgestaan en hadden 's morgens heel wat kunnen studeren. Lucy werd vrij laat wakker. We zaten in de eetzaal toen ze binnenkwam. Ze ontbeet wat en ging toen douchen. Ik was zelf in de doucheruimte en liet haar een en ander zien. Er was een soort meter waar je een dubbeltje in moest gooien om een tijdje warm water te krijgen, dus we verzamelden ook een paar dubbeltjes voor haar. Niet dat ze van ons profiteerde of zo, maar ze had geen kleingeld. Maar goed, zij ging douchen en wij studeerden verder, maar toen ze er weer uit kwam... toen begon het... Ze kwam de eetzaal binnen...'

Ze huilde en het kostte haar moeite om door te gaan.

'... nee, ik wil het graag vertellen, maar het is een beetje moeilijk. Goed, ze was naakt. Ze had haar nachthemd en haar ondergoed in haar natte handdoek opgerold en stond daar alsof het de meest natuurlijke zaak van de wereld was. Ze vroeg wat we die dag gingen doen.'

'Was ze jullie aan het provoceren, aan het plagen of het hof aan het maken?'

'Nee, helemaal niet. Voor haar was het niets bijzonders, maar wij staarden haar aan alsof ze ineens twee hoofden had gekregen. En de jongens... dat hadden ze zich in hun wildste dromen waarschijnlijk niet voor kunnen stellen.'

Jesper Mikkelsen onderbrak jaar: 'Ja, juist wel. Juist in onze wildste dromen.'

'Nou ja, hoe dan ook, daar stond ze in elk geval en toen ze doorhad dat we haar hadden gezien... o, god... hadden gezien – we keken onze ogen uit – toen lachte ze en... Ik weet de woorden niet meer precies, maar we moesten leren niet verlegen te zijn, *not to be shy*, geloof ik dat ze zei. Dat was in één keer het programma voor die dag geworden.'

'Bepaalde zij dat?'

'Zij en wij. Wij hadden er evenveel schuld aan, we wilden graag.'

Helena Brage Hansen nam het over: 'Het was een sprong in het diepe, maar tegelijk enorm spannend, prikkelend en bovenal seksueel. Nu hadden we de kans om alles in te halen waar onze klasgenoten ons buiten hadden gehouden, ik bedoel zoals we ons voorstelden dat het was. De werkelijkheid was vast anders. Bovendien had geen van ons echt ervaring op seksueel gebied, geen enkele, zou ik zeggen, en we zouden nooit op het idee gekomen zijn om... hoe moet ik het noemen... niet verlegen te zijn. Lucy was de katalysator, maar zij dacht er natuurlijk anders over. Voor haar was het meer een spelletje dan seks.'

Konrad Simonsen wees Hanne Brummersted weer aan.

'Had zij niet door wat voor effect ze op jullie had?'

'We dachten dat zij het allemaal wist, ik bedoel alles waar wij alleen van hadden gehoord of over gelezen: vrije liefde, hippieorgieën, groepsseks, neukkamers in de communes, dingen die misschien helemaal niet bestonden maar waarmee de kranten hun lezers konden prikkelen en hun oplage omhoog krikten. Het was natuurlijk naïef. Gut, ze was pas zeventien en in elk geval had ze geen idee wat ze in ons teweeg had gebracht. Sowieso hadden we geen van allen ergens benul van, en al helemaal niet van wanneer het genoeg was.'

'Jullie gingen uit de kleren. Ik heb een foto gezien die Jørgen Kramer Nielsen heeft genomen.'

'Het duurde even. Het was zeer grensverleggend, vooral voor ons meisjes, geen van ons haalde het bij Lucy. Uiteindelijk liepen we toch allemaal naakt rond, en we probeerden trots te zijn op ons lichaam, en de jongens hadden in het begin... eh... waren in het begin potent... maar daar lachte ze gewoon om, en toen lachten wij ook. Langzamerhand voelde het zelfs best natuurlijk. Op een gegeven moment kwam de postbode met een pakje, het was een cake voor Mouritz van zijn moeder. We hoorden de brommer en liepen allemaal naar buiten om hem te ontvangen. Ik bedoel, zoals we waren.'

'Maar er waren geen seksuele activiteiten?'

'Niet op dat moment, dat kwam pas later, want het hing wel zo'n beetje in de lucht dat er meer moest gebeuren. Dat dacht iedereen, geloof ik, behalve Lucy, misschien.'

'En later gebeurde er wat meer?'

'We besloten wat bier te halen. Op advies van Lucy maakten we een pot en daar stopte zij haar eigen geld in, en toen deden wij dat ook, en de jongens liepen naar de kruidenier. Toen ze terug waren, maakten we een vuurtje op de vuurplaats en dronken we bier. Het was laat in de middag.'

'Nog steeds zonder kleren?'

'Nee, toen niet meer, het was te koud. Maar toen kwam Dennis. Hij had het syndroom van Down – toen werd je dan nog gewoon "gek" of "mongool" genoemd – en Lucy noemde hem *Happy Dennis*. Helena had hem vaker gezien en wist dat er niets kwaads aan hem was, dus we lieten hem begaan en gaven hem zelfs een biertje. Daarna kreeg hij limonade omdat we niet wisten wat er zou gebeuren als hij dronken zou worden. Later werd er naar hem gefloten vanuit de boerderij ernaast. Stel je voor, ze floten alsof hij een hond was, maar hij ging naar huis en wij gingen naar binnen. Op dat moment hadden we heel wat gedronken zonder dat we echt dronken waren, en toen kwamen we op het idee om strippoker te spelen, hoewel – ja, daar was natuurlijk niet zoveel aan nu we het grootste deel van de dag al naakt hadden rondgelopen. We kregen er dan ook snel genoeg van, maar toen wist Lucy een spelletje, en dat leerde ze ons.'

Ze stopte en keek om zich heen. Konrad Simonsen kreeg de indruk dat ze nu zo gewillig aan het vertellen was in de hoop dat ze dan later vervangen zou worden. Hij zei: 'Ga door.'

Dat deed ze, lijdzaam, maar duidelijk.

'Het was een spel met vier dobbelstenen en het draaide niet alleen om geluk, maar ook om behendigheid, want je moest de dobbelstenen in de lucht gooien en dan weer vangen in een serie steeds moeilijkere trucjes, net als bij het Deense *terre*. Als je verloor moest je dingen doen die degene die voor je in de kring zat, bepaalde, hoe vaker je verloor, hoe gewaagder.'

'Dingen doen?'

'Seksuele dingen, en steeds intiemer. Eerst gingen de meeste kleren uit, maar later werd het erotischer, veel erotischer – nou ja, er is toch geen reden om in details te treden.'

'Er is alle reden om in details te treden. Trouwens, je bent arts, dus je kunt vast wel een klinische afstand bewaren.'

Ze keek hem aan; niet boos, wel bedroefd.

'In het begin raakten we alleen elkaar aan, twee aan twee, al naargelang wie verloren had, terwijl de anderen toekeken, maar toen escaleerde het en werd het steeds wilder. Op een gegeven moment kwam Dennis weer terug en hij wilde ook meedoen. Toen hij zag wat we deden, trok hij zijn broek uit en zat daar met een stijve en eh... wreef erover. Kort daarna verloor ik, en toen moest ik het voor hem doen. Met de handen welteverstaan. Dat was een fout, een heel grote fout. Later ging hij weer, terwijl wij doorgingen en alles ontspoorde. We deden van alles wat we beter niet hadden kunnen doen: lieten ons aan elkaar zien, raakten elkaar aan, betastten, kusten, likten elkaar.'

'Had Lucy de leiding?'

'Nee, helemaal niet, ze vond het grappig en ze speelde mee, net als wij, maar ze verloor bijna niet omdat ze zo goed was met de dobbelstenen. Veel beter dan wij. Ik weet wel dat ze haar kleren uitdeed hoewel het niet hoefde.'

'Dus fysiek deed ze niet mee, om het zo te zeggen?'

'Bijna niet, ze kuste mij toen we allebei naakt waren en ze streelde Jørgens lid terwijl wij tot twintig telden. Maar dat was op dat moment niets om over naar huis te schrijven. Toen hadden Pia en Jesper de liefde al bedreven en kort daarna moest ik met Mouritz. Ik was nog maagd dus het bloedde en deed zeer, maar ik zei niets.'

Konrad Simonsen keek Helena Brage Hansen aan.

'Het klinkt alsof tenminste een paar van jullie wilden stoppen. Ik heb de brievenrubriek gelezen die je toen als padvinder redigeerde, en je was een volwassen en verstandig meisje, dat geen moeite had om nee te zeggen. Waarom maakte je er geen eind aan? Of ging weg?'

Haar antwoord kwam meteen.

'Gedeeltelijk vanwege de alcohol, maar dat was niet de belangrijkste reden. We bleven allemaal spelen in de hoop dat Lucy ook zou verliezen, echt verliezen. De jongens om voor de hand liggende redenen en wij meisjes omdat we al zo ver waren gegaan – tot aan de limiet, en nog verder – en dus vonden we dat zij ook aan de beurt was.'

'Kwam ze aan de beurt?'

'Nee, nooit.'

'Speelde ze vals?'

'Nee, ze was gewoon te goed.'

'Hoe eindigde het dan? Hielpen jullie het lot een beetje?'

'Nee. Pia werd misselijk en moest overgeven, de jongens waren op een gegeven moment... op. Er was ook geen bier meer, dus we gingen naar bed.'

'Jullie gingen naar bed?'

'Ja.'

'En Lucy?'

'Die ging naar haar tent.'

'En meer gebeurde er niet?'

'Nee, die avond niet.'

'O. Vertel.'

'Wij waren weer eerder op dan zij, ik bedoel Lucy. Die ochtend was verschrikkelijk. Iedereen schaamde zich en we konden elkaar niet in de ogen kijken, dus we vluchtten in de wiskunde en we wilden eigenlijk allemaal gewoon naar huis. Ik geloof ook dat we boos waren op Lucy, omdat zij het op de een of andere manier in gang had gezet zonder zelf echt mee te doen. Zo voelde ik het in elk geval.'

Konrad Simonsen keek vragend rond. Ze knikten bevestigend, ja zo was het.

'En toen gebeurde het dus. Dennis, die gehandicapte dus, kwam voor de derde keer langs. Er was geen twijfel over wat hij wilde. Hij stond met zijn hand in zijn broek en zo. Eerst wilden we hem naar huis sturen, maar toen kregen we het idee om hem naar Lucy toe te sturen.'

'O, nee.'

'Jawel. We hadden het erover dat ze nu een koekje van eigen deeg kreeg, en toen gingen we bij de ramen staan en zagen dat hij de tent binnenging. Maar we konden niet echt iets zien, en een tijdje later kwam hij er weer uit en ging weg.'

'Hoopten jullie dat hij haar zou verkrachten?'

'Nee, helemaal niet. We dachten gewoon dat ze Happy Dennis kon helpen net als wij – net als Hanne, bedoel ik – de avond daarvoor, maar toen er niets gebeurde, gingen we terug naar de wiskunde en de kater, zowel de echte kater als de morele. Pas na de lunch kregen we het vermoeden dat er iets mis was. We riepen haar en toen ze nog steeds niet kwam, gingen we uiteindelijk in de tent kijken, en toen was ze dus dood. Hij had haar gewurgd.'

'Zes mensen krijgen toch niet tegelijk een idee. Wiens idee was het om de man naar haar toe te sturen?'

'Dat weet ik niet meer, alleen dat we het allemaal eens waren.'

Jesper Mikkelsen herinnerde het zich beter. Zacht, maar duidelijk zei hij: 'Het was mijn idee.'

Het resterende gedeelte van het verhoor was voorspelbaar en zo mogelijk nog triester. Pia Mikkelsen formuleerde het heel goed: 'We raakten in paniek, domweg in paniek. Het enige juiste was natuurlijk geweest om de politie te bellen en uit te leggen wat er was gebeurd, maar die mogelijkheid overwogen we niet eens. Alleen al het idee dat onze ouders zouden horen wat we hadden gedaan was ondraaglijk, om nog maar te zwijgen over wat er met ons zou gebeuren. We besloten haar te begraven, en ik stelde voor om het onder het kampvuur te doen. Ik dacht dat eventuele honden haar dan niet zouden kunnen vinden, althans als we diep genoeg groeven. De jongens werkten als gekken terwijl wij meisjes haar tent en rugzak pakten. We konden geen ruimte maken voor haar Afghaanse jas, dus die verbrandden we.'

'Waar was haar lichaam toen?'

'We droegen haar uit de tent. Toen deden we een laken over haar heen en legden daar een paar stenen op, zodat het laken niet kon wegvliegen.'

'Had ze kleren aan?'

'Een slipje, dat trokken we uit en we deden het bij de rest van haar spullen. We dachten dat zij mettertijd helemaal zou vergaan, maar haar kleding niet.'

'Wat waren jullie van plan om met haar spullen te doen?'

Jesper Mikkelsen onderbrak: 'We wasten ook haar dijen schoon van zaad. Dennis had op haar geëjaculeerd, maar ze was niet verkracht, alleen vermoord.'

Konrad Simonsen draaide zich als een gebeten hond naar hem om, maar Jesper Mikkelsen wist zijn woede-uitbarsting in de kiem te smoren: 'Sorry, zo bedoelde ik het niet. Ik bedoelde dat ze ondanks alles niet was verkracht.'

Konrad Simonsen liet het daarbij en gaf weer het woord aan Pia Mikkelsen.

'Haar spullen dus?'

'Eerst hadden we het erover om die in zee te gooien, maar dat vonden we toch geen goed idee. Toen bedachten we dat ze een ansichtkaart had geschreven die ze nog niet had verstuurd. We vonden hem, en er stond op dat ze naar Noorwegen wilde om de middernachtzon te zien, en toen kreeg Helena het idee om haar spullen naar Zweden te rijden en haar kaart van daaruit te versturen. Wij namen haar rugzak en tent mee in de trein naar Kopenhagen.'

'Wie reden er naar Zweden?'

'Hanne en Jørgen.'

Konrad Simonsen keek Hanne Brummersted aan.

'Waarom gingen jullie naar Zweden?'

'Ik omdat ik een rijbewijs had en Jørgen om te helpen. Hij kwam er uit zichzelf mee.'

'Was het niet beter geweest om het alleen te doen? Hij was toch niet echt nodig.'

'Dat zie ik nu ook wel in, maar toen lag het voor de hand om het met z'n tweeën te doen.'

'En hoe zat het met de auto en met je examen?'

'Ik zei tegen mijn broer dat ik zwanger was en leende geld van hem voor een abortus. We huurden een auto en thuis vertelde ik dat mijn examen een week was uitgesteld en dat ik weer naar Esbjerg ging om te studeren. Later vertelde ik dat ik me had vergist en toen deed ik mee aan de herkansing in augustus.'

'En dat geloofden je ouders?'

'Nee, ze dachten dat ik zwanger was en een abortus had gehad. Dat was ook de bedoeling. Welke smoes Jørgen verzon, weet ik niet. Ik reed en sliep, reed en sliep en we praatten bijna niet. Op een gegeven moment verstuurden we de kaart en reden verder, en uiteindelijk vonden we een bos waar we de tent opzetten. Daarna gingen we weer terug.'

'Er zat wat geld in haar portemonnee.'

'We deden er wat Zweeds geld in, ik weet niet meer hoeveel, alleen dat we steeds handschoenen droegen om geen vingerafdrukken achter te laten. Nauwsluitende gele handschoenen die bijna ondraaglijk waren.'

Konrad Simonsen beval Jesper Mikkelsen de rest van het verhaal te vertellen.

'Toen het graf klaar was deden we haar daarin en schepten er zand op. Ook de rest van het vuurtje met haar jas ging erin, en we stampten alsmaar grondig met een paal, maar het was zandgrond dus het verspreidde zich goed. Ten slotte legden we de stenen weer terug in de kring en maakten we een enorm vuur om wat as te krijgen.'

'Dat was het? Begraven en weg, waarna jullie met de wiskunde door konden gaan?'

'We wilden niet eerder teruggaan dan we van tevoren hadden gezegd, dus we bleven. Maar niemand deed iets, geloof ik.'

'Dus de dag erna was niet zo leuk?'

'Geen enkele dag daarna is leuk geweest.'

'Vergeet je niet te vertellen over jullie gelofte? Of eed, of hoe jullie het noemden.'

'Een pact, we noemden het een pact. Het was een idee van Helena. We gingen om het kampvuur staan...'

Konrad Simonsen snauwde: 'Om het graf van Lucy Davison! Niet het kampvuur.'

'Sorry, we gingen om het graf van Lucy staan en herhaalden alsmaar: "Nooit, nooit zullen we erover spreken. Nooit, nooit zullen we erover spreken." Daar gingen we tot in het oneindige mee door.'

De pauze werd lang. Ze hadden de eindstreep bereikt en iedereen keek naar Konrad Simonsen. Hanne Brummersted en Pia Mikkelsen huilden weer.

Uiteindelijk vroeg Helena Brage Hansen: 'Wat gaat er nu met ons gebeuren?'

'Jullie zullen een voor een in Kopenhagen worden verhoord. Daarna moet ik samen met de openbaar aanklager bepalen wat we met jullie moeten doen. Misschien niets, dat is helaas een waarschijnlijke uitkomst, maar als je bedoelt hier en nu... wacht even... Het is makkelijker als ik het laat zien.'

Kort daarna was hij terug met vier scheppen in zijn handen.

Het duurde ruim drie uur. Konrad Simonsen toonde geen medelijden. Kleine pauzes voor eten, drinken en rust waren toegestaan, zodat niemand fysieke schade ondervond, maar verder wilde hij dat er alleen maar gewerkt werd. Ze accepteerden het en deden het. Arne Pedersen en Pauline Berg die urenlang niets hadden gezegd, bekeken het geheel van een afstand. De losse zandgrond gaf steeds meer mee en het gat kreeg meer de vorm van een krater dan van een put, maar uiteindelijk hadden ze toch ruimte om met z'n tweeën te kunnen scheppen. Ze wisselden elkaar af. Konrad Simonsen had op zon gehoopt tijdens het werk, zo had hij het zich voorgesteld, maar de hemel werd donkerder, het weer veranderde weer. Pas laat in de middag, toen het licht langzaam uit de effen grijze lucht verdween, werd het zand plotseling zwart. Hij nam de scheppen in en gaf hun een emmer. Ze gingen met de handen door. Jesper Mikkelsen raakte haar. Hij ging rechtop staan zonder iets te zeggen. Het uiteinde van een wit dijbeen stak uit het graf.

Konrad Simonsen liet hen ophouden: 'Zo is het genoeg. De technische recherche doet de rest. Nu moeten we alleen nog uitzoeken wie van jullie Jørgen Kramer Nielsen heeft vermoord.'

12

'Geen van hen.'

De conclusie lag voor de hand, maar Arne Pedersen en Pauline Berg lieten het aan Konrad Simonsen over om die te trekken. Zij konden alleen spreken voor hun eigen twee getuigen, voor Pauline Berg waren dat Hanne Brummersted en Helena Brage Hansen en voor Arne Pedersen het echtpaar Mikkelsen. Evident fout, dacht Konrad Simonsen. Een van zijn medewerkers moest iets over het hoofd hebben gezien.

Hij stond op en liep gefrustreerd te ijsberen voor zover dat kon in zijn kleine dependance. De Freule volgde hem bezorgd met haar ogen. Arne Pedersen en Pauline Berg, die op de bank zaten, keken een andere kant op en wachtten af. Intussen vroeg Konrad Simonsen zich af of het verkeerd was geweest om die twee mee te nemen naar Esbjerg. Arne Pedersen wist het minst van hen allemaal van de zaak af, druk als hij was met budgetten, rapporten en andere zaken. En Pauline Berg? – tja, met haar kon je sowieso niet samenwerken en nu droeg ze ook niets bij. Twee verkeerde investeringen. Of in elk geval die ene die iets had gemist.

Hij ging weer zitten en dacht niet erg constructief: klotedinsdag!

De Freule had het lef om te vragen: 'En wat nu, Simon?'

'We gaan er nog een keer doorheen.'

Hij wees naar Arne Pedersen, die weifelend vroeg: 'Wil je dat ik herhaal wat ik net heb gezegd?'

'Ja, dat zit toch min of meer in de uitdrukking "nog een keer"? Dus: van voren af aan, nog een keer.'

Pauline Berg schudde haar hoofd.

'Het is belachelijk, we hebben vijf minuten geleden toch al alles verteld.'

Konrad Simonsen snauwde: 'Als je vindt dat mijn onderzoek belachelijk is, kun je oprotten.' Hij wees richting de deur naar zijn kantoor. 'Ga weg en ga ergens anders stennis maken. Je bent toch mijn pakkie-an niet voor volgend jaar en ik kan je missen als kiespijn.'

De Freule zei verzoenend: 'Nou, nou, Simon.'

Pauline Berg bleef pruilend zitten en Arne Pedersen recapituleerde zijn observaties in Esbjerg van twee dagen eerder. Weer, nog een keer, opnieuw, zoals bevolen.

Pia en Jesper Mikkelsen hadden van tijd tot tijd psychisch onder grote druk gestaan. En geen van beiden, alleen noch gezamenlijk, had een verborgen agenda, of hoe hij het ook moest noemen, waar het ging om postbode Jørgen Kramer Nielsen. Ze hadden de hele dag vrijwel niet met elkaar gecommuniceerd, geen verborgen blikken, geen aandacht voor de ander. Maar vooral was geen van beiden extra alert wanneer de naam van de postbode viel. Arne Pedersen noemde een paar concrete voorbeelden uit zijn notities en rondde verontschuldigend af: 'Tenzij ze de beste acteurs van de wereld zijn, beter dan ik ooit heb meegemaakt, heeft geen van beiden jouw postbode vermoord. Of hem laten vermoorden.'

Konrad Simonsen keek als een vrek die net vijf rekeningen had ontvangen. Arne Pedersen verontschuldigde zich bijna weer, maar bleef bij zijn conclusie: 'Ik weet dat je het niet leuk vindt om te horen, Simon. Maar ze hebben niemand vermoord.'

De ogen van Konrad Simonsen spuwden vuur en de Freule zei snel: 'Behalve Lucy Davison, dan.'

Het relaas van Pauline Berg over de reacties van Hanne Brummersted en Helena Brage Hansen was een trieste kopie van dat van Arne Pedersen. Ook die twee hadden niets met de moord in Hvidovre te maken. Konrad Simonsen schudde zijn hoofd opnieuw als duidelijk teken dat hij haar niet geloofde. Toen stelde hij wat nadere vragen over Hanne Brummersted. De arts was lang zijn hoofdverdachte geweest van de moord op Jørgen Kramer Nielsen.

'Hoe reageerde ze toen ik zei dat het enige wat ik nog moest uitzoeken was wie de postbode had vermoord?'

'Ze reageerde helemaal niet. Ze was totaal verstijfd toen ze de resten van het lijk zag.'

'En toen ik het had over de gelofte die ze aan elkaar hadden gedaan, en toen ik zei dat een van hen die toch uiteindelijk had verbroken?'

'Ze begreep niet wat je bedoelde. Ik ook niet. Niemand volgens mij.'

Hij besloot ergens anders te beginnen, vanuit een andere invalshoek, misschien hielp dat.

'Goed, laten we hun reacties vergeten en het een beetje van bovenaf bekijken. En zeg me dan wie de meeste indruk op jullie heeft gemaakt.'

Hij keek hen smekend aan, van de een naar de ander en weer terug. Pauline Berg antwoordde uiteindelijk: 'Jij. Vooral toen je hen het lijk liet opgraven. Dat was volstrekt overbodig en wreed.'

'Ze hebben een jong meisje vermoord.'

'Een jong meisje waar je maanden weg van bent geweest en dat je wreekte zodra je de gelegenheid kreeg. Bovendien hebben zíj haar niet vermoord, maar die achterlijke jongen.'

Hij hapte naar lucht en voelde dat hij bijna ontplofte van woede. Alleen met een uiterste krachtsinspanning lukte het hem zijn eerste impuls te bedwingen en niet tegen haar te gaan schreeuwen. De korte pauze maakte hem nog chagrijniger, omdat hij zag dat de Freule haar niet corrigeerde, en Arne Pedersen ook niet. Dat kon maar één ding betekenen, namelijk dat ze het met haar eens waren, maar het zelf niet durfden te zeggen.

Hij stond op het punt om weg te lopen, om woedend weg te lopen uit zijn eigen kantoor, hen achter te laten met hun onbruikbare conclusies en hen in hun eigen incompetente sop gaar te laten koken. Maar hij koos voor een nog betere oplossing, vond hijzelf. Hij begon bevelen te geven: 'Arne, jij checkt hun alibi's nog een keer. Ik weet dat het vaker is gebeurd, maar ik wil dat ze nog een keer worden gecheckt, en het kan me niet schelen of het de vijfde, zesde of achtste keer is. Het is ook jouw taak om hun schriftelijke toestemming te krijgen voor het doorzoeken van hun huizen en eventuele zomerhuizen. Vrijwillig, al moet je ze een arm uitdraaien. En zorg dat de huiszoeking wordt gedaan door ervaren collega's. Licht de Noorse politie voor de goede orde in, maar stuur drie van onze eigen mensen naar Hammerfest zodra je de handtekening van Helena Brage Hansen hebt.' Arne Pedersen beloofde het krachteloos.

Konrad Simonsen richtte zich nu tot Pauline Berg en beperkte zich tot het puur zakelijke: 'Pauline, jij zorgt dat ze alle vier in Kopenhagen blijven en mij ten minste de rest van de week ter beschikking staan. Ik ben van plan ze helemaal door te zagen, totdat een van hen breekt. En ze komen hier prompt op de tijdstippen die ik eis. Zo niet, kunnen ze hun moord op Lucy Davison op de voorpagina's van de boulevardpers tegemoet zien, met hun eigen foto's en achtergronden op de pagina's 3, 4, 5 en 17. Als ze eraan twijfelen of ik dat wel meen, herinner ze er dan maar aan hoe mooi Lucy was. Vraag maar of ze niet denken dat een foto van haar goed is voor de krantenverkoop. En als dat niet genoeg is zal ik er persoonlijk voor zorgen dat de openbaar aanklager ze in staat van beschuldiging stelt van dood door schuld, groepsverkrachting, onzedelijke omgang met een lijk en een niet geautoriseerde begrafenis van een mens in niet-gewijde grond.'

Pauline Berg zei provocerend: 'Ten gunste van wie?'

Konrad Simonsen sloeg met een vuist op de tafel.

'Voor mezelf!'

'En jij, Freule, zorgt voor wat welonderbouwde medische oordelen over Dennis Høst, de man met het syndroom van Down dus, die volgens hen het meisje heeft vermoord, of hij inderdaad zo kon reageren als zij beweren dat hij deed. Voor zover ik weet zijn dit soort mensen vreedzaam en volstrekt ongevaarlijk, en het is de eerste keer dat ik ooit ervan heb gehoord dat zo'n... zo iemand een moord heeft begaan. En ik wil de informatie van minstens twee onafhankelijke bronnen.'

Hij ging staan en klapte in zijn handen.

'Dus, hup, aan de slag!'

Arne Pedersen en Pauline Berg verlieten de dependance zonder commentaar, de Freule bleef zitten. Hij ging naast haar op de bank zitten, zwijgend. Gek genoeg moest hij denken aan Pauline Berg, op wie hij net zo boos was geweest. Maar het had niets met die woede te maken, het was iets anders, iets waar hij niet de vinger op kon leggen. Hij schudde zijn hoofd alsof hij haar zo kon verdringen, en toen dat niet lukte, zei hij over Lucy Davison: 'Ik stond erbij toen de technische recherche haar had opgegraven – haar fotografeerde en botje voor botje in een zinken doos deed. Toen ze haar schedel pakten, vond ik haar mooi. Dat dacht ik echt, dat ze mooi was. Haar tanden waren heel regelmatig en wit, en de vorm van haar schedel was zo... heel en zo perfect.'

De Freule glimlachte fijntjes en vroeg op dezelfde toon: 'Zullen we vanavond uit eten gaan? Ergens gezellig, in Helsingør of zo. Daar heb ik behoefte aan.'

*

Hij besloot zelf alle verhoren met de Bende van Vier te doen. Iets meer dan een uur per persoon en met een halfuur ertussen, zodat ze elkaar niet zouden tegenkomen. Hanne Brummersted was zijn verdachte nummer één, de chef-arts die zo arrogant en afwijzend was geweest tijdens de eerste ondervragingen. Nu was de arrogantie weg, haar ogen waren vochtig en ze zag eruit alsof ze die nacht niet veel had geslapen.

Hij zei vaderlijk: 'Wordt het geen tijd om je hart te luchten? We wéten dat je contact had met Jørgen Kramer Nielsen. Hij heeft er vaak over geschreven in zijn dagboek.'

Ze schudde moedeloos haar hoofd.

'Dat moet een misverstand zijn. Ik heb hem niet gezien sinds we in Zweden waren. Geen enkele keer... Dat geloof ik tenminste.'

Als door een slang gebeten zei hij: 'Geloof je dat? Kom op, voor de dag ermee.'

Hij voelde de spanning enorm stijgen, maar aan haar verklaring had hij niets. Misschien ooit in de jaren negentig, 1997 was het waarschijnlijk, ze wist het niet zeker, toen had ze hem misschien een keer gezien bij de IKEA in Gentofte. Maar ze had hem ontweken, was hem bewust uit de weg gegaan en hij had haar niet gezien, dat wist ze zeker.

'Waarom schrijft hij dat dan in zijn dagboek? Hoe verklaar je dat?'

Dat kon ze niet, ze zou wel willen dat ze het wist, maar nee... nee, het was onverklaarbaar. Ze had blijkbaar niet in de gaten dat hij tegen haar loog over het dagboek.

Met Helena Brage Hansen was hij iets voorzichtiger. Hij wilde niet dat ze in zou storten; haar broer had immers uitgelegd dat die kans bestond als ze te veel onder druk werd gezet. Hij vroeg rustig, alsof het spel uit was, maar hij haar geen persoonlijke verwijten maakte: 'Jørgen Kramer Nielsen heeft je in Noorwegen opgezocht. Wanneer kwam hij voor het eerst?'

'Nee, hoor, hij is nooit in Noorwegen geweest. Althans niet bij mij.'

'Ben jij dan bij hem geweest in Kopenhagen?'

'Nee, je vergist je, zo is het niet. We hebben geen contact gehad sinds... toen.'

'Telecominlichtingen liegen niet, Helena.'

'Maar dan is er sprake van een misverstand. Zou je zo vriendelijk willen zijn om dat nog een keer te checken, want we hebben nooit gebeld. Echt nooit.'

Het echtpaar probeerde hij tegen elkaar uit te spelen. Jesper Mikkelsen huilde tijdens het grootste deel van het verhoor. Hij had een zakdoek in zijn hand, die steeds smoezeliger werd naarmate het gesprek vorderde. Konrad Simonsen zag geërgerd hoe hij steeds maar weer zijn betraande ogen depte. Hij dacht aan Lucy en het kleine beetje medelijden dat hij met de man had, verdween.

'Hou eens op met dat gejank. Je kunt beter een goede advocaat zoeken.'

'Maar ik dacht dat jij dat niet wilde?'

'Nee, maar jij wel. Dacht je nou echt dat je vrouw eeuwig achter je zou blijven staan? Hoe naïef kun je zijn? Vooral als je bedenkt hoe jullie tweeën met elkaar omgaan.'

Hij huilde en kon bijna niet praten.

'Straf me dan maar voor de moord op Jørgen, hoewel ik het niet heb gedaan. Ik verdien het om naar de gevangenis te gaan.'

Pia Mikkelsen was de enige die een beetje weerstand bood: 'Snappen jullie dan niet dat ik niets met de moord op Jørgen te maken heb?'

'Maar je bent de enige van jullie die contact met hem had.'

'Flauwekul. Dat had ik helemaal niet.'

Konrad Simonsen sloeg met zijn vuist op de tafel en schreeuwde. Toen begon zij ook te huilen.

Die avond aten de Freule en hij in een klein Italiaans restaurant in het centrum van Helsingør. Anna Mia was ook mee, de Freule had haar gebeld. Of misschien was het andersom, dat wist Konrad Simonsen niet.

Het eten was niet geweldig, maar wel lekker, en de prijs was redelijk. De Freule maakte daar een opmerking over toen ze nog wat nazaten met hun respectievelijke thee en koffie. Dat verbaasde Anna Mia: 'Ik snap dat niet, Nathalie. Je hebt miljoenen en je geeft er meestal niets om waar je je geld aan besteedt, maar elke keer als we uit eten zijn, vergelijk je prijs en kwaliteit alsof je elk dubbeltje moet omdraaien. Heb je als kind niet genoeg te eten gekregen of zo?'

De Freule lachte. Nee, ze had nooit honger geleden. Anna Mia ging door op hetzelfde spoor: 'Misschien hoef jij ook niet altijd te betalen. Papa zou het voor de afwisseling kunnen doen... of ik trouwens.'

De aanvulling kwam wat aarzelend en de Freule zei: 'Ik dacht dat je aan het sparen was.'

'Dat ben ik ook, maar ik heb nog lang te gaan.'

Konrad Simonsen kwam er ineens weer bij. Hij had uit het raam zitten kijken zonder het gesprek echt te volgen. Pauline Berg zat weer in zijn hoofd, als een stem, een gevoel... Dat was onmogelijk te bepalen, maar het gebeurde vaker.

Hij vroeg aan zijn dochter: 'Wat was dat met dat sparen?'

Anna Mia schudde gelaten haar hoofd.

'Dat maakt niet uit. Het is toch bijna onmogelijk met de huidige huizenprijzen in Kopenhagen en omstreken. Of beter gezegd met de prijzen van appartementen. Ik bereik nooit iets wat in de buurt komt van een aanbetaling.'

Haar vader vroeg bezorgd: 'Maar woon je niet prima waar je nu woont?'

De Freule schudde misprijzend haar hoofd.

'Hou nou op, Simon.'

Het klonk alsof hij moest ophouden met het ontkennen van de zwaartekracht. Hij bond in; ja, natuurlijk zag hij ook wel dat... tja, dat ze gelijk hadden.

Anna Mia zei: 'Ik word ook ouder, papa. Maar het is niet te betalen en al helemaal niet als ik in de City, in Frederiksberg of in Valby wil wonen. Soms denk ik dat ik naar Aarhus moet gaan, of misschien naar Aalborg. Daar zijn de prijzen wat redelijker.'

De Freule steunde haar: 'Ja, dat lijkt me ook een prima idee, eens een paar jaar iets anders meemaken dan Kopenhagen. We kunnen er misschien een keer heen gaan en appartementen bekijken als je zin hebt. Dat lijkt me enig.'

'Ja, dat zou echt geweldig zijn.'

Anna Mia klonk blij. Dat was Konrad Simonsen niet. Hij kwam met een paar lange, onduidelijke argumenten voor Kopenhagen: voor haar carrière was het gewoon een enorm voordeel, bovendien waren er ook vrienden en bekenden om rekening mee te houden. En ze moest er ook rekening mee houden dat de afstanden in Jutland groter waren dan wat zij gewend was, veel groter – en daarom moest ze in haar budget ook rekening houden met een auto, dus al met al was er niets te besparen. Eerder het tegendeel. Ja, als je het echt goed ging uitrekenen, dan zeker het tegendeel, geen twijfel over mogelijk.

De Freule schoot Anna Mia weer te hulp: 'Je mag mijn oude auto voor een mooi prijsje kopen als ik een andere neem. Dat duurt nog maar een paar maanden, en dan zien we je ook meer, hoewel het natuurlijk niet zo zal zijn als nu.'

Het duurde hooguit vijf seconden, toen had Konrad Simonsen weer een ander idee. Hij had toch een appartement en het was een feit dat hij daar bijna niet meer kwam. Anna Mia legde een hand op zijn arm: 'Maar dat is van jou, papa. En jij bent heel blij met Valby, dat weet ik.'

Dat was misschien wel zo, maar hij was er in twee maanden tijd maar vijf keer geweest, behalve als hij de post ging ophalen. Daar kwam nog bij dat hij eigenlijk al een tijdje vond dat er iets moest gebeuren, en dit zou de aanleiding kunnen zijn... Nou ja, het was de moeite waard om erover na te denken of ze niet iets konden regelen. Op een gegeven moment.

De Freule nam het over, vol geestdrift. Zij kende een notaris die heel goed was in dit soort dingen. Anna Mia zou het appartement goedkoop kunnen kopen. Zelf kon ze ook een bijdrage leveren, en Konrad Simonsen kon dan genoeg op zijn spaarrekening storten om later, als hij haar niet meer kon uitstaan, iets nieuws aan te schaffen. Ze wuifde zijn protesten weg. Nee, juist in dit geval mocht zij zeker ook een investering doen, en zo kon ze ook iets op de auto besparen als Anna Mia hem toch niet nodig had.

Ze hadden geen wijn gedronken tijdens het eten, en de Freule bestelde, druk pratend en redenerend, drie grappa. Anna Mia voegde eraan toe dat Aalborg misschien ook wel ver weg was en dat het toch fantastisch zou zijn als het kon. De Freule hief haar glas en zei: 'Natuurlijk kan het. Ik vraag de notaris morgenavond langs te komen. Proost op het huis.'

De twee vrouwen proostten. Anna Mia zei tegen haar vader: 'Dat is echt lief van je. En ook dat je een drankje neemt, terwijl je dat normaal niet meer doet. Het is net zo'n borrel die ze vroeger op de veemarkt dronken na de handslag.'

Ze proostten en dronken.

De tweede en derde ronde van de verhoren van de Bende van Vier gaven ook geen resultaat. Hij had geschreeuwd, gesmeekt en verleid, alle trucjes gebruikt die hij kende plus nog een paar die hij voor de gelegenheid verzon. Het hielp allemaal niets. De moordenaar van Jørgen Kramer Nielsen verschool zich onder hen, en goed. Ook de huiszoekingen, de bewaking en de telefoontaps waarvoor hij met moeite toestemming had gekregen, leverden niets op. Geen van de vier verdachten had contact gehad met een van de anderen, behalve het echtpaar natuurlijk, en geen van hen voerde gesprekken die op welke manier dan ook als verdacht konden worden beschouwd. Na drie dagen hard werken was alles wat hij had een grote, ronde nul.

Er waren dagen dat Konrad Simonsen het gevoel had dat iedereen tegen hem was, en vooral de Freule. Zelfs Klavs Arnold was van kamp gewisseld, terwijl de Jutlander en hij vanaf het begin toch op dezelfde lijn hadden gezeten. Op donderdag vatte hij de koe bij de hoorns. Hij riep de inner circle bij elkaar om de zaken nog eens duidelijk op een rijtje te zetten. Hij wilde bovenal benadrukken dat, ook al wezen ze allemaal zijn theorie af dat een van De Hartjes Jørgen Kramer Nielsen had vermoord, dan nog was en bleef hij de leider van dit onderzoek en was hij het – en hij alleen – die bepaalde hoe ze verdergingen.

Hij herhaalde zichzelf bewust en verheugde zich al haast op de uitgebluste blikken die hij van hen verwachtte. 'De Eenzame Hartenclub, De Eenzame Hartenclub, De Eenzame Hartenclub – dáár moeten we zoeken. Een van hen heeft Jørgen Kramer Nielsen om het leven gebracht, en misschien hebben ze het met z'n allen gedaan, dus ergens is er een verband, en dat moeten we zien te vinden. Goede ideeën zijn gewenst.'

Hij brulde het er allemaal uit. Hij ontmoette een muur van zeldzame eenstemmigheid. Klavs Arnold nam geen blad voor de mond, en zei als eerste: 'Je vergist je, en dat wil je niet onder ogen zien. Op het ogenblik is jouw koppigheid de grootste belemmering voor het vinden van de moordenaar van Jørgen Kramer Nielsen.'

Arne Pedersen was iets diplomatieker: 'Het spijt me, maar ik geloof niet dat er een verband is. Niet meer.' Hij legde uit dat de huiszoekingen verspilling van middelen waren geweest. Natuurlijk gebruikte hij dat woord, 'middelen', niet 'tijd' of 'moeite', de manier van een chef om naar mensen te kijken, dacht Konrad Simonsen. Hij luisterde zonder belangstelling toen Arne Pedersen de negatieve resultaten doornam en vervolgens de alibi's van Helena Brage Hansen en Jesper Mikkelsen bevestigde voor de periode waarin de moord in Hvidovre plaats zou hebben gevonden. Arne Pedersen rondde af: 'Ik heb al je verhoren gezien en nog eens gezien en ik heb echt geprobeerd om blanco te kijken. Maar in mijn ogen klopt het allemaal. Wat de ongelukkige gebeurtenis omtrent Lucy Davison betreft hebben ze hun kaarten op tafel gelegd. Voor elk detail hebben ze een aannemelijke verklaring en er zijn geen losse eindjes.'

'Het gaat niet over Esbjerg, het gaat over Hvidovre.'

'Dat weet ik, en het is mijn stellige overtuiging dat geen van allen daar iets mee te maken heeft. En dat wordt onderbouwd door het feit dat we geen enkel recent contact tussen hen hebben gevonden, niet onderling en ook niet met Jørgen Kramer Nielsen. En dat is niet gelukt omdat ze er niet zijn, laat staan dat er sprake is van een complot.'

De Freule draaide het mes nog even rond: 'Je hebt het gewoon mis, Simon. Elke keer dat ze geconfronteerd worden met de dood van de postbode hebben ze logische antwoorden, zonder te aarzelen of eromheen te draaien, en zelfs jij moet toegeven dat je ze hard hebt aangepakt. Heel hard.'

'Hanne Brummersted, die had jij toch ook lang in het vizier?'

'Een tijd, ja, en het is geen geheim dat ik haar niet mag, maar schuldig aan de moord op Jørgen Kramer Nielsen is ze niet. Overigens heb ik respons gekregen op je vragen over mensen met het syndroom van Down en hun seksuele controle.'

Hij wilde haar bijna onderbreken. Dat kon wachten, dit was niet het moment en niet de plaats. Maar akelig doelbewust haalde ze een kleine notitie tevoorschijn en nam die betweterig door. Mensen met het syndroom van Down leden in verschillende mate aan gebrekkige zelfcontrole, en ze konden vooral het gedrag en de taal van andere mensen niet op de juiste manier interpreteren, de hele situatie dus. Seksueel gezien konden ze promiscue zijn, en exhibitionisme kwam vaak voor; dat werd veroorzaakt door seksuele verwardheid en desoriëntatie. Dit alles kon bovendien leiden tot ongepast, grensoverschrijdend, krenkend en fysiek gewelddadig gedrag. Dus ja, het was zeer wel mogelijk dat Dennis Høst Lucy Davison had gedood. Niet omdat hij het wilde maar omdat hij de controle over zichzelf en de situatie was kwijtgeraakt.

Konrad Simonsen bedankte haar korzelig en vroeg aan iedereen: 'Denken jullie dan echt serieus dat we te maken hebben met een man die vermoord is en die samen met anderen verantwoordelijk was voor de dood van een jong meisje, en dat er toevallig geen verband is? Bedenk even hoe ongewoon een moord in Denemarken godzijdank is en vertel me dan of jullie geloven in zo'n unieke, ongelooflijk zeldzame samenloop van omstandigheden.'

Zijn speech had geen effect. Dat geloofden ze inderdaad. Hij kreeg een duidelijk 'ja' van allemaal.

'Er moet ergens een detail zijn dat we over het hoofd hebben gezien. Ergens.'

Ze schudden zwijgend van nee, allemaal. Er was geen detail over het hoofd gezien. Nergens.

'Ik zou je wel willen helpen maar ik heb geen idee hoe.'

Dat was Pauline Berg, en ze klonk alsof ze het meende. Hij had ook geen idee.

Het volgende etmaal bekeek Konrad Simonsen verschillende theorieën van alle kanten, de ene nog onmogelijker dan de andere. Slechts een ervan had zoveel in zich dat hij die met anderen wilde delen, en Arne Pedersen werd toevallig de pineut.

'Luister, Arne. Stel dat Jørgen Kramer Nielsen ziek was en hij wist dat hij binnenkort zou sterven. Levend wil hij de dierbare gelofte uit zijn jeugd niet verbreken, maar dat wordt bemoeilijkt door zijn katholieke geloof; hij wil schoon schip maken voordat hij zijn God ontmoet. Misschien door een brief die na zijn overlijden gevonden moet worden, een brief waarin hij vertelt hoe Lucy Davison om het leven kwam. Hanne Brummersted hoort via haar medische relaties over zijn toestand, ze zoekt hem op en breekt hem de nek voordat het te laat is. Hoe klinkt dat?'

'Als een vergelijking met zeven onbekende factoren. Was hij ziek dan?'

'Daar moeten we achter kunnen komen.'

Twee verspilde uren en een aantal telefoongesprekken later moest hij vaststellen dat niets erop duidde dat de postbode al met één been in zijn graf had gestaan. De priester dacht van niet en had er ook niets over gehoord, de directeur van het postkantoor reageerde net zo, en bovendien verscheen de man steeds keurig op zijn werk. De huisarts en de plaatselijke ziekenhuizen hadden ook geen meldingen over Jørgen Kramer Nielsen, de lijst van zijn aardse bezittingen bevatte geen medicijnen, behalve een potje paracetamol, dat ook nog ongeopend was – allemaal tegenvallers en dus het einde van deze theorie. Konrad Simonsen prentte zich in dat hij dat ook aan Arne Pedersen moest laten weten en vergat het daarna weer.

Dan zat er meer brood in de twee ideeën van Pauline Berg. Ze verheelde niet dat ze naar de solide meerderheidslijn neigde, zoals ze het noemde. Maar merkwaardig genoeg had ze zijn aanmoediging om goede ideeën te bedenken serieus genomen. Op een ochtend lag ze op de bank in zijn dependance op hem te wachten toen hij binnenkwam. Hij maakte een opmerking over haar kleding, waarvan hij zich ineens herinnerde dat het een paar maanden geleden een probleem voor haar was geweest – voor hem trouwens ook. Sindsdien had hij er niet meer bij stilgestaan, maar dat deed hij nu wel: 'Je draagt weer je oude kleding, ik bedoel de kleding die je droeg voor...'

Hij aarzelde en vervloekte zichzelf. Zij maakte de zin af: 'Voordat ik werd gegijzeld en gemarteld. Ja, dat klopt. Nou en?'

'Niks, ik vroeg me alleen af of het iets beter met je ging of zo.'

Dat ontkende ze.

'Het gaat zoals het de hele tijd is gegaan, namelijk op en neer. Maar ik wil er niet over praten, niet vandaag.'

Dat respecteerde hij. Hij verontschuldigde zich en had daar meteen spijt van; dat had hij niet moeten doen. Ze zei: 'Twee dingen, Simon. Ten eerste, wat nou als een van de anderen die mee was op de Esbjerg-reis ook zo nu en dan terugkeerde naar het kamp, net als Jørgen Kramer Nielsen, en dan misschien op een gegeven moment zijn tas vond?'

'Die was goed verstopt, maar onmogelijk is het natuurlijk niet.'

'Ik zie nergens dat we degenen die jij verdenkt dubbel hebben gecheckt op vingerafdrukken.'

'Die *wij* verdenken.' Hij moest het zeggen. Wie hij onder verdenking had, was onder verdenking van de afdeling Moordzaken, en daarmee van iedereen die daar werkte. Maar verder complimenteerde hij haar en maakte hij een notitie. Ze straalde, het was een van die dagen.

Ze ging door: 'Wat ze tijdens dat uitstapje hebben meegemaakt heeft diepe indruk op hen allemaal gemaakt, en het is niet overdreven om te zeggen dat het hun leven heeft getekend.'

'Helemaal mee eens.'

'Jørgen Kramer Nielsen met zijn foto's en zijn wiskunde, Hanne Brummersted met haar levenslange werk met diagnostische en genetische aspecten bij het syndroom van D...'

Hij viel haar in de rede.

'Ja, ik snap het, wat wil je daarmee zeggen?'

'We hebben nog Mouritz Malmborg. Hem zijn we helemaal vergeten. Hoe heeft de dood van Lucy Davison hem beïnvloed, en vooral: hebben we ooit kritisch bekeken hoe hij eigenlijk om het leven is gekomen?'

Konrad Simonsen maakte bedachtzaam brommend nog een notitie en Pauline Berg kreeg nog een portie complimenten. Hij vroeg zich af of ze om die reden zo ijverig op zijn theorieën inging, ook al had ze zelf een andere mening en was ze vaak tegendraads. Veel ijveriger dan de rest bij elkaar. Werkte ze vooral om complimentjes te krijgen? Dat moest hij de Freule bij gelegenheid eens vragen.

Maar al in de loop van de ochtend werden ook deze twee losse eindjes van stevige knoopjes voorzien. Er zaten geen vingerafdrukken van de anderen op de tas of de andere spullen van Jørgen Kramer Nielsen en als de dood van Mouritz Malmborg in scène gezet was, dan bevatte die voorstelling ook een oververmoeide Italiaanse vrachtwagenchauffeur en twee omgevallen lichtmasten. Konrad Simonsen ging naar huis om een rondje hard te lopen.

Anna Mia stond optimistisch klaar in sportkleding. Het weer was perfect: koel, maar niet echt koud en bovendien windstil met een beetje motregen, die juist verfrissend was tijdens het rennen. Vandaag wilde hij per se voor het eerst het hele rondje hardlopen, een triomf waarvan hij zeker wist dat hij er nu klaar voor was en die hij met zijn dochter wilde delen.

Ze liepen. Zij praatte en hij spaarde zijn adem.

'Lief van je dat ik mee mag doen. Hoeveel moet je nog? Ik bedoel in de verhouding wandelen – hardlopen?'

Hij gaf met duim en wijsvinger een klein stukje aan. Ze begreep de hint en hield op met tegen hem te praten. Dat duurde honderd meter, toen zei ze: 'Je hoeft geen antwoord te geven, maar ik vind het echt tof dat je dat meisje hebt gevonden.'

'Dank je.'

'En nu zegt iedereen dat je gegarandeerd ook de zaak van die postbode gaat oplossen.'

'O.'

'Maar dat is dom. Je kunt toch niet toveren.'

'Nee.'

Hij was begonnen te zweten en de aangename toestand van trance, waar hij bijna aan verslaafd was geraakt, verspreidde zich door zijn lichaam en geest. De volgende weggetjes namen ze met zwijgend hardlopen en even later kwam hij voor de derde keer zonder pauze langs zijn teken voor halverwege. Toen kwam de pijn, en zijn longen schreeuwden.

Zijn dochter vroeg: 'Hoe gaat het? Red je het?'

Hij antwoordde niet, wat ze als een aanmoediging zag om door te praten: 'Als het je niet lukt om de moord op de postbode op te lossen, dan is dat gewoon zo. Je hoeft niet te voldoen aan een belachelijk imago dat je bij andere mensen hebt. Nu nog maar een kilometer of twee. Het gaat lekker.'

Het enige waar hij op dat moment aan kon denken, was dat het woord 'kilometer' verboden zou moeten worden, en dat het verbod om je kinderen te slaan nu even niet hoefde te gelden. Maar tussen alle andere dingen kon hij geen verband meer zien, en hij had lucht nodig. Hij zwoegde het volgende weggetje over, sloeg links af en wist dat hij, als hij omhoog zou kijken en zou zien hoe ver het nog was, niet verder zou kunnen. Toen kwam de auto. Die reed langzaam aan de overkant van de weg en hij had veel te veel tijd om hem te bekijken: een Wartburg Cabriolet uit 1969, gerestaureerd natuurlijk. Hij stopte.

*

'Concentreer je nou, Rita.'

Rita en hij waren vroeg opgestaan. Ze waren begonnen bij Rådhuspladsen, waar hij een bankje bij een bushalte had gevonden dat op de Vester Voldgade uitkeek. Dat was een goede plek om te oefenen. Zij wist niets van automerken af, hij kende ze allemaal, maar hij hoefde er maar één aan haar te leren. Dat was al moeilijk genoeg, omdat hij haar niet wilde vertellen waarom.

Ze vroeg voorzichtig, onderdanig zoals ze de hele week al was geweest: 'Maar waarom moet ik dit doen, Konrad? Ik ben zo slecht in auto's.'

Hij voer tegen haar uit: het moest nou eenmaal, en als zij half Europa kon rondreizen en geld kon afgeven aan verdachte mensen voor een doel waarover ze niets wist, dan kon ze verdomme toch ook een automerk leren als hij het haar vroeg. Hij had er ook aan kunnen toevoegen dat dat tenminste niet leidde tot de dood van onschuldige mensen, maar dat deed hij niet. Ze gehoorzaamde en concentreerde zich op de ochtendspits, maar het was duidelijk dat haar gebrek aan kennis haar motivatie in de weg stond. Ze was hier bijzonder slecht in, zat er steeds naast, en vaak mijlenver, als ze een Datsun of Chrysler aanwees die in de verste verte niet op een Wartburg Cabriolet leek. Hij hief zijn handen melodramatisch naar de twee bazuinblazers onder wier sokkel ze stonden.

Ze verontschuldigde zich met een kleinemeisjesstemmetje: 'Ik doe mijn best.'

Ze probeerde het weer en had het voor het eerst goed. Hij prees haar, dat was goed, nu wist ze het. De twee volgende Wartburg Cabriolets zag ze over het hoofd. Hij had de hele dag voor het project uitgetrokken, maar begon eraan te twijfelen of dat wel genoeg zou zijn. Maar het ging steeds beter, en aan het einde van de ochtend had ze het redelijk onder de knie. Hij vroeg of ze klaar was met pakken en alle andere dingen regelen. Dat was ze, alles was klaar. Ze vertelde: morgen zou ze afscheid nemen van een paar oude vrienden. Dat gebeurde in Kongens Have en ze hoopte dat hij ook zou komen. En overmorgen zou ze dan de Jumbo Jet nemen van Kopenhagen naar New York. Ze wees een Wartburg Cabriolet aan die langsreed. Alles was gepakt en gezakt, koffers, vliegticket, paspoort, visum alles behalve het geld.

'Ik zal je missen.' Het klonk alsof ze het meende.

Hij zei dat hij in zijn hele leven nog nooit iemand zoals zij had ontmoet. In zijn hele leven... belachelijk als hij er nu aan dacht, hij was toen begin twintig. Ze probeerde optimistisch te klinken: 'En dan kom je op bezoek. Dat beloof je, hè?'

Natuurlijk beloofde hij dat. Vanzelfsprekend, daar kon ze zeker van zijn.

Hij was minder ontroerd dan zij. Ergens voelde het als een bevrijding dat ze wegging, maar tegelijkertijd hield hij ook wel van haar. Genoeg om het een ondraaglijke gedachte te vinden als ze in de Verenigde Staten in de goot zou belanden, zonder middelen van bestaan... zonder geld.

Toen hij eenmaal op het idee was gekomen, had hij er geen moment meer over getwijfeld. En het was vrijwel ongevaarlijk en gemakkelijk – hoewel hij beter dan wie dan ook wist dat de Deense gevangenissen vol zaten met mensen die dachten dat hun vergrijpen ongevaarlijk en gemakkelijk waren.

Haar generale repetitie vond plaats op de parkeerplaatsen rondom het station Nørreport en de straten achter Grønttorvet richting Nansensgade, waar ze wat rondfietsten. Zonder mankeren wees ze de vier Wartburg Cabriolets aan die voorbijkwamen.

Haar vuurdoop was de volgende dag. Ze wachtten voor een telefooncel aan het einde van een stille straat in Kopenhagen. De straat liep dood, dus beter kon niet. Er waren wat kleine winkeltjes en wat spelende kinderen, herinnerde hij zich, en niet veel verkeer.

Toen de auto in zicht kwam en langs hen reed, gaf hij duidelijke opdrachten. Hij wees hem discreet aan.

'Blijf in de telefooncel! Als je de rode Wartburg Cabriolet de straat in ziet komen, dan bel je. Laat de telefoon drie keer overgaan, hang op en ga naar huis.'

Hij ging de telefooncel in, stopte een dubbeltje in het gleufje, draaide twee keer een nummer en liet de telefoon overgaan tot hij ophield met bellen. Er werd niet opgenomen. Hij hing op en zei tegen haar: 'Noem het telefoonnummer.'

Ze gehoorzaamde.

'Nog een keer.'

Hetzelfde resultaat. Hij zei: 'De rode Wartburg Cabriolet en je belt het nummer. Laat de telefoon drie keer overgaan, hang op en ga naar huis.'

Hij herhaalde, zij herhaalde, hij herhaalde nog een keer en zij ook. Toen ging hij weg.

Op het weggetje in Søllerød, vijfendertig jaar later, droeg hij zijn nederlaag als een man. Zijn longen bewogen als blaasbalgen om zuurstof voor zijn uitgeputte lichaam te verschaffen; zijn hoofd hing omlaag terwijl hij met zijn handen op zijn bovenbenen leunde, maar psychisch was er niets aan de hand. Anna Mia vrolijkte hem op: 'Het is goed, papa, je hebt je best gedaan, en over een paar weken kun je het, dan loop je het helemaal uit, zonder twijfel. Je hebt alles gegeven en niemand kan meer van je eisen. Je komt er wel, geloof dat maar.'

Hoewel het overal pijn deed, koos hij er toch voor om naar huis te hollen.

*

Op zaterdag 15 november 2008, een mooie kleurrijke herfstdag, nam Denemarken afscheid van Lucy Selma Davison. Het was een moeilijke dag voor Konrad Simonsen.

De Freule beurde hem op en hielp hem met zijn kleding. Het pak was een cadeau van haar, dat hij nu voor het eerst zou dragen. Ze had hem meegetroond naar een kleermaker in de binnenstad, wiens exclusieve winkeltje wel een tentoonstelling in het Museum van Kunstnijverheid leek. Zijn maten werden opgenomen door een oudere man die hem met een stijve vinger in zijn buik prikte en hem het gevoel gaf dat hij een paspop was. Ze moesten er nog drie keer naartoe om te passen en te meten voordat de kleermaker en de Freule tevreden waren. Hem werd niets gevraagd en de rekening hadden ze hem ook niet laten zien, maar vandaag was hij blij met al die moeite. Het alternatief was zijn uniform geweest, dat vast hier en daar te los was gaan zitten nu er veel van zijn vet was verdwenen.

'Weet je zeker dat het niet gek is om bloemen mee te nemen?'

'Ja, ik weet het zeker. Helemaal zeker.'

'Ik kende haar toch niet.'

'Maar toch kun je bloemen meenemen.'

'Denk je dat anderen het ook doen?'

'Nee.'

'Is het dan niet gênant?'

'Nee.'

De hoofdcommissaris en een zwijgzame man van Buitenlandse Zaken waren de formele vertegenwoordigers, Konrad Simonsen was er informeel. Kort geleden was het resultaat van de DNA-test van het meisje en haar ouders afgerond en haar identiteit definitief vastgesteld.

George en Margaret Davison hadden er ondanks hun gevorderde leeftijd op gestaan om naar Kopenhagen te komen om hun dochter op de terugreis te begeleiden. De Deense staat had haastig een uitnodiging gestuurd en voor een kist gezorgd. De lijkwagen reed naar het vliegtuig toe en bleef afwachtend staan.

De hoofdcommissaris zei: 'Wat mooi van je om bloemen mee te nemen.'

Konrad Simonsen voelde zich niet mooi, eerder nerveus, onder andere omdat hij zich afvroeg of zijn toch gebrekkige Engels genoeg was voor het dialect uit Liverpool.

'Als de ouders iets tegen me zeggen, dan vertaal je het.'

'Natuurlijk, Simon.'

'Of geef je antwoord in mijn plaats.'

De man van Buitenlandse Zaken zei zomaar: '*Welcome to Denmark, kingdom of bright bizzies*.'

De hoofdcommissaris siste: 'We kunnen heel goed zonder jouw arrogantie.'

En zei daarna tegen Konrad Simonsen: 'Misschien moet je de bloemen op de kist leggen.'

De overige passagiers gingen aan boord, de gezagvoerder ging naast de hoofdcommissaris staan, terwijl de tweede piloot instapte. Kort daarna kwam de auto met de ouders van Lucy Davison. De vader was afgetakeld en bijna blind, de moeder had een ronde rug maar zag er fitter uit. Konrad Simonsen begroette hen en condoleerde zoals hij het geleerd had, waarna hij een paar stappen terug deed en hoopte dat het allemaal gauw voorbij zou zijn. Maar wat slechts een paar minuten duurde, voelde als een eeuwigheid. En het werd nog erger toen de hoofdcommissaris met Margaret Davison naar hem toe kwam.

'Je hoeft niets te zeggen, Simon, alleen te luisteren.'

De oude vrouw keek hem met haar waterblauwe ogen lang aan terwijl ze zijn hand stevig vasthield met haar kromme vingers. Toen zei ze met een dun stemmetje: '*God bless you, Mr. Simonsen, God bless you*.'

Ze droegen Lucy Davison samen het korte stukje van de lijkwagen naar de transportband. Hij keek bedroefd naar de laadhelling toen ze de kist neerzetten. Zouden haar botten nou door elkaar rollen naar de achterkant van de kist, of hadden de mensen van het Forensisch Instituut haar in een plastic zak gelegd? Hij wist het niet en was een paar spannende seconden bang voor een ratelend geluid, maar dat bleef uit. Op weg naar het ruim van het vliegtuig gleed het rouwboeket van Konrad Simonsen van de kist af. Het schoof nu eens mee naar boven en rolde dan weer naar beneden, alsof het niet kon besluiten of het naar Engeland zou gaan of in Denemarken zou blijven. De kist leek hem veel te licht.

De Freule haalde hem op. In het begin zei hij niet veel. Hij moest ineens weer aan Pauline Berg denken en kreeg, zoals wel vaker de afgelopen dagen, het gevoel dat er een logische samenhang, een voor de hand liggende waarheid was. Hij voelde zich als een wiskundige die de oplossing van een probleem aanvoelt zonder alle deelresultaten te hebben doorgerekend.

De Freule vroeg: 'Is er iets? Je lijkt nog afweziger dan anders. Was het zo erg?'

Hij antwoordde bezwaard: 'Nee, Jørgen Kramer Nielsen zit me dwars.'

'Je kunt niet altijd succes hebben, zo is het leven niet en dat zou je moeten weten.'

'Ja, dat weet ik ook wel. Het is toch typisch hoe allerlei mensen me ineens duidelijk beginnen te maken dat ik niet alles kan, terwijl ik dat zelf ook best weet.'

'Pardon, "allerlei mensen"? Wie nog meer dan?'

'Anna Mia, gisteren toen we aan het lopen waren.'

'O, op die manier. Simon, Anna Mia is je dochter. Zij is ook niet "allerlei"...'

Hij viel haar geïrriteerd in de rede. 'Sorry, het was gewoon een uitdrukking.'

'Het zij je vergeven. Wat is er dan met Jørgen Kramer Nielsen? Of is het omdat niemand het met je eens is? Daar heb je normaal gesproken toch geen last van.'

'Nee, natuurlijk, dat is heel helder: ik heb gelijk en jullie ongelijk. Nee, het is iets anders. Ergens heb ik een slecht geweten. Zolang het over Lucy Davison ging, was ik elke seconde betrokken, soms misschien te veel, maar nu het alleen maar om Jørgen Kramer Nielsen gaat... ja, kijk, daar heb je het weer: "alleen maar". Dat verklaart vrij goed wat ik bedoel. Jørgen Kramer Nielsen is wéér de loser. Gedurende zijn hele volwassen leven was er geen levende ziel die belangstelling voor hem had, en nu hij dood is... Tja, ik moet bekennen dat ik niet echt zin heb om zijn moordenaar op te sporen. En ik moet helemaal opnieuw beginnen en mijn eigen voetspoor terug volgen.'

'Maar je zei toch dat je ervan overtuigd bent dat er een relatie is tussen Esbjerg en Hvidovre? En dat wij een stelletje idioten zijn.'

'Natuurlijk is er een verband, maar dat hoeft niet te betekenen dat ik dat kan vinden. En dat van die idioten heb ik nooit gezegd.'

'Nee, natuurlijk heb je dat niet gezegd, dat weet ik ook wel. Je bent gewoon zo ongelooflijk zeker van je zaak dat het provocerend overkomt.'

'Ik kan er toch niks aan doen dat ik gelijk heb?'

Ze reden zwijgend een stukje door. Toen zei hij: 'Hebben we ruzie?'
'Nee, maar als we thuis zijn moet je maar een rondje gaan rennen.'
Dat leek hem een goed idee.

*

Zondagavond was hij naar Valby gegaan omdat hij nog een laatste keer in zijn eigen bed wilde slapen. Hij had er tenslotte meer dan twintig jaar gewoond. Toch voelde hij zich er niet meer echt thuis toen hij het appartement binnentrad. Hij liep bijna als een vreemde in zijn woonkamer rond en vroeg zich af welke meubels hij wilde meenemen en wat weg kon. Dat lukte niet echt goed, andere gedachten drongen zich op. Gedachten aan Pauline Berg. Ze wilde hem maar niet loslaten; hij vloekte inwendig. Het was alsof hij, nu hij klaar was met Rita en Lucy – zo kon je dat toch wel formuleren – ruimte voor haar had. Hij richtte al zijn aandacht op de buffetkast, een bakbeest van een kast, die hij van zijn overgrootmoeder had geërfd. Hij deed een van de deurtjes open en verloor zich in zijn gedachten. Hij stond doodstil, met het beeld van het mooie, wat chagrijnige gezicht van Pauline Berg op zijn netvlies.

Slapen kon hij ook niet. Hij gaf het om kwart over twee op, stond op en kleedde zich aan. Daarna sjaal, muts en zijn warme oilskinjas. Het was ijskoud, maar bijna windstil; de kou beet in zijn wangen toen hij naar buiten liep en hij huiverde. Hij wandelde langzaam door de uitgestorven straatjes en genoot van zijn gedachten. De kleuren van de vele gevels van de stad leken in het halfdonker anoniem en aan elkaar gelijk, een beeld dat hem beviel. Uit een weinig pretentieus café klonk gezang, niet dronken, zoals je zou verwachten, maar een redelijk mooie bas, begeleid door een wat ontstemde piano. Toen hij erlangs kwam, wierp hij een nieuwsgierige blik naar binnen zonder iets te kunnen zien, en even later verstomde het gezang en was het weer stil. Het werd een lange wandeling.

Op de terugweg in een zijstraat van Pile Allé raakte hij ongewild bij een klein incident betrokken. Drie meter voor hem ging een voordeur open, en een conciërge in grijze werkkleding duwde een klein mannetje, half zo groot als hijzelf, hardhandig de stoep op en de straat over, terwijl hij hem aan zijn kraag vasthield en tegen hem schreeuwde als hij vond dat het niet snel genoeg ging. Konrad Simonsen liep achter hen aan. De conciërge liet de man los op een stoep aan de overkant van de straat. De man viel om, waarschijnlijk buiten westen door de drank.

'Wat is er hier aan de hand? Je kunt hem toch niet daar laten liggen met dit weer?'

De conciërge maakte zich groot. Wilde hij soms ook een paar klappen voor zijn kop krijgen als hij er problemen mee had? Konrad Simonsen liet hem rustig zijn politiekaart zien en zag hoe de handen van de conciërge jeukten om hem toch nog te slaan. Blijkbaar een man met een kort lontje.

Konrad Simonsen zei: 'Probéér het en je mag de komende drie maanden op kosten van de staat logeren, inclusief een enkele reis naar het asfalt.'

De man beheerste zich en gromde: 'Ik was bij de verwarmingsinstallatie, dat kloteding vertikt het alweer. Toen lag hij in het gangetje naar de kelder. Ze dringen overal naar binnen, die verdomde daklozen. En ik wil ze niet bij mij hebben liggen. Als hij op mijn grond crepeert, heb ik al die toestanden. Dat heb ik al een paar keer gehad.'

'Wegwezen jij, voordat ik je arresteer wegens het in gevaar brengen van andermans leven.'

De conciërge verdween, Konrad Simonsen keek naar de dakloze. Een *low-life*, iemand die er niet toe deed, iemand die te veel was. De man was dun gekleed. Hij pakte zijn jas en legde die over de man heen. Toen belde hij om een surveillancewagen.

Hij kende de statistieken maar al te goed. Steeds meer mensen werden op straat gezet omdat ze de huur niet konden betalen. Bijna een verdubbeling de afgelopen vijf jaar. En nu zouden er door de financiële crisis misschien nog meer mensen uitgesloten worden. Hij zuchtte en deed een stapje opzij. De man stonk.

En toen opeens, in minder dan tien gouden seconden, viel alles op zijn plek. 'Ten gunste van wie?' Zo had ze het gevraagd, daarom kreeg hij haar niet meer uit zijn hoofd. Niet omdat hij haar met andere vrouwen verwarde, maar daarom, juist daarom. Cui bono? Ten gunste van wie? Het aloude, klassieke startpunt van de wereld voor een opsporingsonderzoek. Dank je wel, lieve Pauline, dankjewel!

De politieauto kwam vrij snel. Hij vroeg de agenten of ze hem eerst even naar het hoofdbureau wilden brengen. Onzinnig natuurlijk, het zou hem niet meer dan een kwartier kosten om naar huis te gaan en zijn eigen auto te pakken. Maar zijn onderneming was gewoon te spannend om een kwartier uit te stellen. De collega's deden de ramen in de auto naar beneden en trokken de dakloze op de achterbank. De ene agent vroeg: 'Is dat jouw jas?'

Hij antwoordde bevestigend.

'We hebben wel een plastic zak in de achterbak die je kunt krijgen.'

Een goedbedoelde gedachte: dan kon hij de jas daarin naar de stomerij brengen. Maar hij had de jas toch al een jaar niet gebruikt, dus hij zei: 'Nee, laat hem de jas maar houden.'

Op het politiebureau liep Konrad Simonsen snel door het gebouw naar zijn kantoor. Hij deed de deur van het slot, deed het licht aan en vond algauw de map die hij zocht, en na een beetje gegraai ook de uitdraai waar hij zo benieuwd naar was. Hij las de paar regels die hij zocht, en grijnsde daarna tegen niemand.

Cui bono?

*

Konrad Simonsen was de volgende dag pas laat in de ochtend op zijn werk. Hij verzamelde alle mappen van de postbodezaak en zette ze in zijn vensterbank neer. Het waren er negentien, en er was precies ruimte genoeg. Wat de afdeling Moordzaken ook aanpakte of deed, papier was altijd een gegarandeerd gevolg, dacht hij. Daarna begon hij rondjes te lopen, langzaam, slenterend, terwijl hij nu eens naar de vloer keek en dan weer naar het plafond, in een stralend humeur.

Pauline Berg kwam een uur later bij hem binnen. Toen zat hij op zijn bureau met zijn nietpistool te schieten naar een koffiekopje dat hij op de grond had gezet. Het kantoor was bezaaid met nietjes. Ze keek sceptisch.

'Wat doe je?'

'Ik ben aan het werk.'

Hij vuurde nog een schot af en raakte de zijkant van het kopje.

'Het geheim is de juiste hoek te vinden en bovendien langzaam te drukken zodat je niet weet wanneer het schot valt. Dat laatste is oude kennis en het eerste is vanzelfsprekend, maar er ontbreken nog twee dingen, kun je raden welke dat zijn?'

Hij schoot weer, en nu raak, precies in het kopje.

'Dat was nummer 26 van de 116, dus iets moet ik toch goed doen. Goed, wat wilde je zeggen?'

'Dat Arne graag wil dat je hem helpt met een memo.'

'Een memo, o jee – dat klinkt belangrijk, maar waarom komt hij niet zelf?'

'Omdat hij daaraan zit te werken, natuurlijk. Daarom.'

'Maar ik heb het ook druk, kijk maar.'

En weer schoot hij raak.

'Het zijn doorzettingsvermogen en geluk. Dat zijn de twee laatste dingen, doorzettingsvermogen en geluk.'

'Kom je nou nog?'

'Ik kom, ik kom. Zeg, zou je dan een paar dozen *ammo* voor me uit de opslagruimte kunnen halen terwijl ik met Arne de laatste puntjes op de i van zijn memo zet?'

'Meen je dat?'

'Nee, maar misschien kun je het adres van die nerveuze vriendin van je opzoeken, die de mobiele telefoon van Jørgen Kramer Nielsen had gepikt – of meer correct: niet had gepikt. Ik zou haar heel graag weer te pakken willen krijgen.'

'Haar privéadres?'

'Nee, dat is te veel van het goede, haar mailadres is voldoende.'

'Waarom bel je haar niet?'

'Mail is beter bij haar, dan kan ze in haar eigen tempo over het antwoord nadenken. Zonder zenuwachtig te worden dat ik haar achternazit vanwege die telefoon.'

Hij liet zijn wapen vallen en ging met Pauline Berg mee. Het leek alsof ook zij in een goed humeur was, alsof ze 'in een goede periode zat', zou ze zelf misschien zeggen, dus op de gang vroeg hij haar: 'Zou je mijn vloer willen opruimen?'

'In je dromen.'

'Wil je dan soms straks zigzaggend door mijn kamer lopen? Ik moet een leuker doel hebben dan dat kopje.'

'Kijk, dat is een ander verhaal.'

In het kantoor van Arne Pedersen vond hij de bewoner zittend achter zijn computer, improductief, voor zich uit starend. Konrad Simonsen klopte hem op de schouder: kom op jongen, natuurlijk zou hij hem helpen. Ach, een klein memootje, dat hadden twee volwassenen als zij toch zo gedaan.

Arne Pedersen kwam snel weer bij en zei: 'Ik heb nog nooit een zaak gehad met zoveel nawerk als die schietpartij op die school. De concrete feiten waren snel duidelijk, maar dit is al minstens het vijfde rapport dat ik schrijf over wat te doen om herhaling te voorkomen. Hoewel de realiteit is dat we niet veel kunnen doen. Maar dat kan ik toch niet opschrijven?'

Konrad Simonsen was het met hem eens. Preventie van schietpartijen op scholen was duidelijk geen taak voor de afdeling Moordzaken.

Arne Pedersen ging somber door: 'Het is niet eens mijn notitie, hoewel ik wel vastgelopen ben en het geweldig is dat je mij wilt helpen. Maar ik zat aan één ding te denken.'

'Zeg het, vriend, ik heb alle tijd.'

'Toen ik in dat lokaal rondliep, daar op de Marmorgadeschool, nadat ze de drie lijken hadden weggehaald, toen lagen daar al die piepkleine stukjes glas van het schotgat in het raam. Het knarste onder mijn schoenzolen toen ik daar liep.'

'Het knarste onder je schoenzolen, ja. Dat kan ik me heel goed voorstellen. Ik bedoel dat dat glas knarste toen je daar liep.'

'Ik dwaalde daar een tijdje rond en dacht erover na hoe wreed kinderen en jongeren kunnen zijn in het pesten en buitensluiten, hoe diep zich dat in de ziel van de slachtoffers kan nestelen, en hoe het later tot catastrofale situaties kan leiden. Want ik wist natuurlijk eigenlijk wel dat Robert Steen Hertz werd buitengesloten omdat hij zo dik was. En dan nu weer in Esbjerg. Ik bedoel, stel dat de klasgenoten zelfs maar een minimale positieve belangstelling hadden getoond voor die Hartjes, dan was dat Engelse meisje nooit vermoord.'

Konrad Simonsen gaf hem gelijk. Het was een goede, zinnige vergelijking, zeker de moeite waard om over na te denken. Arne Pedersen keek hem achterdochtig aan, maar zag geen ironie. Toch liet hij het onderwerp vallen en begon uitleg te geven over zijn memo.

*

Konrad Simonsen nam de daaropvolgende dagen zijn goede humeur ook mee naar huis en onderwees ook de Freule en zijn dochter in doorzettingsvermogen en geluk. Diepgaand en zeer pedagogisch, vond hij zelf.

'Ik wou dat ik iets van jouw genialiteit had geërfd, papa. Maar waar ben je nou achtergekomen bij je postbode? Als je al ergens achter bent gekomen.'

De Freule was het met haar eens. Natuurlijk was hij ergens achtergekomen. Hij had dagen rondgelopen met een gezicht als een zure bom en nu leek het alsof hij de hele wereld aankon.

Ze keek Konrad Simonsen aan.

'Zeg, waar was je eigenlijk vandaag? De laatste die je op HS heeft gezien was Pauline, en toen zat je te spelen. En was je net zo euforisch als nu.'

'Het grootste deel van de dag bij de technische recherche in Vanløse, bij Kurt Melsing, en morgen ook. Daar steek je ongelooflijk veel van op; ze zijn daar zó goed, als ze half zo goed waren, was het ook al geweldig. Stel je voor, ze hebben een machine en daar kun je een willekeurige stof in doen, en dan hocus pocus, dan vertelt de machine wat voor stof het is. Gaskromato-en-nog-wat noemen ze dat ding, en als je er bijvoorbeeld een gummetje in stopt, dan spuugt hij een heleboel moeilijke grafieken uit, maar daar moet je niet over in paniek raken, want alle grafieken hebben heel gewone nummernamen zoals hydroxide-1,2-xyd-3-fenol en zo. Dan stop je die nummernamen in de computer en dan is het magische ogenblik daar: pling, het is een gummetje. En je hebt het apparaat al voor minder dan een miljoen.'

'Goed, ik begrijp het: je wilt het niet vertellen, maar vertel dan in elk geval wanneer je wat meer kunt zeggen.'

'Ja, papa, ik ben ook erg nieuwsgierig.'

'Geduld, dames, geduld. Wie wachten kan, krijgt alles, en uiteindelijk kun je koningin van Zweden worden, volgens het gezegde. Nu zijn jullie natuurlijk met z'n tweeën, maar Zweden is een groot land, daar weet ik alles van. Een groot, mooi land. Er is genoeg voor jullie allebei. De ene kan het noorden van Zweden krijgen en de andere het zuiden, en dan kunnen jullie zo nu en dan ruilen.'

Anna Mia gaf het op. 'En jij kunt Koning NietOmAanTeHoren worden en ik kan een andere vader zoeken. Kom, Nathalie, we gaan, hij verdient ons niet.'

*

Het gerucht ging als een lopend vuurtje door het hoofdbureau. Konrad Simonsen had de moord op de postbode opgelost. Iedereen had het van iemand gehoord die het van iemand had gehoord die een honderd procent betrouwbare bron had. Nog maar een paar maanden geleden was er niemand geïnteresseerd in de dood van Jørgen Kramer Nielsen, maar nu was het precies andersom. De Freule kwam bijna niet aan werken toe. De een na de ander kwam naar haar kantoor met een smoes die het toppunt van domheid probeerde te zijn en allemaal wilden ze – nu ze er toch waren – even het laatste nieuws horen over die zaak in Hvidovre. Uiteindelijk plakte ze een briefje op haar deur dat kort en bondig meedeelde dat zij ook niets wist, en toen dat ook niet hielp, ging ze naar huis. Zelfs de hoofdcommissaris kwam even bij Konrad Simonsen langs, gewoon om even te vragen hoe het met hem ging, maar ook zij kon koningin van Zweden worden, een land dat langzamerhand erg opgesplitst dreigde te worden.

Ze zei: 'Beloof je me dat ik als eerste word geïnformeerd als je ooit klaar bent?'

'Dat beloof ik plechtig.'

'Ja, het is niet omdat... normaal hoef ik dit soort dingen niet stante pede te horen, maar heel HS praat nergens anders over... en... nou ja, je weet wel.'

'Als geen ander,' zei Konrad Simonsen, die geen flauw idee had waar ze het over had.

Dezelfde avond belegde hij een vergadering voor de volgende ochtend om acht uur, zich er wel van bewust dat de oproep aan de late kant was, en de vergadering erg vroeg begon, maar hij vond dat dat elkaar kon opheffen. Ze waren er allemaal, en ook nog op tijd. Zelf kwam hij een paar minuten te laat met een grote doos van de bakker en een zak geschraapte wortelen.

Hij ging midden in de kamer staan, enthousiast als een Amerikaanse televisiedominee.

'Het is echt aardig van jullie dat jullie er allemaal zijn. Zoals jullie weten heb ik na mijn hartinfarct mijn leven erg moeten aanpassen en sindsdien loop ik elke dag een rondje. De eerste keer was het ook letterlijk lopen wat ik deed, hardlopen werd het later pas.'

Hij gebruikte de eerste tien minuten om over zijn triomf te vertellen: gisteren had hij voor het eerst het hele rondje hardgelopen! Vervolgens bood hij koffiebroodjes en biologische wortels aan.

Het duurde even voordat ze eroverheen waren. Klavs Arnold zei: 'Was dat alles? Heb je verder niks?'

'Nou ja, zeg, het is geen kroonjaar, dus het is een bescheiden traktatie, maar ik heb een pakje rozijnen in mijn broodtrommel als je erg teleurgesteld bent.'

Ze gingen weg om nog meer plagerijen te vermijden. Onderweg kwamen ze een boze hoofdcommissaris tegen. Arne Pedersen hield haar tegen en legde het uit, Konrad Simonsen bood haar een wortel aan.

De dag erna was het ernst. Ze zaten er allemaal weer en begrepen dat de stunt van gisteren niet zou worden herhaald, al was het alleen omdat de houding van hun chef heel wat serieuzer was dan de dag ervoor.

Hij begon met een notitie rond te delen. Die was vrij dik, en op het eerste gezicht leek het geen gemakkelijk toegankelijke stof. De Freule fronste haar wenkbrauwen en vroeg: 'Wat is dit nou weer, Simon? Een proefschrift in de natuurkunde of zoiets? Ik heb nog nooit zoiets gezien. Wie begrijpt dat nou?'

Hij negeerde haar en opende de vergadering formeel.

'In de eerste plaats wil ik jullie bedanken voor je inbreng in deze zaak. Jullie hebben allemaal hard en prima gewerkt. Soms zelfs meer ondanks dan dankzij mij, waarvoor ik bij deze mijn excuses aanbied. En dan nu de notitie. Ja, er staan nogal veel symbolen in, maar het is zeer belangrijk voor Melsing dat de conclusie deze keer helemaal goed is, en dat heeft helaas een beetje invloed gehad op de leesbaarheid.'

Pauline Berg zei sceptisch: 'Een beetje invloed, zeg je. Dit is een en al abracadabra.'

'Helemaal niet. Het is wiskunde en fysieke mechanica plus anatomie en fysiologie. Newton meets Hippocrates, zou je kunnen zeggen, maar misschien moeten we gewoon beginnen met de conclusie, dat is hoe dan ook het belangrijkste.'

Hij bladerde en las voor: '*Hieruit volgt dat, indien de aan de berekeningen ten grondslag liggende voorwaarden en vooronderstelde meetresultaten correct kunnen worden geacht, de positie van het lichaam van de overledene onder aan de trap met de hoogste waarschijnlijkheid een gevolg is van een gewoon ongeval.*'

De Freule vroeg verwonderd: 'Wil dat zeggen dat Jørgen Kramer Nielsen toch is gestruikeld?'

'Jørgen Kramer Nielsen struikelde en brak zijn nek toen hij van de trap viel. Daar is geen twijfel meer over.'

Arne Pedersen riep: 'Wat een idioot.'

'Ho, ho, hij kan er toch niets aan doen dat hij niet is vermoord.'

'Niet hij – Hans Ulrik Gormsen en zijn stupide schoonmoeder.'

'O, die. Maar vergeet niet dat dit onderzoek een heleboel andere positieve resultaten heeft opgeleverd, dus het is zeker geen verspilde moeite geweest. Maar misschien moet ik het rapport even doorlopen, op hoofdlijnen, zodat jullie het idee snappen. Goed, Melsing zelf heeft het rapport opgesteld, en hij heeft de val in elf fasen verdeeld, met voor elke fase bijbehorende tekeningen en een opgave van het vergelijkingscomplex dat gebruikt is als gereedschap om de relevante krachtinvloeden te berekenen. De blauwe pijlen zijn snelheidsvectoren voor de gedeeltelijk gescheiden lichaamsdelen, dus gewone ruimtelijke meetkunde met de gang als coördinatenstelsel, en bovendien zijn delen van Jørgen Kramer Nielsens lichaam die apart zijn berekend te bekijken in bijlage 6.'

Arne Pedersen gaf het op en deed de notitie dicht. Klavs Arnold probeerde tevergeefs het te blijven volgen: 'Wat zijn dan die getallen boven elk... noemde je het "vergelijkingscomplex"? Ik bedoel die tussen die lange, gekreukelde haakjes.'

'Goed gezien, Klavs. Die zijn cruciaal. Het is een overzicht van de geschatte of analytisch gemeten parameterwaarden, en welke parameter op welk moment aan welke waarden wordt gekoppeld kun je in bijlage 4 van bijlage 11 zien. Om een voorbeeld te geven, de kinetische frictiecoëfficiënt tussen overledene en de vloerbedekking is bepaald op 1,2, met een marge van 0,8 procent. Bij 18 graden Celsius, dus.'

De Freule was wantrouwig: 'Ja, sorry dat ik het zeg, maar dit lijkt op een groot rookgordijn.'

'Ja, en dat is het ook. De conclusie is correct op de gestelde voorwaarden, maar Melsing heeft ook een studentmedewerker willen... beschermen, die hij had geleend en die helaas fouten heeft gemaakt in het gebruik van de applicatie die de basis voor dit alles was. Sindsdien is Melsing zelf op cursus geweest, en daar heeft hij geleerd de zogenaamde *reverse engineering modus* te gebruiken. Waar de student het met verschillende uitgangspunten uitprobeerde om het gegeven slotresultaat te behalen, gaf Melsing het slotresultaat aan en vroeg het programma relevante startposities te berekenen. Het klinkt technisch, maar is in werkelijkheid van doorslaggevend belang. Dat hij zijn resultaten op deze – laten we zeggen zeer correcte wis- en natuurkundeachtige manier – heeft willen aanleveren is onder andere om zich in te dekken met het oog op eventuele kritische accountantsrapporten. We hebben toch heel wat middelen ingezet op basis van de eerste aanname van de student.'

De scepsis van de Freule veranderde in een warme glimlach. Ze zei: 'Ik weet niet of ik de juiste persoon ben om dit te zeggen, maar ik doe het toch: gefeliciteerd, Simon, dan is het je toch gelukt om beide zaken op te lossen.' Iedereen sloot zich daarbij aan. Een opgeloste zaak was een opgeloste zaak, hoe de oplossing er ook uitzag.

Konrad Simonsen keek op zijn horloge en zei vervolgens: 'Dank jullie wel, maar er is nog één ding dat niet ongezegd mag blijven. Een paar dagen geleden stond ik hier als een clown voor jullie. Ja, ik hoop dat jullie van mijn show hebben genoten, maar nu is het tijd om te stoppen. "De Eenzame Hartenclub, De Eenzame Hartenclub, De Eenzame Hartenclub", dat bulderde ik jullie toe, maar jullie hadden gelijk en ik had ongelijk. Er was geen duidelijk verband, en ik bied mijn excuses aan voor mijn koppigheid, en... ja, dan wil ik jullie allemaal nog een keer bedanken.'

Alsof ze het nog niet echt had laten bezinken, vroeg Pauline Berg: 'Was dit dan het einde?'

'Nee, niet helemaal, maar je kunt zeggen dat het einde zeer dichtbij is. Ik heb beloofd onze chef zo dadelijk te informeren. Eigenlijk zou zij de eerste zijn, maar dat zijn jullie geworden, dus jullie hebben een spreekverbod tot ik terug ben, en als ze het rapport goedkeurt, ja, dan is dat het einde.'

De Freule zei: 'Dat doet ze vast. Denk je niet, Arne? Jij kent haar het best.'

'Vast en zeker. Geen twijfel mogelijk. Wat zou ze anders moeten doen?'

13

De datum was 21 november, het was vrijdag, het was windstil en de lucht was grijs. De nacht in Kopenhagen was gewelddadig geweest. In het rapport van die nacht waren een bendegerelateerde schietpartij in Nørrebro met als gevolg drie gewonden van wie één ernstig, en een steekpartij met dodelijke afloop het meest opvallend. Maar het ergste moest nog komen. In de ochtend werd een jonge econome, die als financieel specialist bij een van de grote banken werkte, net buiten haar voordeur gedood toen ze naar haar werk wilde gaan. De dader was een psychisch zieke man van vierenveertig jaar, die in de bijstand zat en de avond daarvoor uit de psychiatrische eerste hulp was ontslagen met een handvol pilletjes en een recept. De reden van zijn ontslag was niet dat hij geen hulp nodig had, want dat had hij zeker, maar dat er niet genoeg bedden waren. Een chronisch tekort, dat al bijna vijftien jaar bestond. De moord was volstrekt zinloos en willekeurig, en was bovendien zeer gewelddadig uitgevoerd: het slachtoffer was doodgeschopt. De vrouw was bovendien in verwachting, maar des te schrijnender was het dat de misdaad had plaatsgevonden op Hambros Allé in Hellerup. Normaal gesproken vond dit soort bruut geweld plaats in achterstandswijken – in hoogbouwbuurten op geruststellende afstand van de stadscentra, in randgebieden van de provincie, maar zelden in stadsdelen waar men geld had voor privébehandeling voor fysieke en psychische klachten. En al helemaal niet in de gemeente Gentofte waar binnen een straal van slechts een paar honderd meter ettelijke parlementariërs, drie televisiepresentatoren en twee hoofdredacteuren woonden. Het was afschuwelijk en de moord werd het absolute topverhaal van die ochtend. Een minister kwam naar de televisiestudio, ernstig ontroerd, een gevoel dat allerminst gespeeld was. Zijn eigen dochter woonde in die buurt.

Konrad Simonsen zette teletekst uit nadat hij zoals altijd het ochtendnieuws had bekeken. Vervolgens keek hij een halve minuut naar het interview met de minister en toen vroeg hij Pauline Berg, die naast hem op de bank zat: 'Is het goed als ik de tv uitzet?'

'Prima, ik hoef die schreeuwlelijk niet te zien.'

Hij zette de televisie uit en zij zei: 'Ik heb gehoord dat de Freule en jij vakantie nemen. Gaan jullie ergens naartoe?'

'Ik misschien wel, ik weet het nog niet.'

'O, maar een fijne vakantie dan in elk geval. Wat staat er vandaag op het programma?'

'Ik moet over een uur samen met Melsing naar de hoofdcommissaris om een speciale presentatie van de postbodezaak te geven aan Hans Ulrik Gormsen en zijn schoonmoeder, die van de parlementaire commissie van justitie, weet je nog? Als je zin hebt, ben je welkom.'

Ze vroeg ongeïnteresseerd: 'Heb je me nodig?'

'Nee, eigenlijk niet. Maar ik wil je niet buitensluiten. Je bent toch de enige, behalve ik, die de zaak vanaf het begin heeft gevolgd.'

'Gaan jullie het over die wiskunde-abracadabra hebben?'

'Ja, natuurlijk, maar je hoeft het niet nu te beslissen, je kunt gewoon meegaan als je zin hebt.'

Dat had ze niet.

De presentatie verliep geheel volgens plan. Geen van de toeschouwers begreep er ook maar iets van. Kurt Melsing deelde de notities uit en vertelde over de HOMS-applicatie en over zijn vergelijkingscomplexen met hun fysiologische en natuurkundige parameters die in significantieniveaus en de statistisch wel gefundeerde conclusie uitmondden: de dood van Jørgen Kramer Nielsen was veroorzaakt door een natuurlijke val van de trap voor zijn voordeur. Slechts burgerlijke beleefdheid weerhield zijn drie exclusieve toehoorders ervan gillend weg te lopen.

Konrad Simonsen was de vriendelijkheid zelve: 'Willen jullie dat ik het nog een keer uitleg? Het kan de eerste keer een beetje moeilijk te begrijpen zijn.'

Niemand had daar behoefte aan.

Hij richtte zich tot Hans Ulrik Gormsen: 'Misschien vind je het leuk om het in iets begrijpelijker taal uit te drukken?'

Dat vond het parlementslid een geweldig idee, ze keek vol verwachting naar de voormalige politieagent, die de postbodezaak in gang had gezet. Hij bladerde druk door zijn papieren en legde daarna licht blozend uit: 'Nou, het is absoluut zeker dat de man van zijn eigen trap is gevallen. Dat is wat de cijfers laten zien. Zonder twijfel. Zeer, zeer zeker. En zeer wetenschappelijk.'

Schoonmoeder straalde, haar schoonzoon was een prima communicator. Konrad Simonsen nam de notities weer in.

*

Op zaterdag trok Konrad Simonsen uit zijn appartement in Valby. Hij had van tevoren tegen die dag opgezien, maar de verwachte weemoed over de verhuizing kwam niet. Er was eerder blijdschap over het enthousiasme van Anna Mia voor haar nieuwe huis. En de verhuizing zelf was gauw gebeurd. De Freule had professionele verhuizers ingehuurd, en in een ommezien was het appartement leeg en waren zijn spullen netjes opgeslagen in zijn voormalige galerie.

Op zondagochtend ging hij even naar het hoofdbureau, waar hij de stukken in een klein uurtje opruimde, zodat dat niet hoefde als hij terugkwam van vakantie. Hij rondde een paar rapporten af die hij had uitgesteld en zorgde ervoor dat de zaak werd gearchiveerd zoals het hoorde. Daarna ging hij weer weg, samen met Klavs Arnold die er was om zijn kantoor in te richten. Hij had de Jutlander een lift naar Farum beloofd.

Konrad Simonsen zei: 'We moeten eerst even naar Valby, ik moet een paar sleutels afgeven bij mijn dochter.'

Klavs Arnold vond het prima, hij had toch geen idee waar Farum of Valby lag.

De Jutlander ging mee naar boven. Hij vond het leuk om de dochter van zijn chef te ontmoeten. Konrad Simonsen liep voorop de trap op en merkte dat de voordeur openstond. Binnen klonk het geklop van een hamer. De helft van de keukenkastjes was gesloopt en lag in een rommelige stapel op de grond. Twee benen in spijkerbroek en gympen staken onder een kast uit, en het waren niet de benen van Anna Mia.

Een stem zei vanuit de kast: 'Geef me even de koevoet, schat, hij ligt op de vensterbank.'

Een hand kwam tevoorschijn en Konrad Simonsen legde er een bahco in.

'Dank je, maar dat is niet de goede. Hij is blauw en hij lijkt, eh... op een koevoet.'

Konrad Simonsen stond klaar met een schroevendraaier maar zo ver kwam het niet. De man besloot blijkbaar zelf zijn gereedschap maar te gaan halen. Hij kroop achteruit uit de kast.

De twee mannen keken elkaar aan. Klavs Arnold keek om zich heen en zei droogjes: 'Ik hoop dat je weet wat je doet.'

De man was in de twintig, lang, en had halflang, donkerbruin haar en lichtblauwe ogen. Hij droeg een houthakkershemd en beweerde dat hij Oliver heette.

Konrad Simonsen stak met enige reserve een hand uit en Oliver schudde die met een prettige, stevige handdruk. Hij zei ongemakkelijk: 'Anna Mia is even wat frisdrank halen, ze is vast zo weer terug.'

Konrad Simonsen zei: 'Schat?'

Oliver vertelde over zichzelf. Hij was timmerman, wat de vraag van Klavs Arnold tot tevredenheid beantwoordde, hij had Anna Mia, 'ik bedoel je dochter', afgelopen zomer leren kennen en hij woonde in Rødovre. Samen met een vriend had hij een klein timmermansbedrijf. Het kwam er nogal omstandig en wat hectisch uit, maar Konrad Simonsen besloot dat hij hem mocht. Hij gaf hem de sleutels en liep voorzichtig om de stapel planken heen om weer naar buiten te kunnen. In de deuropening draaide hij zich om.

'O ja, toch nog één ding: als je mijn dochter niet goed behandelt, kom ik verhaal halen met hulp van de verzamelde Deense politiemacht. Maar dat wist je vast al.'

Oliver lachte en knikte.

Klavs Arnold voegde er in zijn Jutlandse dialect aan toe: 'En dan heb je geen kans, man. Werk ze.'

*

Konrad Simonsen deed zijn huwelijksaanzoek in het perk met de vaste planten.

Op zondagmiddag knielde hij tussen stengels met uitgebloeide bloemen op de natte aarde voor de Freule zoals het hoort. Zij ontdeed het perk zoals elk weekend van dorre bladeren. De tot in de puntjes voorbereide speech vergat hij toen hij op zijn knieën zat en er geen weg terug was, dus hij vroeg gewoon of ze met hem wilde trouwen. Hij had het gevoel dat de tijd stilstond, de halve seconde dat het duurde voordat ze antwoordde.

'Ik dacht dat je het nooit zou vragen, Simon, maar beter laat dan nooit. Kom, laten we naar binnen gaan en er een glaasje op heffen.'

'Eh... ik heb ook een cadeau.'

Hij had de afbeeldingen op stoelen gezet en gezorgd dat het licht er zo op viel dat ze op hun mooist waren. Het waren twee afdrukken van rotstekeningen uit Finnmark. Kaare, de dove vriend van Helena Brage Hansen, had hem laten zien hoe hij de contouren van een rotstekening in een mooie, roodbruine kleur tevoorschijn kon laten komen door met de wortels van een bepaald soort mos heel hard op wit papier te wrijven. Later had hij de afbeeldingen laten inlijsten.

De Freule vroeg blij: 'Wat stellen ze voor? Weet je dat?'

'De mensen vieren dat de zon weer terug is, volgens Kaare in elk geval.'

's Avonds zaten ze op de bank televisie te kijken. Toen zei hij ineens gedecideerd: 'Ik ga donderdag naar Liverpool. Ik wil bij de begrafenis van Lucy Davison aanwezig zijn. Ze wordt om elf uur begraven vanuit Walton Cathedral. Ik heb de kerk op een kaart gevonden. Als ik de ochtendvlucht neem, heb ik tijd genoeg om in een dag heen en terug te gaan.'

Ze antwoordde hem niet en even dacht hij dat ze kwaad was omdat hij alleen ging. Zo was ze trouwens niet. Toen zei ze cryptisch, half tegen zichzelf: 'Je hebt me een prachtig verlovingscadeau gegeven. Misschien kan ik je iets even moois teruggeven, hoewel alle tickets natuurlijk allang weg zijn... wacht even, Simon... Ik ben zo terug.'

‘Zo’ bleek bijna anderhalf uur te zijn. Hij was een beetje ingedut en moest wakker gemaakt worden.

‘Het is gelukt. We gaan op verlovingsreis, dus je reis begint een dag eerder.’

Hij geeuwde en schudde even met zijn hoofd. De televisie stond nog aan; ze zette hem uit.

‘Wat is er gebeurd?’

‘We gaan woensdagavond naar een voetbalwedstrijd.’

‘In Liverpool?’

‘Ja, ga je er alvast maar op verheugen.’

‘Maar ik geef niks om voetbal.’

‘Dit vind je wel leuk. Het is veel, veel meer dan alleen voetbal, dat beloof ik je.’

Toch was het niet een en al idylle. Er was een enkele bron van onrust te midden van de liefdevolle huwelijkspraatjes en de kleine liefkozingen, waarvan er meer waren nu, na hun verloving en met hun gemeenschappelijke geloof in een mooie toekomst. Die bron van onrust wilde maar niet opdrogen. De Freule stelde vragen over hiaten in de postbodezaak, onlogische dingetjes die ze niet begreep. Hij dichtte de hiaten steeds, maar moest alsmaar concluderen dat er voor elk redelijk bevredigend antwoord twee nieuwe vragen ontstonden. Hij had het gevoel dat hij door haar werd ondervraagd. Dat was in feite ook zo; haar toon werd steeds ironischer, en gaf aan dat ze zijn uitleg niet meer geloofde. Uiteindelijk kon hij niets anders doen dan opbiechten: ‘Oké, Melsing en ik hebben niet de hele waarheid verteld.’

De ironie lag er dik bovenop: ‘Wat vertel je me nou? Dat had ik nou nooit gedacht.’

‘Ik vertel je het volledige verhaal nog wel een keer.’

‘Wanneer?’

‘Geduld, geduld, als je wacht...’

Ze onderbrak hem geïrriteerd: ‘Simon, waag het niet weer met die onzin te beginnen.’

*

Konrad Simonsen was niet gauw onder de indruk, maar Anfield benam hem de adem. Hij was gefascineerd vanaf de eerste aanblik: de aanstekelijkheid van de liederen die hij niet begreep, de euforische trots en identiteit van het stadion – zonder onderdanigheid, maar ook zonder arrogantie, laat staan agressiviteit.

‘En? Vind je het leuk?’

‘Het is fascinerend, en erg mooi.’

De Freule maakte een handgebaar alsof het allemaal van haar was.

‘*This is Anfield.*’

'Waarom zeg je dat?'

'Dat doet er niet toe, maar ik heb me er zó op verheugd om je dit te laten zien! Ik wist dat je het leuk zou vinden.'

'Het is overweldigend. Blijven ze de hele tijd zingen?'

'Bijna wel, ja. Daar zijn ze vrij goed in hier in deze stad, ooit was er ook een band die redelijk beroemd werd.'

Hij ging niet op de hint in. Toen wees ze naar het deel van de tribune achter een van de doelen en legde uit: 'Dat stuk daar heet *The Kop*, en zij hebben het voorrecht te bepalen wat en wanneer we zingen.'

'En hoe heet ons gedeelte?'

'Dat heeft geen naam, geloof ik. O ja, toch wel, dit stuk heet *Paddock*, maar dat is niet beroemd.'

'Hoe lang weet je dit allemaal al?'

'Hoezo? Het is toch niet geheim.'

'Nee... nee, natuurlijk niet, dom van me. Ik wou alleen dat ik hier eerder was geweest.'

'Dat begrijp ik heel goed. Mijn vader zei altijd: "Je moet de piramides hebben bezocht, de liefde hebben bedreven bij vollemaan en Liverpool hebben zien voetballen op Anfield Road, pas dan heb je geleefd."'

Plotseling begon ze met de menigte mee te schreeuwen. Konrad Simonsen keek naar boven, naar beneden, het hele stadion rond, en zag een golvende massa van roomwitte sjaaltjes liefdevol omhoog gestoken, boven tienduizenden hoofden, een zee van blijdschap. De voetbalwedstrijd vond hij minder interessant.

'Het is leuk om hier te zijn. Hebben ze een doelpunt gemaakt?'

'Nee, nog niet. Geloof me, je twijfelt er niet aan als we een doelpunt hebben gemaakt.'

Hij knikte en draaide zich om om weer naar boven te kijken. Even later vroeg hij plagend: 'Heb je dan ook de piramides bezocht en de liefde bedreven bij vollemaan?'

'Nee, maar het is wel de negende keer dat ik op Anfield zit.'

De uitvaart van Lucy Davison riep geen diepe gevoelens bij Konrad Simonsen op. Hij had op de luchthaven Kastrup afscheid van haar genomen en kon dezelfde betrokkenheid niet nog een keer opbrengen. Zelfs toen ze met voorbeden en met de zegen naar haar graf werd gebracht en weer ter aarde werd besteld, deed het hem nauwelijks iets. De ceremonie was mooi, de parochie was in groten getale aanwezig, maar hij bleef in de periferie, zat achter in de kerk en zorgde ervoor dat hij als een van de eersten wegging toen de dienst was afgelopen. Niemand herkende hem of toonde belangstelling voor zijn aanwezigheid. Na afloop ging hij tegenover de kerk op de hoek van de straat staan wachten en voor het eerst sinds lange tijd verlangde hij naar een sigaret. Het duurde niet lang voordat hij de man zag. Hij stak de straat over en stond na een paar snelle stapjes naast Konrad Simonsen.

Hij zei: 'Zo, ontmoeten we elkaar weer.' De priester keek hem aan en zijn vriendelijke gezicht lichtte op alsof hij een oude vriend terugzag.

'Wat een prettige verrassing. Ja, zo ontmoeten we elkaar weer.'

'"Een ontmoeting tussen mensen," zo noemde je het toch?'

'Ja, een ontmoeting tussen mensen.'

'Heb je tijd om met me te praten? Ik heb een heleboel te vertellen en ook een paar vragen.'

'Ik heb alle tijd van de wereld. Zullen we naar een pub gaan?'

'Zullen we niet gewoon een stukje gaan lopen? Het is heerlijk weer.'

'Wil je ergens in het bijzonder heen?'

Konrad Simonsen kende de stad niet, dus hij wilde nergens in het bijzonder heen. Ze besloten gewoon rond te lopen zonder doel, en ze liepen een tijdje zonder iets te zeggen.

Toen zei Konrad Simonsen: 'Er is een verhaal dat ik je al een tijd wil vertellen. Ik had het in Valby bijna gedaan, maar hier is het nog beter.'

'Ik luister.'

'Het verhaal heeft niets met ons gemeenschappelijke... raakvlak... te maken. Eerlijk gezegd is het helemaal privé en ik weet niet waarom ik er juist met jou over wil praten. Het is nu eenmaal zo.'

'Ik luister toch.'

'Lang geleden, in 1972, had ik een vriendin die in de problemen was. Wij waren een zeer ongelijk paar: ik was politieagent en zij was activiste.'

Hij vertelde dat Rita na het bloedbad tijdens de Olympische Spelen in München heel graag met het milieu wilde breken, in elk geval met het politieke gedeelte ervan. Dat was niet helemaal correct, die wens ontstond pas een jaar later, maar op deze manier was het makkelijker uit te leggen en het maakte toch niet uit voor wat hij wilde vertellen.

'Ze wilde naar de Verenigde Staten en opnieuw beginnen. Maar ze had geen geld en haar ideeën om daaraan te komen waren... hoe zal ik het zeggen... naïef en gevaarlijk.'

'Dat is meestal zo, als je voor het snelle geld gaat.'

'Ja, daar kan ik over meepraten. Helaas of gelukkig... ik weet niet precies welk woord het beste past... waren mijn ideeën hierover niet naïef, en ook niet erg gevaarlijk. Nu was jij toen natuurlijk nog niet zo oud, maar in het begin van de jaren zeventig werden er een hoop arbeidsconflicten uitgevochten.'

Hij vertelde hoe allerlei groeperingen voor of tegen van alles staakten, soms uit politieke overtuiging, soms voor een beter salaris of uit solidariteit met andere stakers, soms was het gewoon alles door elkaar en wist niemand waarom er werd gestaakt, alleen dát er werd gestaakt.

'Het werden wilde stakingen genoemd, en wild waren ze soms ook, maar natuurlijk niet onwettig, zoals het zo nu en dan ook wordt omschreven.'

'Nee, er is geen arbeidsdwang in Denemarken. Toen ook niet.'

'Nee, gelukkig niet.'

Maar het was een feit dat een deel van deze stakingen buiten of gedeeltelijk buiten de regie van de gevestigde vakbonden om plaatsvond. Vaak werden ze geleid door willekeurig samengestelde ad-hocverbanden, door vakbondsvoorzitters buiten de landelijke organisatie om, door activistische besturen enzovoort. Hij noemde een paar voorbeelden die hij zich nog redelijk goed kon herinneren. Maar het was ook een tijd waarin solidariteit het hoogste goed was, dus de stakers konden er vaak op rekenen dat de man met de kartonnen doos langskwam. Hij dekte een deel van het salaris als er werd gestaakt.

De priester vroeg: 'Zat er geld in die kartonnen doos?'

'Ja, nou en of, veel geld.'

Maar alles gebeurde zeer discreet, anders liep de donor, als het een andere vakbond was, het risico een arbeidsrechtelijke boete te krijgen en dat kon een dure aangelegenheid zijn. Hij legde uit dat men formeel alleen wist dat een onbekende man met een grote hoeveelheid geld plotseling een weldoener was geworden, en vervolgde: 'Gek genoeg was het altijd een kartonnen doos, nooit een plastic tasje of een rugzak, het moest een kartonnen doos zijn.'

'Codetaal voor *horen, zien en zwijgen*.'

'Ja, zo zou je het kunnen zeggen.'

De priester knikte en luisterde geïnteresseerd. Konrad Simonsen vertelde verder. De ontvanger van de kartonnen doos was meestal de gemeenschappelijke werknemersvertegenwoordiger van de stakende beroepsgroep. Er werd natuurlijk niets aan boekhouding gedaan en er waren al helemaal geen banken bij betrokken, zodat het geldspoor niet gevolgd kon worden. Ze vertrouwden elkaar, dat moest.

'Kortom, je hoefde niet bijster intelligent te zijn om te kunnen bedenken wie aan het einde van de maand thuis een heleboel geld in de la had liggen, letterlijk.'

'Ik begrijp het.'

'De werknemersvertegenwoordiger die ik had uitgekozen woonde alleen. In een flat op de vierde etage in een straat in Nørrebro.'

Hij had een fiets die niet op slot stond gejat bij het Centraal Station en hij fietste door de korte straat, weg van Rita en de telefooncel. Na tweehonderd meter reed hij door een poort en stapte af. Daarna nam hij de fiets aan de hand mee en zette hem in een fietsenrek neer, wel wetend dat een man die zijn fiets netjes neerzet en op slot doet, niet echt wordt opgemerkt. Hij keek systematisch rond. De binnenplaats was leeg en hij zag geen activiteit achter de ramen in het achterhuis. Zonder zich te haasten liep hij doelbewust naar de toegangsdeur, maakte die open en ging naar binnen. Hier stond hij zoals gepland even stil, omdat hij had verwacht dat hij nerveus zou zijn en zijn hartslag omlaag moest zien te krijgen. Maar tot zijn verbazing merkte hij dat hij helemaal niet zenuwachtig was. Toch volgde hij zijn plan en telde hij tot dertig. Vervolgens liep hij via de trap naar de vierde verdieping.

Hij hield zijn oor tegen beide keukendeuren, eerst de ene en daarna de andere, en luisterde lang, maar hoorde niets. Toen pakte hij zijn gereedschap uit zijn rugzak. Hij bleek alleen de loper nodig te hebben, het was een simpel slot zonder welke beveiliging dan ook, en het duurde minder dan een minuut om de deur open te krijgen. Hij kwam in een smalle keuken binnen waar de vuile vaat van de dag ervoor nog in de gootsteen stond. De flat was klein: behalve de keuken waren er alleen een woonkamer, een slaapkamer en een entree. Zodra hij zeker wist dat er niemand was behalve hijzelf, deed hij de voordeur open, stak een gebroken lucifer in het slot en deed de deur voorzichtig weer dicht. Zo zou hij tijd genoeg hebben om weg te komen als de eigenaar plotseling thuiskwam met zijn Wartburg Cabriolet en Rita om de een of andere reden niet belde. Daarna begon hij de flat systematisch te doorzoeken, effectief maar zonder iets kapot te maken.

De werknemersvertegenwoordiger had het geld verstopt in de tweede la van de ladekast in de slaapkamer. Hij had de bundels bankbiljetten in negen sokken gepropt die hij helemaal onder in de la had gelegd. Konrad Simonsen trok een van de sokken halfopen en stelde vast dat het gebruikte bankbiljetten in grote coupures waren – veel beter kon niet. Hij stopte de sokken in zijn rugzak, deed de la dicht en verliet de flat.

De priester concludeerde stilletjes en zonder hem te veroordelen: 'Je hebt het geld gestolen dat hij in zijn la had?'

'Al het geld, ja. Bijna driehonderdduizend kronen, een waar fortuin in die dagen. In het geld van tegenwoordig komt dat wel ongeveer overeen met het tienvoudige. En zoals ik al had verwacht, is er nooit aangifte gedaan. Het werd intern opgelost, hoewel het niet leuk zal zijn geweest voor die arme man. Dat zat me nog het meest dwars, niet zozeer de diefstal zelf, maar eerlijk gezegd had ik niet veel spijt van wat ik had gedaan. Ik was helemaal in beslag genomen door hoe ik het geld over moest maken, zodat mijn vriendin het redelijk veilig zou kunnen opnemen in de Verenigde Staten. Dat was niet makkelijk en duurde best lang.'

'Ja, ik kan niet zeggen dat het een goede daad was, en al helemaal niet omdat je ook nog politieagent was, maar dat wist je natuurlijk al.'

'Ja, dat is zo, en bovendien heb ik het hele verhaal goed weggestopt, de afgelopen jaren. Maar er zijn nu zoveel dingen gebeurd in mijn leven. Dat heeft ervoor gezorgd dat het weer boven is komen drijven. Ten eerste heb ik die zaak met Lucy Davison gehad, wier dood zo zinloos was... zo willekeurig... en die toch voor veel mensen de rest van hun leven heeft getekend. Het is alsof je over je leven kunt dobbelen, ik bedoel, als ik toevallig was betrapt, die dag in 1972, was mijn leven totaal, maar dan ook totaal anders geworden.'

'Ik denk toch niet dat de dingen zo zinloos zijn als jij zegt, hoewel ik natuurlijk niet alles kan verklaren, helemaal niet zelfs. Maar toen jij dat geld stal, lag Lucy Davison al drie jaar begraven en misschien werd jij niet betrapt om haar op een dag te kunnen vinden. Wie weet?'

'Dat klinkt bijna net zo beangstigend.'

'Vind je? Ik vind van niet. Ik vind ook niet dat je spijt hoeft te hebben over wat je toen deed. Je hebt ondanks alles daarna vele jaren geleefd zonder weer te stelen – dat neem ik tenminste aan.'

'Ja, natuurlijk.'

'Dan kan ik alleen tegen je zeggen dat ik ergere dingen heb gehoord. Het is niet aan mij om je te vergeven, maar afgezet tegen de tijd die is verstreken is je vergrijp een bagatel.'

'Een pekelzonde, zo noemen jullie toch kleine zonden?'

De priester lachte: 'Ja, laten we het maar zo noemen.'

Konrad Simonsen glimlachte en zei: 'Ik had echt behoefte om het aan iemand te vertellen. Zelfs mijn toenmalige vriendin, Rita, wist niet precies wat ik deed, maar de laatste maanden is het moeilijk geweest om hier alleen mee rond te lopen, dus nu heb ik het aan jou verteld.'

'Daar ben ik blij om.'

'Je moet me goed begrijpen. Het is niet zo dat we nu geheimen moeten ruilen of zoiets.'

'Dat denk ik ook niet.'

Ze liepen een stuk door zonder te praten, terwijl ze zich allebei voorbereidden op het volgende bedrijf, waarvan ze wisten dat het moest komen. Plotseling kwamen ze langs het Anfield Stadion. Konrad Simonsen wees ernaar en zei: 'Daar was ik gisteren om ze te horen zingen.'

'Ja, ik zag het vanmorgen op televisie en ook dat ze de oorlog hadden gewonnen.'

'Het was geen oorlog, helemaal niet. Ik heb nog nooit zoiets meegemaakt – niet het voetballen, daar heb ik geen verstand van, maar de sfeer. We bleven in het stadion zitten terwijl iedereen vertrok. Ik moest gewoon blijven zitten en kijken... en alles in me opnemen, totdat een bewaker mijn verloofde en mij vroeg om weg te gaan.'

'Ik heb het in de krant gelezen. Dat gaat sneller.'

Tot zijn eigen verbazing snauwde Konrad Simonsen bijna: 'Dat is niet hetzelfde.'

'Nee, natuurlijk niet, maar de mensen in deze stad zijn gek op voetballen en soms vind ik het leuk om te plagen. Ik moet bekennen dat ik er ook weleens ben geweest.'

'Ik wou dat ik kon meezingen.'

'Dat komt met de tijd.'

'Ken jij dan de liedjes?'

'Een paar, en de belangrijkste ken ik zeker, die kan ik misschien later aan je laten horen. Maar volgens mij wilde je niet over voetballen praten.'

'Nee, dat is waar. Wil je weten hoe ik de waarheid heb ontdekt? Dat is eigenlijk best grappig.'

'De waarheid zelve? Dat is niet niks, vertel.'

Hij vond het lastig te bepalen waar hij precies moest beginnen. Na zijn aha-erlebnis 's nachts in Valby waren alle puzzelstukjes netjes op hun plaats gevallen, maar de volgorde waarin hij de omstandigheden ontdekte was omgekeerd aan hoe ze zich hadden voltrokken. Hij vertelde de priester over de vrouwelijke agent die per ongeluk de mobiel van Jørgen Kramer Nielsen had meegenomen. Hij had kort geleden weer contact met haar opgenomen en een belangrijk detail opgehelderd dat hem meteen al had moeten verbazen. Toen had hij het echter over het hoofd gezien.

'Je hebt Jørgen Kramer Nielsens ogen dichtgedaan toen je hem vond, klopt dat?'

'Ja.'

'Het had toeval kunnen zijn, maar je zou verwachten dat zijn ogen open waren. Als hij vermoord was, maar ook als hij zelf was gevallen, maar ze waren niet open.'

'Daar ik heb niet over nagedacht. Het leek me gewoon natuurlijk.'

'"Cui bono? Ten gunste van wie?" Dat was de uitdrukking die me op het spoor zette. Want het antwoord was zo voor de hand liggend: ten gunste van mij.'

Hij had Lucy Davison gevonden, die nu eindelijk naar huis was gebracht. Een goede afloop waarmee hij erg blij was. Maar hij niet alleen, de priester natuurlijk ook. Plotseling was hij de man naast hem in een ander licht gaan zien. Hij had bijvoorbeeld het verhoor van de priester en de bisschop weer helemaal doorgenomen, maar nu met een frisse blik. En hij was onder de indruk geweest. Niet één keer had de priester gelogen en niet één keer had hij zijn biechtgeheim verbroken, maar tegelijk was het hem gelukt om de politie te laten geloven wat ze wilde geloven. Namelijk dat hij in de val was getrapt en had onthuld dat hij Lucy Davison kende en wist dat ze dood was.

Konrad Simonsen legde het zorgvuldig uit en sloot glimlachend af: 'Aan de andere kant kun je dat natuurlijk ook wel verwachten van iemand die tijdens zijn priesteropleiding de jaarlijkse retoricawedstrijd twee keer achter elkaar heeft gewonnen.'

'Je hebt me echt doorgelicht.'

'Nou en of.'

'Misschien hadden we zelfs gemeenschappelijke belangen tijdens het verhoor.'

'Jazeker. Alleen wisten wij het niet en jij wel. Ken je het verhaal over Mefisto in *Ekstra Bladet*?'

De priester kende het verhaal, maar Konrad Simonsen vertelde het toch. Erling Olsen, een begaafd academicus - ook de Uil Olsen genoemd - was minister van Huisvesting in het kabinet van Anker Jørgensen en schreef tegelijk satirische en uiteraard ook zeer deskundige politieke stukken in *Ekstra Bladet* onder de schuilnaam Mefisto. Niemand wist wie Mefisto was, alleen dat hij hoog in de politieke hiërarchie moest zitten. Het verhaal was dat de regeringsleider op een gegeven moment alle andere mogelijkheden had afgestreept, en tijdens een vergadering zou Anker Jørgensen Erling Olsen op de man af hebben gevraagd of hij Mefisto was, waarop de minister van Huisvesting verontwaardigd zou hebben geantwoord dat 'dat toch een ongelooflijke gedachte was'. En vervolgens hadden ze het er niet meer over.

Konrad Simonsen zei: 'Ik heb nooit van jou gedacht dat je in mijn gezicht tegen me zou liegen, en toen je zei dat je het lichaam van Jørgen Kramer Nielsen niet had verplaatst, geloofde ik je. Totdat ik me op een nacht realiseerde dat je dat nooit had gezegd. Ik vroeg je toen in je tuin of je de overledene op de een of andere manier had verplaatst of zijn positie had veranderd, waarop jij, vrij geciteerd, antwoordde: "Waarom zou ik dat in godsnaam doen?" Toen zei je dat je buurman duidelijk dood was, dus dat je niets meer kon doen. Dat kon je ook vast niet, maar je hebt nooit antwoord gegeven op de vraag of je de overledene had verplaatst. Dat dácht ik alleen maar. Onze voormalige minister van Huisvesting zou je vast hebben gecomplimenteerd met het antwoord.'

De priester zei vaag: 'Wat heb je een hoop uitgevonden. Het lijkt erop dat je een heleboel weet waar ik niets van afweet.'

Konrad Simonsen lachte.

'Niet zo bescheiden! Maar misschien is nu de tijd aangebroken om onze kennis op elkaar af te stemmen. Jørgen Kramer Nielsen lag dood op de trap toen jij van je vakantie terugkwam. Hij was gevallen en had zijn nek gebroken en het was nota bene gebeurd op de grote trap met de dertien treden die voor jouw entreedeur eindigt en niet op de kleine trap voor zijn eigen deur. Toen je je bovenbuurman daar dood zag liggen, wist je dat de mogelijkheid om Lucy Davison ooit nog te vinden en haar in gewijde aarde te laten begraven voor altijd verkeken was. Dat zat je dwars, net zoals het Jørgen Kramer Nielsen dwarszat, maar jullie waren allebei gebonden aan een heilige gelofte, die niet gebroken kon worden. Maar je bedacht iets anders. Je verplaatste hem naar de middelste overloop en belde daarna een ambulance. Onderweg gleed zijn mobiele telefoon uit zijn zak, maar dat zag je niet. Door het lichaam te verplaatsen hoopte je dat de politie zou denken dat er iets niet klopte. Je hoopte dat we zijn achtergrond zouden bekijken en zo achter het geheim zouden komen waarmee hij zo lang had rondgelopen. Wat ook gebeurde, precies zoals je het had bedacht. Er is maar één ding dat ik niet begrijp, en dat is waarom je hem niet helemaal naar boven droeg en hem voor zijn eigen deur neerlegde, maar hem aan het einde van een andere trap neerlegde, hoewel die korter was.'

'Het is gewoon een opluchting om te horen dat je toch niet alles weet.'

'Dat is geen antwoord op mijn vraag. Maar eigenlijk had je veel geluk. Als het begin van ons opsporingsonderzoek niet zo chaotisch was verlopen, had de technische recherche de waarheid binnen een paar dagen ontdekt.'

'Je hebt het veel over geluk en ongeluk.'

'Zo ziet mijn wereldbeeld eruit, maar als je dat liever hebt, kunnen we het goddelijke voorzienigheid noemen of hoe je maar wilt.'

'Goddelijke voorzienigheid is een prachtige uitdrukking. Daar kan ik achter staan.'

'Dan noemen we het zo. Hoe dan ook, aanvankelijk dachten we dat het door tijd en schoonmaak kwam dat we geen fysieke bewijzen op de korte trap konden vinden. Later hebben we huidcellen in de bekleding van de grote trap gevonden, precies op de te verwachten plekken, dus je bent buiten verdenking dat je hem zelf om het leven hebt gebracht, hoewel – ik heb eigenlijk nooit serieus gedacht dat jij het had gedaan.'

Ze passeerden een kruispunt. Konrad Simonsen was voor de zoveelste keer bijna overreden toen hij naar links keek en vervolgens bijna voor een auto stapte. De priester hield hem tegen door hem aan zijn schouder vast te grijpen.

Konrad Simonsen had een minuutje nodig om te bekomen van de schrik. Toen zei hij: 'Er is iets waar ik nieuwsgierig naar ben. De allereerste keer dat ik je ondervroeg dacht ik... hoe zal ik het zeggen... dat ik je te pakken had over het biechten aan de bisschop. Nu weet ik het niet meer zo zeker.'

'Daar hoef je niet aan te twijfelen. Ik was volstrekt onvoorbereid en trapte er regelrecht in, maar het was ook een gemene valstrik van je. Gemeen, maar wel effectief.'

'Een ontmoeting tussen mensen.'

De priester glimlachte.

'Ja, een ontmoeting tussen mensen.'

Een tijdje liepen ze weer zwijgend door, en ze namen bij voorkeur de steegjes. Toch was het straatbeeld zeer gevarieerd: kleine rijtjeshuizen zoals een echte toerist van Engeland zou verwachten, dan weer imposante gebouwen uit de negentiende eeuw, dan weer alledaagse winkels, vaak met de eigenaar in de deuropening, dan weer etages hoog chroom en glas. Lelijk en mooi, dwars door elkaar.

Uiteindelijk zei de priester: 'En wat gebeurt er nu?'
'Niets.'
'Niets? Dan kom ik er genadig vanaf.'
Hij had gelijk, hij kwam er zeker genadig vanaf. Volgens paragraaf 125 van de Strafwet riskeerde hij een gevangenisstraf tot twee jaar voor wat hij had gedaan, en minimaal een enorme boete. Dat was de reden dat Konrad Simonsen en Kurt Melsing zo hun best hadden gedaan.
'Ik ben blij dat je hem hebt verplaatst, en of hij nou feitelijk van de ene of van de andere trap is gevallen, maakt niet echt uit. Daarover zijn mijn technische collega en ik het helemaal eens. Hij heeft een rapport vervaardigd waaruit blijkt dat de val op de kleine trap heeft plaatsgevonden, en het grappige is dat zijn berekeningen volstrekt correct zijn.'
'Dat klinkt raar.'
Konrad Simonsen vertelde over het geavanceerde computerprogramma van de FBI en besloot met: 'De conclusie is dus dat als de voorwaarden kloppen, de val ook op de kleine trap op natuurlijke wijze plaatsgevonden kan hebben.'
'Maar de voorwaarden kloppen niet helemaal?'
'Een zeer ijverige lezer met de benodigde wiskundige en natuurkundige kennis zou zich misschien verbazen over een enkel detail. Jij bent hoogopgeleid, dus misschien heb je gehoord van de fysieke constante die "g" wordt genoemd?'
'De gravitatieconstante, als je de grote G bedoelt; is het een kleine g, dan betekent het meestal "valversnelling", in de volksmond de zwaartekracht geheten: 9,81 meter per seconde tot de tweede macht, als ik het me goed herinner.'
'Zeer overtuigend. De zwaartekracht is correct en bedenk dat dat maar een van de vele parameters is die je in dat computerprogramma kunt wijzigen. Waarom is onduidelijk, misschien om op een dag een misdaad op de maan te kunnen ophelderen. Maar het blijkt dat met slechts dertig procent meer zwaartekracht de val van Jørgen Kramer Nielsen helemaal natuurlijk zou zijn in relatie tot waar hij gevonden werd, en... tja, jij kent die plek als geen ander... Is het soms niet een beetje lastig om die trappen op te lopen?'
'Daar heb ik nooit over nagedacht, hoewel... Nu je het zegt, soms is het wel een beetje zwaar, maar vertel, is er niemand die het raar vindt?'
'Tot nu toe niet, en ik betwijfel of het ooit gaat gebeuren. Niemand kan het opbrengen om meer dan de conclusie te lezen. De inhoud is te moeilijk en te saai, dus de dood van Jørgen Kramer Nielsen is grondig begraven in de wiskunde. Vreemd genoeg heeft hij heel zijn volwassen leven een verschrikkelijk geheim met zich meegedragen en de wiskunde gebruikt om zijn demonen te beteugelen. En nu zijn de ware omstandigheden rondom zijn eigen dood juist in de wiskunde verstopt.'

Konrad Simonsen stak afwerend een hand op.

'Ik weet dat je op het eerste stuk niet kunt reageren en ik probeer je niet uit te horen. Maar ik bedacht gewoon hoe ironisch het leven kan zijn. Je moet overigens weten dat er één iemand is die ik eens de samenhang zal vertellen, maar zij kan heel goed een geheim bewaren. Vast net zo goed als jij.'

Toen ze langs een kerk liepen, stopte de priester en keek er even naar. Toen zei hij een beetje bedroefd: 'Ik hou heel veel van wiskunde en natuurkunde en ook wel van retorica, hoewel dat toch wat anders is. Maar één ding blijft mij verwonderen bij mensen die zich tot de natuurwetenschappen hebben bekeerd, en dat is dat ze nooit twijfelen aan hun onfeilbaarheid. En dat geldt vooral voor de logica – als iets een logisch verband heeft, dan moet het ook waar zijn. Daar moeten alle andere wetenschappen of opvattingen voor buigen. Het is een bijzondere vorm van hybris: is iets waar, dan is het logisch en is iets logisch, dan is het waar.'

Konrad Simonsen wist niet wat hij daarop moest zeggen, dus hij besloot zijn mond te houden. De priester vroeg: 'Je hebt een prachtige logische strik om je onderzoek gedaan, maar zeg nou eens: met wat je nu over mij weet, hoe weinig het ook is, denk je dan dat, als ik thuiskom en een mens dood aantref, ik meteen denk: nu heb ik de kans om zijn lijk te gebruiken om de politie te manipuleren, zodat ze ook nog een ander lijk vinden? Ik weet dat je logica je dat vertelt, maar zegt je mensenkennis dat ook?'

Konrad Simonsen liep een stukje zonder antwoord te geven. Uiteindelijk zei hij onzeker: 'Nee, dat denk ik niet. Maar hoe ging het dan? Want je hebt hem wel verplaatst.'

'Ja. Maar ik denk niet dat je kunt begrijpen waarom.'

'Probeer het eens.'

Deze keer was het de beurt aan de priester om een stukje zwijgend door te lopen. Toen vertelde hij: 'Jørgen lag in de schaduw van de onderste trap, zoals je terecht zegt. Ik deed zijn ogen dicht, ging bij hem zitten en sprak een kort gebed uit. Maar toen ik naar binnen wilde gaan om een ambulance te bellen keek ik toevallig omhoog. En door de ruiten op de overloop straalde het meest onwaarschijnlijke licht dat ik ooit heb gezien over ons. Geel, groen, rood, blauw, gebroken in alle kleuren van de regenboog scheen het door de glas-in-loodramen en precies op ons. Het was alsof het ons riep en ik stond lang te kijken. Toen tilde ik hem uit de schaduw en droeg hem naar het licht; dat móést ik wel doen. En toen ik hem neerlegde, voelde ik een wonderbaarlijke vrede door me heen stromen, een vreugde die ik nooit eerder heb meegemaakt. Toen wist ik dat ik het goede had gedaan.'

Konrad Simonsen accepteerde het. Het klopte beter. Veel beter.

Meer hadden ze niet om over te praten. Toch bleven ze lopen. Als een lp waarvan de muziek is gestopt, maar de naald knarsend in een groef is blijven hangen, onmogelijk te stoppen.

Konrad Simonsen zei: '*Road, street, place, avenue, way, drive*, ik zou de weg niet terug kunnen vinden al kreeg ik een maand de tijd.'

'Je vergeet *park, lane, grove, hey, croft* en *close*. Ja, het kan verwarrend zijn.'

'Wanneer is het het een en wanneer het ander?'

'Ik heb geen idee.'

Op Croxteth Lane zei de priester: 'Als het nieuwe pand van Missing Children aan Rydal Avenue klaar is, kunnen we hier nog eens heen gaan. Dan kun je kijken hoe je posters van Lucy hangen. Ik denk dat het heel mooi wordt.'

Dat wilde Konrad Simonsen graag, hij voegde eraan toe: 'Misschien kunnen we dan ook naar een voetbalwedstrijd. Ik moet die sfeer gewoon nog een keer meemaken.'

'Zo is het voor iedereen die een keer op Anfield is geweest, dus ik vind het een prachtig idee.'

Konrad Simonsen veranderde van onderwerp: 'Zeg, weet je wanneer de zon in het noorden van Noorwegen het hoogst aan de hemel staat?'

'Met midzomer, als de helling van de aarde het grootst is. Dat is overal op het noordelijk halfrond hetzelfde.'

Ze spraken over de reis van Konrad Simonsen naar Hammerfest. Net als toen in Valby.

'Wil je voor Lucy bidden als het midzomer is?'

'Jazeker, maar dat kun je toch ook zelf doen?'

'Ik ken geen gebed.'

'Dan verzin je er een. Dat zijn vaak de beste.'

Ze bereikten Knowsley Park en liepen verder over de kronkelige paden tussen de zwarte halfnaakte bomen.

'Je had beloofd voor me te zingen.'

De priester knikte. Toen zong hij met een hoge, vaste tenor:

When you walk through a storm
Hold your head up high
And don't be afraid of the dark
At the end of the storm
Is a golden sky
And the sweet silver song of a lark
Walk on through the wind
Walk on through the rain
Tho' your dreams be tossed and blown
Walk on, walk on
With hope in your heart
And you'll never walk alone
You'll never walk alone

De mensen die hen passeerden, lachten hen toe en de priester herhaalde de laatste regels:

Walk on, walk on
With hope in your heart
And you'll never walk alone
You'll never walk alone

Konrad Simonsen ging meezingen. Hij zong slecht en raakte zelden de juiste toon, maar dat maakte niet uit. Twee waren beter dan een. Samen waren ze een koor.